BLADE RUNNER

Du même auteur
aux Éditions J'ai lu :

Loterie solaire, *J'ai lu* 547
Dr Bloodmoney,*J'ai lu* 563
À rebrousse-temps,*J'ai lu* 613
Sur le territoire de Milton Lumky,*J'ai lu* 9809
Bricoler dans un mouchoir de poche,*J'ai lu* 9873
L'homme dont toutes les dents
étaient exactement semblables,*J'ai lu* 10087
Humpty Dumpty à Oakland,*J'ai lu* 10213
Pacific Park,*J'ai lu* 10298
Le maître du Haut Château,*J'ai lu* 10636
Les chaînes de l'avenir,*J'ai lu* 10481
Le profanateur,*J'ai lu* 10548
Les pantins cosmiques,*J'ai lu* 10567
Les marteaux de Vulcain,*J'ai lu* 10685
Docteur futur,*J'ai lu* 10759
Le bal des schizos,*J'ai lu* 10767
Les joueurs de Titan,*J'ai lu* 10818
Glissement de temps sur Mars,*J'ai lu* 10835

Dans la collection Nouveaux Millénaires

Romans 1953-1959
Romans 1960-1963
Romans 1963-1964
Romans 1965-1969
Le maître du Haut Château
Blade Runner (Les androïdes rêvent-ils
de moutons électriques ?)
Le dieu venu du Centaure
Coulez mes larmes, dit le policier

En semi-poche

Ô nation sans pudeur
Confessions d'un barjo

PHILIP K. DICK

BLADE RUNNER

Les androïdes rêvent-ils de moutons électriques ?

ROMAN

Traduit de l'anglais (États-Unis)
par Sebastien Guillot

Postface d'Étienne Barillier

Collection dirigée par Thibaud Eliroff

Titre original :
DO ANDROIDS DREAM OF ELECTRIC SHEEP ?

Pour Maren Augusta Bergrud
10 août 1923 – 4 juin 1967

« Et je rêve encore qu'il arpente la pelouse
Fantôme dans la brume matutinale
Que traverse mon chant joyeux. »

YEATS

Auckland

UNE TORTUE QUE LE CAPITAINE COOK, LE FAMEUX EXPLORATEUR, AVAIT OFFERTE AU ROI DU TONGA EN 1777 EST MORTE HIER. ELLE AVAIT PRESQUE 200 ANS.

L'ANIMAL, BAPTISÉ TU'IMALILA, A PÉRI SUR LE SOL DU PALAIS ROYAL DE NUKU'ALOFA, CAPITALE DU TONGA.

LA POPULATION DU TONGA LE CONSIDÉRAIT COMME UN CHEF ; DES GARDES SPÉCIAUX AVAIENT POUR TÂCHE DE S'OCCUPER DE LUI. UN FEU DE BUSH L'AVAIT RENDU AVEUGLE IL Y A QUELQUES ANNÉES.

LA RADIO DU TONGA A ANNONCÉ QUE LE CADAVRE DE TU'IMALILA ALLAIT ÊTRE ENVOYÉ AU MUSÉE D'AUCKLAND, EN NOUVELLE-ZÉLANDE.

REUTERS, 1966

1

Ce fut le déclic de l'orgue d'humeur situé près de son lit qui réveilla Rick Deckard. Surpris – ça le surprenait toujours de se retrouver éveillé sans préavis –, il s'extirpa de son lit, se redressa dans son pyjama multicolore et s'étira. Iran, son épouse, ouvrit alors ses tristes yeux gris, battit des paupières, puis les referma dans un grognement.

« Tu règles ton Penfield trop bas, lui dit-il. Je vais changer le réglage, ça va te réveiller et…

— Ne touche pas à mes réglages. » Sa voix recelait une aigreur glaciale. « Je ne *veux pas* être réveillée. »

Il se rassit sur le lit et se pencha sur elle. « Si tu mets l'alarme suffisamment fort, lui expliqua-t-il, tu seras heureuse de te réveiller ; c'est tout l'intérêt de la chose. Sur C, tu atteins d'un *seul* coup la conscience éveillée. Comme moi. » Aimablement, parce qu'il se sentait bien disposé à l'égard du monde – il avait choisi D pour lui-même –, il se mit à tapoter l'épaule pâle de sa femme.

« Ôte tes sales pattes de flic de là, cracha Iran.

— Je ne suis pas un flic. » Il se sentait irrité, à présent, alors qu'il n'avait pas programmé pareil sentiment.

« Non, tu es encore pire, lui dit son épouse, les yeux toujours fermés. Un meurtrier payé par les flics.

— Je n'ai jamais tué un seul être humain de toute ma vie. » Son irritabilité s'était muée en franche hostilité.

« Juste de pauvres andros.

— Je ne crois pas avoir remarqué chez toi la moindre hésitation à dépenser l'argent des primes que je rapporte à la maison pour satisfaire le moindre de tes caprices. » Il se leva, marcha jusqu'à la console de son orgue d'humeur. « Au lieu de faire des économies pour acheter un vrai mouton, histoire de remplacer l'ersatz électrique que nous avons sur le toit. Rien qu'un animal électrique, avec tout ce que j'ai gagné au fil des années... » Il hésita entre un suppresseur thalamique (qui mettrait fin à sa fureur) et un stimulant (qui l'énerverait suffisamment pour remporter la partie).

« Si tu reprends une dose de fiel, fit Iran, qui le fixait désormais, je te préviens que j'en ferai autant. Je vais le mettre au maximum, et toutes les disputes que nous avons eues jusqu'à présent n'auront l'air de rien en comparaison de celle que je vais te servir. Vas-y, essaie un peu pour voir. » Elle se leva d'un bond, se précipita à la console de son orgue d'humeur et resta plantée là, son regard noir fixé sur Rick.

Il poussa un soupir, vaincu par ses menaces. « Je vais juste l'adapter à mon programme du jour. » Un coup d'œil à celui du 3 janvier 1992 lui apprit qu'il avait besoin d'une attitude *professionnelle*. « Si je procède ainsi, fit-il avec méfiance, tu acceptes d'en faire autant ? » Il attendit, suffisamment futé pour ne pas s'engager avant d'avoir l'accord de sa femme.

« Le mien prévoit six heures de dépression auto-accusatrice, dit Iran.

— Quoi ? Pourquoi as-tu programmé une chose pareille ? » Ça allait à l'encontre de l'objet même de l'orgue d'humeur. « Je ne savais même pas qu'on pouvait s'en servir pour ça, fit-il d'un air sombre.

— J'étais assise ici un après-midi, à regarder l'Ami Buster et ses Amis, bien sûr, et il parlait d'une grande nouvelle qu'il allait bientôt annoncer, quand ils ont passé cette horrible publicité, celle que je déteste ; tu sais, pour la coque en plomb Mountibank. Du coup, j'ai coupé le son un instant, et j'ai entendu l'immeuble, *cet* immeuble. J'ai entendu les... » Elle fit un geste.

« Les appartements vides », murmura Rick. Lui aussi les entendait parfois, en pleine nuit, alors qu'il était censé dormir. Et pourtant, pour l'époque, un immeuble en conapt à moitié plein relevait déjà de l'exploit en matière de densité de population ; dans ce qui avait été avant guerre la banlieue, on trouvait des immeubles entièrement vides... à ce qu'il avait entendu dire. Il s'était bien gardé d'aller vérifier par lui-même, préférant se contenter d'une information de seconde main.

« À ce moment-là, poursuivit Iran, j'étais dans une humeur 382 ; je venais de la programmer. Je les savais intellectuellement vides, mais ce n'est pas ce que je ressentais. Ma première réaction a été de remercier Mercer pour l'argent qui nous a permis de nous acheter un Penfield. Et puis j'ai compris combien c'était malsain de *ressentir* l'absence de vie, pas seulement dans cet immeuble, partout, et de rester sans réaction – tu comprends ? Je suppose que non. Mais jadis, on considérait ça comme un signe de maladie mentale – on appelait ça une “absence d'affect approprié”. J'ai donc laissé la télé allumée sans le son, je me suis assise devant mon orgue d'humeur et j'ai fait quelques expériences. Et j'ai fini par trouver un réglage pour le désespoir. » Son sombre visage ferme était empreint de satisfaction, comme si elle avait accompli quelque chose d'important. « Je me le programme deux fois par mois depuis ; ça me semble une durée raisonnable pour se sentir désespéré à propos de tout, à propos du fait d'être restés sur Terre après que tous les gens un tant soit peu intelligents ont émigré, tu ne crois pas ?

— Mais avec une humeur pareille, dit Rick, tu risques de rester dedans, de ne pas programmer de sortie. Un tel désespoir, qui embrasse la réalité, se perpétue de lui-même.

— Je programme un redémarrage automatique trois heures plus tard, lui expliqua doucereusement son épouse. Un 481 – *Conscience des multiples possibilités qui s'ouvrent à moi dans le futur, confiance renouvelée en...*

— Je connais le 481 », l'interrompit Rick. Il l'avait composé suffisamment souvent pour ça ; il en était presque dépendant. « Écoute, dit-il, s'asseyant sur le lit en lui prenant la main pour la forcer à s'approcher, même avec un arrêt automatique, ça reste dangereux de subir une dépression, quelle qu'elle soit. Oublie ton agenda, et j'en ferai de même avec le mien ; on se composera un 104 pour tous les deux et on en fera l'expérience ensemble – tu y resteras ensuite quand je reprogrammerai le mien sur mon attitude professionnelle habituelle. Ça me donnera envie d'aller faire un tour sur le toit pour voir si le mouton va bien, puis d'aller au travail en étant sûr que tu ne resteras pas ici à ruminer devant la télé éteinte. » Il relâcha ses longs doigts fins, puis traversa le vaste appartement en direction du séjour, qui empestait une vague odeur de tabac froid. Là, il se pencha pour allumer la télé.

La voix d'Iran lui parvint depuis la chambre. « Je ne supporte pas la télé avant le petit déjeuner.

— Compose un 888, dit Rick pendant que le récepteur chauffait. *Envie de regarder la télé, peu importe ce qu'elle diffuse.*

— Je ne suis pas d'humeur à programmer quoi que ce soit pour le moment, fit Iran.

— Alors, le 3.

— Je ne vais sûrement pas composer une stimulation corticale qui va me donner envie de composer quelque chose ! Si je ne veux rien programmer, c'est la dernière chose qui me viendrait à l'idée de programmer, parce que ça me donnerait envie de composer quelque chose, et pour l'instant je n'arrive pas à imaginer quoi que ce soit qui me serait plus étranger. Je veux juste rester assise là, sur mon lit, à regarder le plancher. » Sa voix s'était faite coupante, lourde de sous-entendus ; un glacial linceul de tristesse tomba sur ses épaules comme une chape de plomb, plongeant son âme dans une inertie presque absolue.

Il monta le son de la télévision ; la voix de l'Ami Buster éclata aussitôt dans la pièce : « Ah ah, mes amis ! Il est l'heure de vous donner le bulletin météo pour aujourd'hui : le satellite *Mangouste* nous signale qu'il va y avoir de fortes retombées autour de midi, qui iront ensuite en diminuant. Par conséquent, tous ceux qui doivent s'aventurer dehors... »

Iran apparut alors à ses côtés, sa longue chemise de nuit traînant voluptueusement derrière lui, et éteignit le poste. « D'accord, j'abandonne ; je vais composer ce que tu voudras. *Extase sexuelle prolongée* ? Je me sens tellement mal que je pourrais même supporter ça. Merde, je ne vois pas ce que ça change, de toute façon.

— Je vais choisir pour nous deux. » Et de la reconduire dans la chambre. Pour son épouse, il composa un 594 : *acceptation reconnaissante de la sagesse supérieure de son époux en tout domaine.* Et pour lui-même, une attitude pleine d'entrain, créative à l'égard de son travail, quand bien même il n'en avait pas vraiment besoin ; pareil état d'esprit était pour lui inné, instinctif, sans qu'il ait besoin de recourir à la stimulation corticale artificielle du Penfield.

Après un petit déjeuner hâtif – sa dispute avec sa femme lui avait fait perdre du temps –, il s'équipa pour s'aventurer dehors – sans omettre sa coque en plomb Mountibank, modèle Ajax – et gagna le toit couvert de son immeuble, là où « broutait » son mouton électrique.

Là où le tas de ferraille sophistiqué qu'il était mâchait bruyamment de contentement simulé, au grand dam – injustifié – des autres occupants de l'immeuble.

Bien sûr, certains de leurs animaux étaient eux aussi indubitablement des contrefaçons électroniques. Mais il n'était bien sûr jamais allé y mettre le nez, pas plus que ses voisins n'étaient venus voir de près la nature véritable de son mouton. Rien n'aurait pu être plus impoli que de demander à quelqu'un s'il possédait un animal authentique. C'eût été plus grossier encore que de s'informer sur l'authenticité des dents ou des cheveux d'un citoyen – voire de ses organes internes.

L'air matinal, chargé de particules radioactives qui le rendaient grisâtre et masquaient le soleil, lui cracha au nez une odeur de mort qu'il renifla involontairement. *Bon, ça pourrait être pire*, se dit-il en rejoignant le lopin de gazon qu'il avait acquis en même temps que leur appartement excessivement vaste. Le legs de la Dernière Guerre mondiale avait perdu de sa puissance ; ceux qui n'avaient pas résisté à la poussière étaient tombés dans l'oubli bien des années plus tôt, et la poussière, moins radioactive et confrontée à des êtres plus résistants, se bornait désormais à dérégler esprits et patrimoines génétiques. Malgré sa coque en plomb, la poussière s'infiltrait indubitablement en lui, lui apportant chaque jour – tant qu'il ne parviendrait pas à émigrer – sa petite ration de crasse actinifère. Jusqu'à présent, ses check-up mensuels avaient toujours confirmé qu'il faisait encore partie des *normaux* : des gens autorisés à procréer dans la limite des droits que leur conférait la loi. Chaque mois, cependant, les médecins de la police de San Francisco pouvaient découvrir autre chose. De nouveaux *spéciaux* n'arrêtaient pas de venir au monde, engendrés par des normaux à cause de la poussière omniprésente. Ainsi que le proclamaient les affiches, les pubs télé et les imprimés gouvernementaux qui emplissaient sa boîte aux lettres : « Émigrez ou dégénérez ! Le choix vous appartient ! » *Bien sûr*, songea Rick alors même qu'il ouvrait la barrière de son petit pâturage pour s'approcher de son mouton électrique. *Mais moi, je ne peux pas émigrer. À cause de mon travail.*

Le propriétaire du pâturage contigu, son voisin de conapt Bill Barbour, lui adressa un salut ; tout comme Rick, il s'était équipé pour partir au travail, et il avait lui aussi au préalable fait une halte sur le toit pour jeter un œil sur son animal.

« Ma jument est pleine », déclara-t-il avec une fierté évidente. Il indiqua à Rick la grosse percheronne occupée à regarder placidement dans le vide. « Qu'est-ce que vous dites de ça ?

— Que vous n'allez pas tarder à avoir deux chevaux », fit Rick. Il était arrivé près de son mouton ; l'animal ruminait tout en le fixant d'un œil alerte, dans le cas où il lui aurait apporté quelques flocons d'avoine. Le soi-disant mouton comprenait un circuit sensible à l'avoine, qui le poussait à adopter un air de convoitise tout à fait convaincant dès qu'il en apercevait. « Qu'est-ce qui l'a fécondée ? demanda-t-il à Barbour. Le vent ?

— J'ai acheté la meilleure liqueur séminale disponible en Californie, l'informa son voisin. Grâce aux gens que je connais à la commission d'État chargée de l'agriculture. Vous vous rappelez la semaine dernière, quand leur inspecteur est venu examiner Judy ? Ils ont hâte de voir son poulain ; c'est une bête incomparable. » Et de tapoter affectueusement l'encolure de sa jument, qui inclina la tête dans sa direction.

« Vous avez déjà songé à la vendre ? » lui demanda Rick. Si seulement lui-même possédait un cheval – n'importe quel animal, en fait. Posséder un ersatz, s'en occuper comme s'il s'était agi d'un être vivant, avait quelque chose de démoralisant en soi. D'un point de vue social, cependant, la pénurie d'animaux véritables ne lui donnait guère le choix. D'autant moins, quand bien même il s'en serait personnellement moqué, qu'il lui fallait compter avec sa femme – et ça avait de l'importance pour Iran. Énormément.

« Ce serait immoral, fit Barbour.

— Vendez le poulain, alors. Avoir deux animaux l'est encore plus que de ne pas en avoir du tout. »

Ce qui rendit Barbour plus que perplexe. « Comment donc ? Il y a plein de gens qui possèdent deux animaux, voire trois ou quatre – et même cinq dans le cas de Fred Washborne, le propriétaire de l'usine de transformation d'algues dans laquelle travaille mon frère. Vous avez vu cet article sur son canard, dans le *Chronicle* d'hier ? Il est censé être le plus gros canard de Barbarie de la côte ouest. » Ses yeux devinrent vitreux à l'évocation de telles richesses ; il sombrait peu à peu dans une espèce de transe.

Rick farfouilla dans les poches de son manteau pour en sortir son supplément de janvier du *Catalogue Animalier Sidney*, déjà tout froissé d'avoir été maintes fois compulsé. Il regarda dans l'index, y trouva *poulains (cf. cheval, progén.)*, ce qui le conduisit bientôt au prix national actuel. « Je peux acheter un jeune percheron chez *Sidney* pour cinq mille dollars, annonça-t-il à haute voix.

— Ça m'étonnerait fort, répliqua Barbour. Regardez une nouvelle fois la liste : le prix est en italique. Ce qui veut dire qu'ils n'en ont pas le moindre en stock. Ce serait ce qu'il coûterait s'ils en avaient.

— Supposons que je vous donne cinq cents dollars par mois pendant dix mois. Prix catalogue.

— Deckard, fit Barbour avec une trace de pitié dans la voix, vous n'y connaissez rien aux chevaux ; il y a une bonne raison pour que le *Sidney* n'ait aucun poulain percheron en stock. Ils ne changent tout simplement pas de main – même au prix catalogue. Ils sont beaucoup trop rares, même ceux de qualité relativement inférieure. » Il s'accouda à la barrière mitoyenne, tout gesticulant. « Ça fait trois ans que je possède Judy, et jamais depuis lors je n'ai vu un percheron de sa qualité. J'ai dû prendre l'avion jusqu'au Canada pour l'acquérir, et je l'ai moi-même ramenée ici pour m'assurer que personne ne la vole. Emmenez un animal pareil vers le Wyoming ou le Colorado, et on vous liquidera pour s'en emparer. Vous savez pourquoi ? Parce que, avant la guerre, il y avait littéralement des centaines de...

— Mais, l'interrompit Rick, le fait que vous possédiez deux chevaux et moi aucun va à l'encontre de toute la structure théologique et morale du Mercérisme.

— Vous avez votre mouton ; merde, vous pouvez suivre l'Ascension dans votre vie personnelle, et vous vous en approchez raisonnablement quand vous saisissez les deux poignées de la boîte. Si vous n'aviez pas ce vieux mouton, là-bas, je pourrais au moins comprendre votre position. Bien sûr que si je possédais deux animaux et vous aucun, je participerais à vous priver de la vraie fusion avec Mercer. Mais chaque famille de cet immeuble – voyons voir : une cinquantaine, si je compte bien, avec un appartement sur trois d'occupé –, chacune d'elles possède un quelconque animal. Graveson a ce poulet là-bas. » Il fit un geste en direction du nord. « Oakes et sa femme ont ce grand chien roux qui n'arrête pas d'aboyer la nuit. » Il réfléchit. « Et je crois qu'Ed Smith a un chat dans son appartement – c'est ce qu'il prétend, en tout cas, mais personne ne l'a jamais vu. »

Rick marcha droit sur son mouton, se baissa et fourragea dans l'épaisse toison laineuse – la vermine, au moins, était authentique – jusqu'à trouver ce qu'il cherchait : le panneau de contrôle dissimulé du mécanisme. Qu'il ouvrit sous les yeux de Barbour, révélant les entrailles électroniques. « Vous voyez ? Vous comprenez maintenant pourquoi je veux tellement votre poulain ? »

Une pause, puis Barbour reprit la parole : « Mon pauvre vieux. Ça a toujours été le cas ?

— Non, fit Rick en refermant le panneau de son mouton électrique. (Il se redressa, puis se retourna pour faire face à son voisin.) J'avais un vrai mouton, à l'origine. Mon beau-père nous l'avait donné juste avant d'émigrer. Et puis, il y a environ un an... Vous vous souvenez du jour où je l'ai emmené chez le véto ? Vous vous trouviez ici quand je l'ai trouvé allongé sur le flanc, incapable de se relever.

— Vous l'avez remis sur ses pattes, se rappela Barbour en hochant la tête. Ouais, vous avez réussi à le soulever, mais il est retombé au bout d'une minute ou deux de déambulation.

— Les moutons attrapent des maladies bizarres. Ou, pour le dire autrement, ils attrapent toutes sortes de maladies, mais toujours avec les mêmes symptômes : ils n'arrivent plus à se lever, et il n'y a aucun moyen de savoir à quel point c'est grave, si c'est une simple entorse ou le tétanos. C'est de ça que le mien est mort : du tétanos.

— Ici ? Sur le toit ?

— Le foin, expliqua Rick. La seule fois où je n'ai pas retiré tout le fil de fer qui entourait la balle ; j'en ai laissé une partie, et Groucho – c'est comme ça que je l'avais baptisé – s'est égratigné avec, ce qui lui a transmis le tétanos. Il est mort chez le vétérinaire. J'ai bien réfléchi, et j'ai fini par me décider à appeler un de ces magasins qui fabriquent des animaux artificiels. Je leur ai montré une photo de Groucho. Et ils m'ont construit ça. » D'un geste, il indiqua l'ersatz au repos qui continuait de ruminer méticuleusement, les yeux toujours en quête du moindre signe d'avoine. « C'est du boulot de première qualité. Et je lui ai consacré autant de temps et d'attention qu'à celui qu'il a remplacé. Mais... » Il haussa les épaules.

« Ce n'est pas la même chose.

— Presque. On ressent la même chose à s'en occuper ; il faut garder un œil dessus exactement comme je le faisais quand il était encore vivant. Lorsqu'ils tombent en panne, il faut éviter que tout le monde dans l'immeuble le sache. J'ai dû l'emmener à six reprises à l'atelier de réparation, la plupart du temps pour des bricoles, mais si quiconque venait à s'en apercevoir... Une fois, par exemple, la bande vocale s'est rompue – ou elle s'est emmêlée, je n'en sais trop rien – et il n'arrêtait pas de bêler. Ça n'aurait pas été difficile de reconnaître une panne mécanique. » Il observa une pause. « Bien sûr, il est marqué “clinique vétérinaire quelque chose” sur la camionnette du réparateur, et son conducteur est toujours vêtu de blanc, comme un vrai véto... » Il jeta brusquement un coup d'œil à sa montre ; l'heure tournait. « Il faut que j'aille travailler. À ce soir. »

Alors qu'il se mettait en route vers sa voiture, Barbour se hâta de lui lancer : « Euh... Je n'en parlerai à personne dans l'immeuble. »

Rick s'immobilisa, prêt à le remercier. Mais un relent du désespoir qu'Iran avait évoqué vint alors lui tapoter l'épaule. « Je ne sais pas. Ça ne fait peut-être aucune différence.

— Mais ils vont vous regarder de haut. Sans doute pas tous, mais au moins certains d'entre eux. Vous savez ce que pensent les gens de ceux qui ne prennent pas soin d'un animal ; ils considèrent ça comme immoral, anti-empathique. Je veux dire, techniquement ce n'est plus un crime, comme ça l'était juste après la guerre, mais le sentiment est resté.

— Mon Dieu, lâcha Rick les mains ouvertes en signe d'impuissance, j'ai tellement *envie* d'avoir un animal. Je n'arrête pas d'essayer d'en acheter un, mais avec ce que gagne un employé de la municipalité... » *Si je pouvais avoir un nouveau coup de chance dans mon boulot. Comme il y a deux ans, quand j'ai réussi à épingler quatre andros en un mois. Si à ce moment-là j'avais su que Groucho allait mourir... Mais c'était avant le tétanos. Avant ces quelques centimètres de ferraille pointue comme une aiguille hypodermique...*

« Vous pourriez acheter un chat, suggéra Barbour. Ça ne coûte pas cher, vérifiez dans votre *Sidney.*

— Je ne veux pas d'animal domestique, fit posément Rick. Je veux ce que j'avais à l'origine, un gros animal. Un mouton, ou si je peux trouver l'argent, une vache, un taureau ou la même chose que vous : un cheval. » *La prime pour le retrait de cinq andros ferait l'affaire*, se rendit-il alors compte. *Mille dollars par tête, en plus de mon salaire. Je n'aurais plus ensuite qu'à trouver quelqu'un disposé à me vendre ce que je veux. Même si le prix figure en italique dans le* Sidney. *Cinq mille dollars – mais il faudrait d'abord que cinq androïdes se décident à arriver sur Terre depuis l'une des colonies ; et ça, ça ne dépend pas de moi. Et quand bien même je pourrais les faire venir, il y a d'autres chasseurs de primes, d'autres services de police à travers le monde. Les andros devraient en plus s'installer en Californie du Nord, et le chasseur de primes principal de la zone, Dave Holden, mourir ou prendre sa retraite.*

« Achetez un grillon, plaisanta Barbour. Ou alors une souris. Eh, pour vingt-cinq billets vous pouvez vous payer une souris adulte !

— Votre jument n'est pas à l'abri de mourir comme Groucho, sans crier gare. En rentrant du boulot ce soir, vous pourriez la retrouver sur le dos, les pattes en l'air, comme un insecte. Ou comme un *grillon.* » Et de s'éloigner, les clés de son aéromobile en main.

« Je ne voulais pas vous offenser, lui lança nerveusement Barbour. Toutes mes excuses. »

En silence, Rick Deckard tira la portière de son véhicule. Il n'avait rien de plus à dire à son voisin : son esprit était tourné vers son travail, vers la journée qui l'attendait.

2

À l'intérieur d'un gigantesque immeuble vide et délabré, qui jadis avait accueilli des milliers de résidents, un récepteur de télévision débitait son boniment dans une pièce déserte.

Avant la Dernière Guerre mondiale, cette ruine à présent sans propriétaire avait été parfaitement entretenue. Elle se trouvait dans ce qui avait jadis été la banlieue de San Francisco, à deux pas du centre par monorail express ; la péninsule tout entière bruissait alors de vie comme un arbre couvert d'oiseaux, mélange d'opinions, de plaintes, de joies. Mais désormais ses propriétaires attentifs avaient soit péri, soit émigré sur un monde colonial – *péri*, pour la plupart. La guerre avait été coûteuse en dépit des vaillantes prédictions du Pentagone et de son arrogant vassal scientifique, la *Rand Corporation*, qui d'ailleurs avait à l'époque ses locaux non loin d'ici. À l'instar des propriétaires des appartements, elle aussi était partie pour de bon. Et personne ne la regrettait.

De plus, plus personne à présent ne se rappelait pourquoi la guerre avait éclaté, ni même qui l'avait gagnée – pour peu qu'il y ait eu un gagnant. La poussière radioactive qui avait contaminé l'essentiel de la planète ne provenait d'aucun pays en particulier, et personne, pas même l'ennemi, ne l'avait prévue. Ç'avait été les chouettes qui, étonnamment, s'étaient mises à mourir en premier. À l'époque les gens avaient presque trouvé ça amusant, ces gros oiseaux blancs duveteux qui gisaient ici et là dans les rues et les jardins ; comme elles ne sortaient jamais avant le crépuscule, elles étaient passées plutôt inaperçues jusque-là. Les pestes médiévales s'étaient manifestées de la même manière, sous la forme d'innombrables rats morts. Cette peste-ci, cependant, était descendue du ciel.

Après les chouettes, bien sûr, ç'avait été le tour des autres oiseaux, mais entre-temps le mystère avait été résolu. Un timide programme de colonisation avait été mis en œuvre avant guerre mais, maintenant que le soleil avait cessé de briller sur Terre, ladite colonisation était entrée dans une phase entièrement nouvelle. Dans cette optique, une arme de la guerre, le Combattant Synthétique de la Liberté, avait été modifiée ; capable de fonctionner sur un monde étranger, ce robot humanoïde – à proprement parler, il s'agissait d'un androïde organique – était devenu la machine-outil sur laquelle reposait l'ensemble du programme de colonisation. Les lois internationales conféraient à chaque nouvel émigrant le droit de recevoir un androïde du modèle de son choix ; les années 1980 en avaient vu fleurir une variété qui dépassait l'imagination, à la manière des automobiles dans les années 1960 aux États-Unis.

Cela avait fini de convaincre les colons – l'androïde servant de carotte, les retombées radioactives de bâton. L'O.N.U. avait rendu l'émigration facile, et difficile sinon impossible le fait de rester. Sur Terre, on risquait de se retrouver un jour brutalement classifié comme biologiquement inacceptable, une menace pour la préservation héréditaire de l'espèce. Une fois catalogué comme un *spécial,* et même s'il acceptait la stérilisation, un citoyen disparaissait littéralement de l'Histoire. Dans les faits il cessait d'appartenir à la race humaine. Et pourtant, ici et là, il y en avait encore pour refuser d'émigrer ; ce qui, même pour les individus concernés, représentait quelque chose de fondamentalement irrationnel. En toute logique, la moindre personne normale aurait déjà dû émigrer. Peut-être la Terre demeurait-elle un endroit familier à leurs yeux, en dépit de ses cicatrices. À moins que les réfractaires ne s'imaginent que le linceul de poussière recouvrant ce monde auquel ils s'accrochaient allait finir par se lever. Quoi qu'il en soit, des milliers d'individus étaient restés là, pour la plupart regroupés dans des zones urbaines où le contact physique avec autrui leur redonnait un peu de cœur au ventre. Ceux-là semblaient encore relativement sains d'esprit. En plus d'eux, cependant, quelques personnalités singulières demeuraient dans les banlieues pratiquement abandonnées.

John Isidore, qui se rasait dans sa salle de bains sous les vociférations de la télé installée dans son séjour, était l'un d'entre eux.

Il avait simplement vagabondé jusque-là dans les premiers jours de l'après-guerre. En ces temps funestes, personne ne savait vraiment ce qu'il faisait. Déracinés par la guerre, les gens erraient de-ci de-là, campant temporairement dans une région puis dans une nouvelle. Les retombées, à l'époque, étaient sporadiques, hautement variables d'une zone à l'autre ; certains États n'en avaient pratiquement reçu aucune, tandis que d'autres en étaient saturés. Les populations déplacées allaient et venaient au gré de la poussière. La péninsule sud de San Francisco avait dans un premier temps été épargnée, et un grand nombre de gens étaient venus s'y installer ; quand la poussière était arrivée, ceux qui n'avaient pas succombé étaient partis. Pas J.R. Isidore.

La télé hurlait littéralement : « ... reproduit les jours heureux de l'existence sudiste avant la guerre de Sécession ! Valet de pied, ouvrier agricole infatigable, il y a un robot humanoïde traditionnel conçu spécialement POUR VOUS, POUR RÉPONDRE À *VOS* BESOINS qui vous attend à votre arrivée, totalement gratuit, entièrement équipé selon les spécifications que vous avez vous-même choisies avant votre départ de la Terre ; ce loyal serviteur, ce compagnon facile vous accompagnera dans la plus grande, la plus audacieuse aventure que l'humanité ait vécue dans l'histoire moder... » Et ça n'arrêtait jamais.

Il ne faudrait pas que je sois en retard au travail, se dit Isidore en s'éraflant. Comme il ne possédait pas de pendule en état de marche, il s'en remettait généralement à la télé pour lui indiquer l'heure, mais ce jour était manifestement consacré à la célébration du « Nouvel Horizon Interspatial ». En tout cas, le poste ne cessait de répéter qu'il s'agissait du cinquième (sixième ?) anniversaire de la fondation de la Nouvelle-Amérique, la principale colonie étasunienne sur Mars. Et comme son récepteur à moitié déglingué ne lui permettait que de capter la chaîne ayant été nationalisée pendant la guerre, Isidore n'avait guère le choix ; le gouvernement de Washington, avec son programme de colonisation, restait l'unique programme qu'il pouvait regarder.

« Écoutons ce que Mme Klugman a à nous dire, lui suggéra le présentateur – alors qu'Isidore voulait seulement connaître l'heure. Récemment installée sur Mars, Mme Klugman est en direct avec nous depuis New New York :

"Madame Klugman, comment compareriez-vous la vie que vous meniez sur Terre, un monde contaminé, avec votre nouvelle existence ici, sur une planète riche d'innombrables opportunités ?" »

Un silence, puis une voix froide, fatiguée, de femme entre deux âges répondit :

« "Je crois que ce qui nous a le plus frappés, ma famille et moi, c'est la dignité.

— La dignité, madame Klugman ? répéta le présentateur.

— Oui, fit Mme Klugman, à présent new-new-yorkaise. La dignité. Ce n'est pas une chose facile à expliquer. Le fait d'avoir des domestiques sur lesquels compter en ces temps troublés... Je trouve ça rassurant.

— Quand vous vous trouviez encore sur Terre, madame Klugman, l'idée de vous retrouver classifiée comme, hum, une spéciale, vous inquiétait-elle ?

— Oh, mon époux et moi-même, on se faisait un sang d'encre. Bien sûr, toutes nos peurs se sont évanouies dès qu'on a émigré – et pour toujours, bien heureusement." »

Et moi donc, songea John Isidore avec aigreur. *Les miennes aussi se sont évanouies, et je n'ai pas eu besoin d'émigrer pour ça.* C'était un spécial depuis plus d'un an désormais, et pas simplement à cause des gènes altérés qu'il portait dans ses cellules. Pire encore, il avait échoué au test d'aptitude mentale minimale, ce qui faisait de lui dans le langage populaire une tête de piaf. Il devait composer avec le mépris de trois planètes, ce qui ne l'empêchait pas de survivre pour autant. Il avait un boulot, chauffeur-livreur pour une boîte de réparation d'animaux artificiels – la clinique vétérinaire Van Ness. Et son patron, le sombre et gothique Hannibal Sloat, l'acceptait comme un être humain, chose qu'il appréciait à sa juste valeur. *Mors certa, vita incerta,* comme aimait à le déclarer M. Sloat. Isidore, qui l'avait entendu bien des fois prononcer cette expression, n'avait qu'une vague idée de ce qu'elle signifiait. Après tout, si une tête de piaf pouvait comprendre le latin, elle cesserait d'être une tête de piaf. Quand il l'avait fait remarquer à M. Sloat, celui-ci en avait volontiers convenu. Sans compter qu'il existait des têtes de piaf infiniment plus stupides que lui, absolument incapables d'accomplir la moindre tâche, et qui demeuraient dans des institutions pudiquement baptisées « Instituts Américains pour Talents Spéciaux » – le terme *spécial* devant bien apparaître d'une manière ou d'une autre, comme toujours.

« "... votre mari ne se sentait pas protégé, disait le présentateur, par le fait de porter continuellement une coûteuse et incommode coque antiradiation en plomb, madame Klugman ?

— Mon mari..." » reprit Mme Klugman, mais ayant alors fini de se raser, Isidore traversa à grands pas le séjour pour éteindre la télé.

Le silence. Il suintait littéralement des murs et des boiseries, envahissant Isidore avec une irrésistible puissance, comme générée par une meule gigantesque. Le silence s'élevait du sol à travers la vieille moquette grise en lambeaux. Il s'échappait des appareils plus ou moins en état de marche qui équipaient la cuisine, des machines qui n'avaient jamais fonctionné depuis qu'Isidore vivait ici. Sortait de la lampe sur pied inutile du séjour, formait depuis le plafond constellé de chiures de mouche tout un réseau presque liquide de non-bruits, d'absences, qui s'étalait ensuite sur les murs. En fait, il parvenait à surgir du moindre objet qui se trouvait dans le champ de vision d'Isidore, escomptant bien supplanter toute chose tangible. Aussi n'assaillait-il pas seulement les oreilles du spécial, mais aussi les yeux. Debout devant son récepteur de télé inerte, le pauvre hère avait l'impression que le silence était devenu visible, et à sa manière vivant. Vivant ! Ce n'était pas la première fois, loin de là, qu'il ressentait son austère approche ; quand il arrivait, le silence entrait en trombe sans la moindre subtilité, manifestement incapable d'attendre. Le silence du monde ne pouvait retenir son appétit. Plus maintenant. Pas alors qu'il avait pratiquement gagné.

Isidore se demandait si tous ceux qui étaient restés sur Terre ressentaient eux aussi ce vide de cette manière. S'agissait-il d'une particularité de son identité biologique *particulière*, une lubie engendrée par ses sens médiocres ? *Une question intéressante*, songea Isidore. Mais avec qui aurait-il pu comparer ses observations ? Il vivait seul dans cet immeuble en ruine, composé d'un millier d'appartements inoccupés aux fenêtres aveugles, et qui, à l'instar de ses semblables, s'abandonnait jour après jour à l'entropie. Au bout du compte, tout ce que contenait l'immeuble finirait par fusionner, en un mélange anonyme, indistinct, qui s'empilerait du plancher au plafond de chaque appartement. Et après ça, ce serait au tour de l'immeuble lui-même de perdre peu à peu sa forme, de s'enfoncer dans l'ubiquité de la poussière. Entre-temps, bien sûr, Isidore aurait péri – encore un autre événement intéressant auquel songer dans ce séjour sinistré, face à l'immensité pénétrante, magistrale, d'un silence à l'échelle du monde.

Mieux valait sans doute rallumer la télé. Mais les pubs, destinées aux derniers *normaux*, avaient tendance à l'effrayer. Par leur procession même, indénombrable, elles l'informaient que J.R. Isidore, un spécial, appartenait à la catégorie des indésirables. Qu'il n'avait aucune utilité, que même s'il l'avait voulu il n'aurait pu émigrer. *À quoi bon écouter ça, alors ?* se demanda-t-il avec irritation. *Qu'ils aillent se faire foutre, eux et leur colonisation. Je leur souhaite une bonne guerre là-haut* – c'était théoriquement possible, après tout –, *de finir comme sur Terre. Je leur souhaite de tous devenir des spéciaux.*

Bon, au boulot. Il posa la main sur le bouton de la porte, qui s'ouvrit sur le hall ténébreux. Le simple fait d'apercevoir le vide qui avait envahi le reste de l'immeuble fit reculer le spécial. Elle se tenait là, tapie dans l'ombre à l'attendre, la force qu'il avait sentie pénétrer son appartement. *Mon Dieu,* se dit-il avant de refermer la porte. Il n'était pas prêt à affronter le bruit métallique des marches qui menaient au toit désert, sans le moindre animal. *Il est temps de saisir les poignées.* Et de traverser le séjour jusqu'à la noire boîte à empathie.

L'odeur familière d'ions négatifs s'échappa de l'alimentation électrique lorsqu'il la mit en marche ; il la respira à pleins poumons, déjà regonflé. Puis le tube cathodique se mit à scintiller, telle une pauvre imitation de télévision ; un collage se forma, constitué de couleurs apparemment aléatoires, de traits, de configurations qui, tant qu'on n'avait pas saisi les poignées, ne rimaient à rien. Isidore prit donc une profonde inspiration pour se calmer, puis posa ses mains sur les poignées jumelles.

L'image se figea ; d'un coup, il se retrouva devant un paysage célèbre, l'antique montée de terre brune aride, sur laquelle poussaient à l'oblique, semblables à des touffes d'ossements blanchis, des herbes sèches sous un ciel morne et sans soleil. Une unique silhouette, de forme plus ou moins humaine, était en train de gravir le flanc de colline à grand-peine : un vieillard vêtu d'une terne tunique informe, aussi fine que si on l'avait extraite du vide hostile du ciel. Cet homme, Wilbur Mercer, avançait d'un pas lourd et, ses mains sur les poignées, John Isidore ressentait peu à peu la disparition du séjour dans lequel il se tenait ; les murs lépreux, le mobilier délabré, tout cela s'effaça complètement de sa conscience. Et il se retrouva une fois encore à pénétrer dans le morne paysage en pente, sous un ciel tout aussi morne, en même temps qu'il cessait d'assister de l'extérieur à l'ascension du vieil homme. C'étaient ses propres pieds qui raclaient à présent le sol poussiéreux, en quête d'un appui parmi les pierres branlantes ; il ressentait la même rugosité douloureuse des aspérités irrégulières sous ses pieds. Une fois encore, ses narines s'emplirent d'une brume âcre qui voilait le ciel – non pas le ciel terrestre, mais celui de quelque endroit étranger, lointain, et pourtant rendu accessible par la boîte à empathie.

Il avait accompli cette traversée de la même manière singulière que d'habitude ; la fusion physique avec Wilbur Mercer – accompagnée d'une identification mentale, spirituelle – s'était reproduite. Comme elle l'avait fait pour tous ceux qui, en ce moment même, sur Terre comme sur les planètes colonisées, tenaient les poignées de leur boîte à empathie. Il les ressentait, tous ces frères humains, incorporait en son for intérieur le babillage de leurs pensées, entendait dans son cerveau la rumeur de leurs multiples existences individuelles. Tous partageaient, y compris lui, un seul et unique désir : la fusion de leurs esprits les orientait vers la colline, l'ascension, le besoin de gravir. Celui-ci grandissait peu à peu, si doucement que c'en était imperceptible. Mais c'était bien là. *Plus haut*, songeait-il comme les pierres roulaient sous ses pieds. *Aujourd'hui nous sommes plus hauts qu'hier, et demain...* Il – le personnage composite de Wilbur Mercer – leva les yeux pour voir ce qui lui restait à gravir. Impossible d'apercevoir le sommet. Trop loin. Mais le jour viendrait.

Une pierre vint alors le frapper au bras. Il ressentit la douleur. Il se tourna à moitié au moment même où un second projectile le frôlait pour aller s'écraser sur le sol dans un bruit saisissant. *Qui a fait ça ?* Il regardait autour de lui, en quête de son persécuteur. Ses vieux adversaires, qui se manifestaient toujours à la périphérie de sa vision ; ils l'avaient suivi depuis le début de son ascension, et ne disparaîtraient pas avant le sommet...

Il se rappelait ledit sommet, le soudain nivellement de la colline, quand l'ascension cessait et que la seconde phase commençait. Combien de fois l'avait-il fait ? Passé et futur se brouillaient, ce qu'il avait déjà expérimenté et ce qu'il finirait par vivre se mêlaient de telle sorte que plus rien ne restait que l'instant présent, ce moment de repos immobile durant lequel il frictionnait la coupure que la pierre avait faite à son bras. *Mon Dieu*, songea-t-il avec lassitude, *en quoi tout ceci est-il juste ? Pourquoi me retrouvé-je seul ici, persécuté par quelque chose que je ne peux même pas voir ?* Et alors, au fin fond de lui-même, le babillage de tous ceux qui participaient à la fusion vint rompre son illusion de solitude.

Vous l'avez senti vous aussi, songea-t-il.

Oui, répondirent les voix. *On a été touchées au bras gauche ; ça fait un mal de chien.*

Bon, dit-il, *on ferait mieux de se remettre en route.* Et de reprendre sa marche, aussitôt suivi par le reste du groupe.

Jadis, se souvenait-il, ç'avait été différent. Sa vie d'avant avait été plus heureuse, avant la venue de la malédiction. Ses parents adoptifs, Frank et Cora Mercer, l'avaient trouvé flottant dans un canot de secours gonflable, au large des côtes de la Nouvelle-Angleterre... ou bien avait-ce été au Mexique, à proximité du port de Tampico ? Il ne se souvenait plus des circonstances, à présent. Il avait eu une belle enfance, parmi les animaux – il aimait la vie sous toutes ses formes, et, pour un temps, avait même été capable de les ressusciter. Il vivait au milieu des lapins et des insectes, sur Terre ou sur l'un des mondes colonisés ; où ça précisément, il l'avait également oublié. Mais il se rappelait les tueurs. Parce qu'ils l'avaient arrêté sous prétexte qu'il était un monstre, plus spécial que n'importe quel autre spécial. Et cela avait tout changé.

Les lois locales prohibaient la faculté d'inverser le cours du temps par laquelle on faisait revenir les morts à la vie. On le lui avait bien fait comprendre dans sa seizième année. Il avait continué un an de le faire en secret, dans ce qui restait alors des forêts, mais une vieille femme qui lui était totalement inconnue avait fini par le dénoncer. Sans même le consentement de ses parents, les tueurs avaient bombardé l'unique nodule qui s'était formé dans son cerveau avec du cobalt radioactif, ce qui avait précipité le garçon dans un monde totalement différent, un monde dont il n'avait jamais soupçonné l'existence. C'était un puits où s'entassaient les cadavres et les ossements, qui l'avait retenu prisonnier des années durant. L'âne, et surtout le crapaud, les créatures les plus importantes à ses yeux, avaient disparu, leurs deux espèces s'étaient éteintes ; n'en restait que des fragments putréfiés, un crâne sans yeux par-ci, un morceau de patte par-là. Au bout du compte, un oiseau venu là pour y mourir lui avait dit où il se trouvait. Il avait sombré dans le monde du tombeau, et ne pourrait en sortir avant que les ossements répandus autour de lui ne redeviennent des créatures vivantes ; il s'était retrouvé mêlé au métabolisme d'autres existences, et ne pourrait s'élever tant qu'elles-mêmes ne se relèveraient pas.

Il ignorait combien de temps cette phase du cycle avait duré ; comme rien ne s'était produit, elle demeurait incommensurable. Mais pour finir les os avaient retrouvé leurs chairs ; les orbites vides s'étaient remplies, des yeux neufs avaient pu voir, alors même que les becs et les gueules restaurés commençaient à caqueter, à aboyer, à miauler. C'était peut-être lui qui avait accompli cela ; peut-être les nodosités extra-sensorielles de son cerveau avaient-elles fini par repousser. Et peut-être qu'il n'y était pour rien ; il avait très bien pu s'agir d'un processus naturel. Quoi qu'il en fût, il avait cessé de s'enfoncer ; il avait entamé son ascension, en compagnie des autres. Ça faisait longtemps qu'il les avait perdus de vue, et il avait fini par se retrouver à marcher seul. Mais ils étaient avec lui. Ils n'avaient pas renoncé à l'accompagner ; à son grand étonnement, il les sentait à l'intérieur de son corps.

Isidore se tenait là, accroché à ses deux poignées, à expérimenter la sensation d'embrasser la totalité du monde vivant ; ce fut à regret qu'il lâcha prise. Il fallait que ça prenne fin, comme toujours, quand bien même son bras ensanglanté lui faisait mal, là où la pierre avait frappé.

Il examina son bras après avoir relâché les poignées, puis se rendit tant bien que mal dans la salle de bains pour nettoyer la plaie. Ce n'était pas la première blessure qu'il recevait lors d'une fusion avec Mercer, et ce ne serait sans doute pas la dernière. Des gens – des gens âgés, pour la plupart – en étaient morts, essentiellement plus tard, au sommet de la colline étrangère, quand les tourments commençaient pour de bon. *Je me demande si je serai capable d'endurer encore une fois cette phase-là*, se dit-il tout en tamponnant sa blessure. *Avec les risques d'arrêt cardiaque, mieux vaudrait que j'habite en ville, dans un de ces immeubles qui ont un médecin prêt à intervenir avec un stimulateur électrique. Tout seul ici, c'est vraiment de l'inconscience.*

Mais il se savait prêt à courir le risque. Comme il l'avait toujours fait. À l'instar de la plupart des gens, même les personnes âgées physiquement fragiles.

Il se servit d'un Kleenex pour essuyer son bras blessé.

Et entendit alors, étouffé et lointain, le son d'une télévision.

Il y a quelqu'un d'autre dans l'immeuble, songea-t-il, incapable d'en croire ses oreilles. *Ce n'est pas ma télé ; ça vient de plus loin. Et je sens le sol résonner. C'est en dessous, à un autre étage !*

Je ne suis donc plus tout seul ici, comprit-il soudain. *Un autre résident a emménagé dans un des appartements abandonnés, et assez près de moi pour que je l'entende. Ça doit être au deuxième ou au troisième étage, sûrement pas plus bas. Voyons voir*, se dit-il aussitôt. *Qu'est-ce qu'on est censé faire à l'arrivée d'un nouveau résident ? Passer le voir pour lui emprunter quelque chose ? C'est ce qui se fait ?* Il ne pouvait s'en souvenir : jamais encore ça ne lui était arrivé, ici ou autre part. Les gens déménageaient, les gens émigraient, mais personne n'emménageait jamais. *Non, on lui apporte quelque chose*, décida-t-il. *Un verre d'eau, ou plutôt du lait ; oui, du lait ou de la farine, ou peut-être un œuf – enfin, les ersatz qui en tiennent lieu.*

Il jeta un œil dans son réfrigérateur – le compresseur avait rendu l'âme depuis bien longtemps – pour n'y trouver qu'un cube de margarine douteux. Le cœur battant, il se mit néanmoins en route pour l'étage en dessous avec son petit trésor. *Il faut que je reste calme. Que je lui dissimule ma condition de tête de piaf. S'il le découvre, il ne voudra même pas m'adresser la parole ; c'est toujours comme ça que ça finit. Je me demande bien pourquoi.*

Il se précipita dans le hall.

3

Sur le chemin du travail, Rick Deckard, comme Dieu savait combien d'autres gens, s'arrêta brièvement devant la vitrine de l'une des plus grandes boutiques animalières de San Francisco. Au centre de la vitrine d'exposition sans fin, dans une cage de plastique transparent chauffée, une autruche lui retournait son regard. L'oiseau, s'il fallait en croire la pancarte attachée à sa cage, venait d'arriver d'un zoo de Cleveland. C'était le seul spécimen de toute la côte ouest. Après l'avoir longuement fixée, Rick passa encore quelques minutes à froncer les sourcils devant son prix. Puis, constatant qu'il avait déjà un quart d'heure de retard, il poursuivit sa route en direction du palais de justice de Lombard Street.

Au moment même où il ouvrait la porte de son bureau, son supérieur, le commissaire Hardy Bryant – un rouquin aux oreilles décollées, mal habillé, mais avec des yeux perçants qui ne laissaient pratiquement rien échapper – se planta devant lui. « Réunion à neuf heures trente dans le bureau de Dave Holden. » Tout en parlant, il lisait en diagonale une écritoire à pince de feuilles de papier carbone. « Holden, poursuivit-il en reprenant son chemin, se trouve à l'hôpital Mount Zion. Il a reçu une décharge de laser dans la colonne vertébrale. Il va y rester au moins pendant un mois. Le temps qu'ils mettent la main sur une de ces nouvelles prothèses vertébrales en plastique pour la lui implanter.

— Que s'est-il passé ? » s'enquit Rick, soudain glacé. Le chasseur de primes en chef du service allait encore parfaitement bien la veille ; une journée qu'il avait conclue, comme à son habitude, en filant dans son aéromobile vers son appartement situé dans le prestigieux quartier de Nob Hill.

Après avoir marmonné par-dessus son épaule quelque chose à propos de la réunion de neuf heures trente dans le bureau de Holden, Bryant s'en fut, le laissant seul.

Alors qu'il entrait dans son propre bureau, Rick entendit dans son dos la voix de sa secrétaire, Ann Marsten : « Monsieur Deckard, vous savez ce qui est arrivé à M. Holden ? Il s'est fait tirer dessus. » Elle le suivit dans la petite pièce confinée et mit en marche l'unité de filtration de l'air.

« Ouais, fit-il distraitement.

— Sans doute par un de ces nouveaux andros superintelligents produits par la fondation Rosen. Vous avez jeté un œil à leur prospectus et aux fiches de spécification ? L'unité cervicale Nexus-6 qu'ils utilisent à présent est capable de faire un choix parmi un champ de deux billions de constituants, ou dix millions de trajectoires neurales distinctes. » Elle baissa la voix. « Vous avez manqué l'appel vidéo de ce matin. Mlle Wild m'a dit qu'il était passé par le standard à neuf heures précises.

— Un appel de l'extérieur ? s'enquit Rick.

— Non, c'est M. Bryant qui a appelé l'O.M.P. en Russie. Pour leur demander s'ils voulaient déposer une plainte officielle à l'encontre du représentant oriental de la fondation Rosen.

— Harry veut toujours faire retirer les unités cérébrales Nexus-6 du marché ? » Ça ne le surprenait guère.

Depuis la publication de ses spécifications et courbes de performance, en août 1991, la plupart des services de police chargés des androïdes en fuite avaient émis des protestations. « La police soviétique est aussi impuissante que nous en la matière. » Légalement, les fabricants du Nexus-6 dépendaient de la loi coloniale, leur usine mère se trouvant sur Mars. « Nous ferions aussi bien de nous résigner à l'existence de cette nouvelle unité. Ça s'est toujours passé ainsi, à chaque apparition d'une nouvelle unité cérébrale. Je me rappelle les hurlements qu'on a poussés quand les gens de Sudermann ont dévoilé leur vieux T-14, en 1989. La moindre agence de l'hémisphère ouest s'est mise à vociférer qu'aucun test ne détecterait leur présence en cas d'entrée clandestine sur Terre. Et pour tout dire, ils ont eu raison pour un temps. » S'il se rappelait bien, plus de cinquante androïdes T-14 étaient parvenus d'une manière ou d'un autre à s'introduire sur Terre, et certains d'entre eux avaient tenu une année entière avant qu'on les repère. Mais alors l'Institut Pavlov, en Union soviétique, avait conçu le test d'empathie Voigt, et aucun androïde T-14 – pour ce qu'on en savait, tout du moins – n'avait jamais réussi à le passer avec succès.

« Vous voulez savoir ce que la police russe a dit ? lui demanda Mlle Marsten. Je suis au parfum. » Son visage couvert de taches de rousseur rayonnait littéralement.

« Je le découvrirai de la bouche d'Harry Bryant. » Rick se sentait irascible. Les commérages de bureau l'agaçaient – ils se révélaient toujours plus beaux que la réalité. Une fois installé à son bureau, il entreprit de fouiller ostensiblement dans son tiroir jusqu'à ce que Mlle Marsten saisisse le message ; elle quitta aussitôt la pièce.

Après avoir sorti du tiroir une antique enveloppe kraft toute froissée, il se laissa aller en arrière dans son fauteuil pour en fouiller le contenu jusqu'à ce qu'il tombe enfin sur ce qu'il cherchait : l'intégralité des données existantes sur le Nexus-6.

Quelques lignes suffirent à corroborer les dires de Mlle Marsten ; le Nexus-6 avait bel et bien deux billions de constituants, ainsi qu'un choix potentiel entre dix millions de combinaisons d'activité cérébrale. En une fraction de seconde, un androïde ainsi équipé pouvait adopter n'importe laquelle des quatorze réactions de base à sa disposition. Aucun test d'intelligence ne parviendrait à prendre un tel andro au piège. Mais ça faisait des années que les tests d'intelligence n'avaient pas réussi à coincer le moindre andro – pas depuis les modèles rudimentaires du début des années 1970.

En termes d'intelligence, songea-t-il, les Nexus-6 surpassaient plusieurs catégories de spéciaux humains. Autrement dit, d'un point de vue pragmatique, plein de bon sens, les androïdes équipés de cette nouvelle unité cérébrale avaient évolué jusqu'à constituer un segment majeur – mais inférieur – de l'humanité. Pour le meilleur et pour le pire. À certains égards, le serviteur avait désormais surpassé son maître. Mais de nouveaux tests de niveau, à l'instar de l'Échelle d'Empathie Voigt-Kampff, avaient fait leur apparition pour imposer de nouveaux critères à même de faire la distinction. L'androïde le mieux doté en termes de pures capacités intellectuelles restait incapable d'extraire la moindre signification de la fusion qu'expérimentaient couramment les adeptes du Mercérisme – ce à quoi lui-même, comme pratiquement tous ses congénères (y compris les têtes de piaf attardées), parvenait sans difficulté.

Comme la plupart des gens, il lui était arrivé de se demander pourquoi un androïde se retrouvait sans défense face à un test de mesure de l'empathie. Celle-ci, à l'évidence, n'existait qu'à l'intérieur de la communauté humaine, alors que l'intelligence pouvait se retrouver – à des degrés divers – dans le moindre embranchement de l'évolution, jusque chez les arachnides. D'abord, la faculté empathique requérait probablement un instinct grégaire intact ; un organisme solitaire, comme celui de l'araignée, n'en aurait eu aucun besoin ; en fait, l'empathie aurait même eu tendance à diminuer les chances de survie d'une araignée. Ça l'aurait rendue consciente du désir de vivre de sa proie. Tous les prédateurs, y compris les mammifères les plus évolués comme les félins, mourraient de faim ainsi pourvus d'une telle faculté.

L'empathie, avait-il un jour décidé, devait être réservée aux herbivores, ainsi qu'aux omnivores capables de se départir d'un régime carné. Parce que, en fin de compte, le don d'empathie brouillait les frontières entre chasseur et chassé, entre vainqueur et vaincu. Comme dans la fusion avec Mercer – tout le monde s'élevait en même temps ou, quand le cycle touchait à sa fin, chutait ensemble dans le puits sans fond du monde du tombeau. Ça ressemblait à une espèce d'assurance biologique, mais à double tranchant. Il suffisait qu'une seule créature éprouve de la joie pour que toutes les autres en reçoivent un fragment. Mais la souffrance d'un seul être suffisait aussi à en faire planer l'ombre sur tous les autres. Un animal grégaire tel que l'homme en tirait un surplus de chance de survie ; une chouette ou un cobra n'y aurait pas survécu.

Le robot humanoïde était manifestement un prédateur solitaire.

Rick aimait à se les représenter ainsi ; ça rendait son travail acceptable. Retirer – c'est-à-dire *tuer* – un andro n'allait pas à l'encontre des règles de vie établies par Mercer. *Tu ne tueras que les tueurs*, leur avait-il dit l'année où les premières boîtes à empathie étaient apparues sur Terre. Et à mesure que le Mercérisme évoluait en une théologie complète, le concept des Tueurs avait connu un développement insidieux. Dans le Mercérisme, un mal absolu s'accrochait à la tunique élimée du vieillard pour l'empêcher de poursuivre sa pénible ascension, mais sa nature demeurait résolument obscure. Un Merceriste *sentait* le mal sans le comprendre. En d'autres termes, un Mercériste était libre de percevoir la présence nébuleuse des Tueurs là où il lui plaisait. Pour Rick Deckard, un robot humanoïde en fuite, un robot qui avait tué son maître, qu'on avait équipé d'une intelligence supérieure à celle de bien des êtres humains, qui n'avait aucun égard pour les animaux et aucun moyen de ressentir une quelconque empathie pour une autre forme de vie, dans ses joies comme dans ses peines – à ses yeux, cela personnifiait parfaitement les Tueurs.

Penser aux animaux lui remit en tête l'autruche qu'il avait vue dans la boutique. Écartant temporairement la documentation sur le Nexus-6, il prit une pincée du mélange à priser n° 3 et 4 de Mme Siddon et s'autorisa un instant de réflexion. Puis il consulta sa montre, alluma son vidéophone de bureau et appela Mlle Marsten. « Passez-moi la boutique *Au chien joyeux* de Sutter Street.

— Oui, monsieur. » Elle ouvrit son annuaire.

Ils ne peuvent quand même pas demander autant pour une autruche. Ils s'attendent forcément à ce qu'on marchande, comme au bon vieux temps.

« *Au chien joyeux* », déclara une voix masculine, tandis qu'un minuscule visage avenant apparaissait sur l'écran vidéo. On pouvait entendre des animaux brailler.

« L'autruche que vous avez en vitrine, commença Rick, tout en jouant avec le cendrier de céramique posé sur son bureau devant lui. À combien s'élèverait l'acompte pour l'acheter ?

— Voyons un peu, fit le marchand en s'emparant d'un stylo et d'un bloc de papier. Un tiers comptant...

(Il réfléchit.) Puis-je vous demander si vous allez procéder à un échange, monsieur ?

— Je n'ai pas encore pris ma décision, avança-t-il prudemment.

— Disons que nous pourrions envisager un crédit de trente mois. À un taux d'intérêt extrêmement intéressant, six pour cent par mois. Après un premier versement raisonnable, ça vous ferait un montant mensuel de…

— Vous allez devoir faire un effort sur le prix, l'interrompit Rick. Faites-moi une remise de deux mille dollars et je ne demanderai aucune reprise ; je reviendrai avec des espèces. » *Dave Holden est hors jeu pour le moment. Ça peut me rapporter gros… selon le nombre de missions qui se présenteront dans le mois à venir.*

« Monsieur, s'étouffa le vendeur, notre prix de départ est déjà mille dollars en dessous du prix catalogue. Vérifiez votre *Sidney* ; je vais rester en ligne. Je veux que vous vous rendiez compte par vous-même de la justesse de notre prix. »

Et merde. Ils tiennent bon. N'ayant de toute façon plus grand-chose à perdre, il extirpa son *Sidney* fatigué de la poche de son manteau, le feuilleta jusqu'à autruche / mâle – femelle / vieille – jeune / bonne – mauvaise santé / première main – deuxième main et examina les prix.

« État neuf, mâle, jeune, en parfaite santé, l'informait le vendeur. Trente mille dollars. (Lui aussi avait sorti son *Sidney*.) Nous sommes exactement mille dollars en dessous du prix catalogue. Bon, pour revenir à votre acompte…

— Je vais y réfléchir, fit Rick. Je vous rappelle. » Il s'apprêta à raccrocher.

« Votre nom, monsieur ? s'enquit son interlocuteur d'une voix alerte.

— Frank Merriwell.

— Et votre adresse, monsieur Merriwell ? Si d'aventure je suis absent quand vous rappellerez. »

Il en inventa une, puis reposa le combiné sur son socle. *Même à ce prix-là, il y a encore des gens pour les acheter ; des gens assez riches pour ça.* Il reprit le combiné. « Mademoiselle Marsten, fit-il d'une voix rogue, donnez-moi une ligne extérieure. Et n'écoutez pas ma conversation ; c'est confidentiel. » Il la fusilla du regard.

« Oui, monsieur. Allez-y, vous pouvez composer votre numéro. » Elle se retira alors du circuit, le laissant face au monde extérieur.

Il composa – de mémoire – le numéro du magasin qui lui avait vendu son ersatz de mouton. Un homme vêtu comme un vétérinaire apparut alors sur le petit écran. « Docteur McRae.

— Deckard à l'appareil. Combien vaut une autruche électrique ?

— Oh, avec vous, je pense qu'on pourrait s'arranger pour moins de huit cents dollars. Vous voulez une livraison rapide ? Nous allons devoir la fabriquer spécialement pour vous ; il n'y a pas beaucoup de demande pour...

— Je vous rappelle », l'interrompit Rick ; un coup d'œil à sa montre lui avait appris qu'il était neuf heures trente. « Au revoir. » Il se hâta de raccrocher, se leva, et peu après se retrouva devant la porte du bureau du commissaire Bryant. Il passa devant sa réceptionniste – fort séduisante avec sa chevelure argentée qui lui tombait jusqu'à la taille – puis devant la secrétaire du commissaire, un monstre antique tout droit sorti d'un marécage du jurassique, glacial et rusé, telle quelque apparition fixée dans le monde du tombeau. Aucune d'entre elles ne lui adressa la parole. Ouvrant la porte intérieure, il adressa un signe de tête à son supérieur, en pleine conversation vidéophonique. Il s'assit, sortit les spécifications du Nexus-6 qu'il avait emportées et se remit à les étudier en attendant que Bryant mette fin à son appel.

Deckard se sentait déprimé. Logiquement, pourtant, la soudaine disparition de Dave de son décor professionnel aurait au moins dû lui inspirer quelque prudente satisfaction.

4

Peut-être que j'ai peur qu'il m'arrive la même chose qu'à lui, conjecturait Rick. *Un andro assez malin pour avoir Dave pourrait certainement en faire autant avec moi.* Ça ne semblait pourtant pas être le problème.

« Je vois que vous avez apporté vos renseignements sur cette nouvelle unité cérébrale, dit le commissaire Bryant après avoir raccroché.

— Ouais, j'en ai entendu parler par mes informateurs. Combien y a-t-il d'andros impliqués, et jusqu'où Dave est-il allé ?

— Huit pour commencer, fit Bryant en consultant son bloc-notes. Dave en a retiré deux.

— Et les six restants se trouvent ici, en Californie du Nord ?

— Pour ce que nous en savons – Dave est de cet avis. C'est lui que j'avais au bout du fil. J'ai récupéré ses notes. D'après lui, tout ce qu'il sait se trouve là-dedans. » Bryant tapotait la liasse de feuillets, visiblement guère décidé à les passer à Deckard ; pour quelque raison, il continuait à les parcourir, sourcils froncés, faisant jouer sa langue à la commissure de ses lèvres.

« Mon agenda est vide, hasarda Rick. Je suis prêt à prendre la place de Dave.

— Il a utilisé une Échelle de Voigt-Kampff Modifiée pour tester les individus qu'il soupçonnait, dit Bryant d'une voix songeuse. Vous comprenez – du moins je l'espère – que ce test ne s'applique pas spécifiquement à ces nouvelles unités cérébrales. Aucun ne le fait. Le seul dont nous disposions, c'est l'Échelle de Voigt que Kampff a modifiée il y a trois ans. (Il marqua une pause pour réfléchir.) Dave l'estimait efficace. C'est peut-être le cas. Mais avant que vous ne vous mettiez en chasse, j'aimerais vous suggérer ceci. » Il se remit à tapoter la pile de notes. « Allez à Seattle parler aux gens de la fondation Rosen. Demandez-leur de vous fournir un échantillon représentatif de modèles équipés du nouveau Nexus-6.

— Et je leur fais passer le Voigt-Kampff.

— Ça a l'air si facile à vous entendre, fit Bryant, à moitié pour lui-même.

— Pardon ?

— Je pense prendre contact directement avec la fondation Rosen pendant votre trajet. » Puis il dévisagea un instant Rick sans rien dire. Il se mâchonna un ongle en grognant, et se décida enfin à dire le fond de sa pensée. « Je vais discuter avec eux de la possibilité d'inclure plusieurs humains dans leur sélection. Mais vous n'en saurez rien. La décision me reviendra, en conjonction avec les fabricants. Tout devrait être prêt le temps que vous arriviez. » Le visage grave, il brandit brusquement un doigt en direction de Rick. « C'est la première fois que vous allez agir comme chasseur de primes senior. Dave en connaît un rayon ; il a des années d'expérience derrière lui.

— Moi aussi, répliqua Rick d'une voix tendue.

— Les missions qui vous ont été confiées dépendaient du planning de Dave ; il a toujours décidé seul lesquelles vous déléguer et lesquelles il se réservait. Mais maintenant vous vous retrouvez avec six andros qu'il comptait bien retirer lui-même – parmi lesquels il y en a un qui a réussi à l'avoir. Celui-ci. » Bryant tourna les notes en direction de Rick. « Max Polokov. Du moins est-ce le nom qu'il s'est choisi. À supposer que Dave ne se soit pas trompé. *Tout* repose en fait sur cette supposition, toute cette liste. Et pourtant seuls trois d'entre eux ont été testés au Voigt-Kampff – les deux que Dave a retirés et Polokov. C'est pendant que Dave le lui faisait passer qu'il lui a tiré dessus.

— Ce qui tend à prouver que Dave avait raison, fit Rick. Sans quoi il ne se serait pas fait tirer dessus ; Polokov n'aurait eu aucune raison de le faire.

— Vous partez pour Seattle, dit Bryant. Ne les prévenez pas ; je vais m'en charger. Écoutez. » Il se leva, puis vint posément faire face à Rick. « Quand vous utiliserez le Voigt-Kampff là-bas, si jamais un humain échoue...

— C'est impossible, fit Deckard.

— J'en ai justement parlé avec Dave il y a quelques semaines. Il pensait exactement la même chose. J'ai reçu un mémo de la police soviétique – rien de moins que la section russe de l'O.M.P – qui a circulé partout sur Terre et dans les colonies. Un groupe de psychiatres de Leningrad a approché l'O.M.P. avec la proposition suivante : ils veulent que le plus récent et le plus précis de nos tests analytiques de personnalité – autrement dit l'Échelle de Voigt-Kampff – soit essayé sur un groupe soigneusement sélectionné de patients humains, schizoïdes ou schizophrènes. En particulier ceux qui présentent ce qu'on appelle un “aplatissement de l'affect”. Vous en avez déjà entendu parler.

— C'est exactement ce que mesure l'Échelle.

— Alors vous comprenez ce qui les inquiète.

— Le problème a toujours existé depuis l'apparition des androïdes humanoïdes. Vous connaissez l'article que Lurie Kampff a publié il y a huit ans, qui résume le consensus d'opinion de la police à ce propos. *Blocage de la socialisation chez le schizophrène inaltéré.* Kampff a comparé la diminution des facultés empathiques des patients humains avec l'absence superficiellement similaire... »

Bryant l'interrompit avec rudesse : « Les psychiatres de Leningrad pensent qu'une petite catégorie d'êtres humains serait incapable de réussir le Voigt-Kampff. Si vous les testiez conformément aux protocoles de la police, vous les prendriez pour des robots humanoïdes. Vous vous seriez trompé, mais eux seraient morts dans l'intervalle. » Il se tut, en attente de la réponse de Rick.

« Mais ces individus, fit celui-ci, seraient tous...

— ... dans des institutions, convint Bryant. Ils seraient proprement incapables de s'adapter au monde extérieur. Leur condition de psychotiques à un stade avancé ne pourrait certainement pas passer inaperçue – à moins bien sûr qu'il ne s'agisse d'une dépression aussi récente que soudaine, que personne dans leur entourage n'aurait remarquée. Mais ça pourrait arriver.

— Une chance sur un million », fit Rick. Mais il avait compris.

« Ce qui inquiétait Dave, reprit Bryant, c'était l'apparence même des nouveaux Nexus-6. Comme vous le savez, la fondation Rosen nous a assuré qu'ils pouvaient être détectés avec les tests de profil standard. Et nous les avons crus sur parole. À présent nous sommes obligés – comme nous nous en étions doutés – de le déterminer par nous-mêmes. C'est ce que vous allez faire à Seattle. Vous comprenez, je l'espère, que tout ceci pourrait mal tourner d'un côté comme de l'autre. Si vous n'arrivez pas à identifier tous les robots humanoïdes, ça voudra dire que nous ne disposons d'aucun outil analytique fiable et que nous ne retrouverons jamais ceux qui se sont échappés. Et si votre test confond un sujet humain avec un androïde... (Bryant le gratifia d'un regard glacial), ce serait délicat, même si personne – et certainement pas les Rosen – ne rendra la nouvelle publique. En fait, nous allons pouvoir garder cela secret indéfiniment, dès lors bien sûr que nous en informons l'O.M.P., qui ne manquera pas d'en avertir Leningrad. Au bout du compte, ça finira quand même par nous revenir à la figure. Mais nous aurons peut-être été développer un nouveau test d'ici là. (Il décrocha son vidéophone.) Vous voulez y aller ? Prenez un véhicule du service et faites le plein à nos pompes. »

Rick se leva. « Je peux prendre les notes de Dave avec moi ? Je veux les étudier en chemin.

— Attendons les résultats de vos tests à Seattle. » Le ton de sa voix avait quelque chose d'impitoyable, ce que Rick Deckard ne manqua pas de noter.

Quand il eut posé l'aéromobile du service sur le toit de l'immeuble de la fondation Rosen à Seattle, il y trouva une jeune femme qui l'attendait. Mince, les cheveux noirs, portant sur le nez d'immenses lunettes filtrantes d'un modèle très récent, elle s'approcha de son véhicule, les mains profondément enfoncées dans les poches de son long manteau rayé de couleurs vives. Sur son petit visage fin aux traits anguleux planait une expression de dégoût maussade.

« Un problème ? s'enquit Rick tandis qu'il sortait de son véhicule.

— Oh, je n'en sais rien, répondit indirectement la jeune femme. Quelque chose à propos de notre conversation téléphonique. Ça n'a pas d'importance. » Elle tendit brusquement la main, qu'il serra d'un geste réflexe. « Je m'appelle Rachael Rosen. Vous êtes Rick Deckard, je suppose.

— Ce n'était pas mon idée.

— Oui, le commissaire Bryant nous l'a expliqué. Vous représentez néanmoins officiellement le département de police de San Francisco, qui ne croit pas que notre Nexus-6 soit d'intérêt public. » Elle le mesura d'un regard couronné de longs cils sombres, probablement artificiels.

« Un robot humanoïde ne diffère en rien des autres machines, fit Rick. Il peut passer en un clin d'œil de bienfait à danger. Tant qu'il reste un bienfait, ce n'est pas de notre ressort.

— Mais lorsqu'il se transforme en danger, fit Rachael Rosen, vous entrez dans la danse. Êtes-vous vraiment un chasseur de primes, monsieur Deckard ? »

Il haussa les épaules, puis hocha la tête à contrecœur.

« Vous n'avez aucune difficulté à voir un androïde comme une chose inerte, fit la jeune femme. Ça vous permet de le "retirer", comme on dit.

— Avez-vous sélectionné un groupe test à mon intention ? J'aimerais... » Deckard s'interrompit. Il venait de voir leurs animaux.

Une compagnie aussi puissante, se dit-il aussitôt, *aurait forcément les moyens de se les offrir.* Confusément, bien sûr, il s'était attendu à pareil spectacle ; ce n'était d'ailleurs pas tant de la surprise qu'il éprouvait qu'une espèce de vif désir. Il s'éloigna de la fille d'un pas tranquille pour s'approcher de l'enclos le plus proche. Déjà il les sentait, les multiples odeurs des créatures debout, couchées – ou, dans le cas de ce qui se révéla un raton laveur, endormies.

Jamais de toute sa vie il n'en avait vu personnellement. Il ne connaissait cet animal que par l'intermédiaire des films en 3D qui passaient à la télévision. Pour une raison quelconque, les retombées avaient frappé cette espèce presque aussi durement que les oiseaux – qui avaient presque tous disparu désormais. D'un réflexe machinal, il sortit son *Sidney* tout écorné et se mit en quête de la sous-catégorie *raton laveur*. La liste des prix, évidemment, apparaissait en italique ; à l'instar des percherons, aucun raton laveur n'était disponible sur le marché. Le *Sidney* se bornait à signaler le prix de la dernière transaction ayant impliqué cet animal. Un chiffre astronomique.

« Il s'appelle Bill, fit la fille dans son dos. Bill le raton laveur. Nous l'avons racheté l'année dernière à l'une de nos succursales. » Elle désigna quelque chose derrière lui – les gardes armés de la compagnie, équipés de petites mitrailleuses Skoda à tir rapide ; leurs yeux avaient dû rester braqués sur lui depuis l'atterrissage de sa voiture. *Et puis, mon aéromobile est clairement identifiée comme un véhicule de police.*

« Un des principaux fabricants d'androïdes, fit-il pensivement, investit donc ses bénéfices dans les animaux vivants.

— Regardez la chouette, dit Rachael Rosen. Je vais la réveiller pour vous. » Elle partit vers une petite cage distante, au centre de laquelle s'élevait un arbre mort.

Les chouettes ont disparu, s'apprêta-t-il à dire. *En tout cas, c'est ce qu'on nous a dit. Le* Sidney *les classe ainsi – avec ce minuscule D, ce caractère précis qui revient sans cesse dans tout le catalogue.* Il profita du fait que la fille marche devant lui pour vérifier. Il avait raison. *Le* Sidney *ne fait jamais d'erreur. Ça aussi, nous le savons. À quoi pourrions-nous nous fier, sinon ?*

« Elle est artificielle », comprit-il soudain ; pour aussitôt sentir une terrible déception monter en lui.

« Non. » Elle sourit, ce qui lui permit de voir qu'elle avait de petites dents régulières, aussi blanches que ses yeux et ses cheveux étaient noirs.

« Mais la liste du *Sidney*... » Il voulait lui montrer le catalogue. Pour le lui prouver.

« Nous n'achetons jamais d'après le *Sidney*, coupa-t-elle, ou même au moindre marchand d'animaux. Toutes nos acquisitions se font à des parties privées, et nous n'en dévoilons jamais le montant. En outre, ajouta-t-elle, nous avons nos propres naturalistes ; ils sont en train d'œuvrer au Canada. Il y reste encore un certain nombre de zones forestières – tout est relatif, bien sûr. Assez en tout cas pour de petits animaux, et même un oiseau de temps à autre. »

Il resta un bon moment à contempler la chouette assoupie sur son perchoir. Un millier d'idées se bousculaient dans son esprit, à propos de la guerre, des journées durant lesquelles les chouettes étaient tombées du ciel ; il se rappelait comment, alors qu'il n'était qu'un enfant, on avait découvert que les espèces disparaissaient l'une après l'autre, les journaux qui en faisaient le compte rendu chaque jour – les renards un matin, les blaireaux le suivant, jusqu'à ce que les gens finissent par cesser de lire cette litanie de nécrologies animalières.

Il songeait aussi à son besoin de posséder un véritable animal ; une fois encore, il sentit une haine réelle s'emparer de lui à l'égard de son mouton électrique, qu'il devait garder, entretenir comme s'il avait été vivant. *La tyrannique des objets*, pensa-t-il. *Il ne sait même pas que j'existe. Tout comme les androïdes, il est incapable d'avoir conscience de l'existence d'autrui.* Jamais il n'y avait songé auparavant, à cette similitude entre un animal électrique et un andro. *L'animal électrique*, réfléchit-il, *pourrait être considéré comme une espèce très inférieure de robot. Et, inversement, on peut voir un androïde comme une forme perfectionnée,* évoluée, *d'animal électrique.* Les deux points de vue lui inspiraient de la répulsion.

« Si vous vendiez votre chouette, reprit-il, combien en demanderiez-vous ? Et avec quel acompte ?

— Jamais nous ne la vendrions. » Elle le considérait avec un mélange de plaisir et de pitié ; du moins en eut-il le sentiment à voir son expression. « Et quand bien même nous la vendrions, vous ne pourriez certainement pas vous l'offrir. Quel genre d'animal avez-vous chez vous ?

— Un mouton. Une brebis Suffolk à tête noire.

— Eh bien, ça doit suffire à vous combler.

— J'en suis content, répondit-il. C'est juste que j'ai toujours voulu une chouette, avant même qu'elles ne rendent toutes l'âme. *Toutes sauf la vôtre*, se corrigea-t-il.

— Nous avons un programme intensif de recherche d'une chouette supplémentaire pour l'accoupler avec Scrappy. » D'un geste de la main, elle désigna le volatile occupé à somnoler sur son perchoir. Il avait brièvement ouvert les yeux, deux fentes jaunes qui se refermèrent presque aussitôt, comme l'animal se réinstallait pour poursuivre sa sieste. Sa cage thoracique se souleva ostensiblement, puis retomba, comme si la créature dans son état hypnotique avait poussé un soupir.

Il s'arracha à ce spectacle – une amertume absolue remplaçait peu à peu en lui sa réaction première de convoitise admirative. « J'aimerais commencer à tester votre sélection. Pouvons-nous descendre ?

— C'est mon oncle qui a pris l'appel de votre supérieur ; il a probablement…

— Votre oncle ? l'interrompit Deckard. Une entreprise de cette taille est une affaire de *famille* ? »

— À l'heure qu'il est, poursuivit la jeune femme sans même relever sa remarque, Oncle Eldon doit avoir constitué un groupe d'androïdes et un autre de contrôle. Allons-y. » Elle marcha à grands pas vers l'ascenseur, les mains enfoncées de plus belle dans les poches de son manteau, sans même se retourner. Rick hésita un instant, contrarié, mais finit par la suivre en traînant les pieds.

« Qu'est-ce que vous avez contre moi ? » lui demanda-t-il tandis qu'ils descendaient.

Elle réfléchit, comme si jusque-là elle n'avait pas songé à la question. « Eh bien, le petit employé de la police de San Francisco que vous êtes se retrouve dans une position assez incroyable. Vous voyez ce que je veux dire ? » Elle lui jeta un regard de biais débordant de malveillance.

« Quelle proportion de votre production actuelle représentent les modèles équipés du Nexus-6 ?

— Cent pour cent.

— Je suis sûr que l'Échelle de Voigt-Kampff fonctionnera avec eux.

— Et dans le cas contraire, nous allons devoir retirer tous les Nexus-6 du marché. » Ses yeux noirs flamboyaient ; elle lui lança des regards mauvais jusqu'à ce que l'ascenseur ait cessé sa descente et que ses portes se fussent ouvertes. « Juste parce que la police n'est pas capable de faire correctement un travail aussi simple que de détecter l'infime proportion de Nexus-6 qui se sont... »

Un svelte et sémillant vieillard s'avançait à leur rencontre, main tendue. L'expression soucieuse qu'arborait son visage tendait à prouver que les événements s'étaient mis à se succéder beaucoup trop vite pour lui ces derniers temps. « Je suis Eldon Rosen, dit-il en saluant Rick. Écoutez, Deckard, vous comprenez bien que nous ne fabriquons rien ici, sur Terre, n'est-ce pas ? Ça ne se résume pas à un simple coup de téléphone au service production pour leur demander de nous envoyer diverses marchandises. N'allez pas croire que nous refusions de coopérer avec vous, mais j'ai fait au mieux de mes possibilités. » Sa main gauche se mit nerveusement à errer dans ses cheveux clairsemés.

Rick désigna sa mallette. « Je suis prêt à commencer. » La nervosité de l'aîné des Rosen raffermissait sa propre confiance. *Ils ont peur de moi*, comprit-il tout à coup. *Y compris Rachael Rosen. Je peux les forcer à abandonner la fabrication de leurs Nexus-6 ; ce que je vais faire dans l'heure va avoir des conséquences sur la structure même de leur entreprise. Je tiens probablement entre mes mains l'avenir de la fondation Rosen, ici, aux États-Unis, mais aussi en Russie et sur Mars.*

Les deux Rosen l'étudiaient avec appréhension – il sentait avec quel manque de sincérité ils se comportaient. En venant les voir, il leur avait apporté la menace du vide, le silence oppressant de la mort économique. *Ils ont entre leurs mains un pouvoir démesuré. Cette entreprise est considérée comme l'un des pivots industriels du système ; en fait, la fabrication des androïdes est devenue tellement intrinsèque à l'effort de colonisation que la chute de l'un entraînerait certainement celle de l'autre au bout du compte.* Et, bien sûr, la fondation Rosen le comprenait parfaitement. Eldon Rosen n'avait manifestement pas cessé d'y réfléchir depuis l'appel de Bryant.

« Je ne m'inquiéterais pas trop à votre place », dit-il aux deux Rosen qui l'emmenaient dans un large couloir brillamment illuminé. Il se sentait absolument ravi. Ces instants lui donnaient plus de plaisir qu'il ne se souvenait en avoir jamais éprouvé. Eh bien, ils allaient bientôt être fixés sur ce que son appareillage pouvait accomplir – ou pas. « Si vous ne vous fiez pas à l'Échelle Voigt-Kampff, leur fit-il remarquer, rien n'empêchait votre organisation d'entreprendre des recherches pour en mettre au point un autre. On pourrait vous considérer comme en partie responsable de cette situation. Oh, merci. » Les Rosen l'avaient fait entrer dans une petite cabine moquettée, pourvue de lampes, d'un canapé, et d'une petite table moderne sur laquelle s'étalait un choix de magazines récents, y compris, nota-t-il, le supplément de février du *Sidney*, que lui-même n'avait pas encore vu. Pour la simple et bonne raison qu'il ne devait sortir que trois jours plus tard. À l'évidence, la fondation Rosen entretenait des rapports étroits avec le *Sidney*.

Il s'empara du supplément d'un geste agacé. « Ceci va à l'encontre de l'intérêt général. Personne ne devrait avoir à l'avance des informations sur les fluctuations des prix. » En fait, ça pouvait même enfreindre une quelconque loi fédérale ; il tenta de se rappeler laquelle s'appliquait en pareilles circonstances – en vain. « Je prends ça avec moi. » Et de laisser tomber le supplément dans sa mallette.

« Écoutez, inspecteur, finit par déclarer Eldon Rosen au terme d'un long silence, n'avons jamais eu pour politique de solliciter en avan...

— Je ne suis pas inspecteur, fit Rick. Je suis un chasseur de primes. » Il extirpa de sa mallette ouverte l'appareillage du Voigt-Kampff, s'assit à une table basse en bois de rose et commença à assembler les instruments polygraphiques. « Vous pouvez m'envoyer le premier sujet », informa-t-il Eldon Rosen, qui semblait plus hagard que jamais.

Rachael s'assit à son tour. « J'aimerais regarder. Je n'ai jamais vu personne faire passer un test d'empathie. Qu'est-ce que ces choses, là, sont censées mesurer ?

— Ceci... » Il souleva le disque adhésif duquel s'échappaient des fils électriques. « Ceci mesure la dilatation capillaire dans la zone faciale. Nous savons qu'elle va refléter une réaction automatique primaire, comme le fait de rougir face à un stimulus moralement choquant. On ne peut pas la contrôler par la volonté, à l'inverse de la conductivité épidermique, de la respiration ou du rythme cardiaque. » Il lui montra alors le deuxième instrument, un crayon lumineux. « Celui-ci enregistre les variations de tension dans les muscles oculaires. En même temps que le phénomène de rougissement, on peut généralement détecter un petit mouvement de...

— Qu'on ne détecte pas chez les androïdes, fit Rachael.

— Les questions stimulus n'en engendrent pas chez eux, non. Bien qu'elles existent biologiquement. *Potentiellement.*

— Faites-moi passer ce test.

— Pourquoi ? » s'enquit Deckard, intrigué.

Eldon Rosen intervint alors d'une voix rauque : « Rachael est le premier sujet que nous vous avons sélectionné. C'est peut-être un androïde. Nous espérons que vous allez pouvoir nous le dire. » Il s'assit maladroitement, prit une cigarette, l'alluma et attendit, le regard fixe.

5

Le petit trait de lumière blanche était braqué sur l'œil gauche de Rachael Rosen, dont la joue s'ornait du disque adhésif. Elle semblait calme.

Deckard était assis de manière à pouvoir lire les deux cadrans de l'appareil de test Voigt-Kampff. « Je vais vous décrire un certain nombre de situations sociales. Vous devez exprimer votre réaction à chacune d'elles aussi vite que vous le pouvez. Je vais vous chronométrer, bien sûr.

— Et évidemment, dit Rachael d'une voix distante, mes réponses verbales n'auront pas la moindre importance. Vous n'allez utiliser comme indices que les mouvements musculaires de l'œil et les réactions capillaires. Mais je vais répondre ; je veux en finir et... » Elle s'interrompit. Allez-y, monsieur Deckard. »

Rick choisit la question trois. « On vous offre un portefeuille en cuir de veau pour votre anniversaire. » Les deux jauges passèrent aussitôt du vert au rouge ; les aiguilles eurent un violent soubresaut, puis revinrent dans leur position initiale.

« Je ne l'accepterais pas. Et je dénoncerais à la police la personne qui me l'a donné. »

Après avoir pris quelques notes, Deckard passa à la huitième question de l'Échelle de Voigt-Kampff : « Votre petit garçon vous montre sa collection de papillons, avec le bocal dans lequel il les tue.

— Je l'emmènerais chez le docteur. » La voix de Rachael était basse, mais ferme. Les doubles jauges avaient de nouveau réagi, mais pas aussi fortement. Ce dont Rick prit bonne note.

« Vous regardez la télévision dans votre canapé, quand soudain vous découvrez une guêpe sur votre poignet.

— Je la tue. » Les instruments, cette fois, n'enregistrèrent pratiquement rien ; les aiguilles oscillèrent à peine. Deckard sélectionna soigneusement la question suivante.

« Dans un magazine, vous tombez sur une photo couleur pleine page d'une fille complètement nue. » Il marqua une pause.

« C'est un test d'humanité, lui demanda Rachael avec sarcasme, ou d'homosexualité ? » Les indicateurs demeurèrent inertes.

Il reprit : « La photo plaît beaucoup à votre mari. » Les indicateurs n'indiquaient toujours pas la moindre réaction. « La fille, ajouta-t-il, est allongée sur le ventre sur un beau tapis de peau d'ours. » Les aiguilles demeurèrent immobiles. *Une réponse d'androïde,* se dit-il. *Incapable de détecter l'élément essentiel, la peau d'animal mort. Son esprit se concentre sur d'autres facteurs.* « Votre époux décide de l'accrocher au mur de son bureau », conclut-il – pour aussitôt voir les aiguilles s'affoler.

« Je ne le laisserais certainement pas faire, dit Rachael.

— D'accord. » Il hocha la tête. « Bon, réfléchissez à ça. Vous lisez un vieux roman d'avant guerre. Les personnages sont en train de visiter les quais de Fisherman, à San Francisco, quand ils commencent à avoir faim. Ils entrent dans un restaurant de fruits de mer. L'un d'entre eux commande du homard, que le chef plonge dans une bassine d'eau bouillante sous leurs yeux.

— Oh, mon Dieu ! s'exclama Rachael. C'est horrible ! Ils faisaient vraiment une chose pareille ? C'est ignoble ! Un homard *vivant*, vous voulez dire ? » Les jauges, cependant, n'avaient pas réagi. Une réponse correcte, d'un point de vue formel. Mais simulée.

« Vous louez un chalet de montagne dans une région encore verdoyante. Un bâtiment rustique construit en pin noueux, avec une gigantesque cheminée.

— Oui, fit Rachael en inclinant la tête d'impatience.

— Quelqu'un a accroché aux murs de vieilles cartes et des lithographies, et une tête de cerf a été fixée au-dessus de la cheminée – un beau mâle, avec des bois développés. Les gens qui vous accompagnent s'extasient sur la décoration et vous décidez tous…

— Pas avec la tête de cerf », fit Rachael. Là encore, cependant, les aiguilles demeurèrent dans le vert.

« Vous tombez enceinte d'un homme qui a promis de vous épouser. Il vous quitte pour une autre femme, votre meilleure amie. Vous vous faites avorter et…

— Jamais je ne me ferais avorter. De toute façon, c'est impossible. C'est passible d'une condamnation à perpétuité, et c'est extrêmement surveillé par la police. » Cette fois, les deux aiguilles étaient violemment passées dans le rouge.

« Comment savez-vous ça ? lui demanda Rick d'un ton inquisiteur. Qu'il est à ce point difficile de se faire avorter ?

— Tout le monde le sait, répondit Rachael.

— Vous aviez l'air d'en parler d'*expérience*. (Il surveillait sans cesse les aiguilles, qui persistaient à s'agiter en tous sens.) Encore une. Vous sortez avec un homme qui vous propose d'aller visiter son appartement. Une fois là-bas, il vous propose un verre, que vous acceptez. Apercevant alors par la porte de la chambre des murs joliment décorés d'affiches de corrida, vous vous décidez à aller les voir de plus près. Il vous emboîte le pas, ferme la porte derrière lui, et vous passe un bras autour de la taille en disant…

— Qu'est-ce qu'une affiche de corrida ? l'interrompit Rachael.

— Des dessins, la plupart du temps en couleurs, montrant un matador avec sa cape, et un taureau qui essaie de l'encorner. » Il était perplexe. « Quel âge avez-vous ? » Ça pouvait constituer un facteur.

« Dix-huit ans, répondit Rachael. D'accord. Donc cet homme ferme la porte puis passe son bras autour de moi. Qu'est-ce qu'il me dit ?

— Vous savez comment les corridas se terminaient ?

— Je suppose que quelqu'un se faisait blesser.

— Le taureau était toujours mis à mort. » Il gardait l'œil fixé sur les deux aiguilles ; celles-ci palpitaient constamment, rien de plus. Rien à en tirer. « Une dernière question, fit-il. En deux parties. Vous regardez un vieux film à la télé, un film d'avant guerre. Un banquet est en cours ; les convives dégustent des huîtres crues.

— Beurk », fit Rachael. Les aiguilles se mirent aussitôt à osciller.

« En plat de résistance, il y a du chien bouilli farci avec du riz. » Les aiguilles bougèrent avec moins d'amplitude cette fois, moins que pour les huîtres. « Vous trouvez des huîtres crues plus acceptables que du chien bouilli ? Manifestement pas. » Il posa son crayon, éteignit la lampe, ôta le disque adhésif de la joue de la jeune femme. « Vous êtes un androïde, dit-il. C'est la conclusion du test. » Eldon Rosen le regardait avec une inquiétude manifeste ; le visage du vieillard se déformait sous le coup d'une colère rentrée. « J'ai raison, n'est-ce pas ? » Aucun des deux Rosen ne lui répondit. « Écoutez, fit-il d'un ton raisonnable, nous n'avons aucun conflit d'intérêts ; il est important pour moi que le Voigt-Kampff fonctionne, presque autant que ça l'est pour vous.

— Ce n'est pas un androïde, intervint l'aîné des Rosen.

— Je pense que si, fit Rick.

— Pourquoi vous mentirait-il ? réagit aussitôt Rachael avec férocité. Nous aurions plutôt intérêt à vous faire croire le contraire.

— Je veux une analyse de votre moelle épinière, lui dit-il. En dernier ressort, on peut déterminer biologiquement si vous êtes ou pas un androïde. C'est long et douloureux, j'en conviens, mais...

— Rien dans la loi ne m'oblige à subir un tel test. Le cas a déjà été plaidé : auto-incrimination. Quand bien même, ça prend du temps sur une personne vivante, beaucoup plus que sur le cadavre d'un androïde retiré. Vous pouvez administrer ce satané Voigt-Kampff à cause des spéciaux ; on doit tester régulièrement leur stabilité. Mais pendant que le gouvernement était occupé à ça, toutes les agences du monde en ont profité pour introduire subrepticement cette nouvelle échelle. Vous aviez raison tout à l'heure : nous en avons fini ici. » Elle se leva et s'éloigna de quelques pas, le dos tourné, les mains sur les hanches.

« Le problème n'est pas la légalité d'une analyse de moelle, dit Rosen d'une voix voilée. Le problème, c'est que votre test d'empathie a échoué quand vous l'avez appliqué à ma nièce. Je peux vous expliquer pourquoi elle a obtenu un score auquel un androïde aurait pu parvenir. Rachael a grandi à bord du *Saladin 3*. Elle y est née, elle y a passé les quatorze premières années de sa vie à n'apprendre de la Terre que ce que contenait la bibliothèque magnétique intégrée au vaisseau ou ce qu'en savaient les neuf membres d'équipage, tous des adultes. Puis, comme vous le savez, ils ont dû faire demi-tour au sixième du trajet vers Proxima. Sans quoi Rachael n'aurait jamais vu la Terre – pas dans cette vie, en tout cas.

— Vous m'auriez retirée, fit Rachael par-dessus son épaule. J'aurais été tuée au cours d'une descente de police. Je le sais depuis mon arrivée ici, il y a quatre ans ; ce n'est pas la première fois qu'on me fait passer un Voigt-Kampff. Pour tout vous dire, je quitte rarement cet immeuble – tous vos barrages de police nous font courir des risques énormes. Ces points de contrôle volants destinés à détecter les spéciaux non répertoriés.

— Et les androïdes, ajouta Eldon Rosen. Ce que bien évidemment on se garde de dévoiler au public. Personne n'est censé savoir qu'il y a des androïdes sur Terre, parmi nous.

— Je doute qu'il y en ait, fit Rick. M'est avis que les diverses agences de police ici et en Union soviétique les ont tous eus. La population est suffisamment restreinte pour ça à présent ; tôt ou tard, tout le monde finit par tomber sur un contrôle aléatoire. » Du moins était-ce l'idée.

« Quelles étaient vos instructions, s'enquit Eldon Rosen, si vous vous retrouviez à prendre un humain pour un androïde ?

— Ça ne vous regarde pas. » Il commença à remettre son équipement dans sa mallette ; les deux Rosen le regardaient en silence. « Comme vous pouvez le constater, ajouta-t-il, on m'a dit d'annuler les tests suivants. Vu que ça a échoué une fois, il n'y a aucune raison de poursuivre. » Et de refermer brusquement sa mallette.

« Nous aurions pu vous mentir, dit Rachael. Rien ne nous obligeait à reconnaître que vous aviez échoué avec moi. Idem pour les neuf autres sujets sélectionnés. » Elle fit un geste vigoureux. « Il nous suffisait d'aller dans le sens de vos résultats.

— J'aurais exigé une liste préétablie. Une analyse sous enveloppe scellée. À laquelle j'aurais comparé mes propres résultats, histoire de voir si ça correspondait. Et il aurait mieux valu que ça corresponde. » *Mais de toute évidence*, comprit-il soudain, *tel n'aurait pas été le cas. Bryant avait raison. Dieu merci, je ne me suis pas mis en chasse sur la base de ce test.*

« Oui, je suppose que c'est ce que vous auriez fait, convint Eldon Rosen. (Il lança un regard à Rachael, qui hocha la tête.) Nous avons discuté de cette possibilité, finit-il par dire – à contrecœur.

— Ce problème découle entièrement de vos méthodes, monsieur Rosen. Personne n'a forcé votre compagnie à développer une production de robots humanoïdes à ce point...

— Nous produisons ce que veulent les colons, l'interrompit Rosen. Nous obéissons à un principe vieux comme le monde en matière de commerce. Si notre firme n'avait pas conçu des modèles de plus en plus humains, un quelconque concurrent l'aurait fait. Nous avions conscience des risques que nous courions en développant l'unité cérébrale Nexus-6. Mais votre Voigt-Kampff était un fiasco *avant* que nous sortions ce modèle. Si vous aviez échoué à reconnaître un Nexus-6 pour ce qu'il était, si vous l'aviez étiqueté humain... mais ce n'est pas ce qui s'est passé. » Sa voix s'était durcie, elle était devenue mordante. « Votre service de police – sans même parler des autres – a peut-être retiré, a *probablement* retiré des humains authentiques aux facultés empathiques sous-développées, comme celles de mon innocente nièce ici présente. Votre position, Deckard, est moralement extrêmement délicate. Pas la nôtre.

— Autrement dit, comprit Rick, on ne va même pas m'accorder une chance d'examiner le moindre Nexus-6. Vous aviez *prévu* de me mettre cette schizoïde dans les pattes. » *Et mon test est bon à mettre à la poubelle. Je n'aurais pas dû tenter le coup. Mais bon, il est trop tard maintenant.*

« Nous vous tenons, monsieur Deckard », convint Rachael d'une voix égale ; avant de se tourner vers lui un sourire aux lèvres.

Il n'arrivait toujours pas à comprendre comment la fondation Rosen avait réussi à le prendre au piège – et avec une telle facilité par-dessus le marché. *Des experts. Une colossale compagnie comme celle-là réunit par trop d'expérience. En fait, elle possède une espèce de cerveau collectif dont Eldon et Rachael seraient les représentants.* Son erreur, de toute évidence, avait été de les considérer comme des individus. Une erreur qu'il ne commettrait plus.

« Votre supérieur, monsieur Bryant, fit Eldon Rosen, va avoir du mal à comprendre comment vous avez pu nous laisser invalider votre appareillage avant même le début du test. » Il pointa un doigt en direction du plafond ; Rick vit aussitôt les objectifs des caméras – son impair avait été enregistré. « Je pense par conséquent que la meilleure des choses que nous ayons tous à faire serait de nous asseoir et de... » Il fit un geste affable. « Nous pouvons trouver une solution, monsieur Deckard. Inutile de vous inquiéter. La variété d'androïdes Nexus-6 est une réalité ; nous l'avons admise à la fondation, et je crois que vous aussi à présent. »

Rachael se pencha vers lui. « À quel point aimeriez-vous posséder une chouette ?

— Je doute de jamais pouvoir en avoir une. » Mais il savait parfaitement où elle voulait en venir ; il comprenait quel genre de transaction la fondation Rosen entendait réaliser. Une tension inédite commençait à s'insinuer dans son corps, y explosant – tranquillement – dans les moindres recoins. La conscience de ce qui allait se passer s'emparait complètement de lui.

« Mais une chouette... insista Eldon Rosen. C'est exactement ce que vous voulez. » Il lança à sa nièce un coup d'œil interrogateur. « Je ne crois pas qu'il ait la moindre idée...

— Bien sûr que si, le contredit Rachael. Il sait exactement où nous voulons en venir. N'est-ce pas, monsieur Deckard ? » Elle se pencha à nouveau vers lui, plus près cette fois ; il pouvait sentir un léger parfum se dégager d'elle. « Vous y êtes presque, monsieur Deckard. Vous êtes à ça d'avoir votre chouette. » Puis, à l'attention d'Eldon Rosen : « C'est un chasseur de *primes*, tu te souviens ? Ce sont les primes qui le font vivre, pas son salaire. N'est-il pas, monsieur Deckard ? »

Il hocha la tête.

« Combien d'androïdes se sont échappés cette fois ? s'enquit Rachael.

— Huit, répondit-il après une pause. À l'origine. Deux ont déjà été retirés – par quelqu'un d'autre que moi.

— Combien recevez-vous pour chaque androïde ? »

Il haussa les épaules. « Ça dépend.

— Si vous n'avez plus de test à administrer, vous n'aurez plus aucun moyen d'identifier un androïde. Auquel cas vous pourrez dire adieu à vos primes. Si le Voigt-Kampff venait à être abandonné...

— Un nouveau test finira par le remplacer, l'interrompit Rick. Ce n'est pas la première fois que ça arrive. » À trois reprises, pour être exact. Mais chaque fois la nouvelle échelle, l'instrument d'analyse plus moderne, avait déjà été mis au point, évitant toute rupture. C'était différent maintenant.

« Un jour, convint Rachael, le Voigt-Kampff sera devenu obsolète. Mais pas tout de suite. Nous nous satisfaisons du fait qu'il parvienne à détecter les Nexus-6, et nous aimerions que vous procédiez sur cette base dans votre propre travail. » Se balançant d'avant en arrière, les bras croisés, elle le dévisageait avec intensité. À l'affût de sa réaction.

« Dis-lui qu'il peut avoir sa chouette, grinça Eldon Rosen.

— Vous pouvez avoir la chouette, fit Rachael sans le quitter des yeux. Celle qui se trouve sur le toit. Scrappy. Mais nous comptons l'accoupler si nous parvenons à mettre la main sur un mâle. Et une éventuelle progéniture nous appartiendra, que ceci soit parfaitement clair.

— Je diviserai la couvée.

— Non », lâcha aussitôt Rachael ; derrière elle, Eldon secouait la tête en guise de soutien. « Dans cette hypothèse, vous auriez des droits sur l'unique lignée de chouettes jusqu'à la fin des temps. Et il y a une autre condition : vous ne pourrez pas léguer votre animal à qui que ce soit. À votre mort, elle reviendra à la fondation.

— Ça ressemble à un faire-part de décès envoyé par vos soins. Histoire de récupérer immédiatement la chouette. Je n'accepterai jamais ça, c'est trop dangereux.

— Vous êtes un chasseur de primes, fit Rachael. Vous savez vous servir d'un pistolet laser – d'ailleurs, vous en portez un en ce moment même. Si vous n'êtes pas capable de *vous* protéger, comment allez-vous retirer les six Nexus-6 restants ? Ils sont nettement plus intelligents que les vieux W-4 fabriqués par Gozzi.

— Mais c'est moi qui serai le chasseur. Alors qu'avec une clause de réversion sur la chouette, quelqu'un ne manquerait pas de faire de moi une proie. » Et il n'appréciait guère l'idée d'être traqué ; il en avait vu les effets sur les androïdes. Ça provoquait certains changements pour le moins notables, même chez eux.

« Très bien, fit Rachael. Nous sommes prêts à céder sur ce point. Vous pourrez transmettre la chouette à vos héritiers. Mais nous insistons pour récupérer l'intégralité de la couvée. Si vous ne l'acceptez pas, retournez donc voir vos supérieurs à San Francisco et admettez devant eux que le Voigt-Kampff, en tout cas quand c'est vous qui le faites passer, n'est pas capable de distinguer un andro d'un être humain. Ensuite, vous pourrez toujours chercher un nouveau travail.

— J'ai besoin de temps pour y réfléchir.

— Aucun problème. Nous allons vous laisser ici, histoire que vous profitiez du confort des lieux. » Elle consulta sa montre.

« Une demi-heure », dit Eldon Rosen. Qui partit sans rien dire vers la porte avec sa nièce. Ils avaient dit tout ce qu'ils avaient eu l'intention de dire, comprit Rick. Le reste ne dépendait que de lui.

Alors que Rachael commençait à refermer la porte derrière eux, Rick lui lança d'une voix sévère : « Vous avez parfaitement réussi à me piéger. Vous possédez la preuve enregistrée de ma déconvenue, vous savez que mon travail dépend entièrement du Voigt-Kampff, et vous avez cette satanée chouette.

— *Votre* chouette, mon cher. Vous vous rappelez ? Nous allons lui attacher votre adresse autour de la patte et l'expédier à San Francisco ; elle vous y attendra à votre retour de mission. »

Une chouette... envoyée dans un colis, songea-t-il. « Attendez », fit-il

Rachael s'arrêta à la porte. « Vous avez pris votre décision ?

— J'aimerais vous poser une autre question du Voigt-Kampff, lui dit-il tout en rouvrant sa mallette. Revenez vous asseoir. »

Rachael se tourna vers son oncle, qui hocha la tête. Elle revint s'asseoir à contrecœur. « À quelle fin ? » s'enquit-elle, ses sourcils levés de dégoût – et de méfiance. Il percevait la tension de son squelette – en prit bonne note, de manière professionnelle.

Le rayon lumineux fut bientôt braqué sur l'œil droit de Rachael, le disque adhésif de nouveau appliqué contre sa joue. La jeune femme fixait la lampe avec raideur, l'air toujours aussi contrarié.

« Ma mallette, fit Rick tout en farfouillant dedans à la recherche des formulaires du test. Jolie, pas vrai ? Propriété du service.

— Fascinant, fit Rachael d'une voix lointaine.

— C'est de la peau de nourrisson. » Il caressait le cuir noir de la petite valise. « Cent pour cent peau de bébé humain véritable. » Il vit les deux aiguilles fluctuer frénétiquement. Mais uniquement après un temps de latence. Il y avait eu une réaction, mais trop tardive. Il connaissait le temps de réaction à cette question au dixième de seconde près : aucun. « Merci, mademoiselle Rosen. » Et de recommencer à rassembler ses appareils ; il en avait fini. « Ce sera tout.

— Vous partez ?

— Oui. J'ai ma réponse.

— Et les neuf autres sujets ? s'enquit prudemment la jeune femme.

— Le test a été concluant dans votre cas. Je peux en extrapoler le reste ; il demeure de toute évidence parfaitement efficace. » Puis, à l'intention d'Eldon Rosen, qui s'était tassé sur lui-même à proximité de la porte : « Elle est au courant ? » Parfois ce n'était pas le cas ; l'implantation de faux souvenirs avait été tentée à de nombreuses reprises, généralement dans l'idée erronée que cela modifierait les réactions au test.

« Non, répondit Rosen, nous l'avons intégralement programmée. Mais je pense qu'elle a commencé à soupçonner quelque chose vers la fin. » Puis, à l'adresse de la fille : « Tu as deviné quand il a demandé un nouvel essai. »

Rachael hochait la tête sans le quitter des yeux, blême.

« N'aie pas peur de lui, poursuivit Rosen. Tu n'es pas un androïde en fuite se trouvant illégalement sur Terre ; tu appartiens à la fondation Rosen, qui t'utilise comme produit de démonstration pour les futurs émigrants. » Il marcha jusqu'à elle et posa un bras réconfortant sur son épaule. La fille tressaillit à son contact.

« Il a raison, fit Rick. Je ne vais pas vous retirer, mademoiselle Rosen. Au revoir. » Il partit vers la porte, mais s'immobilisa rapidement. « Et la chouette ? leur demanda-t-il. Est-ce qu'elle est authentique ? »

Rachael jeta un rapide coup d'œil en direction de Rosen.

« Ça n'a plus d'importance, dit celui-ci. Il s'en va de toute façon. Elle est artificielle. Les chouettes ont disparu.

— Hum », marmonna Rick avant de sortir dans le couloir, hébété. Les deux Rosen le regardèrent sortir sans prononcer la moindre parole. Il ne restait plus rien à dire. *Voici donc comment opère le plus grand fabricant d'androïdes.* Sournoisement, et d'une manière inédite pour lui. *Une personnalité tortueuse, étrange – rien d'étonnant à ce que les diverses agences s'inquiètent à propos des Nexus-6.*

Les Nexus-6. Il venait de se confronter à eux, comprit-il. *Rachael... Elle doit en être un. C'est le premier que je vois, et ça a bien failli mal tourner. Ils ont été à deux doigts de discréditer le Voigt-Kampff, l'unique méthode à notre disposition pour les détecter. La fondation Rosen fait vraiment tout ce qu'elle peut pour protéger ses produits.*

Et j'en ai encore six à affronter. Avant d'en avoir fini.

Il aurait mérité sa prime. Jusqu'au dernier cent.

Pour autant qu'il s'en sorte vivant.

6

La télé tonitruait. Alors qu'il descendait le vaste escalier poussiéreux de l'immeuble vide jusqu'à l'étage du dessous, John Isidore finit par reconnaître la voix familière de l'Ami Buster, qui babillait joyeusement à l'intention d'une audience vaste comme le système solaire.

« … ah ah, mes amis ! Poum patapoum ! Il est l'heure des prévisions météorologiques pour demain. Et d'abord la côte est des États-Unis. Le satellite *Mangouste* nous signale qu'il va y avoir de fortes retombées autour de midi, qui iront ensuite en diminuant. Alors tous ceux qui doivent s'aventurer dehors feraient bien d'attendre l'après-midi, hein ? Et puisqu'on parle d'attendre, il ne reste plus que dix heures avant la grande nouvelle, ma révélation spéciale ! Dites à vos amis de regarder ! Je vais vous dévoiler quelque chose de vraiment stupéfiant. Et si vous pensez que c'est juste pour faire monter la sau… »

La télévision s'évanouit sitôt qu'Isidore eut frappé à la porte. Elle ne s'était pas simplement tue ; elle avait cessé d'exister, renvoyée d'effroi dans sa tombe par ses coups à la porte.

Il pouvait percevoir la présence de *vie* derrière cette porte close, outre celle de la télé. Ses sens, artificiels ou pas, détectaient une terreur sans nom, hantée, irradiée par un être rencogné contre le mur du fond de l'appartement, comme pour lui échapper.

« Hé ! lança-t-il. J'habite au-dessus. J'ai entendu votre télé. Je suis venu faire connaissance... D'accord ? » Il attendit, aux aguets. Pas un bruit, pas un mouvement. Ses paroles n'avaient pas arraché l'inconnu à sa prison. « Je vous ai apporté un cube de margarine. (Il restait à proximité de la porte pour que sa voix en traverse l'épaisseur.) Je m'appelle J.R. Isidore. Je travaille pour le célèbre vétérinaire Hannibal Sloat ; vous en avez forcément entendu parler. Je suis quelqu'un de bonne réputation. J'ai un emploi. Je conduis la camionnette de M. Sloat. »

La porte s'entrouvrit timidement sur une petite silhouette féminine recroquevillée, qui hésitait à l'évidence à prendre ses jambes à son cou. Elle demeurait néanmoins à la porte, s'y raccrochant comme pour ne pas tomber. La peur lui conférait une dégaine de malade ; elle déformait les lignes de son corps, lui donnait l'air d'avoir été coupée en morceaux puis recollée n'importe comment, avec une certaine malice. Ses yeux immenses devinrent vitreux quand elle essaya de sourire.

Il comprit soudain. « Vous vous croyiez toute seule dans l'immeuble. Vous pensiez qu'il était abandonné.

— Oui, murmura la fille en hochant la tête.

— Mais c'est une bonne chose d'avoir des voisins, fit Isidore. Moi je n'en avais aucun avant votre arrivée. Et Dieu sait que ça n'avait rien d'amusant.

— Vous vivez seul dans cet immeuble ? s'enquit la fille. À part moi ? » Elle semblait moins timide à présent. Son corps s'était redressé, et elle lissait d'une main sa sombre chevelure. Il pouvait voir à présent sa jolie petite silhouette, ses beaux yeux bordés de longs cils noirs. Prise à l'improviste, elle ne portait rien d'autre qu'un pantalon de pyjama. Et derrière elle, il apercevait une pièce en désordre – çà et là gisaient des valises ouvertes, leur contenu à demi déversé sur le sol jonché de déchets. Mais c'était logique : elle venait à peine d'arriver.

« J'en suis le seul occupant en dehors de vous, finit par répondre Isidore. Et je ne vous dérangerai pas. » Il se sentait morose. Sa proposition, digne d'un authentique rituel d'avant guerre, avait été repoussée. Pour tout dire, la fille ne semblait même pas en avoir eu conscience. À moins qu'elle ne comprenne pas à quoi servait un cube de margarine ? Son intuition lui soufflait que cette fille semblait plus confuse qu'autre chose. Tout occupée à émerger de la terreur indicible qui l'avait engloutie. « Ce bon vieux Buster, lança-t-il, dans l'espoir de détendre l'atmosphère. Vous l'aimez bien ? Je le regarde tous les matins avant d'aller au boulot, et à nouveau le soir quand j'en rentre. Je le regarde en prenant mon dîner et puis j'essaie de tenir jusqu'à sa toute dernière émission. Enfin, ça, c'était avant que ma télé ne me lâche.

— Qui… » La fille s'interrompit aussitôt ; elle se mordit la lèvre comme si elle était furieuse. Contre elle-même, à l'évidence.

« L'Ami Buster », expliqua-t-il. Il trouvait étrange qu'elle n'ait jamais entendu parler du plus désopilant de tous les comiques télé encore sur Terre. « D'où est-ce que vous venez ?

— Je ne vois pas en quoi ça vous regarde. » Elle leva un bref regard dans sa direction. Quelque chose dans ce qu'elle vit dut la rassurer, car son corps se détendit notablement. « Je serai très heureuse d'avoir de la compagnie, dit-elle. Mais plus tard, quand je serai un peu mieux installée. Pour l'instant, bien sûr, c'est hors de question.

— Pourquoi ça ? » Il était perplexe . Tout en elle le rendait perplexe. *Peut-être que je vis seul ici depuis trop longtemps. À force, je suis devenu bizarre. Les têtes de piaf sont comme ça, paraît-il.* Cette seule idée le renfrogna davantage encore. « Je pourrais vous aider à déballer vos affaires », risqua-t-il. Mais la porte s'était déjà pratiquement refermée devant son nez. « Et vos meubles.

— Je n'ai pas de meubles. Tous ces trucs… » D'un geste, elle indiqua la pièce derrière elle. « Ils étaient déjà là.

— Ils ne feront pas l'affaire », insista Isidore. Un simple coup d'œil suffisait à le voir. Les chaises, la moquette, les tables – tout avait pourri. Elles s'affaissaient en chœur, victimes de la force despotique du temps. Et de l'abandon. Ça faisait des années que cet appartement était inhabité, ce qui l'avait rendu peu ou prou inhabitable… J.R. ne voyait pas comment elle pouvait envisager de vivre dans un tel décor. « Écoutez, dit-il avec enthousiasme. Si on fait le tour de l'immeuble, on devrait pouvoir vous dénicher des trucs un peu moins déglingués. Une lampe par-ci, une table par-là…

— Je vais faire ça, fit la fille. Toute seule, merci.

— Vous iriez dans ces appartements toute seule ? » Il n'en croyait pas ses oreilles.

« Pourquoi pas ? » Elle se mit de nouveau à tressaillir nerveusement, grimaçant devant la certitude d'avoir dit quelque chose qu'il ne fallait pas.

« J'ai essayé, dit Isidore. Une fois. Depuis, je me contente de rentrer chez moi sans penser au reste. Ces appartements dans lesquels personne ne vit – il y en a des centaines, tous remplis des biens de leurs anciens occupants, leurs photos de famille, leurs vêtements… Ceux qui sont morts ne pouvaient rien emporter, et ceux qui ont émigré ne *voulaient* rien emporter. À part mon appartement, cet immeuble est entièrement tropié…

— Tropié ? » Elle ne comprenait pas.

« La tropie, ce sont les objets inutiles, les imprimés publicitaires, les boîtes d'allumettes vides, les papiers de chewing-gum ou les journaux de la veille. Quand il n'y a personne dans le coin, la tropie en profite pour se reproduire. Par exemple, si vous allez vous coucher en laissant de la tropie dans votre appartement, vous en trouvez le double à votre réveil le lendemain matin. Elle n'arrête pas de croître, encore et encore.

— Je vois. » La fille le fixait d'un air hésitant, ne sachant trop s'il fallait le croire. Incapable de déterminer s'il parlait sérieusement.

« C'est la Première Loi de la Tropie, fit-il. La tropie chasse la non-tropie. Comme la loi de Gresham à propos de la mauvaise monnaie. Et dans ces appartements, il n'y a plus personne pour s'opposer à la tropie.

— Elle a donc complètement pris le pouvoir, conclut la jeune femme. » Elle hocha la tête. « Je comprends maintenant.

— Cet appartement, celui que vous avez choisi – il est beaucoup trop tropié pour qu'on puisse y vivre. On peut réduire le facteur tropie, faire comme je vous le disais, aller rafler des trucs dans les autres appartements. Mais… » Il s'interrompit.

« Mais quoi ?

— On ne peut pas gagner.

— Pourquoi ça ? » La fille était sortie dans le hall en refermant la porte derrière elle. Les bras timidement croisés sur ses petits seins fermes, elle lui faisait face, avide de comprendre. Du moins en avait-il l'impression. Elle l'écoutait, en tout cas.

« Personne ne peut gagner contre la tropie, expliqua-t-il. Ou alors provisoirement, à un endroit donné. Chez moi, par exemple, j'ai réussi à créer une espèce de stase entre la pression de la tropie et de la non-tropie. Mais je finirai par mourir, ou par m'en aller, et la tropie reprendra aussitôt le pouvoir. C'est un principe universel, à l'œuvre dans l'univers tout entier ; c'est l'univers dans son ensemble qui s'achemine vers un état d'absolue tropie. À part, bien sûr, ajouta-t-il, l'ascension de Wilbur Mercer. »

La fille le considéra. « Je ne vois pas le rapport.

— C'est l'essence même du Mercérisme. » Il se retrouva plus perplexe que jamais. « Vous ne participez pas à la fusion ? Vous possédez une boîte à empathie, quand même ? »

Un ange passa, puis : « Je n'ai pas apporté la mienne avec moi, fit la fille avec circonspection. J'espérais en trouver une ici.

— Mais une b-boîte à emp-pathie, bégaya-t-il d'excitation, est la chose la plus personnelle qu'on puisse posséder ! C'est comme une extension de son corps... C'est le moyen d'entrer en contact avec d'autres humains, de cesser d'être seul. Mais vous le savez. Tout le monde le sait. Mercer laisse même des gens comme moi... » Il s'interrompit. Mais trop tard. Il l'avait dit, et pouvait voir à son visage, à ses cils qui battaient d'une soudaine aversion, qu'elle avait compris. « J'ai presque réussi le test de QI, ajouta-t-il d'une petite voix tremblante. Je ne suis pas *très* spécial, juste modérément, pas comme certains que vous avez pu voir. Mais ce n'est pas quelque chose d'important aux yeux de Mercer.

— Si vous voulez mon avis, on peut même compter cela comme une objection majeure au mercérisme. » Sa voix était nette, neutre. Elle n'avait eu d'autre intention que d'énoncer un fait – sa position vis-à-vis des têtes de piaf.

« Je crois que je vais remonter chez moi », fit-il. Et de commencer à s'éloigner d'elle, la main cramponnée à son cube de margarine – qui en était devenu mou et poisseux à force d'être tenu.

La fille le regarda partir sans se départir de son masque de neutralité. Puis elle le rappela : « Attendez. »

Il se retourna. « Pourquoi ?

— Je vais avoir besoin de vous. Pour me trouver des meubles corrects. Dans les autres appartements, comme vous l'avez dit. (Elle marcha tranquillement dans sa direction, son torse nu bien dessiné, mince, sans le moindre excès de graisse.) À quelle heure rentrez-vous du travail ? Vous pourrez m'aider à ce moment-là.

— Vous pourriez peut-être nous préparer à dîner ? Si je rapportais les ingrédients nécessaires ?

— Non, j'ai trop de choses à faire. » La fille avait balayé sa proposition avec une certaine désinvolture, ce qu'il ne manqua pas de remarquer, sans pour autant le comprendre. Maintenant que sa peur initiale avait diminué, quelque chose de nouveau commençait à émaner d'elle. Quelque chose de plus étrange. Et, trouvait-il, de regrettable. Une certaine froideur. Comme l'haleine du vide qui séparait les mondes habités, l'haleine de *nulle part*. Ça n'avait rien à voir avec ce qu'elle disait ou faisait, mais avec ce qu'elle ne disait *et* ne faisait *pas*. « Une autre fois », lança-t-elle. Et de reculer vers la porte de son appartement.

« Vous avez bien compris mon nom ? s'enquit-il avec empressement. John Isidore, je travaille pour...

— Vous m'avez dit pour qui vous travailliez. » Elle s'était brièvement arrêtée à la porte, qu'elle rouvrit alors. « Une personne extraordinaire nommée Hannibal Sloat, qui je n'en doute pas n'existe que dans votre imagination. Moi, je m'appelle... » Elle lui adressa un ultime regard sans chaleur tandis qu'elle retournait dans son appartement, hésita, termina sa phrase : « Rachael Rosen.

— De la fondation Rosen ? Le plus grand fabricant de robots humanoïdes du système ? Ceux qu'on utilise pour notre programme de colonisation ? »

Une expression complexe traversa aussitôt le visage de la jeune femme. « Non, dit-elle, je n'en ai jamais entendu parler. Je ne sais rien à leur sujet. Encore un coup de votre imagination de tête de piaf, je suppose. John Isidore et sa petite boîte à empathie personnelle. Pauvre M. Isidore.

— Mais votre nom laisse suggérer…

— Je m'appelle Pris Stratton. C'est mon nom de femme mariée, celui que j'utilise toujours. Vous pouvez m'appeler Pris. » Elle réfléchit, puis : « Non, on ferait mieux d'en rester à mademoiselle Stratton. Nous ne nous connaissons pas, après tout. Pas moi, du moins. » La porte se referma sur elle, laissant Isidore seul dans l'obscurité au milieu du hall couvert de poussière.

7

Bon, c'est la vie, songea J.R. Isidore, planté là, son morceau de margarine mou entre les doigts. *Elle finira peut-être par changer d'avis et me laisser l'appeler Pris. Et par accepter mon invitation à dîner, si je réussis à mettre la main sur une conserve de légumes d'avant guerre.*

Mais peut-être qu'elle ne sait pas faire la cuisine, pensa-t-il soudain. *Pas grave, je peux m'en occuper ; je ferai à dîner pour nous deux. Et si elle en a envie, je lui montrerai comment faire. Elle aura sûrement envie d'en faire autant une fois que je lui aurai montré ; pour ce que je comprends des femmes, la plupart d'entre elles adorent faire la cuisine. C'est un instinct chez elles, même chez les plus jeunes.*

Il emprunta l'escalier obscur pour regagner son appartement.

Elle est vraiment coupée des réalités, se dit-il pendant qu'il revêtait son uniforme de travail immaculé ; même en se dépêchant, il allait arriver en retard au travail et M. Sloat serait furieux, mais qu'importe. *Par exemple, elle n'a jamais entendu parler de l'Ami Buster. C'est juste impossible, Buster est l'être humain le plus important de notre époque, à l'exception de Wilbur Mercer, bien sûr... Mais Mercer n'est pas un être humain. De toute évidence, il s'agit d'une entité archétypale venue des étoiles, superposée à notre culture par quelque volonté cosmique, comme le prétend M. Sloat, par exemple. Et Hannibal Sloat sait ce qu'il dit.*

C'est quand même bizarre qu'elle varie sur son propre nom, estima-t-il. *Elle a peut-être besoin d'aide. Et qui suis-je pour lui en donner ? Un spécial, une tête de piaf. Un incapable. Je n'ai pas le droit de me marier, ni d'émigrer, et les retombées vont finir par me tuer. Je n'ai rien à offrir.*

Une fois habillé pour sortir, il quitta son appartement et monta sur le toit, où l'attendait sa vieille aéromobile cabossée.

Une heure plus tard, il avait récupéré le premier animal défaillant de la journée avec la camionnette de la société. Un chat électrique : il gisait dans la cage de plastique à l'épreuve des retombées située à l'arrière du véhicule, le souffle court, irrégulier. *On jurerait un vrai*, observa Isidore sur le chemin du retour à la clinique vétérinaire Van Ness – cette petite entreprise soigneusement mal nommée qui peinait à survivre sur le marché extrêmement concurrentiel de la réparation des animaux artificiels.

Le chat émit un gémissement de souffrance.

Ouah, il a vraiment l'air mourant. Peut-être que sa batterie décennale s'est mise en court-circuit, que tous ses circuits grillent les uns après les autres. Un boulot d'expert. Milt Borogrove, le réparateur de la clinique vétérinaire Van Ness, allait avoir du pain sur la planche. *Et moi qui n'ai pas fait de devis au propriétaire,* se rendit soudain compte Isidore. *Ce type s'est contenté de me balancer son chat dans les bras en me disant qu'il avait commencé à se sentir mal pendant la nuit… Ensuite, je suppose qu'il est parti travailler.* En tout cas, leur bref échange verbal avait soudain pris fin, et le propriétaire du chat s'était envolé dans un grand rugissement au volant de son élégante aéromobile dernier cri personnalisée.

« Tu peux tenir jusqu'au magasin ? » Le chat avait toujours autant de mal à respirer. « Je vais te recharger en route. » Après avoir posé la camionnette sur le toit libre le plus proche, il se glissa à l'arrière sans prendre la peine d'éteindre le moteur pour ouvrir la cage en plastique qui, conjointement à sa propre tenue blanche et l'inscription qui ornait la camionnette, donnait l'illusion parfaite d'un *véritable* vétérinaire venu passer prendre un *véritable* animal.

Le mécanisme électrique gargouillait et émettait des bulles sous la fourrure grise incroyablement réaliste. Ses lentilles vidéo étaient vitreuses, ses mâchoires métalliques soudées. Les circuits « maladie » des animaux artificiels avaient toujours stupéfié Isidore. Le montage qu'il tenait en cet instant sur les genoux avait été conçu de telle manière que lorsqu'un composant principal venait à lâcher, la créature mécanique paraissait non pas cassée, mais organiquement malade. *Je me serais laissé avoir*, se dit Isidore alors qu'il cherchait à tâtons le panneau de contrôle (minuscule sur les animaux artificiels de cette taille) dissimulé dans la fourrure artificielle du ventre, ainsi que la prise en charge rapide de la batterie. En vain. Et il ne pouvait guère se permettre de poursuivre ses recherches trop longtemps, le mécanisme avait presque rendu l'âme. *Si c'est bien un court-circuit qui s'amuse à griller une à une chaque unité*, réfléchit-il, *je devrais essayer de débrancher un des fils de la batterie. Ça va l'éteindre, mais au moins ça limitera les dégâts. Milt pourra toujours le recharger à l'atelier.*

Il parcourut d'une main experte la pseudo-épine dorsale. *Les câbles doivent se trouver par là. Un sacré travail d'expert... Une imitation absolument parfaite. Aucun câble apparent même en regardant de près. Ça doit être un Wheelright & Carpenter – ils coûtent plus cher, mais ils font un sacré boulot.*

Il abandonna. Le chat artificiel avait cessé de fonctionner. Manifestement, le court-circuit – si c'en était bien un – avait fusillé l'alimentation électrique et le système de transmission. *Ça va coûter un sacré paquet*, songea-t-il avec pessimisme. *Mais bon, à l'évidence, ce type n'a pas fait les révisions trisannuelles recommandées – ça fait toute la différence. Ça lui servira peut-être de leçon.*

Après s'être glissé dans le siège conducteur, il mit le volant en position décollage. La camionnette vrombit aussitôt dans les airs et reprit sa route en direction du magasin de réparation.

Au moins Isidore n'avait-il plus à supporter les horribles sifflements de la machine. Il pouvait enfin se détendre. *C'est drôle, j'ai beau savoir* rationnellement *qu'il est factice, le son d'un animal artificiel dont les systèmes de transmission et d'alimentation sont en train de griller me noue l'estomac. Si seulement je pouvais me trouver un autre boulot,* pensa-t-il douloureusement. *Si je n'avais pas échoué à ce test QI, je n'en serais pas réduit à m'occuper de ces pis-aller émotionnels.* Leur souffrance synthétique n'avait pourtant pas l'air de déranger Milt Borogrove ou leur patron, Hannibal Sloat. *Ça vient peut-être de moi,* se dit Isidore en son for intérieur. *Peut-être que quand on se détériore, on redégringole l'échelle de l'évolution – comme je l'ai fait moi-même, quand on sombre dans l'abîme du monde du tombeau, du fait d'être un spécial. Bon, mieux vaut mettre de côté ce genre de questions.* Rien ne le déprimait davantage que de comparer ses capacités intellectuelles actuelles avec celles qu'il avait possédées autrefois. Sa sagacité et sa vigueur déclinaient davantage chaque jour. Lui et les milliers d'autres spéciaux présents sur Terre s'acheminaient tous vers le tas de cendres. Ils se transformaient peu à peu en tropie vivante.

Histoire d'avoir de la compagnie, il alluma la radio de bord et la régla sur la version audio de l'Ami Buster qui, tout comme à la télé, était diffusé sans interruption vingt-trois heures sur vingt-quatre, la vingt-quatrième étant consacrée à un programme religieux de clôture, suivi de dix minutes de silence, puis d'un programme religieux d'ouverture.

« ... *heureux de vous revoir parmi nous*, disait l'Ami Buster. *Tout de même, Amanda, ça fait deux jours entiers que vous ne nous aviez pas rendu visite. Un nouveau projet en cours, ma chère ?*

— Eh pien, ch'allais chustement en commencer un hier, et ils foulaient que che gommence à sept heures...

— Sept heures du matin ? l'interrompit Buster.

— Foui, exactement, Buchter, à sept heures du batin ! » Et Amanda partit de son célèbre rire, presque autant imité que celui de Buster. Amanda Werner et quelques autres belles et élégantes étrangères aux seins coniques, originaires de pays improbables, en compagnie de quelques pseudo-humoristes bucoliques, constituaient la cour perpétuelle de l'Ami Buster. Les femmes comme Amanda Werner ne tournaient jamais de films, elles ne se produisaient jamais sur scène ; elles passaient le plus clair de leurs belles et étranges existences comme invitées des émissions interminables de Buster. Isidore avait un jour calculé qu'elles y apparaissaient jusqu'à soixante-dix heures par semaine.

Comment Buster trouvait-il le temps d'enregistrer à la fois ces émissions audio et vidéo ? se demandait Isidore. Et comment Amanda faisait-elle pour être son invitée un jour sur deux, mois après mois, année après année ? Comment faisaient-ils pour toujours trouver quelque chose de nouveau à dire ? Jamais ils ne se répétaient – pour autant qu'il puisse le déterminer. Leurs commentaires étaient toujours spirituels, toujours renouvelés. La chevelure d'Amanda resplendissait, ses yeux brillaient, ses dents étincelaient ; elle n'arrêtait jamais, ne semblait jamais fatiguée, ne se retrouvait jamais à court d'une repartie intelligente face aux chapelets interminables de plaisanteries, quolibets et autres remarques acérées de Buster. L'émission de l'Ami Buster, diffusée partout sur Terre par satellite, à la télé comme à la radio, abreuvait également les migrants des planètes coloniales. On avait fait des essais pour la retransmettre jusqu'à Proxima, au cas où la colonisation humaine s'étendrait un jour aussi loin. Si *Saladin 3* avait atteint sa destination, ses passagers auraient trouvé Buster qui les attendait là-bas. Et ils en auraient été ravis.

Mais il y avait quelque chose chez l'Ami Buster, une chose en particulier, qui irritait Isidore. D'une manière subtile, presque imperceptible, Buster ne cessait de ridiculiser les boîtes à empathie. Et pas occasionnellement, mais à de multiples reprises. Chose qu'il était d'ailleurs en train de faire.

« ... *personne ne me balance de pierres*, jacassait Buster à l'intention d'Amanda Werner. *Et il ne me viendrait pas à l'idée d'escalader une montagne sans emporter quelques canettes de Budweiser !* » Le public du studio éclata de rire et se mit à applaudir. « *C'est d'ailleurs de là-haut que je vais vous faire ma révélation soigneusement documentée – révélation qui aura lieu dans dix heures très exactement !*

— *Et moi tonc, mon gèèèr !* s'extasia Amanda. *Embedez-*
boi afec fous ! Che fous brodécherai quand ils nous chetteront tes bierres ! » Le public se remit à rire aux éclats, et un John Isidore déconcerté sentit sa nuque se tendre d'une rage impuissante. Pourquoi l'Ami Buster se moquait-il toujours du Mercérisme ? Tout le monde semblait pourtant s'en accommoder, jusqu'à l'O.N.U. qui l'approuvait. Sans même parler des polices américaine

et soviétique, qui avaient publique
Mercérisme faisait diminuer la crim
les gens plus sensibles à la situatio
nères. « L'humanité a besoin de da
thie », avait déclaré à plusieurs reprise
le secrétaire général de l'O.N.U. *Buste*
jaloux, conjectura Isidore. *Ça expliquera*
Wilbur Mercer sont en compétition. Mais p

Pour nos cerveaux, décida-t-il. *Ils se bat*
contrôle de nos psychismes. D'un côté les boî
thie, de l'autre les éclats de rire et les moqueri
levé de Buster. Je vais en parler avec Hanni
Lui demander si c'est vrai ; lui le saura.

Une fois qu'il eut garé sa camionnette sur le t
la clinique Van Ness, il s'empressa de descendre la
de plastique contenant le pseudo-félin inerte au bur
de Hannibal Sloat. À son entrée, M. Sloat leva les ye
de sa liste de pièces détachées, dévoilant son visag
grisâtre aussi ridé que de l'eau trouble. Trop vieux pou
émigrer, Hannibal Sloat était condamné à végéter sur Terre jusqu'à la fin de ses jours, quand bien même il n'appartenait pas aux spéciaux. Les retombées avaient fini par le ronger au fil des années, lui laissant des traits aussi ternes que ses pensées. Elles l'avaient proprement ratatiné, avaient rendu ses jambes grêles et sa démarche hésitante. Il contemplait le monde au travers de lunettes littéralement bouchées par la poussière – pour quelque raison, il ne nettoyait jamais ses lunettes. Comme s'il avait abandonné la partie ; comme s'il acceptait ces particules radioactives qui avaient commencé depuis bien longtemps à creuser sa tombe. Sa vue était déjà touchée. Ses autres sens allaient suivre lors des quelques années qui lui restaient à vivre, jusqu'à ce qu'il ne lui reste plus que sa voix de crécelle, qui finirait par expirer elle aussi.

st-ce que vous avez là ? lui demanda M. Sloat.
n chat avec un court-circuit dans son alimenta-
» Isidore posa la cage sur le bureau jonché de
rasses de son patron.
Et en quoi ça me concerne ? fit Sloat. Descendez-
l'atelier, que Milt s'en occupe. » Il ouvrit néanmoins
age d'un air pensif et s'empara de l'animal artificiel.
is, lui-même avait été réparateur. Un des meilleurs.
« Je crois que l'Ami Buster et Wilbur Mercer se dis-
tent le contrôle de nos consciences, fit Isidore.

— Auquel cas, fit Sloat tout en examinant l'animal, 'est Buster qui gagne.

— Pour l'instant, dit Isidore. Mais c'est lui qui perdra en fin de compte. »

Sloat leva la tête. « Pourquoi ?

— Parce que Wilbur Mercer se renouvelle sans cesse. Il est éternel. Terrassé au sommet de la colline, il sombre dans le monde du tombeau, mais se relève inévitablement. Et nous avec. Ce qui nous rend éternels, nous aussi. » Il se sentait bien d'avoir si éloquemment parlé ; d'ordinaire, il ne cessait de bégayer en présence de M. Sloat.

« Buster est immortel, fit Sloat. Comme Mercer. Il n'y a aucune différence.

— Comment le pourrait-il ? Ce n'est qu'un homme.

— Je l'ignore, dit Sloat. Mais c'est la vérité. Jamais ils ne l'ont admis, bien sûr.

— C'est donc pour ça qu'il peut assurer quarante-six heures de programme par jour ?

— Exactement.

— Et Amanda Werner, et toutes les autres femmes ?

— Immortelles.

— Ce seraient des formes de vie supérieures venues d'un autre système ?

— Je n'ai jamais réussi à le déterminer avec certitude », fit Sloat, toujours occupé à examiner le chat.

Retirant ses lunettes couvertes de poussière, il inspecta la bouche entrouverte de l'animal. Puis termina sa phrase d'une voix presque inaudible : « Alors que ça ne fait aucun doute en ce qui concerne Wilbur Mercer. » Il se mit à lâcher une bordée de jurons qui, aux oreilles d'Isidore, parut durer une pleine minute. « Ce chat finit-il par dire, n'est pas une copie. Je savais qu'une chose pareille finirait par arriver. Et il est mort. » Il baissa les yeux sur le cadavre du félin. Et jura de plus belle.

Vêtu de son tablier crasseux en grosse toile bleue, Milt Borogrove, un type baraqué à la peau burinée, apparut alors dans l'encadrement de la porte. « Qu'est-ce qu'on a ? » Apercevant le chat, il pénétra dans la pièce et souleva l'animal.

« La tête de piaf nous a rapporté ça », fit Sloat. C'était la toute première fois qu'il employait cette expression devant Isidore.

« S'il vivait encore, dit Milt, on pourrait l'emmener chez un vrai vétérinaire. Je me demande combien ça vaut. Personne n'a une copie du *Sidney* ?

— C-ce n'est p-p-pa-pas couvert p-p-par votre ass-surance ? » demanda Isidore à M. Sloat. Ses jambes se mirent à flageoler, et il eut l'impression que la pièce commençait à prendre une couleur marron foncé avec des taches de vert.

« Si, finit par répondre Sloat en grondant à moitié. Mais c'est le gâchis qui me met hors de moi. La perte d'une autre créature vivante. Vous n'auriez pas pu nous le dire, Isidore ? Vous n'avez pas vu la différence ?

— Je pensais que c'était du très bon boulot, parvint à dire J.R. Si bon que ça m'a trompé ; je veux dire, il avait l'air vivant, et de la si belle ouvrage...

— Je doute qu'Isidore soit capable de voir la différence, intervint Milt d'une voix égale. Ils sont tous vivants à ses yeux, y compris les artificiels. Il a probablement essayé de le sauver. » Puis, s'adressant à Isidore :

« Qu'est-ce que tu as fait ? Tu as essayé de recharger la batterie ? de localiser le court-circuit ?

— O-oui, admit J.R.

— Il était sans doute déjà tellement atteint que ça n'aurait de toute façon rien changé. Fiche un peu la paix à la tête de piaf, Han. Il n'a pas tort : les copies d'animaux commencent à faire sacrément réelles, avec ces circuits de maladie qu'ils installent dans les nouveaux. Et puis les animaux vivants *meurent* ; il faut s'y attendre quand on en possède un. À force de voir des faux, on en a juste perdu l'habitude.

— Un putain de gâchis, fit Sloat.

— D'après M-Mercer, fit remarquer Isidore, la vie est un éternel recommencement. Et le cycle c-concerne aussi les a-a-animaux. Je veux dire, nous nous élevons tous avec lui, nous mourons...

— Allez dire ça au type à qui appartenait ce chat. »

Incapable de déterminer si son patron était sérieux, Isidore lui demanda : « Il faut vraiment que je le fasse ? Mais c'est toujours vous qui vous en chargez. » Il avait la phobie du vidéophone, ce qui lui interdisait pratiquement de passer un appel, surtout à un inconnu. Et M. Sloat, bien entendu, le savait.

« Ne le force pas à faire ça, fit Milt. Je vais m'en charger. » Il s'empara du combiné. « Quelqu'un a son numéro ?

— Je l'ai là quelque part. » Isidore se mit à fouiller les poches de sa combinaison de travail.

— C'est à la tête de piaf de le faire, insista Sloat.

— Je n-n-ne sais pas me s-servir du vidéophone, protesta Isidore, le cœur battant à se rompre. Je suis velu, laid, sale, voûté, édenté et grisâtre. Sans compter les radiations qui me rendent malade. Je crois que je vais mourir. »

Milt sourit. « Je suppose que si je me voyais comme ça, dit-il à l'attention de Sloat, j'éviterais moi aussi d'utiliser un vidéophone. Allez, Isidore, je ne vais pas pouvoir appeler si tu ne me donnes pas le numéro, et tu vas être obligé de le faire. » Il lui tendit une main secourable.

« C'est la tête de piaf qui s'en charge, dit Sloat. Sans quoi je le vire. » Il ne regardait plus ni Isidore ni Milt, il gardait les yeux fixés droit devant lui.

« Allez, arrête, protesta Milt.

— Je n-n'aime p-pas qu'on me t-traite de tête de piaf. Je veux dire, les r-r-retombées ne vous ont p-pas mal amoché v-vous aussi. Physiquement, je v-veux dire. Pas votre cerveau, pas c-c-comme moi. » *Je suis viré*, pensa-t-il. *Je n'arriverai pas à passer ce coup de fil.* Il se rappela alors tout à coup que le propriétaire du chat était parti au boulot. Il n'y aurait donc personne chez lui. « J-je crois que j-je p-peux y arriver, dit-il en extrayant de sa poche un morceau de papier.

— Tu vois ? fit Sloat à l'intention de Milt. Il y arrive quand il n'a pas le choix. »

Assis devant le vidéophone, le combiné en main, Isidore composa le numéro.

« Ouais, dit Milt, mais il ne devrait pas avoir à le faire. Et il a raison : les retombées ne t'ont pas loupé non plus. Tu es déjà à moitié aveugle, et dans quelques années tu seras sourd comme un pot.

— Parle pour toi, Borogrove. Ta peau a la couleur d'une crotte de chien malade. »

Un visage apparut sur l'écran vidéo. Une femme soignée d'allure européenne, qui portait un chignon serré. « Allô ?

— M-Madame Pilsen ? » fit Isidore, presque malade de terreur ; l'idée ne lui avait évidemment pas traversé l'esprit que le client pouvait avoir une épouse, qui bien sûr serait à la maison. « Je vous appelle au s-sujet de votre ch-ch-ch... », mais il ne put aller plus loin. Puis, comme s'il avait un tic, il se frotta le menton. « Votre chat.

— Ah oui, c'est vous qui êtes passé le chercher. Il s'agit bien d'une pneumonie finalement ? C'est ce que pensait mon mari.

— Votre chat est mort, dit Isidore.

— Oh non, dieu du ciel.

— On va v-vous l'échanger, dit-il. Nous sommes assurés. » Il se tourna vers M. Sloat, qui semblait d'accord. « Le propriétaire de notre entreprise, M. Hannibal Sloat... (il se mit à bredouiller) v-va p-p-personnellement...

— Non, fit Sloat, on va leur donner un chèque. Au prix du *Sidney*.

— ... vous choisir le chat de remplacement », se surprit à dire Isidore. Ayant entamé une conversation au-dessus de ses forces, il se retrouvait à présent incapable d'en sortir. Ses paroles obéissaient à une logique intrinsèque qu'il n'avait aucun moyen d'interrompre ; elle devait aller jusqu'à son terme. Tant M. Sloat que Milt Borogrove le regardaient poursuivre sans rien dire, médusés. « Donnez-nous les spécifications du chat que vous désirez : couleur, sexe, race – Île-de-Man, persan, abyssin...

— Horace est mort, murmura Mme Pilsen.

— Il avait une pneumonie, expliqua Isidore. Il est mort au cours du transfert à l'hôpital. Notre chef de service, le Dr Hannibal Sloat, est d'avis qu'à ce stade il n'y avait plus rien à faire pour le sauver. Mais n'est-ce pas une bonne nouvelle, madame Pilsen, que d'apprendre que nous allons le remplacer ? N'est-ce pas, madame Pilsen ? »

Celle-ci avait les yeux baignés de larmes. « Aucun chat ne pourrait remplacer Horace. Quand il n'était qu'un chaton, il se dressait sur ses pattes de derrière pour nous regarder, comme s'il voulait nous poser une question. Que nous n'avons jamais devinée, d'ailleurs. Peut-être en connaît-il la réponse à présent. » Ses larmes redoublèrent. « Je suppose que nous finirons tous par la connaître. »

Isidore eut une soudaine inspiration : « Que diriez-vous d'une exacte réplique électrique de votre chat ? Nous pouvons vous en commander une chez Wheelright & Carpenter – une superbe réalisation, entièrement faite main, avec le moindre détail de l'ancien fidèlement reproduit…

— Oh, quelle horreur ! protesta Mme Pilsen. Vous n'êtes pas sérieux. N'en parlez surtout pas à mon mari. Il deviendrait fou si vous lui proposiez une chose pareille. Il adorait Horace, plus que tous les chats qu'il a pu avoir, et il en a eu depuis sa plus tendre enfance. »

Milt prit alors le combiné des mains d'Isidore. « Nous pouvons vous donner un chèque correspondant à la cote du *Sidney*, ou bien, ainsi que le suggérait M. Isidore, vous fournir un nouveau chat. Nous sommes vraiment désolés pour la mort de votre animal, mais comme M. Isidore vous le faisait remarquer, il avait une pneumonie, ce qui s'avère presque systématiquement fatal. » Il avait adopté le ton professionnel de rigueur. Des trois membres de la clinique vétérinaire Van Ness, c'était lui le meilleur en matière de coups de vidéophone.

« C'est au-dessus de mes forces de le dire à mon mari, expliqua Mme Pilsen.

— Très bien, madame, fit Milt avec une légère grimace. Nous allons l'appeler. Auriez-vous l'amabilité de me donner son numéro de bureau ? » Il se mit en quête d'un stylo et d'un bloc de papier. M. Sloat les lui tendit.

« Écoutez, dit Mme Pilsen, qui semblait avoir retrouvé ses esprits. L'autre monsieur a peut-être raison. Je devrais peut-être vous commander une copie électrique d'Horace, mais il ne faut *jamais* qu'Ed l'apprenne. La reproduction sera-t-elle suffisamment fidèle pour que mon mari ne puisse même pas s'en apercevoir ?

— Si c'est ce que vous voulez, fit Milt d'un ton dubitatif. Sachez cependant que, d'expérience, le propriétaire de l'animal n'est jamais dupe. Ça ne fonctionne qu'avec les observateurs occasionnels, comme des voisins. Vous comprenez, quand on s'approche vraiment près d'un animal artificiel…

— Ed n'a jamais été physiquement proche d'Horace, malgré tout l'amour qu'il lui portait ; c'est moi qui m'occupais de ses besoins personnels, comme sa litière. Je crois que j'aimerais essayer ; si ça ne marche pas, vous pourrez toujours nous trouver un chat pour remplacer Horace. Je veux juste éviter que mon mari ne l'apprenne ; je pense qu'il n'y survivrait pas. C'est pour ça qu'il ne s'approchait jamais d'Horace ; il avait peur de le faire. Et quand Horace est tombé malade – d'une pneumonie, d'après ce que vous m'avez dit –, il a totalement paniqué. Il ne voulait pas voir la vérité en face. C'est la raison pour laquelle nous avons attendu si longtemps pour vous appeler. Trop longtemps… Comme je m'en doutais avant que vous n'appeliez. Je le savais. » Elle hocha la tête, ses larmes désormais sous contrôle. « Combien de temps cela va-t-il prendre ?

— Il devrait être prêt dans dix jours, avança Milt. On vous le livrera dans la journée, pendant que votre mari sera au travail. » Il mit fin à la conversation et raccrocha. « Il va s'en rendre compte, dit-il à Sloat. En moins de cinq secondes. Mais si c'est ce qu'elle veut.

— Les clients qui se mettent à aimer leurs animaux, commenta sombrement Sloat, finissent toujours par craquer. Heureusement qu'en général on n'a pas à s'occuper d'animaux véritables. Vous vous rendez compte que les vrais vétos passent leur temps à traiter ce genre d'appels ? » Il considéra John Isidore. « Finalement, vous êtes moins stupide que vous n'en avez l'air, Isidore. Vous vous en êtes plutôt bien sorti. Même si Milt a dû intervenir pour prendre le relais.

— Il s'est bien débrouillé, renchérit Milt. Merde, ça n'avait rien de facile. » Il ramassa feu Horace. « Je vais le descendre à l'atelier. Han, téléphone à Wheelright & Carpenter et fais venir leur fabricant pour les mesures et les photos. Je ne vais pas les laisser l'emporter à leur atelier : je veux pouvoir comparer moi-même la copie.

— Je crois que je vais laisser Isidore leur parler, décida M. Sloat. Maintenant qu'il a commencé avec Mme Pilsen, il devrait être capable de se charger de Wheelright & Carpenter.

— Fais juste en sorte qu'ils n'embarquent pas l'original, souligna Milt en soulevant Horace. Ils vont insister – ça leur rend la tâche tellement plus facile. Reste ferme.

— Hum, fit Isidore en clignant des yeux. D'accord. Je devrais peut-être les appeler tout de suite, avant qu'il ne commence à se décomposer. Ce n'est pas censé se décomposer, un cadavre, ou un truc dans le genre ? » Il exultait.

8

Après avoir garé sa voiture de service optimisée sur le toit du palais de justice de San Francisco, dans Lombard Street, le chasseur de primes Rick Deckard, mallette à la main, descendit au bureau de Harry Bryant.

« Vous avez fait sacrément vite, dit son supérieur en se laissant aller en arrière dans son fauteuil, avant de prendre une pincée de tabac à priser n° 1.

— J'ai ce que vous m'avez demandé. » Rick s'assit face à lui et posa sa mallette par terre. *Je suis épuisé*, se rendit-il compte. Ça lui était tombé dessus depuis son retour. Il se demanda s'il parviendrait à récupérer suffisamment pour la tâche qui l'attendait. « Comment va Dave ? Assez bien pour que j'aille lui parler ? Ça me paraît judicieux avant de m'attaquer au premier andro.

— Vous allez commencer par Polokov. Celui qui a tiré sur Dave. Mieux vaut le mettre hors jeu immédiatement, vu qu'il se sait visé.

— Avant de parler à Dave ? »

Bryant tendit la main vers une feuille en papier carbone. « Polokov s'est fait embaucher comme éboueur par la municipalité.

— Je croyais que c'était un travail réservé aux spéciaux ?

— Polokov se fait passer pour un spécial, une tête de fourmi. Très atteint – du moins le prétend-il. C'est ce qui a embobiné Dave : Polokov joue tellement bien le jeu qu'il ne s'est pas assez méfié. Vous êtes sûr de l'efficacité du Voigt-Kampff, maintenant ? Absolument certain, après ce qui s'est passé à Seattle...

— Absolument, se contenta de répondre Deckard.

— Je vous crois sur parole. Mais on ne peut pas se permettre la moindre bavure.

— Il n'y en a jamais eu une seule, dans aucune chasse aux andros. Ce cas n'est pas différent.

— Le Nexus-6 *est* différent.

— J'en ai déjà trouvé un, fit Rick. Et Dave deux. Trois, si on compte Polokov. D'accord, je vais le retirer aujourd'hui ; ensuite, j'irai parler à Dave, ce soir ou peut-être demain. » Il tendit la main vers la fiche signalétique de l'androïde Polokov.

« Autre chose, fit Bryant. Un flic russe de l'O.M.P. est en passe d'arriver ici. Il m'a appelé pendant que vous vous trouviez à Seattle. Il est à bord d'une fusée de l'Aeroflot qui va se poser sur le terrain d'atterrissage public dans environ une heure. Sandor Kadalyi, c'est son nom.

— Qu'est-ce qu'il veut ? » Que des flics de l'O.M.P. se pointent à San Francisco n'arrivait pour ainsi dire jamais.

« L'O.M.P. s'intéresse suffisamment aux nouveaux Nexus-6 pour vouloir qu'un de leurs hommes vous accompagne. Comme observateur, et le cas échéant pour vous assister. C'est à vous de décider quand et s'il peut vous être utile. Mais je lui ai déjà donné l'autorisation de vous suivre.

— Et la prime ? s'enquit Rick.

— Vous n'aurez pas à la partager, fit Bryant avec un sourire grinçant.

— Ça ne me semblerait pas juste d'un point de vue financier. » Il n'avait pas la moindre intention de partager ses gains avec une brute de l'O.M.P. Il examina la fiche de Polokov ; celle-ci donnait une description de l'homme – ou plutôt de l'andro –, avec son adresse actuelle et son lieu de travail : la Société d'ébouage de la Baie, dont le siège se trouvait à Geary.

« Vous voulez attendre l'arrivée du flic soviétique pour retirer Polokov ? » s'enquit Bryant.

Rick se hérissa. « J'ai toujours travaillé seul. Bien sûr, la décision vous appartient – je m'y plierai quelle qu'elle soit. Mais j'aimerais autant m'attaquer à Polokov tout de suite, sans attendre que Kadalyi se soit posé.

— Allez-y seul, décida Bryant. Et pour le suivant, qui sera une certaine Mlle Luba Luft – vous avez aussi sa fiche ici –, vous pourrez emmener Kadalyi. »

Après avoir fourré les carbones dans sa mallette, Rick quitta le bureau de son supérieur et remonta sur le toit, où était garé son aéromobile. *Et maintenant,* se dit-il tout en tapotant son laser, *allons rendre une petite visite à M. Polokov.*

Pour sa première tentative, il s'arrêta au siège de la Société d'ébouage de la Baie.

« Je cherche un de vos employés », dit-il à la standardiste grisonnante d'allure sévère. Le bâtiment de la société était impressionnant : grand et moderne, il accueillait un grand nombre d'employés de bureau génétiquement parfaitement purs. Les tapis en laine épaisse, les coûteux bureaux en bois véritable lui rappelèrent que le ramassage des ordures était devenu depuis la guerre l'une des activités les plus importantes sur Terre. La planète tout entière avait commencé à se transformer en dépotoir, et pour la maintenir habitable pour la population restante, il fallait de temps à autre faire disparaître toutes ces saloperies... Sans quoi, comme se plaisait à le déclarer l'Ami Buster, la Terre finirait non pas recouverte de retombées radioactives, mais de tropie.

« Monsieur Ackers, l'informa la standardiste. C'est notre chef du personnel. » Elle lui indiqua un impressionnant bureau imitation chêne derrière lequel se tenait un minuscule binoclard efféminé qui se confondait avec sa pléthore de paperasses.

Rick lui présenta sa carte d'identification. « Où se trouve actuellement votre employé connu sous le nom de Polokov ? Il est de service ou en repos ? »

Ackers consulta de mauvaise grâce ses registres, puis : « Polokov doit être en train de travailler. À presser des épaves d'aéromobiles à notre usine de Daly City, avant de les jeter dans la Baie. Cependant... » Il consulta un autre document, puis décrocha le vidéophone pour passer un appel intérieur. « Donc il n'y est pas », conclut-il. Puis, à l'adresse de Rick : « Polokov ne s'est pas présenté à son travail aujourd'hui. Aucune explication. Qu'a-t-il fait, inspecteur ?

— Si jamais il devait se montrer, fit Rick, ne lui dites pas un mot de ma visite. C'est bien compris ?

— Oui, j'ai bien compris », marmonna Ackers, comme si ses parfaites connaissances des pratiques policières venaient d'être tournées en ridicule.

Rick reprit ensuite l'aéromobile du service pour voler jusqu'à l'immeuble de Polokov, situé dans le quartier rouge. *On ne va jamais l'avoir. Bryant et Holden ont attendu trop longtemps. Au lieu de m'envoyer à Seattle, Bryant aurait mieux fait de me mettre sur Polokov – et pas plus tard qu'hier soir, quand Dave Holden s'est fait avoir.*

Quel endroit sinistre, observa-t-il alors qu'il arpentait le toit en direction de l'ascenseur. Des enclos à l'abandon, recouverts de retombées. Et, dans une cage, un poulet artificiel depuis longtemps hors service. Prenant l'ascenseur pour rejoindre l'étage de Polokov, Rick se retrouva dans un couloir sans lumière – il aurait pu s'agir d'une cave souterraine. Au moyen de sa torche de service étanche, il éclaira le couloir et en profita pour jeter un dernier coup d'œil à la fiche de Polokov. On lui avait déjà administré le Voigt-Kampff ; inutile de perdre du temps avec ça, Rick pouvait donc s'attaquer directement à l'élimination de l'androïde.

Mieux vaut que ça se passe ici, décida-t-il. Après avoir posé sa trousse par terre, il farfouilla dedans à la recherche d'un transmetteur d'ondes non directionnel Penfield, qu'il finit par dénicher. Il appuya sur la touche « catalepsie » – lui-même était protégé de l'émanation d'humeur par l'émission d'une onde contraire que la coque métallique de l'émetteur envoyait directement sur lui.

Tout le monde est immobilisé à présent, se dit-il en éteignant l'appareil. *Tout ce qui vit dans les environs, andros comme humains. Je ne risque plus rien. Il ne me reste plus qu'à entrer et à le descendre. À condition bien sûr qu'il soit à l'intérieur, ce qui n'est guère probable.*

Se servant d'une clé universelle, capable d'analyser et d'ouvrir tous les types de serrures connus, il pénétra dans l'appartement de Polokov, laser en main.

Pas de Polokov. Juste des meubles délabrés, un lieu de tropie qui tombait en ruine. Aucun objet personnel : en guise d'accueil, ne restaient que des débris impersonnels dont Polokov avait hérité en prenant possession des lieux, et qu'il avait laissés à son départ à son hypothétique successeur.

Évidemment. Eh bien, au temps pour ma première prime de mille dollars ; il est sans doute parti se planquer quelque part en Antarctique. En dehors de ma juridiction ; c'est un autre chasseur de primes, d'un autre service de police, qui va le retirer et toucher l'argent. Autant passer aux andros qui ne sont pas prévenus. À Luba Luft.

Une fois de retour à son aéromobile, il téléphona à Harry Bryant pour lui faire son rapport. « Pas de bol avec Polokov. Il a probablement filé juste après avoir eu Dave. » Il consulta sa montre. « Vous voulez que j'aille récupérer Kadalyi au terrain d'atterrissage ? On gagnerait du temps – j'ai hâte de passer à Luba Luft. » Il avait déjà sa fiche signalétique devant lui, et commencé à l'étudier en détail.

« Bonne idée, fit Bryant, sauf que M. Kadalyi est déjà ici. Le vaisseau de l'Aeroflot est – comme d'habitude, d'après lui – arrivé en avance. Un instant. » Conciliabule invisible. Puis Bryant réapparut à l'écran. « Il va vous rejoindre là où vous vous trouvez actuellement. Profitez-en pour potasser le dossier de Mlle Luft.

— Chanteuse d'opéra. Soi-disant originaire d'Allemagne. Actuellement attachée à la troupe de San Francisco. » Il hocha la tête pensivement, l'esprit concentré sur la fiche. « Elle doit avoir une sacrée voix pour s'être intégrée aussi vite. D'accord, je vais attendre Kadalyi ici. » Il donna sa position à Bryant et raccrocha.

Je vais me faire passer pour un amateur d'opéra, finit-il par décider Rick au fil de sa lecture. *Ça ne devrait pas me poser beaucoup de problèmes. J'ai des enregistrements des grandes chanteuses d'autrefois dans ma collection personnelle : Elisabeth Schwartzkopf, Lotte Lehmann, Lisa Della Casa. Ça nous fera un sujet de conversation pendant que j'installerai l'appareillage du Voigt-Kampff. J'aimerais beaucoup l'entendre chanter Donna Anna dans* Don Juan.

Le vidéophone se mit à vrombir. Il décrocha.

« Monsieur Deckard, fit la standardiste de la police, vous avez un appel de Seattle. M. Bryant m'a dit de vous le passer. C'est la fondation Rosen.

— D'accord. » Il patienta en se demandant ce qu'ils voulaient. Pour autant qu'il ait pu en juger, il fallait toujours s'attendre au pire avec les Rosen. Et ça n'avait aucune raison de changer, quelles que soient leurs intentions.

Le visage de Rachael Rosen apparut sur le minuscule écran. « Bonjour, inspecteur Deckard. » Sa voix avait quelque chose d'apaisant, ce qui retint son attention. « Je peux vous parler ? Vous n'êtes pas trop occupé ?

— Allez-y.

— À la fondation, nous avons discuté de votre situation par rapport aux Nexus-6 en fuite, et les connaissant comme nous les connaissons, nous estimons que vous auriez plus de chances de réussir si l'un d'entre nous travaillait en relation avec vous.

— En faisant quoi ?

— Eh bien, en vous envoyant quelqu'un vous assister dans vos recherches.

— Pourquoi ? Qu'est-ce que ça m'apporterait ?

— Les Nexus-6 risquent de se rebiffer à l'approche d'un humain. Mais si c'est un autre Nexus-6 qui établit le contact…

— *Vous-même*, vous voulez dire ?

— Oui. » Elle hocha la tête, le visage grave.

« Je ne sais déjà pas quoi faire de toute l'aide que j'ai reçue.

— Je persiste à penser que vous avez besoin de moi.

— J'en doute. J'y réfléchis et je vous rappelle. » *Dans un avenir lointain, indéterminé. Et plus probablement jamais. Comme si j'avais besoin de ça : Rachael Rosen qui surgit derrière chaque nuage de retombées que je vais devoir traverser.*

« Vous ne comptez pas vraiment le faire, fit Rachael. Me rappeler. Vous n'imaginez pas à quel point un Nexus-6 en cavale peut se montrer agile – c'est mission impossible. Nous estimons vous devoir ceci après ce que… vous savez. Ce que nous avons fait.

— Je vais y réfléchir. » Il s'apprêta à raccrocher.

« Sans moi, vous n'avez aucune chance.

— Au revoir. » Et il raccrocha. *Dans quel genre de monde un androïde téléphone-t-il à un chasseur de primes pour lui offrir son aide ?* Il rappela le standard de la police. « Ne me passez plus le moindre appel en provenance de Seattle.

— Entendu, monsieur Deckard. M. Kadalyi vous a-t-il déjà rejoint ?

— Je l'attends toujours. Et il ferait bien de se dépêcher, je ne vais pas rester ici longtemps. » Et de raccrocher.

Alors qu'il reprenait sa lecture de la fiche signalétique de Luba Luft, un aérotaxi entreprit une manœuvre d'atterrissage sur le toit à quelques mètres de lui. En sortit un quinquagénaire angélique à la mine rougeaude, vêtu d'un épais manteau de style russe d'une taille impressionnante. Sourire aux lèvres, main tendue, il s'approcha de la voiture de Rick.

« Monsieur Deckard ? dit-il avec un accent slave. Le chasseur de primes du département de police de San Francisco ? » Le taxi décolla sous le regard absent du Russe. « Je suis Sandor Kadalyi. » Et d'ouvrir la portière de la voiture pour venir se caser aux côtés de Rick.

Tandis qu'il serrait la main de Kadalyi, Rick remarqua que le représentant de l'O.M.P. portait un laser d'un type inhabituel, qu'il n'avait jamais vu auparavant.

« Oh, ça ? fit Kadalyi. Intéressant, n'est-ce pas ? » Il le tira de son étui. « Je l'ai eu sur Mars.

— Je pensais connaître le moindre modèle de pistolet, dit Rick, même ceux originaires des colonies.

— Nous les fabriquons nous-mêmes. » Kadalyi rayonnait comme un père Noël slave, son visage rougeaud bouffi d'orgueil. « Il vous plaît ? Ce qui distingue son fonctionnement des autres, c'est... Tenez, prenez-le. » Il passa l'arme à Rick, qui l'examina d'un œil formé par des années d'expérience.

« En quoi fonctionne-t-il différemment ? » Rick n'aurait su le dire.

« Appuyez sur la détente. »

Visant en l'air par la fenêtre de la voiture, Rick pressa la gâchette de l'arme. Rien ne se produisit. Aucun rayon n'en jaillit. Perplexe, il se tourna vers Kadalyi.

« Le circuit de la détente, dit gaiement celui-ci, n'est pas incorporé. Il reste avec moi. Vous voyez ? » Il ouvrit la main, révélant un dispositif minuscule. « Et je peux aussi le diriger, dans certaines limites. Où qu'il soit braqué.

— Vous n'êtes pas Polokov, fit Rick. Vous êtes Kadalyi.

— Ne serait-ce pas plutôt l'inverse ? Vous n'êtes pas très clair.

— Je veux dire que vous êtes Polokov, l'androïde ; vous n'appartenez pas à la police soviétique. » Du bout du pied, Rick appuya sur le bouton d'urgence situé au plancher.

« Pourquoi mon laser ne fonctionne-t-il pas ? » Kadalyi-Polokov s'acharnait sur le dispositif de visée et de détente miniaturisé qu'il tenait au creux de sa main.

« Une onde sinusoïdale, expliqua Rick. Elle déphase les émanations laser et propage le rayon en lumière ordinaire.

— Je vais donc devoir vous briser le cou. » L'androïde laissa tomber l'appareil et, dans un grognement, saisit Rick des deux mains à la gorge.

Alors que les mains de l'androïde s'enfonçaient dans sa gorge, Rick fit feu à travers son holster. La balle du .38 magnum, son vieux pistolet réglementaire, toucha l'androïde à la tête et fit éclater sa boîte crânienne. L'unité Nexus-6 dont il était équipé vola en mille morceaux, produisant un souffle déchaîné qui se déversa partout dans le véhicule. Des débris tourbillonnaient autour de Rick, telles des retombées radioactives. Les restes de l'androïde retiré basculèrent en arrière, rebondirent sur la portière et s'écroulèrent lourdement sur lui. Il se retrouva à lutter pour repousser le cadavre encore agité de mouvements convulsifs.

D'une main tremblante, il parvint finalement à atteindre le vidéophone de bord pour appeler le palais de justice. « Au rapport. Dites à Harry Bryant que j'ai eu Polokov.

— Vous avez eu Polokov. Il comprendra, n'est-ce pas ?

— Oui », fit Rick avant de raccrocher. *Nom de Dieu, c'était moins une. Je n'aurais pas dû prendre l'avertissement de Rachael Rosen à la légère. Je l'ai délibérément ignoré et ça a bien failli me coûter la vie. Mais j'ai quand même eu Polokov.* Sa surrénale cessa progressivement d'injecter ses multiples sécrétions dans son système sanguin, les battements de son cœur revinrent à la normale, sa respiration se fit moins frénétique. Mais il tremblait encore. *En tout cas, je viens de me faire mille dollars. Ça valait donc le coup. J'ai manifestement de meilleurs réflexes que Dave Holden. Même si sa mésaventure m'a forcément été utile, il faut bien l'admettre. Lui n'a pas bénéficié d'une telle mise en garde.*

Il reprit le combiné pour passer un coup de fil à Iran. Le temps de composer le numéro, il parvint à allumer une cigarette ; les tremblements s'apaisaient.

Le visage de sa femme, abrutie par les six heures de dépression auto-accusatrice qu'elle avait prophétisées, apparut sur l'écran. « Oh, salut, Rick.

— Qu'est-il arrivé au 594 que je t'avais programmé avant de partir ? *Reconnaissance satisfaite...*

— Je l'ai reprogrammé. Dès que tu es parti. Qu'est-ce que tu veux ? » Sa voix se résumait désormais à un lugubre et misérable bourdonnement. « Je suis tellement fatiguée, il n'y a plus rien qui me donne de l'espoir. Notre mariage... Toi, qui risques de te faire tuer par un de ces andros. C'est pour ça que tu m'appelles, Rick ? Parce qu'un andro vient de t'avoir ? » Le tintamarre de l'Ami Buster à l'arrière-plan couvrit alors ses paroles. Deckard voyait sa bouche bouger, mais n'entendait que la télé.

« Écoute, l'interrompit-il. Est-ce que tu m'entends ? Je suis sur un coup. Un nouveau type d'androïde dont personne à part moi ne peut apparemment se charger. J'en ai déjà retiré un, ce qui va déjà me valoir mille dollars. Tu sais ce qu'on va pouvoir bientôt acheter ? »

Iran le fixait sans le voir. « Oh, fit-elle avec un hochement de tête.

— Je n'ai encore rien dit ! » Il s'en rendait compte à présent, la dépression de son épouse avait atteint un point qui l'empêchait même de l'entendre. À tout le moins, il parlait dans le vide. « Je te verrai ce soir », conclut-il amèrement, pour aussitôt raccrocher. *Et merde. À quoi ça sert que je risque ma vie ? Peu lui importe qu'on possède ou non une autruche. Plus rien ne la touche. Si seulement je m'étais débarrassé d'elle il y a deux ans, quand on a envisagé de divorcer.* Mais ce n'était peut-être que partie remise.

De méchante humeur, il se pencha pour ramasser les papiers froissés éparpillés sur le plancher de la voiture, y compris la fiche de Luba Luft. *Aucun soutien*, se dit-il. *La plupart des androïdes que j'ai connus avaient plus de vitalité et de désir de vivre que ma femme. Elle n'a rien à me donner.*

Ce qui le conduisit à penser à Rachael Rosen. *Sa mise en garde concernant les Nexus-6 était fondée. Pour peu qu'elle ne me demande pas une partie de la prime, je pourrais peut-être l'utiliser.*

Sa rencontre avec Kadalyi-Polokov lui avait radicalement fait changer de point de vue.

Un coup d'accélérateur le fit bondir dans le ciel, en direction du vieil opéra du Mémorial de Guerre où, d'après les notes de Dave Holden, il pourrait trouver Luba Luft à cette heure de la journée.

Et de s'interroger sur elle, à présent. Certaines androïdes trouvaient grâce à ses yeux. Il s'était surpris à ressentir de l'attirance physique pour plusieurs d'entre elles, ce qui ne laissait pas de l'étonner, sachant qu'il s'agissait de machines – mais capables d'éprouver des émotions.

Rachael Rosen, par exemple. Non, décida-t-il. *Elle est trop mince. Pas assez développée, surtout la poitrine. Une silhouette de gamine, plate, insipide.* Il pouvait trouver mieux. Quel âge la fiche de Luba Luft lui donnait-elle ? Tout en conduisant, il récupéra ses notes froissées pour y trouver son « âge » : vingt-huit ans. À en juger par son apparence, ce qui, pour les andros, était le seul critère pertinent.

C'est une bonne chose que j'aie quelque connaissance en matière d'opéra. Un autre de mes avantages sur Dave : je m'intéresse davantage à la culture.

J'en essaie encore un avant de demander de l'aide à Rachael. Si Mlle Luft se révèle particulièrement coriace… mais son intuition lui soufflait qu'il n'en serait rien. Il avait fait le plus dur avec Polokov. Inconscients d'être activement pourchassés, les autres se laisseraient abattre l'un après l'autre, comme une file de canards dans une fête foraine.

Tandis qu'il entamait sa descente vers le toit richement ornementé de l'opéra, il se mit à chanter d'une voix forte un pot-pourri d'arias dans un italien de son cru. Même sans l'orgue d'humeur Penfield sous la main, il se sentait dans les meilleures dispositions du monde. Prêt à accueillir l'avenir avec une jubilation avide.

9

Dans l'énorme ventre de baleine, sculpté dans la pierre et l'acier pour abriter durablement le vieil opéra, Rick Deckard se retrouva au beau milieu d'une répétition bruyante, retentissante et passablement désordonnée. Dès son arrivée, il avait reconnu la musique de *La flûte enchantée* de Mozart, les dernières scènes du premier acte. Les esclaves du Maure – le chœur, en d'autres termes – avaient attaqué leur chant avec une mesure d'avance, ce qui avait mis à mal le rythme simple des clochettes magiques.

Quel plaisir… Rick adorait *La flûte enchantée*. Il s'assit dans un fauteuil du premier balcon (personne ne parut prêter attention à lui) et se mit à l'aise. Papageno, vêtu de son fantastique manteau de plumes, s'était joint à Pamina pour chanter ces vers qui avaient le don de lui arracher des larmes chaque fois qu'il se les remémorait :

Könnte jeder brave Mann
Solche Glöckchen finden
Seine Feinde würden dann
Ohne Mühe schwinden.

Eh bien, dans la vraie vie il n'existe pas de clochettes magiques pour faire disparaître son ennemi sans effort.

Dommage. Quand je pense que Mozart est mort d'une maladie rénale peu après avoir composé La flûte enchantée. *Et qu'on l'a enterré dans une fosse commune.*

Ce qui le conduisit à se demander si Mozart avait quelque intuition de l'absence d'avenir, du fait qu'il avait déjà épuisé le peu de temps à sa disposition. *J'en ai autant à mon service*, se dit Deckard en regardant la répétition poursuivre son cours. *Cette répétition, puis le spectacle, vont prendre fin, les chanteurs vont mourir, et en fin de compte la dernière partition de sa musique sera détruite d'une manière ou d'une autre. Un jour, le nom même de Mozart aura été oublié, la poussière aura gagné. Sinon sur cette planète, du moins sur une autre. On peut y échapper quelque temps. Tout comme les andros peuvent m'échapper et s'accorder un court répit. Mais on finit toujours par les avoir, moi ou un autre chasseur de primes. D'une certaine façon*, comprit-il, *je fais partie du processus entropique de destruction de la matière. La fondation Rosen crée des choses que moi je défais. C'est en tout cas l'impression que ça doit leur donner.*

Sur scène, Papageno et Pamina se lançaient dans un dialogue. Il interrompit son introspection pour écouter.

Papageno : « Ah Pamina, que dirons-nous maintenant ? »

Pamina : « La vérité – la vérité, même si c'est un crime ! »

Se penchant en avant, Rick étudia Pamina, drapée dans sa lourde tunique en volutes, le voile de sa guimpe flottant sur son visage et ses épaules. Il réexamina la fiche signalétique, puis se radossa, satisfait. *Voici donc mon troisième Nexus-6. C'est bien Luba Luft. Un peu ironiques, les sentiments qu'implique son rôle. Si vivante, active et jolie qu'elle en ait l'air, un androïde en fuite aurait bien du mal à dire la vérité. Sur lui-même, en tout cas.*

La qualité du chant de Luba Luft ne manquait pas de le surprendre. On pouvait sans peine le comparer à celui des plus grandes cantatrices, y compris celles qu'il avait dans sa collection d'enregistrements historiques. La fondation Rosen avait fait du bon travail, il devait le reconnaître. Et de nouveau il se perçut *sub specie aeternitatis*, le destructeur de matière invoqué par ce qu'il voyait et entendait ici. *Mieux elle fonctionne, meilleure chanteuse elle est, et plus je suis nécessaire. Si les androïdes étaient restés inférieurs, comme les anciens Q-40 fabriqués par Derain & Cie, il n'y aurait aucun problème et on se passerait de mes talents. Je me demande quand je vais devoir le faire. Dès que possible, sans doute. À la fin de la répétition, quand elle rejoindra sa loge.*

La répétition s'interrompit temporairement à la fin de l'acte. Elle allait reprendre dans une heure et demie, annonça le chef d'orchestre en anglais, en français et en allemand, avant de quitter les lieux, bientôt imité par les musiciens qui laissèrent là leurs instruments. Rick se leva et se dirigea vers les coulisses, où se trouvaient les loges. Il suivait les derniers membres de la distribution, prenant son temps pour réfléchir. *C'est mieux comme ça – en finir tout de suite. Je vais essayer de perdre aussi peu de temps que possible à lui parler et à la tester. Et dès que je serai sûr…* Mais techniquement il ne saurait qu'après le test. *Dave s'est peut-être trompé sur son compte. J'espère que oui.* Mais il en doutait. Son instinct professionnel s'était déjà mis en éveil. Et il ne l'avait jamais trompé au cours de toutes ces années passées avec le service.

Il arrêta un figurant grimé en lancier égyptien pour lui demander où se trouvait la loge de Mlle Luft.

L'homme la lui désigna du doigt. Une fois devant la porte, Rick vit une note rédigée à l'encre qui y avait été punaisée : MLLE LUFT – PRIVÉ. Il frappa.

« Entrez. »

La fille était assise à sa coiffeuse, avec sur les genoux une partition reliée très usagée qu'elle était en train d'annoter au moyen d'un stylo à bille. Elle avait gardé son maquillage et son costume, à l'exception de la guimpe. « Oui ? » fit-elle, levant les yeux. Le maquillage de scène agrandissait encore ses immenses yeux noisette, imperturbablement fixés sur Rick. « Je suis occupée, comme vous pouvez le voir. » Son anglais ne recelait pas la moindre trace d'accent.

« Vous n'avez rien à envier à Schwartzkopf, commença Rick.

— Qui êtes-vous ? » Le ton de sa voix était empreint d'une froide réserve – et de cette autre froideur, qu'il avait rencontrée chez tant d'androïdes. C'était toujours pareil : intelligence supérieure, capacités remarquables, mais ceci également. Il le déplorait. Mais reconnaissait son utilité pour les localiser.

« Je fais partie de la police de San Francisco, dit-il.

— Ah ? » Elle ne sourcilla même pas. « Qu'est-ce qui vous amène ? » Le ton de sa voix semblait étrangement gracieux.

Une fois assis sur une chaise, Deckard entreprit d'ouvrir sa mallette. « On m'envoie ici vous faire passer un test standard de personnalité. Ça ne prendra que quelques minutes.

— Est-ce vraiment nécessaire ? » Elle fit un geste en direction de la grosse partition reliée. « J'ai encore beaucoup à faire. » Un début d'inquiétude avait commencé à parcourir ses traits.

« Ça l'est. » Il sortit les instruments du Voigt-Kampff, qu'il commença à mettre en place.

— Un test de QI ?

— Non. D'empathie.

— Je vais devoir mettre mes lunettes. » Elle tendit la main pour ouvrir un des tiroirs de sa coiffeuse.

« Si vous parvenez à annoter votre partition sans vos lunettes, le test ne vous posera aucun problème. Je vais vous montrer des photos et vous poser plusieurs questions. En attendant… » Il se leva, avança vers elle et se pencha en avant pour appliquer sur sa joue maculée de fond de teint le disque adhésif muni d'électrodes. « Et cette lampe, fit-il en ajustant l'angle du pinceau lumineux. Et voilà.

— Vous pensez que je suis un androïde ? C'est bien ça ? » Sa voix désormais éteinte était presque inaudible. « Je ne suis pas un androïde. Je ne suis même jamais allée sur Mars. Je n'ai jamais *vu* le moindre androïde ! » Ses faux cils se mirent à battre involontairement. Rick remarqua ses efforts pour avoir l'air calme. « Vous avez des informations selon lesquelles il y aurait un androïde dans la distribution ? Je serais ravie de vous apporter mon aide – ce qui ne serait pas le cas si j'étais un androïde, n'est-ce pas ?

— Un androïde se moque de ce qui peut arriver à un de ses congénères. C'est l'un des signes que nous recherchons.

— Dans ce cas-là, fit Mlle Luft, vous devez en être un. »

Sa remarque laissa Rick interdit. Il la dévisagea.

« Car, poursuivit-elle, votre boulot consiste à les tuer, n'est-ce pas ? Vous êtes ce qu'on appelle un… » Elle essaya de se rappeler.

« Un chasseur de primes, dit Rick. Mais je ne suis pas un androïde.

— Ce test que vous voulez me faire passer. » Sa voix avait commencé à revenir. « Vous l'avez subi ?

— Oui. Il y a bien longtemps, quand j'ai intégré le département.

— C'est peut-être un faux souvenir. Les androïdes ne circulent-ils pas parfois avec de faux souvenirs ?

— Mes supérieurs sont au courant des résultats. C'est obligatoire.

— Peut-être qu'il y a jadis eu un homme qui vous ressemblait, un homme qu'à un moment quelconque vous avez tué pour prendre sa place. Une chose que vos supérieurs ignorent. » Elle sourit. Comme pour l'inviter à en convenir.

« Commençons le test, fit-il en sortant sa liste de questions.

— J'accepte à condition que vous le passiez d'abord. »

Il la fixa de plus belle, stoppé dans son élan.

« Ne serait-ce pas plus juste ? poursuivit-elle. Au moins, comme ça, je pourrais me fier à vous. Je ne sais pas... Vous avez l'air si bizarre, si dur, si étrange. » Elle frissonna, puis sourit de plus belle. Pleine d'espoir.

« Vous ne seriez pas capable de faire passer le Voigt-Kampff. Ça demande une expérience considérable. Bon, écoutez-moi attentivement s'il vous plaît. Ces questions vont concerner des situations sociales dans lesquelles vous pourriez vous retrouver. Ce que j'attends de vous, c'est de me dire comment vous y réagiriez, ce que vous feriez. Et je veux que vous me répondiez aussi vite que vous le pourrez. Le temps de latence fait partie des facteurs que je vais enregistrer. » Il sélectionna sa première question. « Vous regardez la télévision dans votre canapé, quand soudain vous découvrez une guêpe sur votre poignet. » Il regardait sa montre pour compter les secondes. Et contrôlait en même temps les deux cadrans.

« Une *guêpe* ? s'enquit Luba Luft.

— Un insecte volant muni d'un dard.

— Oh, comme c'est étrange. » Ses yeux immenses s'agrandirent encore, ingénus, enfantins, comme s'il venait de lui révéler le mystère cardinal de la création. « Il y en a encore ? Je n'en ai jamais vu une seule.

— Elles ont disparu à cause des radiations. Vous ne savez vraiment pas ce qu'est une guêpe ? Vous deviez pourtant être de ce monde quand il y en avait, ça ne fait jamais que...

— Comment le traduiriez-vous en allemand ? »

Il essaya en vain de s'en souvenir. « Votre anglais est parfait », fit-il avec colère.

« C'est mon *accent* qui est parfait, le corrigea-t-elle. Il le faut bien pour mes rôles, pour Purcell, Walton ou Vaughan Williams. Mais mon vocabulaire reste limité. » Elle lui lança un regard timide.

« *Wespe,* dit-il enfin.

— Ach, oui. *Eine Wespe.* » Elle rit. « Et quelle était la question ? J'ai déjà oublié.

— Essayons-en une autre. » Impossible à présent d'obtenir une réponse significative. « Vous regardez un vieux film à la télé, un film d'avant guerre. Un banquet est en cours. Le plat de résistance... (il sauta la première partie de la question)... consiste en du chien bouilli farci au riz.

— Il ne viendrait à l'idée de personne de tuer un chien pour le manger, fit Luba Luft. Ils valent une telle fortune. Mais je suppose qu'il s'agirait d'une imitation, d'un ersatz. N'est-ce pas ? Sauf que ceux-là se résument à un assemblage de fils et de moteurs. Impossible de les manger.

— *Avant* la guerre, s'énerva-t-il.

— Je suis née après.

— Mais vous avez vu des vieux films à la télé.

— C'était un film philippin ?

— Pourquoi ?

— Parce qu'ils mangeaient couramment du chien bouilli farci au riz là-bas. Je me rappelle avoir lu ça quelque part.

— Votre réaction, insista-t-il. Je veux votre réaction sociale, émotionnelle, morale.

— Au film ? » Elle réfléchit. « Je changerais de chaîne pour regarder l'Ami Buster.

— Pourquoi ça ?

— Eh bien, dit-elle avec virulence, qui diable voudrait voir un vieux film situé aux Philippines ? Il ne s'est jamais *rien* passé aux Philippines, à part la Marche funèbre de Bataan – et qui aurait envie de regarder ça ? » Elle le foudroyait du regard avec indignation. Les aiguilles s'agitaient dans tous les sens sur ses cadrans.

Il marqua une pause. Puis, posément : « Vous louez un chalet de montagne.

— *Ja.* Allez-y, je n'ai pas toute la journée.

— Dans une région encore verdoyante.

— Pardon ? » Elle mit une main en cornet. « Je n'ai jamais entendu ce terme.

— Avec des arbres et des buissons. Quelqu'un a accroché aux murs de vieilles cartes et des lithographies, et une tête de cerf a été fixée au-dessus de la cheminée – un beau mâle, avec des bois développés. Les gens qui vous accompagnent s'extasient sur la décoration et...

— Je ne comprends ni "lithographie", ni "décoration", fit Luba Luft, qui semblait cependant lutter pour leur donner un sens. Attendez. » Elle leva une main avec le plus grand sérieux. « "Lithographie", ce n'est pas un terme d'origine allemande ? C'est peut-être un chalet suisse-allemand ? »

Rick se révéla proprement incapable de déterminer dans quelle mesure le brouillard sémantique de Luba Luft était délibéré. Après réflexion, il décida d'essayer une autre question. Que pouvait-il faire d'autre ? « Vous avez rendez-vous avec un homme, qui vous propose d'aller dans son appartement. Une fois que vous êtes arrivés...

— *Oh nein*, l'interrompit Luba, je n'irais certainement pas. La réponse va de soi.

— Ce n'est pas la question !

— Vous vous êtes trompé de question ? Mais c'est ce que j'ai compris. Pourquoi une question que je comprends ne serait-elle pas la bonne ? Je ne suis pas *censée* comprendre ? » Elle se gratta la joue d'une main tremblante de nervosité, arrachant dans le mouvement le disque adhésif. Qui tomba par terre, glissa, et alla rouler sous la coiffeuse. *« Ach Gott »*, marmonna-t-elle en se baissant pour le ramasser. Un bruit de tissu qui se déchire accompagna son mouvement – son costume recherché.

« Je vais m'en occuper », dit-il en la poussant. Une fois à genoux, il se mit à tâtonner sous la coiffeuse jusqu'à ce que ses doigts finissent par localiser le disque.

Quand il se redressa, il se retrouva nez à nez avec un laser.

« Vos questions, fit Luba Luft d'une voix crispée, commençaient à aborder le sexe. Je me demandais quand on en arriverait là. Vous n'êtes pas de la police ; vous êtes un pervers sexuel.

— Je vais vous montrer ma carte. » Il tendit la main en direction de la poche de son manteau. Sa main, remarqua-t-il alors, avait recommencé à trembler, comme avec Polokov.

« Encore un geste, fit Luba Luft, et je vous tue.

— Vous allez le faire de toute façon. » Il se demanda comment les choses auraient tourné s'il avait attendu que Rachael Rosen se joigne à lui. Mais à quoi bon s'appesantir là-dessus ?

« Laissez-moi voir les questions suivantes. » Elle tendit la main, et il lui passa la liste à contrecœur. « “Dans un magazine, vous tombez sur une photo couleur pleine page d'une fille complètement nue.” Eh bien dites donc ! “Vous tombez enceinte d’un homme qui a promis de vous épouser. Il vous quitte pour une autre femme, votre meilleure amie. Vous vous faites avorter.” La nature de vos questions me paraît évidente. Je vais appeler la police. » Son laser toujours pointé en direction de Rick, elle traversa la pièce, décrocha le vidéophone et composa le numéro du standard. « Mettez-moi en communication avec le département de police de San Francisco, dit-elle. J’ai besoin d’un agent.

— C’est la meilleure chose que vous puissiez faire », fit Rick avec soulagement. Il trouvait néanmoins bizarre que Luba ait pris pareille décision. Pourquoi ne l’avait-elle pas tout simplement tué ? Une fois l’agent sur les lieux, elle allait perdre l’initiative à son profit.

Elle doit se croire humaine. De toute évidence elle n’est pas au courant.

Quelques minutes plus tard, durant lesquelles Luba l’avait soigneusement gardé en joue, un grand flic massif, engoncé dans son uniforme bleu archaïque – avec pistolet et étoile –, fit son arrivée. « Bon, dit-il aussitôt à la chanteuse, commencez par me ranger ça. » Elle posa son laser, qu’il ramassa pour voir s’il était chargé. « Qu’est-ce qui se passe ici ? » lui demanda-t-il. Et sans lui laisser le temps de répondre, il se tourna vers Rick : « Qui êtes-vous ?

— Il est entré dans ma loge, expliqua Luba Luft. Je ne l’avais jamais vu de ma vie. Il prétendait venir effectuer un sondage, ou quelque chose du genre, et il voulait me poser des questions. Comme je n’y voyais aucun mal, j’ai donné mon accord, et alors il s’est mis à me poser des questions obscènes.

— Montrez-moi vos papiers. » Le flic avait tendu la main en direction de Deckard.

« Je travaille comme chasseur de primes pour le service, dit celui-ci en sortant sa carte.

— Je connais tous les chasseurs de primes, dit le flic tout en examinant le portefeuille de Rick. Vous dépendez de la police de San Francisco ?

— Je rends compte au commissaire Harry Bryant. J'ai repris la liste de Dave Holden depuis qu'il se trouve à l'hôpital.

— Et moi je vous dis que je connais tous les chasseurs de primes, insista le policier, et que je n'ai jamais entendu parler de vous. » Il lui rendit ses papiers.

« Appelez le commissaire Bryant, fit Deckard.

— Il n'existe aucun commissaire Bryant. »

Tout devint clair dans l'esprit de Rick. « Vous êtes un androïde. Comme mademoiselle Luft. » Il alla décrocher le combiné du vidéophone. « Je vais appeler le service. » Il se demandait jusqu'où les deux androïdes allaient le laisser poursuivre avant d'intervenir.

— Le numéro, dit le flic, est le...

— Je connais le numéro. » Qu'il composa, pour bientôt se retrouver en ligne avec la standardiste de la police. « Passez-moi le commissaire Bryant.

— Qui est à l'appareil, s'il vous plaît ?

— Rick Deckard. » Il resta sans bouger à attendre. Le policier, pendant ce temps, prenait la déposition de Luba Luft sans lui prêter la moindre attention.

Quelques instants plus tard, le visage de Harry Bryant apparaissait sur l'écran vidéo. « Qu'est-ce qui se passe ?

— Des ennuis, fit Rick. Un des noms sur la liste de Dave a réussi à faire venir un soi-disant agent ici. Je ne semble pas en mesure de lui prouver mon identité. Il prétend connaître tous les chasseurs de primes du service et ne jamais avoir entendu parler de moi, dit Rick. Ni de vous, d'ailleurs.

— Passez-le-moi.

— Le commissaire Bryant veut vous parler. » Rick tendit le combiné au policier. Qui cessa d'interroger Mlle Luft pour le prendre.

« Agent Crams », dit-il avec rudesse. Une pause, puis : « Allô ? » Il écouta, répéta *allô* à plusieurs reprises, attendit encore puis se tourna vers Rick. « Il n'y a personne au bout du fil. Ni à l'écran. » Il désigna le vidéophone – ledit écran était bel et bien vide.

Rick lui reprit le combiné des mains. « M. Bryant ? » Rien. « Je vais rappeler. » Il raccrocha, attendit, puis recomposa le numéro familier. Le téléphone sonna dans le vide.

« Laissez-moi essayer, fit Crams. Vous avez dû faire un faux numéro. C'est le 842...

— Je *connais* le numéro.

— Agent Crams à l'appareil. Y a-t-il un certain commissaire Bryant rattaché à ce service ? » Une courte pause. « Bon, et un chasseur de primes s'appelant Rick Deckard ? » Nouvelle pause. « Vous êtes sûr ? Serait-il possible qu'il ait récemment... Ah, je vois. D'accord, merci. Non, j'ai la situation sous contrôle. » Après avoir raccroché, il se tourna vers Rick.

« Je l'avais au bout du fil, fit celui-ci. Il voulait vous parler. Le téléphone doit être en dérangement. Il y a forcément eu un problème sur la ligne. Vous l'avez vu, n'est-ce pas ? Le visage de Bryant à l'écran, puis plus rien. » Il se sentait abasourdi.

« J'ai la déposition de Mlle Luft, Deckard. On va aller au palais de justice pour dresser le procès-verbal.

— D'accord, fit Rick. » Puis, à l'adresse de Luba Luft : « Je ne serai pas long. Je n'en ai pas encore fini avec vous.

— C'est un pervers, dit Luba Luft. Il me donne la chair de poule. » Et de frissonner.

« Quel est le titre de l'opéra que vous répétez ? lui demanda l'agent Crams.

— *La Flûte enchantée*, intervint Rick.

— Ce n'est pas à vous que je l'ai demandé. » Le policier le gratifia d'un regard désapprobateur.

« J'ai hâte d'arriver au palais de justice, fit Rick. Histoire de régler cette affaire une fois pour toutes. » Il partit vers la porte de la loge, sa mallette sous le bras.

« Je vais d'abord vous fouiller. » Crams se mit à le palper d'une main experte, ressortant de ses recherches avec son pistolet réglementaire et son laser. Il s'appropria les deux, puis, après avoir reniflé un instant le canon du premier : « On a tiré avec récemment.

— Je viens de retirer un andro, expliqua Rick. Son corps se trouve encore dans ma voiture, sur le toit.

— D'accord. On va monter jeter un coup d'œil. »

Mlle Luft les accompagna jusqu'à la porte de la loge. « Il ne va pas revenir, n'est-ce pas, monsieur l'agent ? Il me fait vraiment peur, il est tellement bizarre.

— S'il y a effectivement un cadavre dans sa voiture, dit Crams, vous ne risquez pas de le revoir. » Il poussa Rick en avant en direction de l'ascenseur, qui les mena jusqu'au toit de l'opéra.

Après avoir ouvert la porte du véhicule, Crams inspecta sans mot dire le corps de Polokov.

« Un androïde, fit Rick. On m'a envoyé à ses trousses. Il a failli avoir ma peau en se faisant passer pour...

— Ils vont prendre votre déposition au palais de justice », l'interrompit Crams. Qui poussa Rick en direction de son véhicule, où il demanda par radio qu'on vienne récupérer le corps de Polokov. « D'accord, Deckard, fit-il alors en raccrochant. Allons-y. »

Une fois les deux hommes à bord, la voiture de police s'arracha du toit et s'en fut vers le sud.

Quelque chose ne va pas. L'agent Crams n'avait pas pris la bonne direction.

« Le palais de justice se trouve au nord, dans Lombard Street.

— Vous parlez du *vieux* palais de justice, fit Crams. Le nouveau se trouve dans Mission Street. Le précédent part à moitié en ruine. Personne n'y a mis les pieds depuis des années. À quand remonte la dernière fois que vous vous êtes fait coffrer ?

— Emmenez-moi là-bas, dit Rick. À Lombard Street. » Il comprenait tout à présent. Il voyait ce que les androïdes étaient parvenus à faire en œuvrant de concert. Il n'allait pas survivre à cette excursion en voiture, il allait mourir, comme cela avait failli arriver à Dave – qui n'était pas encore sorti d'affaire.

— Cette fille est un vrai canon, dit l'agent Crams. Bien sûr, avec son costume, difficile de se faire une idée de sa silhouette. Mais ça m'avait quand même l'air sacrément potable.

— Admettez que vous êtes un androïde, fit Rick.

— Pourquoi ferais-je une chose pareille ? Je n'en suis pas un. C'est quoi votre problème, pour passer ainsi votre temps à tuer des gens en vous persuadant que ce sont des androïdes ? Je comprends mieux pourquoi Mlle Luft était effrayée. Elle a vraiment bien fait de nous appeler.

— Alors, emmenez-moi au palais de justice de Lombard Street.

— Comme je vous l'ai dit…

— Ça ne prendra même pas trois minutes, fit Rick. Je veux le voir. Je pointe là-bas tous les matins, je veux voir s'il est abandonné depuis des années, comme vous l'affirmez.

— *Vous* êtes peut-être un androïde, dit Crams. Avec de faux souvenirs, comme ils leur en implantent parfois. Ça vous a déjà traversé l'esprit ? » Il lui adressa un sourire glacé. La voiture poursuivait sa course vers le sud.

Conscient de sa défaite, de son échec, Rick se laissa aller dans son siège. Et, impuissant, attendit la suite. Quoi que les androïdes aient prévu pour lui, ils le tenaient à présent.

Mais j'en ai eu un, se dit-il. *Polokov. Et Dave en a retiré deux.*

Une fois au-dessus de Mission Street, la voiture de l'agent Crams entama sa descente.

10

Le toit du palais de justice de Mission Street était hérissé d'une série de flèches baroques lourdement ornementées. Rick Deckard trouva aussitôt séduisante cette belle structure moderne, complexe, à l'exception d'un détail : jamais il ne l'avait vue auparavant.

Quelques minutes après l'atterrissage de l'aéromobile, Rick se retrouvait officiellement arrêté.

« 304, annonça l'agent Crams au sergent de service. Et 612.4 – ensuite, on verra. Il se fait passer pour un officier de police.

— 406.7 », dit le sergent en remplissant les formulaires avec une lenteur mâtinée d'ennui. Travail de routine, déclaraient tant sa posture que son expression. Rien de très important.

« Par ici. » Crams conduisit Rick jusqu'à une petite table blanche où un technicien faisait fonctionner un équipement familier. « Pour votre schéma céphalique, expliqua Crams. À des fins d'identification.

— Je sais », fit Rick avec rudesse. Autrefois, quand lui-même était encore un flic, il avait mené plus d'un suspect à une table de ce genre. Pas *celle-là*, bien sûr.

Une fois son schéma céphalique enregistré, on l'entraîna dans une pièce tout aussi familière ; il entreprit machinalement de rassembler ses objets de valeur pour le transfert. *Tout cela n'a aucun sens. Qui sont ces gens ? Et si cet endroit a toujours existé, pourquoi n'en avons-nous jamais entendu parler ? Et eux de nous ? Deux agences de police parallèles, la nôtre et celle-ci. Qui ne seraient jamais entrées en contact – du moins jusqu'à aujourd'hui, pour ce que j'en sais. À moins que si,* songea-t-il. *Ce n'est peut-être pas la première fois. J'ai du mal à y croire. Ou alors ce n'est* pas *un service de police.*

Un homme en civil se détacha alors du mur contre lequel il se tenait pour s'approcher de Rick Deckard d'un pas mesuré, imperturbable, et le dévisager avec curiosité. « Qu'est-ce qu'on a ? demanda-t-il à l'agent Crams.

— Présomption d'homicide. On a un corps – trouvé dans sa voiture –, mais il prétend qu'il s'agit d'un androïde. On a envoyé un échantillon de moelle osseuse au labo pour vérifier. Monsieur se fait passer pour un policier, un chasseur de primes. Histoire d'accéder à une loge d'opéra pour poser des questions tendancieuses à la femme qui l'occupait. Elle s'est méfiée de lui et nous a appelés. » Crams fit un pas en arrière. « Vous voulez prendre le relais, chef ?

— D'accord. » Yeux bleus, nez pincé, lèvres inexpressives, l'officier en civil dévisagea Rick, puis tendit une main vers sa mallette. « Qu'est-ce que vous avez là-dedans, monsieur Deckard ?

— Le matériel nécessaire au test de personnalité Voigt-Kampff. J'étais en train de l'utiliser sur un suspect quand l'agent Crams m'a arrêté. » Il regarda l'officier fouiller dans le contenu de sa mallette, examinant chaque pièce une par une. « J'ai posé à Mlle Luft les questions standard du V-K, imprimées sur la...

— Connaissez-vous Georges Gleason et Phil Resch ?

— Non. » Les deux noms ne lui disaient rien.

« Ce sont les chasseurs de primes qui couvrent la Californie du Nord. Tous deux attachés à notre département. Vous les croiserez peut-être pendant votre séjour ici. Êtes-vous un androïde, monsieur Deckard ? Je vous pose la question parce qu'il nous est arrivé plusieurs fois d'avoir affaire à des andros en fuite qui se faisaient passer pour des chasseurs de primes d'un autre État à la poursuite d'un suspect.

— Je ne suis pas un androïde, fit Rick. Vous pouvez me faire passer le test Voigt-Kampff ; je l'ai déjà subi et ça ne me dérange pas de recommencer. Mais j'en connais déjà le résultat. Puis-je appeler ma femme ?

— Vous n'avez droit qu'à un appel. Vous ne feriez pas mieux de joindre un avocat ?

— Pas la peine. Elle peut m'en trouver un. »

Le policier en civil lui tendit une pièce de cinquante cents. « Il y a un vidéophone là-bas. » Il regarda Rick traverser la pièce, puis revint à l'examen du contenu de sa mallette.

Deckard introduisit la pièce puis composa le numéro de sa maison. Puis attendit ce qui lui parut être une éternité.

Un visage de femme apparut sur l'écran. « Allô ? »

Ce n'était pas Iran. Il n'avait jamais vu cette femme de sa vie.

Il raccrocha, puis retourna lentement vers le policier.

« Pas de chance ? lui lança celui-ci. Vous pouvez passer un autre appel si vous voulez ; notre politique en la matière est assez élastique. Je ne peux pas vous proposer d'appeler un garant, votre délit vous interdit d'être libéré sous caution pour le moment. Quand vous aurez été inculpé, par contre...

— Je sais, répéta Rick d'une voix acerbe. Je connais la procédure.

— Voilà votre mallette, dit le policier en la lui tendant. Venez dans mon bureau, j'aimerais m'entretenir avec vous plus longuement. » Il s'engagea dans un couloir latéral devant Rick, puis s'arrêta et se retourna. « Je m'appelle Garland. » Il tendit une main à Rick, qu'il accepta. Brièvement. Garland ouvrit la porte de son bureau. « Allez vous asseoir. » Lui-même alla s'installer derrière un grand bureau dépouillé.

Rick s'assit en face de lui.

« Ce test Voigt-Kampff dont vous avez parlé... » Garland pointa la mallette du doigt. « Tout ce matériel que vous transportez... » Il bourra une pipe, l'alluma et en tira quelques bouffées. « C'est un outil analytique destiné à détecter les andros ?

— C'est notre test de base, répondit Rick. Le seul que nous employions à présent. Le seul capable d'identifier la nouvelle unité cérébrale Nexus-6. Vous n'en avez jamais entendu parler ?

— J'ai entendu parler de nombreux tests d'analyse de profil, mais jamais de celui-là. » Il continuait à observer Rick avec insistance, les traits turgides. Deckard ne parvenait pas à déterminer ce qu'il avait en tête. « Ces carbones tachés que vous avez dans votre mallette, poursuivit Garland. Polokov, Mlle Luft... Vos missions. Je suis le suivant sur la liste. »

Rick le dévisagea, puis empoigna la mallette.

En un instant, les carbones se retrouvèrent étalés devant lui. Garland avait dit vrai ; Rick examina sa fiche. Un ange passa, puis Garland se racla la gorge et toussa nerveusement.

« C'est une sensation tout à fait désagréable, fit-il. De tout d'un coup découvrir qu'on est sur la liste d'un chasseur de primes. Ou de quoi que vous soyez, Deckard. » Il appuya sur une touche de son interphone. « Envoyez-moi un des chasseurs de primes, peu m'importe lequel. D'accord, merci. » Et il relâcha la touche. « Phil Resch va arriver d'une minute à l'autre. Je voudrais voir *sa* liste avant de poursuivre.

— Vous croyez que je pourrais être dessus ? s'enquit Rick.

— C'est possible. On ne va pas tarder à le savoir. Mieux vaut être sûr de ce qu'on fait dans des cas aussi critiques. Ne rien laisser au hasard. » D'un doigt, il désigna le carbone. « Il y a une erreur dans la fiche. Je n'y suis pas répertorié comme inspecteur de police, mais comme agent d'assurances. Sinon tout est exact – description physique, âge, habitudes, adresse personnelle. Pas de doute, c'est bien moi. Voyez vous-même. » Il poussa la feuille en direction de Rick, qui la ramassa pour la parcourir.

La porte du bureau s'ouvrit sur un homme de grande taille, décharné, avec les traits creusés, des lunettes d'écaille et une barbe crépue à la Van Dyck. Garland se leva en désignant Rick.

« Phil Resch, Rick Deckard. Vous êtes tous les deux des chasseurs de primes, et il est sans doute temps que vous vous rencontriez. »

Les deux hommes se serrèrent la main. « Vous dépendez de quelle ville ? s'enquit Phil Resch.

— San Francisco, répondit Garland à la place de Rick. Tenez : jetez un œil à son programme. Celui-là est le suivant. » Il tendit à Phil Resch la fiche que Rick venait d'examiner, celle qui donnait sa description.

« Dites donc, Gar, fit Resch. C'est vous.

— Et ce n'est pas tout, fit Garland. Sa liste compte également Luba Luft, la chanteuse d'opéra, et Polokov. Vous vous souvenez de Polokov ? Il est mort à l'heure qu'il est ; ce chasseur de primes – ou cet androïde, ou quoi qu'il soit – l'a descendu. On est en train d'étudier sa moelle au labo. Pour voir s'il existe le moindre fondement…

— Polokov, dit Resch. J'ai eu l'occasion de lui parler. Ce gros père Noël de la police soviétique ? » Il réfléchit, tirant sur sa barbe broussailleuse. « Je crois que c'est une bonne idée d'analyser sa moelle.

— Et pourquoi ça ? lui demanda Garland, ouvertement agacé. Il s'agit simplement de réfuter tout fondement légal à une potentielle réclamation de ce Deckard, comme quoi il n'aurait tué personne, juste "retiré un androïde".

— Polokov m'a frappé par sa froideur, répondit Resch. Extrêmement cérébral, calculateur. Détaché.

— Un portrait-robot de la plupart des flics russes, dit Garland, irrité.

— Luba Luft, je ne l'ai jamais rencontrée, mais j'ai entendu certains de ses enregistrements. » Puis, à l'adresse de Rick : « Vous lui avez fait passer le test ?

— J'ai commencé à le faire, répondit Rick, mais je n'arrivais pas à en tirer une interprétation probante. Puis elle a appelé un flic en civil, qui m'a forcé à arrêter.

— Et Polokov ?

— L'occasion de le tester ne s'est jamais présentée.

— Et je présume, poursuivit Resch avec un certain détachement, que vous n'avez pas non plus eu l'occasion de tester le commissaire Garland ici présent ?

— Bien sûr que non », parvint à placer Garland, le visage plissé d'indignation. Ses paroles avaient claqué, amères, cinglantes.

« Quel test employez-vous ? demanda Resch.

— L'Échelle de Voigt-Kampff.

— Jamais entendu parler de celui-là. » Resch et Garland avaient l'air prompts à la détente, de réfléchir en professionnels – mais pas à l'unisson. « J'ai toujours pensé, poursuivit-il, qu'un androïde ne pourrait pas trouver de meilleure place que dans une grosse organisation policière comme l'O.M.P. Je veux tester Polokov depuis le jour où je l'ai rencontré, mais aucun prétexte ne s'est jamais présenté. Non pas que je risquais d'en trouver un… C'est l'un des intérêts qu'aurait un endroit de ce genre pour un androïde entreprenant. »

Garland se leva avec lenteur et se tourna vers Phil Resch. « Vous aussi vous avez déjà envisagé de me tester ? »

Un sourire discret passa alors sur le visage de son interlocuteur. Il s'apprêta à répondre, puis haussa les épaules. Et resta silencieux. Il ne semblait aucunement craindre le courroux pourtant palpable de son supérieur.

« Je ne crois pas que vous compreniez la situation, fit Garland. Cet homme – cet androïde ? – débarque d'un service de police fantôme, imaginaire, inexistant, censé opérer depuis l'ancien quartier général de Lombard Street. Il n'a jamais entendu parler de nous, nous n'avons jamais entendu parler de lui – alors que nous travaillons soi-disant du même côté de la barrière. Il utilise un test qui nous est totalement inconnu. La liste qu'il trimbale n'est pas une liste d'androïdes, ce sont des êtres humains. Il a déjà tué une fois – *au moins* une fois. Et si Mlle Luft n'avait pas réussi à nous appeler, il l'aurait probablement supprimée elle aussi, pour ensuite venir fourrer son nez dans mes affaires.

— Hum, fit Phil Resch.

— *Hum* », l'imita Garland avec humeur. Il semblait au bord de l'apoplexie. « C'est tout ce que vous trouvez à dire ? »

Une voix féminine sortit alors de l'interphone : « Commissaire Garland, le labo nous a transmis son rapport sur le cadavre de M. Polokov.

— Je crois que nous devrions entendre ça », dit Phil Resch.

Garland le gratifia d'un regard noir. Puis il se pencha pour déclencher l'interphone. « Allez-y, mademoiselle French.

— L'analyse de la moelle osseuse de M. Polokov indique qu'il s'agit bien d'un robot humanoïde. Voulez-vous les détails de...

— Non, ça suffira. » L'air sombre, Garland se cala au fond de son fauteuil sans mot dire, les yeux rivés sur le mur du fond.

« Sur quoi repose le Voigt-Kampff, monsieur Deckard ? s'enquit Resch.

— Les réactions empathiques. Dans diverses situations sociales. Essentiellement en rapport avec des animaux.

— Le nôtre est sans doute plus simple. La réaction de l'arc réflexe situé dans les ganglions supérieurs de la colonne vertébrale demande quelques microsecondes de plus au système nerveux d'un robot humanoïde. » S'approchant du bureau de Garland, il y prit un bloc-notes pour dessiner un croquis avec un stylo à bille. « Nous utilisons un signal sonore ou un flash lumineux. Le sujet appuie sur un bouton, et nous mesurons le temps qui s'écoule entre les deux. Nous recommençons plusieurs fois, bien sûr. Les temps de latence varient aussi bien chez les andros que chez les humains. Mais au bout de dix mesures, nous estimons avoir des résultats solides. Et, comme dans le cas de Polokov, il y a toujours l'analyse de moelle pour les confirmer. »

Un ange passa. Puis : « Vous pouvez m'administrer le test. Je suis prêt. Bien sûr, j'aimerais pouvoir en faire de même avec vous. Si vous en êtes d'accord.

— Naturellement », murmura Resch. Mais ses yeux restaient braqués sur le commissaire Garland. « Ça fait des années que j'insiste pour que le Boneli soit systématiquement administré au personnel de la police, si possible jusqu'en haut de la hiérarchie. Pas vrai, commissaire ?

— C'est exact, fit Garland. Et je m'y suis toujours opposé. Parce que ça affecterait le moral du département.

— Maintenant, dit Rick, je crois que vous allez devoir l'attendre sagement assis. Vu le rapport de votre labo sur Polokov. »

11

« Je suppose que oui », fit Garland. Puis, plantant un doigt dans le sternum de Resch : « Mais je vous préviens : les résultats des tests ne vont pas vous plaire.

— Vous les connaissez déjà ? » Le chasseur de primes était visiblement surpris – et guère ravi.

— J'en mettrais ma main à couper, répondit Garland.

— D'accord. » Resch hocha la tête. « Je vais aller chercher le Boneli à l'étage. » Il se hâta de rejoindre la porte du bureau, l'ouvrit et disparut dans le couloir. « Je serai de retour dans moins de cinq minutes », dit-il à Rick avant de refermer derrière lui.

Garland plongea la main dans le tiroir supérieur de son bureau et en sortit un laser, qu'il fit tournoyer avant de le braquer sur Rick.

« Ça ne fera aucune différence, dit celui-ci. Resch me fera subir une analyse *post mortem*, comme celle que votre labo a pratiquée sur Polokov. Et ça ne l'empêchera pas de réclamer un – comment l'appelez-vous, déjà ? – test d'arc réflexe Boneli pour vous deux. »

Le laser resta en position. « J'ai vraiment eu une mauvaise journée, fit alors Garland. Surtout au moment où l'agent Crams vous a fait entrer ici. J'ai eu une intuition – c'est pour ça que je suis intervenu. » Son arme se baissait peu à peu, mais il continuait à la tenir fermement. Puis, dans un haussement d'épaules, il la remit dans le tiroir, ferma celui-ci avec une clé qu'il glissa dans sa poche.

« Qu'est-ce que les trois tests vont donner ? s'enquit Rick.

— Ce crétin de Resch, fit Garland.

— Il l'ignore vraiment ?

— Il ne se doute de rien. Il ne le soupçonne même pas. Sans quoi il ne pourrait pas supporter d'être un chasseur de primes – pas franchement une profession d'androïde. » Garland fit un geste en direction de la mallette de Rick. « Les autres carbones, les autres suspects que vous êtes censés tester et retirer. Je les connais tous. » Il marqua une pause, puis : « Nous avons tous pris le même vaisseau en partance de Mars. Sauf Resch ; il est resté une semaine de plus pour recevoir un système mémoriel synthétique. » Puis il se tut.

— Que va-t-il faire quand il l'aura découvert ?

— Je n'en ai pas la moindre idée, fit Garland d'un ton distant. D'un point de vue purement intellectuel, ça devrait se révéler extrêmement intéressant. Il va peut-être me tuer, se tuer ; et vous aussi, pourquoi pas. Il va peut-être essayer de tuer le plus de monde possible, androïdes comme humains. J'ai cru comprendre que ce genre de choses arrivait, quand un système mémoriel synthétique était en jeu. Quand on se considère comme un humain.

— Donc vous prenez un risque en faisant ça.

— C'était de toute façon un risque de s'échapper pour venir sur Terre, où on ne nous considère même pas comme des animaux. Où le moindre ver, le moindre termite reçoit davantage de considération que nous tous réunis. » D'irritation, il s'en prit à sa lèvre inférieure. « Vous seriez en même position si Resch réussissait le Boneli, s'il n'y avait que moi. Ça rendrait la suite un peu plus prédictible : pour Resch, je ne serais plus alors qu'un andro de plus, à retirer dès que possible. Vous n'êtes donc pas dans une situation beaucoup plus enviable que la mienne, Deckard. Presque aussi mauvaise, en fait. Vous savez ce qui m'a trahi ? Je n'étais pas au courant pour Polokov. Il a dû venir avant moi. Dans un autre groupe sans contact avec le nôtre. Il avait déjà son poste à l'O.M.P. à mon arrivée. J'ai pris un risque en demandant un rapport au labo, je n'aurais jamais dû le faire. Bien sûr, Crams n'a guère fait mieux.

— Polokov a lui aussi failli m'avoir, observa Rick.

— Oui, quelque chose ne tournait pas rond chez lui. Ça m'étonnerait fort qu'il ait été équipé de la même unité cérébrale que nous. Quelqu'un a dû le booster ou le bricoler... Une structure modifiée, que même nous ne connaissions pas. Assez bonne, d'ailleurs. Presque parfaite.

— Pourquoi ne suis-je pas tombé sur ma femme quand j'ai appelé chez moi ?

— Toutes nos lignes sont piégées. L'appel est renvoyé dans d'autres bureaux de la maison. La petite entreprise que nous avons ici est de nature homéostatique, Deckard. Nous fonctionnons en circuit fermé, coupés du reste de San Francisco. Nous savons tout d'eux, mais ils ne savent rien de nous. Il arrive parfois qu'un individu isolé s'aventure dans le coin, ou, comme dans votre cas, y soit amené – pour notre protection. » Il fit un geste convulsif en direction de la porte. « Ah, revoilà notre bon petit soldat et son chouette petit test portatif. N'est-il pas mignon ? Il va détruire sa propre vie, la mienne et probablement la vôtre.

— Vous autres androïdes n'êtes pas du genre à vous couvrir les uns les autres en période de stress.

— Je crois que vous avez raison, se gaussa Garland. Apparemment, nous sommes privés d'un talent spécifiquement humain – on appelle ça l'empathie, si je ne m'abuse. »

La porte du bureau s'ouvrit. Phil Resch se dessinait sur la pénombre du couloir, muni d'un appareil duquel pendaient des fils électriques. « Nous y voilà », fit-il en fermant la porte derrière lui. Une fois assis, il brancha son dispositif dans la prise de courant.

Garland révéla alors sa main droite et pointa son arme en direction du chasseur de primes. Deckard se jeta aussitôt au sol, de même que Resch, qui dans le mouvement dégaina son laser et tira sur Garland.

Le rayon, dirigé avec une précision acquise au cours d'années d'entraînement, bifurqua en direction de la tête du commissaire. Qui s'abattit en avant, tandis que son laser miniaturisé lui échappait de la main pour aller rouler sur la surface de son bureau. Le cadavre chancela sur sa chaise, puis, à la manière d'un sac d'œufs, glissa sur le côté et s'écrasa par terre.

« Il a oublié que c'est mon métier, fit Resch en se relevant. J'arrive presque à prédire ce qu'un androïde va faire. Ça doit être la même chose pour vous, je suppose. » Il rangea son laser, puis se pencha pour examiner le corps de son ex-patron. « Qu'est-ce qu'il vous a raconté en mon absence ?

— Que c'était un androïde. Et que vous... » Rick s'interrompit aussitôt, le moindre de ses neurones se mettant à bourdonner, à calculer, à choisir, pour enfin l'inciter à modifier ce qu'il s'apprêtait à dire. « ... que vous le détecteriez. Que c'était une simple question de minutes.

— Rien d'autre ?

— Que cet immeuble est infesté d'androïdes.

— On va avoir du mal à sortir d'ici tous les deux, fit Resch comme pour lui-même. Théoriquement, bien sûr, j'ai l'autorisation de partir quand je veux. Avec un prisonnier. » Il tendit l'oreille ; aucun bruit ne leur parvenait du reste de l'immeuble. « Je suppose qu'ils n'ont rien entendu. Il n'y a manifestement pas de micros installés ici – il aurait dû y en avoir. » Il repoussa précautionneusement du bout du pied le cadavre de l'androïde. « C'est vraiment remarquable, les capacités psioniques qu'on acquiert dans ce métier ; je savais avant d'ouvrir la porte du bureau qu'il allait me tirer dessus. En toute franchise, je suis surpris qu'il ne vous ait pas tué pendant que j'étais à l'étage.

— Il s'en est fallu de peu, fit Rick. Il avait un gros laser utilitaire braqué sur moi la moitié du temps. Il hésitait à tirer. Mais c'était surtout de vous qu'il se méfiait, pas de moi.

— Quand le chasseur de primes n'est pas là, fit Resch sur un ton sans humour, les androïdes dansent. Vous vous rendez compte, je n'en doute pas, que vous allez devoir retourner à l'opéra et retirer Luba Luft avant que quiconque n'ait le temps de la prévenir de ce qui est arrivé. Enfin, "elle", je m'entends. Vous les voyez comme des machines ?

— À une époque, oui. Quand ce que j'avais à faire me posait encore parfois des problèmes de conscience. C'était une façon de me prémunir de les voir ainsi, mais j'ai fini par en perdre le besoin. Bon, je vais retourner directement à l'opéra. Pour peu que vous parveniez à me faire sortir d'ici.

— Supposons que nous installions Garland à son bureau », fit Resch. Qui entreprit de tirer le corps de l'androïde jusqu'à son fauteuil, arrangeant bras et jambes de façon à lui donner une posture un tant soit peu naturelle – si on ne regardait pas de trop près. Si personne n'entrait dans le bureau. Puis il pressa la touche de l'interphone. « Le commissaire Garland a demandé à ne pas être dérangé pendant une demi-heure. Il est occupé à quelque chose qu'il ne peut pas interrompre.

— D'accord, monsieur Resch. »

Resch relâcha la touche de l'interphone. « Je vais vous menotter à moi tant que nous nous trouvons dans l'immeuble. Je vous détacherai quand nous aurons décollé. » Produisant une paire de menottes, il en claqua une autour du poignet de Rick et la seconde autour du sien. « Venez, finissons-en. » Il rentra les épaules, prit une profonde inspiration, puis poussa la porte du bureau.

Des agents en uniforme se trouvaient un peu partout, vaquant à leurs tâches quotidiennes ; pas un seul ne prêta la moindre attention aux deux hommes qui traversaient le hall en direction de l'ascenseur.

« Ce qui m'inquiète, dit Resch tandis qu'ils attendaient l'ascenseur, c'est que Garland ait été muni d'un dispositif d'alarme en cas de décès. Mais... » Il haussa les épaules. « Il se serait déjà déclenché, depuis le temps. »

L'ascenseur arriva. Plusieurs flics des deux sexes, sans signe particulier, en sortirent alors pour s'éparpiller dans toutes les directions, sans s'occuper le moins du monde de Rick ou de Resch.

« Vous pensez que votre service va accepter de me prendre ? » demanda Resch au moment où les portes se refermaient sur les deux hommes. Il écrasa un poing sur le bouton « toit », et l'ascenseur entreprit aussitôt son ascension silencieuse. « Vu que je suis au chômage, à présent. Pour le moins.

— Je... je ne vois pas ce qui les en empêcherait, répondit prudemment Rick. À part le fait qu'ils aient déjà deux chasseurs de primes. » *Il faut que je le lui dise. C'est immoral, et cruel de ne pas le faire. Monsieur Resch, vous êtes un androïde. Vous m'avez fait sortir d'ici, et voici votre récompense, vous êtes tout ce que vous et moi exécrons. L'essence de ce que nous nous consacrons à détruire.*

« Je n'en reviens pas, reprit Resch. C'est tellement irréel. Que j'aie pu travailler pendant trois ans sous la direction d'androïdes. Comment ai-je fait pour ne rien soupçonner – en tout cas pas suffisamment pour agir ?

— Ça ne fait peut-être pas si longtemps. Peut-être n'ont-ils infiltré cet immeuble que récemment.

— Je les ai toujours vus ici. Garland a été mon supérieur depuis le début, sans interruption en trois ans.

— D'après lui, toute la bande est arrivée sur Terre en même temps. Et il y a beaucoup moins que trois ans – tout juste quelques mois.

— Alors il existait un Garland *authentique* à un moment donné, fit Resch. Qui a été remplacé en cours de route. » Son mince visage de squale se contracta sous les efforts qu'il déployait pour comprendre. « Ou alors... On m'a implanté un système mémoriel. Tout ce dont je me souviens à propos de Garland n'a peut-être jamais existé. Mais... » Son visage, envahi par un tourment croissant, continuait à se tordre spasmodiquement. « Seuls des androïdes peuvent avoir de faux souvenirs... Ça s'est avéré inefficace sur les humains. »

L'ascenseur s'immobilisa. Ses portes coulissèrent, dévoilant le terrain d'atterrissage du bureau de police, désert mis à part quelques véhicules inoccupés.

« Ma voiture. » Phil Resch déverrouilla la porte d'une aéromobile toute proche et fit signe à Rick de s'installer rapidement à l'intérieur. Lui-même se glissa derrière le volant et démarra. Un instant plus tard, ils filaient vers le nord, en direction de l'opéra du Mémorial de Guerre. Préoccupé, Phil Resch conduisait machinalement. Une série de pensées de plus en plus sinistres continuaient d'accaparer son attention. « Écoutez, Deckard, dit-il soudain. Quand nous aurons retiré Luba Luft, je veux que vous... » Sa voix se brisa, rauque, au supplice. « Vous savez. Que vous me fassiez passer le Boneli ou l'échelle d'empathie dont vous disposez. Histoire d'en avoir le cœur net.

— On aura toujours le temps de s'en inquiéter plus tard, fit Rick évasivement.

— Vous ne voulez pas que je le passe, pas vrai ? » Phil Resch lui lança un regard pénétrant. « Je crois que vous connaissez déjà les résultats. Garland a dû vous dire quelque chose. Des faits que j'ignore.

— Même à nous deux, ça ne va pas être facile de retirer Luba Luft ; ça dépasse mes seules aptitudes en tout cas. Restons concentrés là-dessus.

— Il ne s'agit pas uniquement de fausses structures mémorielles, dit Resch. Je possède un animal, pas un faux, tout ce qu'il y a de vrai. Un écureuil. Et je l'adore, Deckard. Chaque putain de matin, je le nourris et je lui change ses journaux – je nettoie sa cage, si vous préférez –, et quand je rentre du boulot, le soir venu, je le lâche dans mon appart et il se met à courir partout. Il a une roue dans sa cage. Vous avez déjà vu un écureuil dans une roue ? Il n'arrête pas de courir, la roue tourne, mais lui reste à la même place. Buffy a l'air d'aimer ça, pourtant.

— Je suppose que les écureuils ne sont pas très malins », fit Rick.

À partir de là, ils poursuivirent leur vol en silence.

12

L'opéra, on informa Deckard et Resch que la répétition avait pris fin. Et que Mlle Luft était partie.

« Est-ce qu'elle a dit où elle comptait se rendre ? » demanda Phil Resch au machiniste en lui montrant sa carte de policier.

« Au musée. » L'employé examina la pièce d'identité. « Elle a dit qu'elle voulait voir l'exposition Edvard Munch qui s'y tient actuellement. Elle prend fin demain. »

Et Luba Luft prend fin aujourd'hui.

« Qu'est-ce que vous pariez ? dit Resch alors que tous deux arpentaient le trottoir vers leur destination. Elle s'est envolée, on ne la trouvera pas là-bas.

— Peut-être », fit Rick.

Une fois au musée, ils repérèrent l'étage où se déroulait l'exposition Munch et y montèrent, pour errer peu après au milieu des peintures et des gravures sur bois. L'événement attirait beaucoup de monde, y compris une classe de lycéens. La voix stridente de leur professeur résonnait dans toutes les salles de l'exposition. *Voilà ce à quoi on s'attendrait plutôt d'une androïde,* songea Rick. *Une voix et une allure pareilles… Et pas Rachael Rosen ou Luba Luft. Ni… l'homme – la machine ? – qui se trouve à mes côtés.*

« Vous avez déjà entendu parler d'un andro possédant un quelconque animal domestique ? » lui demanda Resch.

Pour quelque obscure raison, Rick ressentit alors le besoin de se montrer d'une honnêteté brutale. Peut-être avait-il déjà commencé à se préparer à ce qui les attendait. « Je connais deux cas d'andros qui possédaient des animaux. Mais c'est rare. Et si j'en crois ma modeste expérience, c'est généralement voué à l'échec, l'andro se révélant incapable de garder l'animal en vie. Les animaux ont besoin d'un environnement chaleureux pour s'épanouir. Sauf les reptiles et les insectes.

— Et un écureuil ? Aurait-il besoin d'amour lui aussi ? Parce que Buffy se porte très bien, son poil est aussi lustré que celui d'une loutre. Je le toilette et je le peigne tous les deux jours. » Phil Resch fit halte devant une peinture à l'huile, qu'il se mit à étudier attentivement. Le tableau représentait une créature oppressée, chauve, avec une tête en forme de poire inversée, les mains crispées d'horreur sur les oreilles, la bouche ouverte en un vaste cri silencieux. Le tourment de cet être, des échos de son cri, se répandait en vagues tortueuses dans l'air alentour. L'homme – ou la femme, quoi qu'il fût – se retrouvait comme enfermé à l'intérieur de son propre hurlement. Il s'était bouché les oreilles pour ne pas entendre sa voix. La créature se tenait sur un pont, sans personne autour d'elle ; elle criait sa solitude. Isolée par – ou malgré – son hurlement.

— Il en a fait aussi une sculpture sur bois, fit remarquer Rick en lisant la carte punaisée sous le tableau.

— Je crois, observa Resch, que c'est ce qu'un andro doit ressentir. » Il se mit à tracer dans les airs des circonvolutions évoquant le cri de la créature du tableau. « Mais ce n'est pas ce que *je* ressens, donc peut-être ne suis-je pas un… » Il s'interrompit, car plusieurs personnes s'approchaient d'eux.

« Voilà Luba Luft. » Rick la désigna du doigt, ce qui mit un terme à la sombre introspection de Phil Resch. Tous deux s'approchèrent d'elle à pas mesurés, en prenant leur temps, comme si rien n'allait se passer. Comme toujours, il était vital de préserver une atmosphère ordinaire. Les autres humains, inconscients de la présence d'androïdes parmi eux, devaient être protégés à tout prix – même celui de laisser échapper sa proie.

Un catalogue à la main, vêtue d'un rutilant pantalon en fuseau et d'un haut illuminé de dorures, Luba Luft se tenait absorbée par le tableau devant elle : le portrait d'une jeune fille aux mains jointes, assise au bord d'un lit, le visage empreint d'une expression à la fois perplexe et apeurée.

« Vous voulez que je vous l'offre ? » lui demanda Rick. Debout derrière elle, il lui avait mollement saisi le bras, l'informant par la nonchalance même de son geste qu'il la savait à sa merci – nul besoin pour lui de se forcer. Phil Resch avait fait de même de l'autre côté sur son épaule – Rick pouvait voir le renflement de son laser dans sa poche. De toute évidence, le chasseur de primes n'avait aucune intention de courir le moindre risque. Pas après ce qui s'était passé avec Garland.

« Il n'est pas à vendre. » Luba Luft lui lança un vague regard, qui se teinta de violence lorsqu'elle le reconnut : ses yeux se voilèrent, son visage devint livide, cadavérique, comme s'il commençait déjà à se décomposer. Comme si toute vie s'était en un instant retirée au fin fond de son corps, laissant celui-ci à sa condition artificielle. « Je croyais qu'ils vous avaient arrêté. Vous avez été relâché ?

— Mademoiselle Luft, laissez-moi vous présenter M. Resch ; Phil Resch, voici la célébrissime cantatrice Luba Luft. » Puis, à l'adresse de celle-ci : « Le flic qui m'a arrêté est un androïde. Tout comme l'était son supérieur. Vous connaissez – *connaissiez* – un commissaire

Garland ? Il m'a dit que vous étiez tous arrivés en groupe par le même vaisseau.

— Le service de police que vous avez appelé, ajouta Phil Resch, celui qui opère depuis un immeuble sur Mission Street, semble être l'agence d'organisation par laquelle votre groupe reste en contact. Ils se sentent même suffisamment sûrs d'eux pour engager un chasseur de primes humain ; comme vous pouvez vous en douter, il s'agit de...

— *Vous ?* s'exclama Luba Luft. Vous n'êtes pas humain. Pas plus que moi. Vous aussi vous êtes un androïde. »

Un ange passa, puis Phil Resch se domina pour reprendre : « Eh bien, nous verrons ça en temps voulu. » Puis, à Rick : « Emmenons-la à ma voiture. »

Tels deux gardes du corps, ils la poussèrent en direction de l'ascenseur du musée. Luba Luft n'avançait pas de bonne grâce, mais elle n'opposait pas non plus de résistance active ; elle s'était résignée. Rick avait déjà observé pareil phénomène chez les androïdes, dans des situations critiques. La force vitale artificielle qui les animait semblait s'effondrer quand on la soumettait à une pression trop forte... du moins pour certains d'entre eux. Mais pas tous.

Elle pouvait se réveiller.

Ainsi qu'il le savait, cependant, les androïdes avaient un désir inné de passer inaperçus. Luba Luft ne tenterait rien tant qu'ils seraient dans le musée, avec tous ces gens qui vagabondaient autour d'eux. L'affrontement véritable – sans doute le dernier pour elle – aurait lieu dans la voiture, à l'abri des regards. Seule, avec une soudaineté effroyable, elle pourrait surmonter ses inhibitions. Rick s'y préparait en prenant bien soin de ne pas penser à Phil Resch. Comme ce dernier l'avait lui-même dit, son cas viendrait sur le tapis en temps voulu.

Un petit éventaire avait été installé au bout du couloir, à proximité des ascenseurs ; on y vendait des reproductions et des livres d'art. Luba Luft s'arrêta devant, histoire de gagner quelques secondes. « Écoutez », dit-elle à Rick. Son visage avait repris quelque couleur. Elle semblait à nouveau vivante, du moins temporairement. « Achetez-moi une reproduction du tableau que je regardais quand vous m'avez trouvée. Celui avec la fille assise sur le lit. »

Rick marqua une pause, puis s'adressa à l'employée, une femme aux traits lourds entre deux âges, avec des cheveux grisonnants enserrés dans un filet : « Vous auriez une reproduction de *La Puberté* de Munch ?

— Uniquement dans ce recueil de ses œuvres, lui répondit-elle en déposant devant lui un beau volume en papier glacé. Vingt-cinq dollars.

— Je vais le prendre. » Il se mit en quête de son portefeuille.

« Un million d'années de budget de mon service ne suffirait pas à... fit Resch.

— C'est de ma poche. » Rick tendit les billets à la femme, puis le livre à Luba. « Bon, allons-y maintenant.

— C'est très gentil de votre part, dit Luba tandis qu'ils pénétraient dans l'ascenseur. Il y a quelque chose de vraiment étrange, de touchant chez les humains. Un androïde n'aurait jamais fait une chose pareille. » Elle jeta un regard glacial à Phil Resch. « Ça ne *lui* serait jamais venu à l'idée, pas en un million d'années. » Elle continuait de le fixer, avec une hostilité manifeste désormais. « Je n'aime vraiment pas les androïdes. Depuis que je suis arrivée de Mars, j'ai passé ma vie à imiter un être humain, à faire ce qu'elle aurait fait, à agir comme si j'avais des pensées et des élans humains. À imiter ce qui, pour moi, représente une forme de vie supérieure. » Puis, à l'intention de Resch : « Ça a été la même chose pour vous aussi, Resch ? Essayer de...

— Je ne vais pas pouvoir supporter ça. » Il se mit à farfouiller dans son manteau.

« Non. » Rick saisit la main de Resch, qui recula d'un pas pour se dégager. « Le test Boneli, fit-il.

— Elle a admis être un androïde. Nous n'avons aucune raison d'attendre.

— Qu'elle vous ait asticoté ne constitue pas un motif suffisant pour que vous la retiriez. Donnez-moi ça. » Il se mit à lutter avec Resch pour s'emparer de son laser, qui resta néanmoins en possession de son propriétaire. Resch tourna sur lui-même pour se retrouver adossé contre la paroi de l'étroite cabine, toute son attention concentrée sur Luba Luft. « D'accord, fit Rick. Retirez-la, tuez-la tout de suite. Montrez-lui qu'elle avait raison. » Il vit alors que Resch avait bel et bien l'intention de le faire. « Attendez… »

Phil Resch fit feu, en même temps que Luba Luft, dans un spasme frénétique de bête traquée, se mit à se tordre, à tourner sur elle-même pour se laisser tomber. Le rayon manqua sa cible, mais Resch ajusta son tir pour lui creuser sans un bruit un trou presque invisible dans l'estomac. Tapie contre le mur de l'ascenseur, l'androïde se mit à hurler. *Comme dans le tableau*, songea Rick en son for intérieur avant de l'achever avec son propre laser. Le corps de Luba Luft s'effondra en avant comme une masse, face contre terre. Il ne tremblait même pas.

Rick utilisa alors le laser pour réduire en cendres fumantes le livre d'art qu'il venait d'offrir à Luba à peine quelques minutes plus tôt. Il œuvra méthodiquement, sans prononcer le moindre mot. Phil Resch le regardait sans comprendre, le visage empreint de perplexité.

« Vous auriez pu garder le livre pour vous, fit-il quand ce fut terminé. Il vous a coûté…

— Vous croyez que les androïdes ont une âme ? » l'interrompit Deckard.

Inclinant la tête sur un côté, Resch se mit à le fixer avec davantage encore de perplexité.

« Je pouvais me l'offrir, reprit Rick. J'ai gagné trois mille dollars depuis le début de la journée, et j'en attends encore autant.

— Vous revendiquez Garland ? Mais c'est moi qui l'ai tué, pas vous. Vous vous trouviez là, ni plus ni moins. Et pareil pour Luba. C'est moi qui l'ai eue.

— Vous ne pouvez rien percevoir. Ni de votre propre service, ni du nôtre. Une fois dans votre aéromobile, je vous administrerai le Boneli ou le Voigt-Kampff, et on avisera selon le résultat. Même si vous ne vous trouvez pas sur ma liste. » Les mains tremblantes, Rick ouvrit sa mallette et se mit à farfouiller dans les carbones froissés. « Non, vous n'y êtes pas. Je ne peux donc pas légalement vous revendiquer ; ainsi il va bien falloir que je m'arroge Luba Luft et Garland.

— Vous êtes sûr que je suis un androïde ? C'est vraiment ce que Garland a dit ?

— Précisément.

— Peut-être qu'il mentait. Pour semer le doute entre nous. Comme maintenant. Nous sommes cinglés de les laisser ainsi nous diviser. Vous aviez parfaitement raison à propos de Luba Luft – je n'aurais jamais dû m'énerver comme je l'ai fait. Je dois être beaucoup trop sensible. Un trait caractéristique des chasseurs de primes, je suppose. Ça ne m'étonnerait pas que ce soit aussi votre cas. Mais réfléchissez : on aurait eu à retirer Luba Luft de toute façon, d'ici une demi-heure – ça n'aurait pas changé grand-chose. Elle n'aurait même pas eu le temps de parcourir le livre que vous lui avez offert. En parlant de ça, je persiste à croire que vous n'auriez pas dû le détruire, c'est un vrai gâchis. Je n'arrive pas à suivre votre raisonnement, sans doute parce qu'il n'est pas... rationnel.

— Je vais changer de boulot, déclara Rick.

— Et pour faire quoi ?

— N'importe quoi. Courtier en assurances, comme Garland était censé l'être. Ou alors je vais émigrer. Oui. » Il hocha la tête. « Aller sur Mars.

— Mais il faut bien que quelqu'un se charge de ça, lui fit remarquer Resch.

— Ils peuvent toujours utiliser des androïdes. Ce serait tellement mieux si c'était des andros qui s'en chargeaient. Moi je ne peux plus, j'en ai assez. Luba Luft était une chanteuse merveilleuse. La planète aurait pu profiter de ses talents. C'est insensé.

— C'est nécessaire. N'oubliez pas : ils ont supprimé des humains pour parvenir à s'échapper. Et si je ne vous avais pas fait sortir du poste de police de Mission Street, ils vous auraient tué vous aussi. C'est ce que Garland voulait que je fasse, c'est pour ça qu'il m'a fait descendre dans son bureau. Polokov n'a-t-il pas failli vous tuer ? Luba Luft ? Nous agissons en légitime défense, car c'est sur *notre* planète qu'ils se trouvent – ce sont des étrangers meurtriers en situation irrégulière, qui se font passer pour...

— Des policiers, l'interrompit Rick. Des chasseurs de primes.

— D'accord, faites-moi passer le test Boneli. Garland a peut-être menti. J'en mettrais ma main à couper – de faux souvenirs ne peuvent pas être aussi parfaits. Et quid de mon écureuil ?

— Ah oui, votre écureuil. Je l'avais oublié celui-là.

— Si je suis un andro et que vous me tuez, vous pourrez le récupérer. Tenez, je vais le mettre par écrit, que je vous le lègue.

— Les andros ne peuvent rien léguer. Ils n'ont aucune possession qu'ils puissent léguer.

— Eh bien, contentez-vous de le prendre, dans ce cas.

— Peut-être bien », fit Rick. L'ascenseur avait atteint le rez-de-chaussée à présent. Ses portes s'ouvrirent.

« Restez avec Luba, moi je vais faire venir une voiture ici pour l'emmener au palais de justice. Pour l'analyse de moelle. » Il pénétra dans une cabine téléphonique, glissa une pièce dans l'appareil et composa le numéro d'une main tremblante. Pendant ce temps, les gens qui attendaient l'ascenseur s'étaient regroupés autour de Resch et du corps de Luba Luft.

C'était vraiment une superbe chanteuse, se dit-il en raccrochant le combiné. *Je ne comprends pas : comment un talent pareil peut-il constituer un handicap pour notre société ? Mais ce n'était pas son talent le problème, c'était* elle-même. *Tout comme Phil Resch. Il constitue une menace en tout point comparable, et pour les mêmes raisons. Je ne peux donc pas laisser tomber maintenant.* Une fois sorti de la cabine, il se fraya un chemin à travers la foule pour rejoindre Phil Resch et le corps de l'androïde étendu face contre terre. Quelqu'un l'avait recouvert d'un manteau. Pas Resch.

Il rejoignit Phil Resch, qui se tenait à l'écart à fumer énergiquement un petit cigare gris. « Je prie le ciel pour que le test révèle que vous êtes un androïde...

— Vous me détestez vraiment, s'étonna Resch. Et c'est venu d'un coup... Ce n'était pas le cas à Mission Street. Quand je vous sauvais la vie.

— Je perçois une espèce de schéma. La façon dont vous avez tué Garland, puis Luba Luft. Vous ne tuez pas de la même manière que moi, vous n'essayez pas de... Merde ! s'exclama-t-il. J'ai enfin compris. Tuer vous fait plaisir. Tout ce qu'il vous faut, c'est un prétexte. Si vous aviez un prétexte, vous me tueriez. Voilà pourquoi vous avez envisagé que Garland soit un androïde : ça le rendait tuable. Je me demande ce que vous allez faire quand vous aurez échoué au Boneli. Vous allez vous tuer ? Certains androïdes le font, parfois. » *Mais rarement.*

« Oui, et je m'en chargerai, répondit Phil Resch. Vous n'aurez rien à faire à part me tester. »

Une voiture de patrouille arriva. Deux policiers en sautèrent, pour fendre aussitôt la foule avec autorité. L'un d'eux, reconnaissant Rick, lui adressa un signe de tête. *On peut enfin y aller*, se dit Rick. *On en a enfin terminé ici. Pas trop tôt.*

Tous deux entreprirent donc de redescendre la rue qui menait à l'opéra, pour récupérer leur véhicule. « Je vais vous confier mon laser, fit Resch chemin faisant. Histoire que vous n'ayez pas à redouter ma réaction au résultat du test. Pour votre propre sécurité. » Il tendit l'arme à Rick, qui l'accepta.

« Comment allez-vous vous tuer sans ça ? Si vous échouez au test ?

— Je retiendrai ma respiration.

— C'est impossible, nom de Dieu.

— Chez un androïde, expliqua Resch, il n'y a pas de coupure réflexe du nerf pneumogastrique. Comme chez un être humain. On ne vous a donc pas appris ça pendant votre formation ? Ça fait des années que je le sais.

— Mais mourir de cette manière... protesta Rick.

— C'est sans douleur. En quoi est-ce que ça vous choque ?

— C'est... » Il fit un geste de la main. Incapable de trouver le mot juste.

« Ce n'est pas comme si je pensais vraiment devoir le faire », objecta Resch.

Tous deux gagnèrent le toit de l'Opéra, où Phil avait garé son aéromobile.

« Je préférerais que vous utilisiez le Boneli, dit-il après s'être glissé derrière le volant.

— Impossible. Je ne sais pas le déchiffrer. » *Et ça me mettrait à ta merci pour interpréter les résultats*, se dit-il. *Hors de question.*

« Vous me direz la vérité, hein ? Si je suis un androïde, vous me le direz ?

— Bien sûr.

— Parce que je veux vraiment savoir. Il *faut* que je sache. » Après avoir rallumé son cigare, il se glissa dans le siège baquet du véhicule, essayant de se mettre à l'aise. En vain, de toute évidence. « Vous aimiez vraiment ce tableau de Munch que Luba Luft regardait ? s'enquit-il. Personnellement, il ne me plaisait pas du tout. Le réalisme dans l'art ne m'intéresse pas. J'aime Picasso et…

— *La Puberté* date de 1894, coupa sèchement Rick. Rien n'existait à part le réalisme à l'époque. Vous devez prendre ça en compte.

— Mais l'autre, avec le type qui hurlait en se tenant les oreilles… Ce n'était pas du figuratif. »

Rick ouvrit sa mallette et en extirpa son matériel de test.

« C'est complexe, fit remarquer Phil Resch, qui l'observait. De combien de questions avez-vous besoin avant d'être fixé ?

— Six ou sept. » Il lui tendit le tampon adhésif. « Collez-vous ça sur la joue. N'hésitez pas à appuyer. Et cette lumière… » Il braqua la lampe sur lui. « Elle doit rester droit sur votre œil. Ne bougez pas, gardez les yeux aussi fixes que possible.

— Variations réflexes, fit Resch avec perspicacité. Mais pas aux stimuli physiques. Vous ne mesurez pas la dilatation, par exemple. Ça teste les réactions aux questions orales, les tressaillements.

— Vous croyez pouvoir la contrôler ? lui demanda Rick.

— Pas vraiment. En fin de compte, peut-être. Mais pas l'amplitude initiale : c'est inaccessible au contrôle conscient. S'il n'y avait pas… » Il s'interrompit. « Allez-y. Je suis nerveux, excusez-moi si je parle trop.

— Parlez autant que vous voudrez », fit Rick. *Parle jusqu'à ce qu'on t'enterre, si ça te chante.* Peu lui importait.

« Si je suis bel et bien un androïde, jacassa Phil Resch, ça va vous redonner confiance en la race humaine. Mais comme ça ne va pas finir comme ça, je ne saurais trop vous suggérer de commencer à concevoir une justification idéologique qui tienne compte de…

— Première question », l'interrompit Rick. L'appareil était à présent sous tension, et les aiguilles des deux cadrans se mirent à osciller. « Le temps de réaction constitue un facteur, donc répondez aussi vite que vous le pourrez. » Il sélectionna de mémoire une première question. Le test avait commencé.

Rick resta un moment assis en silence après en avoir terminé. Puis il entreprit de rassembler l'appareillage pour le fourrer dans sa mallette.

« Je peux deviner le résultat à la tête que vous faites. » Phil Resch poussa un soupir de soulagement absolu, profond, presque convulsif. « D'accord, vous pouvez me rendre mon arme. » Il tendit une main grande ouverte, impatiente.

« Vous aviez manifestement raison, fit Deckard. À propos des intentions de Garland. Il voulait bel et bien nous diviser. » Il se sentait épuisé, tant psychologiquement que physiquement.

« Vous avez préparé votre justification idéologique ? s'enquit Resch. Qui expliquerait mon appartenance à la race humaine ?

— Il y a une anomalie dans vos réactions empathiques. Quelque chose pour lequel nous n'avons pas de test. Vos sentiments à l'égard des androïdes.

— Bien sûr qu'il n'y a pas de test pour ça.

— On devrait peut-être en concevoir un. » Rick n'y avait jamais songé auparavant. Jamais lui-même n'avait ressenti la moindre empathie pour les androïdes qu'il tuait. Il avait toujours présumé que son inconscient percevait un androïde comme une machine intelligente – de la même manière que sa conscience. Et pourtant, à l'inverse de Phil Resch, les deux avaient fini par diverger. Et il sentait instinctivement qu'il était dans le vrai. De l'empathie pour une construction artificielle ? Pour quelque chose qui fait seulement semblant de vivre ? Mais Luba Luft lui avait paru parfaitement *vivante*, sans la moindre trace de simulation.

« Vous vous rendez compte, fit posément Resch, des conséquences que ça aurait. Si on incluait les androïdes dans notre gamme d'identification empathique, comme nous le faisons pour les animaux.

— Il n'y aurait plus rien pour nous protéger.

— Absolument. Ces Nexus-6... Ils nous écraseraient tous et nous réduiraient en bouillie. Vous et moi, tous les chasseurs de primes – nous nous tenons entre les Nexus-6 et l'humanité, nous formons une barrière qui garde les deux distincts. Sans compter... » Il s'interrompit en voyant Rick ressortir son appareillage. « Je croyais que le test était terminé.

— Je veux *me* poser une question, fit Rick. Et je veux que vous me disiez ce qu'enregistrent les aiguilles. Donnez-moi juste l'étalonnage, ça me suffira pour faire le calcul. » Il se colla le disque adhésif sur la joue, puis braqua le faisceau lumineux droit sur son œil. « Vous êtes prêt ? Regardez les cadrans. Nous n'allons pas tenir compte du laps de temps cette fois, je veux juste la magnitude.

— Bien sûr, Rick », dit obligeamment Phil Resch.

Deckard se lança : « Je suis dans un ascenseur avec un androïde que je viens de capturer. Soudain, sans crier gare, quelqu'un le tue.

— Pas de réaction particulière, fit Resch.

— Jusqu'où les aiguilles sont-elles montées ?

— La gauche, 2,8. La droite, 3,3.

— Avec *une* androïde ?

— Maintenant elles montent respectivement à 4,0 et 6.

— C'est assez haut. » Rick ôta le disque de sa joue et éteignit le rayon lumineux. « Il s'agit d'une réaction clairement empathique. À peu près ce qu'on obtient pour la plupart des questions posées à des sujets humains. Sauf pour les plus extrêmes, celles qui traitent de peaux humaines utilisées comme des décorations par exemple… Les questions vraiment pathologiques.

— Ce qui veut dire ?

— Que je suis capable d'éprouver de l'empathie pour au moins un type spécifique d'androïdes. Pas pour tous, mais… au moins un ou deux. » *Pour Luba Luft, par exemple. J'avais donc tort. Il n'y a rien d'anormal ou d'inhumain dans les réactions de Phil Resch. C'est moi le problème.*

Je me demande si un quelconque humain a déjà ressenti la même chose pour un androïde.

Bien sûr, il y a des chances que ça ne se reproduise plus jamais, que ç'ait été une simple anomalie, peut-être quelque chose en rapport avec ce que je ressens pour La Flûte enchantée. *Et pour la voix de Luba Luft – pour l'intégralité de sa carrière, en fait. Ça ne m'est certainement jamais arrivé auparavant. Jamais je ne m'en suis aperçu, en tout cas. Pas avec Polokov. Ni avec Garland. Et*, se rendit-il compte, *si Phil Resch s'était révélé être un androïde, j'aurais pu le tuer sans rien ressentir – pas après la façon dont Luba est morte.*

Au temps pour la distinction entre les êtres humains authentiques et les artefacts humanoïdes. Dans cet ascenseur, au musée, je me trouvais avec deux créatures, l'une humaine, l'autre androïde… et mes sentiments étaient exactement l'inverse de ceux auxquels j'aurais pu m'attendre. De ceux que j'ai l'habitude d'éprouver – de ceux qu'il me faut *éprouver.*

« Vous êtes dans la merde, Deckard. » Resch semblait trouver ça amusant.

— Qu'est-ce que… je devrais faire ?

— C'est une question de sexe.

— De sexe ?

— C'est parce qu'*elle*... était physiquement attirante. Ça ne vous est jamais arrivé auparavant ? » Resch éclata de rire. « On nous a appris que ça constituait un problème majeur pour les chasseurs de primes. Deckard, vous savez bien qu'ils ont des maîtresses androïdes dans les colonies.

— C'est illégal, fit Rick, parfaitement au fait de la question.

— Bien sûr que c'est illégal. Comme la plupart des déviations sexuelles. Ce qui n'empêche pas les gens de le faire quand même.

— Et l'amour dans tout ça ?

— L'amour est un synonyme de sexe.

— Mais l'amour de la patrie. L'amour de la musique...

— Si on parle d'amour pour une femme ou une imitation androïde, c'est du sexe. Réveillez-vous, Deckard. Regardez-vous en face. Vous avez eu envie de coucher avec un modèle féminin d'androïde – ni plus ni moins. Ça m'est également arrivé, à une occasion. Je venais de commencer ma carrière de chasseur de primes. Ne vous laissez pas abattre, vous allez vous en remettre. Ce qui s'est passé, c'est que vous n'avez pas pris les choses dans le bon sens. Il ne faut pas la tuer – ou assister à sa mort – pour vous rendre compte *ensuite* qu'elle vous attirait physiquement. C'est le contraire qu'il faut faire. »

Rick le dévisagea. « Coucher d'abord avec elle...

— ... puis la tuer », conclut succinctement Phil Resch. Qui arborait toujours son gros sourire crispé.

Tu es un bon chasseur de primes, reconnut Rick. *Ton attitude suffit à le prouver. Mais moi ?*

Soudain, pour la première fois de sa vie, il avait commencé à se poser la question.

13

Tel un arc de feu immaculé, John R. Isidore filait dans le ciel de cette fin d'après-midi en direction de son foyer, sa journée de travail terminée. *Je me demande si elle se trouve encore là-bas. Dans ce vieil appart infesté de tropie, à regarder l'Ami Buster à la télé et à trembler de peur chaque fois qu'elle s'imagine quelqu'un dans le couloir. Y compris moi, je suppose.*

Il avait déjà fait une halte chez un épicier du marché noir. Sur le siège passager, un sac rempli de mets aussi délicats que du caillé de soja, des pêches mûres, un bon fromage bien coulant, entre autres friandises, se balançait d'avant en arrière selon qu'il accélérait ou ralentissait. La tension qui l'habitait ce soir le faisait conduire d'une façon passablement dangereuse. Et sa voiture, qui venait en principe d'être réparée, toussait et peinait comme elle l'avait fait pendant des mois avant la révision. *Quelle bande de salauds.*

L'odeur des pêches et du fromage tourbillonnait dans la voiture, lui chatouillant agréablement les narines. Uniquement des produits exceptionnels, pour lesquels il avait dilapidé deux semaines de salaire, que M. Sloat lui avait avancées. Sans compter la bouteille de chablis qu'il avait glissée sous son siège pour éviter qu'elle ne roule – sans guère de succès. Une perle rare. Il l'avait gardée dans un coffre de la Bank of America, refusant obstinément de la vendre à quelque prix que ce fût, pour le cas où, un jour, un jour *lointain*, une fille se présenterait. Ce qui ne s'était jamais produit… jusque-là.

Comme toujours, le toit jonché d'ordures de son immeuble le déprima. Sur le trajet qui le séparait de la porte de l'ascenseur, il se ferma à sa vision périphérique, se concentrant sur la bouteille et le précieux paquet qu'il portait, en prenant soin de ne trébucher sur aucun débris qui l'entraînerait dans une chute fatale pour ses inestimables denrées. À l'arrivée grinçante de l'ascenseur, Isidore n'appuya pas sur le bouton de son étage, mais sur celui d'en dessous, où habitait désormais la deuxième occupante des lieux, Pris Stratton. Une fois devant sa porte, il frappa avec le goulot de la bouteille, le cœur battant à se rompre dans sa poitrine.

« Qui est là ? » Sa voix, étouffée par la porte, restait néanmoins parfaitement nette. Une voix terrorisée, mais aussi aiguisée qu'une lame.

« C'est moi, John Isidore, dit-il brusquement, adoptant l'autorité nouvelle qu'il venait si récemment d'acquérir au vidéophone. J'ai ici quelques produits de qualité et je crois que nous devrions pouvoir improviser un dîner plus que convenable. »

La porte s'entrebâilla légèrement. Aucune lumière ne s'échappait de l'appartement. Pris risqua un œil dans l'obscurité du couloir. « Votre voix a changé, fit-elle. Elle fait plus mûre.

— J'ai dû régler un certain nombre de problèmes au bureau aujourd'hui. La routine. Si vous v-vouliez bien me laisser entrer…

— Vous me les raconteriez. » Elle entrouvrit néanmoins suffisamment la porte pour le laisser entrer. Puis poussa une exclamation en voyant ce qu'il portait. Son visage s'illumina d'une joie espiègle. Mais presque aussitôt, sans crier gare, une sinistre amertume traversa ses traits, les pétrifia sur place. Toute joie avait disparu.

« Qu'est-ce qu'il y a ? » s'enquit Isidore. Qui alla poser paquets et bouteille dans la cuisine et revint aussitôt.

« C'est du gâchis de m'apporter ce genre de choses, fit Pris d'une voix sans timbre.

— Pourquoi ?

— Ah. » Elle haussa les épaules, fit quelques pas sans but, les mains dans les poches de sa lourde chemise démodée. « Je vous expliquerai un jour. » Puis elle leva les yeux au ciel. « C'était gentil de votre part, en tout cas. Maintenant, j'aimerais que vous me laissiez. Je ne suis pas d'humeur à avoir de la compagnie. » Et de se diriger distraitement vers la porte du couloir en traînant les pieds, l'air épuisé, comme si sa réserve d'énergie s'était tarie.

« Je sais quel est votre problème, dit-il.

— Ah ? » Sa voix, alors même qu'elle rouvrait la porte, baissa encore d'un ton.

« Vous n'avez aucun ami. Vous allez encore plus mal que ce matin, quand je vous ai vue ; c'est parce que...

— *J'ai* des amis. » Sa voix s'était soudain durcie, pleine d'une nouvelle autorité ; à l'évidence, elle retrouvait une certaine vigueur. « Du moins j'en avais. Sept. Au début. Mais les chasseurs de primes ont eu le temps de se mettre au travail depuis. Certains d'entre eux – tous, peut-être – doivent être morts à l'heure qu'il est. » Allant jusqu'à la fenêtre d'un pas nonchalant, elle se mit à fixer l'obscurité de l'extérieur. Seules quelques lumières brillaient çà et là. « Je pourrais bien être la seule survivante des huit. Vous avez sans doute raison.

— C'est quoi, un chasseur de primes ?

— C'est vrai. Vous autres n'êtes pas censés être au courant. Un chasseur de primes, c'est un assassin professionnel à qui l'on donne une liste de gens qu'il est censé tuer. On lui paie une somme fixe – mille dollars, pour ce que j'en sais – pour chaque exécution. En général, il a aussi un contrat avec la ville, ce qui lui assure un salaire. Mais suffisamment bas pour qu'il reste motivé.

— Vous êtes sûre ?

— Oui. » Elle hocha la tête. « Vous me demandez si je suis sûre qu'il est motivé ? Oui, il l'est. Il *aime* ça.

— Je pense que vous vous trompez. » Jamais de toute sa vie Isidore n'avait entendu parler d'une telle chose. L'Ami Buster, par exemple, ne l'avait pas une fois mentionné. « Ce n'est pas en accord avec l'éthique mercérienne actuelle, fit-il remarquer. Toute vie n'est qu'une ; “aucun homme n'est une île”, comme disait Shakespeare au temps jadis.

— John Donne. »

Isidore se mit à gesticuler d'agitation. « C'est pire que tout ce que j'ai jamais pu entendre. Vous ne pouvez pas appeler la police ?

— Non.

— Et ils en ont après vous ? Ils viendraient ici pour vous tuer ? » Il comprenait à présent pourquoi la fille agissait d'une manière aussi secrète. « Pas étonnant que vous ayez peur et que vous ne vouliez voir personne. » *Elle doit se faire des idées. Ça doit être une psychotique, avec délire de persécution. Les retombées lui ont peut-être causé des lésions cérébrales, à moins que ce ne soit une spéciale.* « Je les aurai avant, dit-il.

— Avec quoi ? » Elle esquissa un sourire, dévoilant ses petites dents blanches régulières.

« Je vais récupérer un permis de port d'arme. C'est facile à obtenir dans le coin, il n'y a presque personne et la police n'y patrouille pas – on s'attend à ce que vous vous défendiez par vous-même.

— Et quand vous serez au travail ?

— Je prendrai un congé !

— C'est très gentil à vous, J.R. Isidore. Mais si les chasseurs de primes ont eu les autres – Max Polokov, Garland, Luba, et Hasking, et Roy Baty… » Elle s'interrompit. « Roy et Irmgard Baty. S'ils sont morts, ça n'a vraiment plus aucune importance. C'étaient mes meilleurs amis. Mais pourquoi n'ai-je plus la moindre nouvelle d'eux, bordel de merde ? » Elle jurait de colère.

Isidore se fraya un chemin jusqu'à la cuisine pour sortir des assiettes, des bols et des verres qui n'avaient manifestement pas servi depuis longtemps. Il entreprit de les laver dans l'évier après avoir fait couler l'eau chaude pleine de rouille jusqu'à ce qu'elle s'éclaircisse – enfin. Pris avait fait son apparition, et s'asseyait à la table. Il déboucha la bouteille de chablis, puis divisa en deux parts égales les pêches, le fromage et le caillé de soja.

« C'est quoi, ce truc blanc ? Pas le fromage. » Elle le pointait du doigt.

— C'est fait à partir de petit-lait de soja. J'aurais aimé avoir du… » Il s'interrompit, rougissant. « Autrefois, on en mangeait avec du jus de bœuf.

— Un androïde, murmura Pris. C'est le genre d'erreur qu'un androïde est capable de faire. C'est comme ça qu'ils se trahissent. » Elle s'approcha de lui puis, à sa grande stupéfaction, lui passa un bras autour de la taille et se serra un instant contre lui. « Je vais goûter une tranche de pêche », dit-elle, prenant délicatement entre ses doigts fuselés un quartier glissant recouvert d'un duvet rose orangé. Et puis, au moment même de le mettre en bouche, elle se mit à pleurer. Des larmes glacées roulaient le long de ses joues, pour s'écraser sur le corsage de sa robe. Ne sachant comment réagir, Isidore continuait à partager la nourriture. « Et merde, fit-elle avec fureur. Je… » Elle s'écarta de lui, se mit à arpenter lentement la pièce à pas mesurés. « Vous comprenez, nous vivions sur Mars. C'est comme ça que je connais les androïdes. » Sa voix tremblait. À l'évidence, ça signifiait énormément pour elle d'avoir quelqu'un à qui parler.

« Et les seules personnes que vous connaissiez sur Terre sont vos camarades d'émigration.

— Nous nous connaissions avant le voyage. Une colonie à proximité de New New York. Roy Baty et Irmgard tenaient un drugstore. Lui était pharmacien, elle s'occupait des produits de beauté, des crèmes, des onguents. Sur Mars, on utilise plein de crèmes pour la peau. Je... » Elle hésita. « Roy m'a fourni diverses substances – j'en avais besoin parce que... eh bien, c'est un endroit atroce. Ceci... » D'un geste empreint de violence, elle embrassa la pièce, l'appartement tout entier. « Ceci n'est rien. Vous croyez que je souffre de me retrouver seule. Merde, *tout le monde* est seul sur Mars. C'est bien pire qu'ici.

— Les androïdes doivent vous tenir compagnie, non ? J'ai entendu une publicité sur... » Il s'assit pour manger. Elle leva bientôt son verre de vin, qu'elle entreprit de siroter d'un air absent. « J'avais cru comprendre qu'ils rendaient les choses plus faciles.

— Les androïdes peuvent se sentir seuls, eux aussi.

— Vous aimez le vin ? »

Elle posa son verre. « Il est parfait.

— C'est la première bouteille que je vois en trois ans.

— Nous sommes revenus parce que personne ne devrait avoir à vivre là-bas. Ça n'a pas été conçu pour y vivre, du moins pas depuis le dernier milliard d'années. C'est si *vieux*. On peut le sentir jusque dans les pierres, cet âge terriblement canonique. Toujours est-il que Roy m'a fourni des drogues dans un premier temps. J'ai tenu le coup grâce à ce nouvel analgésique de synthèse, la silénizine. Puis j'ai rencontré Horst Hartman, qui à l'époque gérait une boutique de philatélie, de timbres rares. On a tellement de temps à tuer qu'il faut trouver une occupation, quelque chose qui vous absorbe continuellement. Et Horst m'a ouverte à la fiction précoloniale.

— À de vieux livres, vous voulez dire ?

— Des histoires écrites avant les voyages spatiaux, mais *sur* les voyages spatiaux.

— Comment pouvait-il y avoir des histoires sur les voyages interplanétaires avant…

— Les écrivains les inventaient.

— À partir de quoi ?

— De leur imagination. À maintes reprises ils se sont trompés. Par exemple, ils ont dépeint Vénus comme une jungle paradisiaque avec d'énormes monstres et des femmes vêtues de plastrons étincelants. » Elle le dévisagea. « Ça vous parle, *ça* ? De grandes femmes avec de longues tresses blondes et des plastrons brillants de la taille de melons ?

— Non.

— Irmgard est blonde. Mais petite. Quoi qu'il en soit, il y a une fortune à se faire sur Mars dans la contrebande de romans précoloniaux, de vieilles revues, de livres et de films. Il n'y a rien de plus excitant. Lire des descriptions de villes et de gigantesques complexes industriels, d'une colonisation véritablement réussie. Imaginez ce à quoi ça aurait pu ressembler. Ce à quoi Mars aurait *dû* ressembler. Des canaux.

— Des canaux ? » Il se rappelait confusément avoir lu quelque chose à ce propos ; jadis, on croyait à l'existence de canaux sur Mars.

« Qui sillonnaient la planète, fit Pris. Et d'êtres venus d'autres systèmes solaires. D'une sagesse infinie. Et des histoires qui se passent sur Terre, à notre époque et même plus tard. Dans lesquelles il n'y a pas de retombées radioactives.

— Je crois, maugréa Isidore, que ça doit faire plus de mal que de bien.

— Au contraire, fit Pris d'un ton cassant.

— Et vous avez rapporté des exemples de cette littérature précoloniale ? » L'idée de s'y pencher lui avait traversé l'esprit.

« Ça ne vaut rien ici, vu que ça n'a *jamais* marché sur Terre. De toute façon il y en a plein les bibliothèques ; c'est là qu'on a récupéré tous les nôtres – dans les bibliothèques de la Terre, qu'on pille pour envoyer ensuite notre butin sur Mars par autofusée. Imaginez-vous en promenade nocturne dans la campagne, quand soudain vous voyez un flamboiement : c'est une fusée qui vient de s'éventrer, avec toute sa cargaison de revues précoloniales dispersées ici et là. Une fortune. Mais bien sûr, on les lit avant de les vendre. » Le sujet, à l'évidence, l'enthousiasmait. « De tous les... »

Quelqu'un avait frappé à la porte d'entrée.

« Je ne peux pas y aller, fit Pris, soudain livide. Ne faites aucun bruit. Asseyez-vous. » Elle se tendit, à l'écoute. « Je me demande si la porte est fermée à clé, ajouta-t-elle d'une voix presque inaudible. Mon Dieu, j'espère que oui. » Elle fixa sur lui des yeux sauvages, intenses, comme pour le supplier d'en faire une réalité.

Une voix lointaine lança alors : « Pris, tu es là ? » Une voix masculine. « C'est Roy et Irmgard. Nous avons eu ta carte. »

La jeune femme se leva et se rendit dans la chambre, pour en revenir avec un stylo et un bout de papier. Une fois rassise, elle griffonna un message hâtif :

ALLEZ À LA PORTE.

D'un geste nerveux, Isidore lui arracha le stylo des mains et écrivit :

POUR DIRE QUOI ?

D'une plume rageuse, elle griffonna :

VÉRIFIEZ QU'IL S'AGIT BIEN D'EUX.

Il se leva et traversa d'un air maussade le séjour. *Comment pourrais-je le savoir ?* se demanda-t-il. Il ouvrit la porte.

Deux personnes se tenaient dans le couloir obscur : une petite femme, ravissante à la manière de Greta Garbo, avec des yeux bleus et des cheveux de paille. L'homme était plus grand, avec un regard intelligent, mais éteint, des traits mongoloïdes qui lui donnaient un air brutal. La femme portait une pèlerine à la mode, de hautes bottes vernies et un bas en fuseau ; quant à son compagnon, il était vêtu d'une chemise froissée et d'un pantalon taché qui semblaient accentuer volontairement sa vulgarité intrinsèque. Lorsqu'il sourit à Isidore, ses petits yeux brillants continuèrent à le lorgner de biais.

« Nous cherchons… » commença la petite blonde, avant de regarder par-dessus l'épaule d'Isidore. Son visage s'illumina alors de ravissement, et elle poussa Isidore pour pénétrer dans l'appartement. « Pris ! Comment vas-tu ? » Isidore se retourna. Les deux femmes étaient en train de s'embrasser. Il s'écarta pour laisser entrer Roy Baty, sombre et massif, un sourire singulier au coin des lèvres.

14

« On peut parler ? demanda Roy en désignant Isidore.

— Jusqu'à un certain point », fit Pris, vibrant de félicité. Puis, à l'adresse d'Isidore : « Excusez-nous. » Elle prit les Baty à part et leur murmura quelques mots, puis tous trois se retournèrent face à J.R., qui se sentit soudain de trop. « Je vous présente M. Isidore, dit Pris. Il prend soin de moi. » Ses paroles sortaient de sa bouche teintée d'un sarcasme presque méchant. Isidore battit des paupières. « Vous voyez ? Il m'a apporté de la vraie nourriture.

— De la nourriture, répéta Irmgard, avant d'aller vérifier au petit trot dans la cuisine. Des pêches. » Et d'attraper aussitôt un bol et une cuillère pour se mettre à grignoter avec enthousiasme comme l'aurait fait un petit rongeur. Son sourire, différent de celui de Pris, dénotait un caractère chaleureux, spontané, sans le moindre sous-entendu.

Isidore la suivit – il ressentait de l'attirance à son égard. « Vous venez de Mars.

— Oui, nous en sommes partis. » Sa voix dansait, tandis que ses yeux bleus lui lançaient des étincelles avec une perspicacité de volatile. « Vous vivez vraiment dans un immeuble horrible. Il n'y a personne d'autre ici, n'est-ce pas ? Nous n'avons pas vu la moindre lumière à part les vôtres.

— J'habite plus haut, dit Isidore.

— Ah. Je me demandais si Pris et vous viviez ensemble. » Il n'y avait pas la moindre désapprobation dans sa voix, c'était à l'évidence un simple constat.

« Ils ont eu Polokov », déclara Roy Baty d'un ton maussade – mais sans pour autant cesser de sourire.

La joie qui était apparue sur le visage de Pris à la vue de ses amis s'évanouit aussitôt. « Qui d'autre ?

— Garland. Anders, Gitchel, et Luba un peu plus tôt dans la journée. » Il assenait ces nouvelles comme s'il prenait quelque plaisir pervers à les donner, à choquer Pris. « Je ne pensais pas qu'ils auraient Luba. Rappelez-vous ce que je ne cessais de dire pendant le voyage.

— Donc ça ne laisse... commença Pris.

— Que nous trois, conclut Irmgard avec une insistance pleine d'appréhension.

— C'est la raison de notre présence ici. » La voix de Roy Baty s'était mise à vibrer d'une chaleur nouvelle, inattendue. Plus la situation empirait, et plus il semblait s'en réjouir. Isidore ne parvenait pas le moins du monde à le déchiffrer.

« Oh, mon Dieu, fit Pris, affligée.

— Eh bien, ils avaient cet enquêteur, ce chasseur de primes, dit Irmgard avec agitation, un certain Dave Holden. » Son nom semblait comme du venin à ses lèvres. « Et Polokov a failli le mettre hors jeu.

— *Failli*, répéta Roy avec un sourire désormais immense.

— Ce Holden a été emmené à l'hôpital, poursuivit Irmgard. Et apparemment ils ont donné sa liste à un autre chasseur de primes, que Polokov a failli avoir également. Mais c'est l'inverse qui s'est finalement produit. Il s'est alors lancé aux trousses de Luba. Nous le savons parce qu'elle a réussi à prendre contact avec Garland, qui a envoyé quelqu'un capturer le chasseur de primes pour le ramener à l'immeuble de Mission Street. Luba nous a appelés juste après. Elle était sûre que Garland allait définitivement régler le problème. Mais, ajouta-t-elle, quelque chose a manifestement mal tourné. Nous ignorons quoi. Et nous ne le saurons peut-être jamais.

— Et ce chasseur de primes a nos noms ? demanda Pris.

— Oh oui, ma chère, lui répondit Irmgard. Ça ne fait aucun doute. Mais il ignore où nous nous trouvons. Roy et moi n'allons pas retourner à notre appartement. Nous avons chargé tout ce que nous pouvions dans notre voiture, puis nous avons décidé de prendre un des appartements abandonnés de ce vieil immeuble miteux.

— Vous t-trouvez ça prudent ? intervint Isidore en rassemblant tout son courage. De tous être au même endroit ?

— Eh bien, ils ont eu tous les autres », fit Irmgard d'un ton neutre. Elle aussi semblait étrangement résignée, en dépit de son agitation superficielle. *Ils ont tous quelque chose de tellement bizarre*, se dit Isidore. Il pouvait le sentir, sans pour autant parvenir à mettre le doigt dessus. Comme si quelque abstraction singulière, pernicieuse, s'insinuait dans leurs processus mentaux. À part Pris, peut-être : la jeune femme avait l'air complètement terrorisée. Pris semblait presque normale, presque naturelle. Mais...

« Pourquoi n'emménages-tu pas avec lui ? dit Roy à l'intention de Pris. Il pourrait t'assurer un certain niveau de protection.

— Une tête de piaf ? Je ne vais certainement pas vivre avec une tête de piaf. » Les narines de la jeune femme se dilatèrent.

« Je te trouve ridicule de faire la fine bouche dans une situation pareille, se hâta de renchérir Irmgard. Les chasseurs de primes n'ont pas l'habitude de traîner, il risque de vouloir régler l'affaire dès ce soir. Il touche peut-être un bonus s'il parvient à le faire avant...

— Bordel, fermez cette porte. » Roy se jeta dessus et la claqua violemment, pour aussitôt la barricader sommairement. « Je crois que tu devrais emménager avec Isidore, Pris, et je crois qu'Irm et moi devrions nous installer dans cet immeuble. Comme ça, on pourra s'entraider. J'ai quelques composants électroniques dans ma voiture, du bric-à-brac que j'ai arraché au vaisseau. Je vais installer un émetteur-récepteur de façon à ce qu'on puisse s'entendre, et mettre en place un système d'alarme qu'on pourra tous utiliser. De toute évidence, nos identités d'emprunt n'ont pas fonctionné, même celle de Garland. Bien sûr, il s'est jeté dans la gueule du loup en faisant venir le chasseur de primes à Mission Street, c'était une erreur. Et Polokov, au lieu de rester aussi loin que possible de lui, a choisi de l'aborder. Pas question d'en faire autant : on va rester ici. » Le ton de sa voix ne recelait pas la moindre trace d'inquiétude. La situation semblait lui avoir redonné une énergie débordante, presque hystérique. « Je crois... » Il poussa un bruyant soupir, histoire de s'assurer l'attention de tous les occupants de la pièce, y compris Isidore. « Je crois que nous ne sommes pas encore tous les trois en vie sans raison. Je crois que s'il avait le moindre indice sur l'endroit où nous nous trouvons, il se serait déjà pointé. Un chasseur de primes se doit d'agir aussi vite qu'il le peut. Ses rémunérations en dépendent.

— Et s'il attend trop, ajouta Irmgard, nous disparaissons comme nous l'avons déjà fait. Je parie que Roy a raison, qu'il a nos noms, mais pas notre localisation. Pauvre Luba, coincée à l'opéra du Monument aux Morts, au grand jour. Pas difficile de la trouver.

— Eh bien, fit Roy avec emphase, c'est elle qui l'a voulu. Elle se croyait plus en sûreté dans la peau d'un personnage public.

— Tu l'avais mise en garde, approuva Irmgard.

— Oui, je le lui avais dit, comme j'avais dit à Polokov de ne pas essayer de se faire passer pour un agent de l'O.M.P. Comme j'avais prévenu Garland qu'un de ses propres chasseurs de primes finirait par le démasquer, ce qui selon toute apparence s'est bel et bien produit. » Il se balançait d'avant en arrière sur ses lourds talons, le visage empreint de profondeur.

« À v-vous entendre, intervint Isidore, j-je suppose que monsieur Baty est votre ch-chef.

— Oh oui, confirma Irmgard, Roy est un vrai chef.

— C'est lui qui a organisé notre voyage, intervint Pris. Depuis Mars.

— Dans ce cas, poursuivit le spécial, vous feriez mieux de faire ce qu-qu'il vous suggère. » Sa voix se brisa d'espoir et de tension. « Ce serait f-f-formidable, Pris, si vous v-v-veniez vivre avec moi. Je resterai chez moi pendant quelques jours – j'ai des vacances à prendre bientôt. Pour m'assurer que tout va bien. » Et peut-être que Milt, qui était très inventif, pourrait lui bricoler une arme. Quelque chose d'imaginatif, susceptible de supprimer les chasseurs de primes... ou quoi qu'ils fussent. Il en avait une image très vague, indistincte, sinistre : une chose sans pitié, nantie d'une liste imprimée et d'un pistolet, qui accomplissait telle une machine sa tâche meurtrière platement bureaucratique. Une chose dénuée d'émotions, de *visage*, une chose qui, lorsqu'elle périssait, était immédiatement remplacée par une autre en tous points identique. Et ainsi de suite, jusqu'à ce que le dernier être vivant ait été abattu.

C'est incroyable que la police ne puisse rien faire. Je n'arrive d'ailleurs pas à y croire. Ces gens ont forcément fait quelque chose. Peut-être sont-ils revenus sur la Terre illégalement. On nous dit – à la télé – de signaler tout atterrissage de vaisseau en dehors des rampes autorisées. La police doit surveiller ça de près.

Mais tout de même, on ne tue plus personne délibérément de nos jours. Ça va à l'encontre du Mercérisme.

« La tête de piaf m'aime bien, fit Pris.

— Ne l'appelle pas comme ça, Pris, fit Irmgard avec un regard de compassion à l'adresse d'Isidore. Imagine comment il pourrait t'appeler. »

Pris se garda bien de répondre. Son expression devint énigmatique.

« Je vais commencer à installer les micros, dit Roy. Irmgard et moi allons rester dans cet appartement. Toi, Pris, tu vas chez... M. Isidore. » Puis il partit vers la porte, à une vitesse incroyable pour un homme de sa corpulence, pour disparaître dans la pièce d'à côté. Isidore fut alors pris d'une étrange hallucination passagère : il aperçut brièvement un cadre de métal, une plate-forme de poulies, de circuits, de batteries, de tourelles et d'engrenages... puis la silhouette négligée de Roy Baty revint en fondu enchaîné dans son champ de vision. Isidore sentit monter en lui un éclat de rire nerveux qu'il réprima aussitôt. Il était abasourdi.

« Quel homme d'action, lança Pris d'un ton distant. Dommage qu'il soit si maladroit de ses mains pour bricoler.

— Si nous en réchappons, intervint Irmgard d'une voix désapprobatrice, ce sera grâce à Roy.

— Pour peu que ça en vaille la peine. » Pris semblait surtout parler pour elle-même. Elle haussa les épaules, puis adressa un signe de tête à Isidore. « D'accord, J.R., je vais m'installer chez vous, sous votre protection.

— V-venez tous, dit aussitôt Isidore.

— Soyez certain que nous apprécions votre proposition à sa juste valeur, monsieur Isidore, l'assura Irmgard Baty d'une petite voix formelle. Je crois que vous êtes le premier ami que nous ayons trouvé sur Terre. C'est très gentil à vous, et j'espère que nous pourrons vous revaloir cela un jour. » Elle glissa vers lui pour lui tapoter le bras.

« Auriez-vous des fictions précoloniales à me faire lire ? lui demanda-t-il.

— Pardon ? » Irmgard jeta un coup d'œil interrogateur en direction de Pris.

« Ces vieilles revues », expliqua celle-ci. Elle avait rassemblé quelques affaires pour les emporter. Isidore lui prit le paquet des mains, rayonnant du bonheur qu'on éprouve d'avoir atteint son but. « Non, J.R., nous n'en avons pas rapporté, pour les raisons que je vous ai données.

— J-j'irai à la b-b-bibliothèque demain, dit-il en sortant dans le couloir. Pour t-t-trouver de quoi lire, pour vous et pour moi. Histoire que v-vous ayez quelque chose d'autre à faire qu'attendre. »

Il conduisit Pris jusqu'à son appartement – un lieu sombre, vide, mal aéré. Après avoir transporté ses affaires dans la chambre, il alluma le chauffage, les lumières et la télé, qui ne captait plus qu'une chaîne.

« J'aime beaucoup », commenta Pris, mais toujours sur le même ton détaché, lointain. Elle flânait ici et là, les mains enfoncées dans les poches de sa jupe ; son visage arborait néanmoins une expression revêche, presque moralisatrice, qui contrastait avec ce qu'elle venait de dire.

« Qu'est-ce qu'il y a ? s'enquit-il en posant ses affaires sur le divan.

— Rien. » Elle fit halte devant la fenêtre, tira les rideaux et regarda au loin d'un air morose.

« Si vous croyez qu'ils vous cherchent... commença-t-il.

— C'est un rêve, coupa Pris. Provoqué par les drogues que Roy m'a données.

— P-pardon ?

— Vous croyez vraiment que les chasseurs de primes existent ?

— M. Baty a dit qu'ils avaient tué vos amis.

— Roy Baty est aussi fou que moi, fit Pris. En fait, nous arrivons d'un hôpital psychiatrique situé sur la côte est. Nous sommes tous des schizophrènes, avec des vies affectives anormales – on appelle ça un aplatissement de l'affect. Et nous avons des hallucinations collectives.

— Je n'y croyais pas vraiment, dit-il avec un soulagement évident.

— Et pourquoi ça ? » Elle pivota sur ses talons pour le fixer droit dans les yeux, d'un regard si scrutateur qu'il se sentit aussitôt rougir.

« P-p-parce que des choses pareilles ne peuvent pas arriver. Le g-gouvernement ne tue jamais personne, q-quel que soit le c-crime commis. Et le Mercérisme...

— Mais quand on n'est pas humain, voyez-vous, c'est totalement différent.

— C'est faux. Même les animaux – même les anguilles, les gauphres, les serpents ou les araignées – sont sacrés. »

Pris continuait de l'observer fixement. « Donc ce n'est pas possible, c'est bien ça ? Comme vous le dites, même les animaux sont protégés par la loi. Toute vie. Tout ce qui est organique, qui frétille, se tortille, creuse ou vole, qui grouille ou qui pond des œufs, ou... » Elle s'interrompit, car Roy Baty venait d'ouvrir brutalement la porte de l'appartement et y pénétrait, tirant un câble qui traînait par terre derrière lui.

« Les insectes, fit-il, ne faisant montre d'aucune gêne à entendre leur conversation, sont particulièrement sacro-saints. » Après avoir décroché un tableau du mur du salon, il attacha au clou un petit appareil électronique, recula d'un pas pour regarder, puis raccrocha le cadre. « Et maintenant, l'alarme. » Il entreprit de ramasser le câble, raccordé à un montage complexe qu'il montra ensuite à Pris et John Isidore, sans se départir de son sourire discordant. « Ces fils vont passer sous le tapis : ce sont des antennes. Elles captent la présence de… » Il hésita. « … de toute entité mentationnelle, dit-il obscurément, qui ne serait pas l'un de nous quatre.

— Donc ça sonne, fit Pris, et puis quoi ? Il aura une arme. On ne peut pas lui tomber dessus et le mordre à mort.

— Ce montage, poursuivit Roy, intègre une unité Penfield. Quand l'alarme a été déclenchée, ça diffuse une ambiance de panique autour de… l'intrus. À moins qu'il n'agisse très vite, ce qui reste possible. Une panique immense – je l'ai réglée au maximum. Aucun être humain ne peut rester dans les environs plus de quelques secondes. La panique les fait tourner en rond à l'aveuglette, elle les fait fuir sans but, pris de spasmes musculaires et nerveux. Ce qui, dit-il en guise de conclusion, nous fournira une occasion de nous débarrasser de lui. Peut-être. Ça va dépendre de son niveau de compétence.

— L'alarme ne va-t-elle pas nous affecter ? s'enquit Isidore.

— C'est vrai, dit Pris à l'attention de Roy Baty. J.R. sera touché.

— La belle affaire, fit Roy, avant de se remettre à la tâche. Ils vont tous les deux filer d'ici sous l'effet de la panique. Ça nous donnera quoi qu'il en soit le temps de réagir. Et puis Isidore n'a rien à craindre d'eux, il ne se trouve pas sur leur liste. C'est ce qui le rend utilisable comme couverture.

— Tu ne peux vraiment pas faire autrement, Roy ? demanda alors Pris avec rudesse.

— Non. Impossible.

— Je d-devrais p-pouvoir me p-p-procurer une arme demain, intervint Isidore.

— Tu es sûr que sa présence ici ne va pas déclencher l'alarme ? poursuivit Pris. Après tout, c'est un… tu sais quoi.

— J'ai intégré ses émissions céphaliques au dispositif, expliqua Roy. Leur seul niveau ne déclenchera rien. Ça nécessite un humain supplémentaire – une personne. » Sourcils froncés, il lança un regard à Isidore, conscient de ce qu'il venait de dire.

« Vous êtes des androïdes », comprit J.R. Mais peu lui importait. « Je comprends pourquoi ils veulent vous tuer. En fait, vous n'êtes pas vivants. » Tout prenait sens à ses yeux désormais. Le chasseur de primes, le meurtre de leurs amis, le voyage sur Terre, toutes ces précautions.

« Utiliser le mot "humain", fit Roy Baty à l'intention de Pris, a été une erreur.

— C'est vrai, monsieur Baty, dit Isidore, mais qu'est-ce que ça peut bien me faire ? Je veux dire, je suis un spécial, on ne me traite pas très bien non plus – je n'ai pas le droit d'émigrer, par exemple. » Il se surprit à jacasser comme un lutin. « Vous, vous n'avez pas le droit de venir ici, et moi, je n'ai pas le droit... » Il se calma.

« Vous n'auriez pas apprécié Mars, commenta laconiquement Roy Baty après quelques instants de silence. Vous ne manquez rien.

— Je me demandais combien de temps ça allait vous prendre pour vous en rendre compte, fit Pris. Nous sommes différents, pas vrai ?

— C'est sans doute comme ça que Garland et Max Polokov ont été pris en défaut, expliqua Roy Baty. Ils étaient tellement persuadés de pouvoir passer entre les gouttes. Pareil pour Luba.

— Vous êtes des intellectuels, fit Isidore, tout excité d'avoir compris – excité et fier. Vous pensez abstraitement, et vous ne... » Il se mit à gesticuler, ses mots s'emmêlant les uns les autres. Comme d'habitude. « J'aimerais tellement avoir un QI comme le vôtre... Je pourrais passer le test, je ne serais plus une tête de piaf.

Je vous trouve vraiment supérieurs... Vous pourriez beaucoup m'apprendre. »

Au terme d'un silence prolongé, Roy Baty reprit la parole : « Je vais finir de brancher l'alarme. » Ce qu'il partit faire.

« Il n'a pas encore compris, le retint Pris de sa petite voix crispée de stentor, comment nous sommes partis de Mars. Ce que nous faisions là-bas.

— Ce qu'on nous forçait à y faire », grogna Roy Baty.

Irmgard Baty se tenait à la porte depuis un moment. Ils ne remarquèrent sa présence que lorsqu'elle parla d'une voix empreinte de sérieux : « Je ne crois pas que nous ayons à redouter quoi que ce soit de M. Isidore. » Elle fit quelques pas rapides dans sa direction. « Ils ne le traitent pas très bien non plus, comme lui-même l'a rappelé. Et il se fiche de ce que nous avons fait sur Mars. Il nous connaît, il nous apprécie, et pareil lien affectif... c'est tout ce qui compte pour lui. Ce n'est pas facile pour nous de le comprendre, mais c'est la vérité. » Puis, à l'adresse d'Isidore, qu'elle scrutait du regard : « Vous pourriez gagner un paquet en nous dénonçant, vous en avez conscience ? » Puis, se tournant vers son mari : Tu vois, il s'en rend compte, mais il ne compte pas parler pour autant.

— Vous êtes un grand homme, Isidore, lui dit Pris. L'honneur de votre race.

— Si c'était un androïde, ajouta chaleureusement Roy, il nous livrerait à la police à la première heure demain. Il partirait au travail, et c'en serait fini. Je suis submergé d'admiration. » Il parlait sur un ton indéchiffrable, en tout cas pour Isidore. « Et nous qui imaginions un monde inamical, une planète peuplée de visages hostiles, tous tournés contre nous. » Il éclata de rire.

« Je ne suis pas du tout inquiète, dit Irmgard.

— Tu devrais pourtant chier dans ton froc, répliqua Roy.

— Votons, fit Pris. Comme à bord du vaisseau, quand nous avions un désaccord.

— Très bien, fit Irmgard, je ne dirai pas un mot de plus. Mais si nous rejetons son offre, je doute que nous retrouvions un seul être humain prêt à nous accueillir et à nous aider. M. Isidore est… » Elle se mit en quête du mot approprié.

« Spécial », dit Pris.

15

Ils passèrent donc cérémonieusement au vote.

« On reste ici, dit Irmgard avec fermeté. Dans cet appartement, dans cet immeuble.

— Je vote pour que nous tuions M. Isidore et que nous allions nous cacher ailleurs », fit Roy Baty. Lui et sa femme – ainsi qu'Isidore – se tournèrent aussitôt vers Pris.

« Je vote pour que nous nous installions ici », dit-elle à voix basse. Puis, plus fort : « À mon avis, les qualités de John l'emportent sur le danger que ce qu'il sait représente pour nous. Nous ne pouvons manifestement pas passer inaperçus parmi les humains ; c'est ce qui a tué Polokov, et Garland, Luba, et Anders. C'est ce qui les a tous tués.

— Ils ont peut-être fait précisément ce que nous sommes en train de faire, dit Roy Baty. Ils ont fait confiance à un être humain qu'ils ont cru différent. *Spécial*, comme tu dis.

— Nous n'en savons rien, fit Irmgard. C'est juste une conjecture. Je crois qu'ils, qu'ils... qu'ils se sont trop exposés. Chanter sur une scène d'opéra, comme Luba l'a fait... Nous nous fions beaucoup trop – je vais te dire, Roy, à quoi nous nous fions trop : à notre satanée intelligence supérieure ! » Elle lança un regard furieux à son époux, ses petits seins hauts ne cessant de monter et descendre. « On est tellement malins – Roy, c'est ce que tu es en train de faire à l'instant… Et merde, Roy, c'est ce que tu es en train de faire !

— Je crois qu'Irm a raison, intervint Pris.

— Vous voulez donc mettre nos vies entre les mains d'un sous-homme à moitié… » Puis Roy abdiqua. « Je suis fatigué, dit-il simplement. Nous avons fait un long voyage, Isidore. Mais pas ici. Malheureusement.

— J'espère, dit gaiement Isidore, pouvoir rendre votre séjour sur la Terre aussi plaisant que possible. » Il se sentait capable de le faire. C'était à ses yeux une certitude, le point culminant de toute sa vie… et de la nouvelle autorité dont il avait fait preuve plus tôt dans la journée au vidéophone, à son travail.

Dès qu'il eut officiellement terminé sa journée, ce soir-là, Rick Deckard traversa la ville en direction du quartier des animaux : les quelques pâtés de maisons occupés par les marchands de premier plan, avec leurs gigantesques vitrines et leurs enseignes criardes. La lourde sensation d'abattement qui l'avait terrassé plus tôt dans la journée ne l'avait pas quitté. Se retrouver là, au milieu d'animaux et de *marchands* d'animaux, lui semblait être la seule activité susceptible de percer un tant soit peu ce voile de dépression, un moyen par lequel il pourrait peut-être, en fin de compte, dominer son état et l'exorciser. Par le passé, en tout cas, la seule vue d'animaux, la perspective de marchandages portant sur des sommes importantes lui avaient fait le plus grand bien. Il en serait peut-être de même cette fois encore.

« Monsieur ? s'enquit un jeune employé plein d'allant qui le trouva bouche bée devant la vitrine. Vous avez vu quelque chose qui vous plaît ?

— J'en ai vu beaucoup. C'est leur prix qui me tracasse.

— Dites-moi quel genre de transaction vous voulez réaliser. Ce que vous voulez emporter chez vous et comment vous désirez nous régler. Nous en ferons part à notre directeur commercial pour obtenir son accord.

— J'ai trois mille en espèces. (Le service lui avait versé sa prime en fin de journée.) Combien coûte cette famille de lapins, là-bas ?

— Monsieur, si vous nous versez un acompte de trois mille, je peux vous proposer quelque chose de beaucoup mieux qu'un couple de lapins. Que diriez-vous d'une chèvre ?

— Ça ne m'a jamais vraiment traversé l'esprit.

— Puis-je vous demander si ça représente pour vous une nouvelle fourchette de prix ?

— Eh bien, je me promène rarement avec une telle somme, admit Deckard.

— C'est ce que j'ai cru comprendre quand vous avez évoqué les lapins, monsieur. Le problème avec les lapins, c'est que tout le monde en a un. J'aimerais vous voir passer à la catégorie chèvre, à laquelle je sens que vous appartenez désormais. En toute franchise, vous me faites davantage l'effet d'un homme à chèvre.

— Quels sont ses avantages ?

— Le plus significatif, c'est qu'on peut la dresser à donner un coup de corne à quiconque tenterait de la voler.

— Pas si on l'endort avec une fléchette hypno avant de la descendre d'une aéromobile avec une échelle de corde. »

— Une chèvre est loyale, poursuivit le vendeur sans se laisser démonter. Et de manière innée, elle a un tempérament libre dont aucune cage ne peut venir à bout. Sans compter une caractéristique supplémentaire tout à fait exceptionnelle, dont vous n'avez peut-être pas conscience. Il arrive malheureusement souvent, quand on investit dans un animal et qu'on le rapporte chez soi, de découvrir un matin qu'il a mangé quelque chose de radioactif et qu'il en est mort. Manger des pseudo-aliments contaminés n'aura aucune conséquence néfaste sur une chèvre, elle peut manger de tout, même des produits qui terrasseraient une vache ou un cheval, sans même parler d'un chat. Comme investissement à long terme, nous estimons que la chèvre – plus encore que le bouc – offre des avantages incomparables au propriétaire sérieux.

— Celle-ci est bien une femelle ? » Il avait remarqué un grand caprin noir bien calé sur ses pattes au milieu de sa cage. Il s'en approcha, accompagné du vendeur. L'animal lui parut magnifique.

« Oui, c'en est une. Une chèvre noire de Nubie, un bel animal, comme vous pouvez le voir. Elle a un succès fou sur le marché cette année, monsieur. Et nous la proposons à un tarif exceptionnellement intéressant. »

Après avoir sorti son *Sidney* tout froissé, Rick parcourut la liste jusqu'aux chèvres noires de Nubie.

« Vous comptez tout payer en espèces ? s'enquit le vendeur. Ou faire un échange contre un animal usagé ?

— En espèces. »

Le vendeur griffonna un prix sur un morceau de papier, puis rapidement, presque furtivement, il le montra à Rick.

« Trop cher, fit Rick avant de prendre le morceau de papier et d'y inscrire un chiffre plus modeste.

— Nous ne pourrions laisser partir une chèvre à ce prix-là, monsieur, protesta le vendeur avant d'inscrire un nouveau chiffre. Cette chèvre a moins d'un an. Imaginez son espérance de vie. » Et de montrer le montant à Rick.

« Marché conclu », fit celui-ci.

Il signa son contrat de traites, versa ses trois mille dollars – la totalité de ses primes – comme premier versement et se retrouva bientôt devant son aéromobile, à moitié hébété, tandis que les employés du magasin y chargeaient la caisse contenant la chèvre. *Me voilà propriétaire d'un animal. Un animal* vivant, *pas électrique. Pour la deuxième fois de ma vie.*

Le montant des remboursements le consternait ; il se surprit à trembler. *Mais il fallait que je le fasse. Après ma petite aventure avec Phil Resch, il faut que je retrouve ma confiance en moi, ma foi en mes capacités. Sans quoi je ne garderai pas mon boulot.*

Les mains engourdies, il décolla et prit la direction de son appartement. *Iran va être furieuse. Une telle responsabilité va la mettre dans tous ses états. Vu qu'elle passe toute la journée à la maison, une bonne partie de l'entretien va lui retomber dessus.* Il s'assombrit de plus belle.

Quand il eut atterri sur le toit de son immeuble, il resta assis un moment, le temps d'échafauder une histoire vraisemblable. *J'en ai besoin pour mon travail,* pensa-t-il, à court d'arguments. *Question de prestige. On ne pouvait plus continuer avec le mouton électrique, ça me minait le moral. Je pourrais lui dire ça.*

Une fois sorti de sa voiture, il s'employa tant bien que mal à extraire la cage de la chèvre du siège arrière pour la poser sur le toit. La chèvre, que le trajet avait secouée, le considérait avec des yeux brillants de perspicacité, mais restait silencieuse.

Une fois à son étage, il emprunta le couloir familier qui menait à sa porte.

« Hello, lui lança Iran, occupée à préparer le dîner dans la cuisine. Pourquoi rentres-tu si tard ce soir ?

— Viens sur le toit, dit-il. Je veux te montrer quelque chose.

— Tu as acheté un animal. » Elle ôta son tablier, ramena machinalement ses cheveux en arrière, puis le suivit hors de l'appartement. Tous deux hâtèrent le pas jusqu'à l'ascenseur. « Tu n'aurais pas dû le prendre sans moi, fit-elle d'une voix entrecoupée. J'ai le droit de prendre part à la décision – la plus grosse acquisition que nous ferons jam…

— Je voulais te faire la surprise.

— Tu as touché des primes aujourd'hui, dit son épouse d'un ton accusateur.

— Oui, admit Rick. J'ai retiré trois andros. » Il pénétra dans l'ascenseur, et tous deux s'élevèrent vers le ciel. « Il *fallait* que je l'achète. Quelque chose a mal tourné aujourd'hui, quelque chose à propos de leur retrait. Ça n'aurait pas été possible pour moi de continuer sans avoir un animal. » L'ascenseur avait atteint le toit. Deckard guida sa femme dans l'obscurité jusqu'à la cage. Après avoir allumé les projecteurs – installés pour l'usage de tous les résidents de l'immeuble –, il pointa un doigt en direction de la chèvre, sans rien dire. À l'affût de sa réaction.

« Oh, mon Dieu ! » murmura Iran. Elle s'approcha de la cage, regarda à l'intérieur, puis elle en fit le tour, examinant la chèvre sous tous les angles. « C'est une vraie de vraie ? Pas une fausse ?

— Tout ce qu'il y a de vrai. À moins que je ne me sois fait escroquer. » Mais cela arrivait rarement, car l'amende à payer pour une contrefaçon était proprement énorme : deux fois et demie la valeur marchande de l'animal véritable. « Non, ils ne m'ont pas roulé.

— C'est un bouc, dit Iran. Un bouc noir de Nubie.

— Une femelle. Ce qui veut dire qu'on pourra peut-être l'accoupler dans un deuxième temps. Et en tirer du lait pour faire du fromage.

— On peut la laisser sortir ? La mettre avec le mouton ?

— Il va falloir l'attacher. Au moins pendant quelques jours.

— “Ma vie n’est qu’amour et plaisir”, musa Iran d’une petite voix étrange. Une vieille, très vieille chanson de Josef Strauss. Tu te souviens ? Quand nous nous sommes rencontrés. » Elle posa doucement sa main sur l’épaule de son époux, se pencha vers lui et l’embrassa. « Beaucoup d’amour. Et encore plus de plaisir.

— Merci. » Et il la serra dans ses bras.

— Descendons vite rendre grâce à Mercer. Puis nous pourrons remonter ici pour lui donner un nom. Il lui *faut* un nom. Et tu pourras peut-être aussi trouver un bout de corde pour l’attacher. »

Leur voisin Bill Barbour, qui était en train d’étriller sa jument Judy, les héla alors : « Eh, c’est une bien belle chèvre que vous avez là. Toutes mes félicitations. Bonsoir, madame Deckard. Vous aurez peut-être des petits… Ça me dirait bien de faire un échange avec mon poulain.

— Merci. » Rick suivit Iran en direction de l’ascenseur. « Est-ce que ça guérit ta dépression ? lui demanda-t-il. Moi oui.

— Et comment, fit son épouse. Maintenant on va pouvoir admettre devant tout le monde que le mouton est artificiel.

— C’est inutile, dit-il prudemment.

— Mais nous le *pouvons,* insista Iran. Tu comprends, nous n’avons plus rien à cacher désormais, ce dont nous rêvions depuis si longtemps s’est enfin réalisé. C’est merveilleux ! » Elle se mit de nouveau sur la pointe des pieds, se pencha et l’embrassa délicatement. Son souffle, court et irrégulier, lui chatouilla le cou. Puis elle tendit la main pour enfoncer le bouton de l’ascenseur.

Quelque chose mit alors ses sens aux aguets. Quelque chose qui lui fit dire : « Ne redescendons pas encore. Restons un peu avec la chèvre. Asseyons-nous ici et donnons-lui quelque chose à manger. Ils m’ont fourni un sac d’avoine pour commencer. Et on peut lire le manuel d'entretien, il était inclus sans supplément. On pourrait l'appeler Euphemia. » Mais l'ascenseur était arrivé, et son épouse y entrait déjà d'un pas décidé. « Iran, attends.

— Ce serait immoral de ne pas fusionner avec Mercer en signe de gratitude. J'ai tenu les poignées de la boîte aujourd'hui, et ça a légèrement calmé ma dépression… Juste un peu, pas tant que ça. Mais j'ai été atteinte par une pierre, là. » Elle leva son poignet, sur lequel il découvrit un petit bleu. « Et je me suis rappelé à quel point on se sentait mieux, tellement mieux, quand on se trouve avec Mercer. Malgré la douleur. C'est juste une douleur physique, elle ne nous empêche pas d'être ensemble à un niveau spirituel. Je sentais tous les autres, partout à travers le monde, tous ceux qui avaient fusionné en même temps. (Elle empêcha la porte de l'ascenseur de se refermer.) Viens avec moi, Rick. Ça ne va pas être long. Tu ne fusionnes presque jamais… Je veux que tu transmettes à tout le monde l'humeur dans laquelle tu es en cet instant. Nous le leur devons. Ce serait immoral de garder ça pour nous. »

Elle avait raison, bien entendu. Il se résolut donc à la suivre.

Une fois dans le séjour, Iran se hâta d'allumer la boîte à empathie, le visage animé d'une joie grandissante – son sourire l'éclairait comme un lever de nouvelle lune. « Je veux que tout le monde le sache, lui dit-elle. Ça m'est arrivé une fois : en fusionnant, je suis tombée sur quelqu'un qui venait d'acheter un animal. Et puis un jour… » Ses traits s'assombrirent un instant, toute joie s'en évanouit. « Un jour, je me suis retrouvée connectée avec quelqu'un dont l'animal venait de mourir. Mais nous avons partagé nos propres joies avec lui – sauf moi, tu t'en doutes –, et ça lui a redonné espoir. On pourrait même en arriver à un suicide symbolique. Ce que nous avons, ce que nous ressentons, pourrait…

— Ils vont prendre notre joie, fit Deckard, alors que nous, nous la perdrons. Nous allons échanger nos émotions contre les leurs. Aux dépens de notre propre joie. »

L'écran de la boîte à empathie exhibait à présent des flots ininterrompus d'informes couleurs éclatantes. Prenant une profonde inspiration, l'épouse de Rick agrippa fermement les deux poignées. « On ne perdra pas vraiment ce qu'on ressent si on le garde clairement en tête. Tu n'as jamais trop apprécié la fusion, n'est-ce pas, Rick ?

— Je suppose que non. » Mais en cet instant il commençait à ressentir, pour la première fois de son existence, ce que des gens comme Iran pouvaient tirer du Mercérisme. Son aventure avec Phil Resch avait peut-être modifié quelque minuscule synapse dans son cerveau, fermé un circuit neurologique pour en ouvrir un autre. Ce qui avait possiblement déclenché une réaction en chaîne. « Iran, dit-il d'un ton instant, tout en l'écartant de la boîte à empathie. Écoute, je voudrais te parler de ce qui m'est arrivé aujourd'hui. » Il la mena jusqu'au divan, la fit asseoir en face de lui. « J'ai rencontré un autre chasseur de primes. Je ne l'avais jamais vu auparavant. Un prédateur, qui semble prendre plaisir à les éliminer. M'être retrouvé avec lui m'a forcé pour la toute première fois à les regarder d'un œil neuf. Je veux dire, à ma façon, je les considérais comme lui auparavant.

— Ça ne peut pas attendre ?

— J'ai fait un test – une question – pour en avoir le cœur net. Je commence à comprendre ce que ressentent les androïdes. Je crois que tu comprends ce que ça signifie. Tu l'as dit toi-même ce matin – “Ces pauvres andros”. Donc tu sais de quoi je parle. C'est pour ça que j'ai acheté la chèvre. Je n'avais jamais rien ressenti de tel. C'est peut-être juste une dépression, comme celle que tu as. Je comprends maintenant à quel point tu dois souffrir quand tu es déprimée. J'ai toujours cru que tu aimais ça, que tu aurais pu te secouer à n'importe quel moment, sinon seule du moins avec l'orgue d'humeur. Mais plus rien ne vous importe quand on est à ce point déprimé. On devient apathique, on a l'impression que plus rien ne vaut la peine. On se désintéresse de son propre état, puisque plus rien n'a d'importance...

— Et ton travail ? »

Le ton de sa voix lui avait fait l'effet d'un direct dans l'estomac. Il cligna des yeux.

« Ton *travail*, répéta-t-elle. À combien s'élèvent les remboursements mensuels pour la chèvre ? » Iran tendit la main. Il sortit machinalement le contrat qu'il avait signé et le lui passa. « Tant que ça, fit-elle d'une voix grêle. Les intérêts... Mon Dieu – rien que les intérêts... Et tu l'as fait parce que tu étais déprimé. Pas pour me faire une surprise, comme tu me l'as dit en arrivant. » Elle lui rendit le contrat. « Enfin, ce n'est pas grave. Je suis quand même heureuse que tu aies acheté cette chèvre, je l'adore. Mais ça va être une sacrée charge. » Elle blêmissait à vue d'œil.

« Je peux me faire muter dans un autre service, dit Rick. Le département en a dix ou onze différents. Les vols d'animaux... Je pourrais me faire transférer là-bas.

— Mais l'argent des primes. Nous en avons besoin, sans quoi ils vont nous reprendre la chèvre !

— Je peux faire prolonger le contrat de trente-six mensualités à quarante-huit. » Il sortit vivement un stylo à bille, et entreprit aussitôt de rapides gribouillages au dos du contrat. « Comme ça, on aura cinquante-deux cinquante de moins à payer par mois. »

Le vidéophone sonna.

« Si on n'était pas redescendus, dit Rick, si on était restés sur le toit, avec la chèvre, on n'aurait pas eu cet appel. »

Iran se dirigea vers l'appareil. « De quoi as-tu peur ? Ils ne vont pas reprendre possession de la chèvre – pas encore. » Elle saisit le combiné.

« C'est le service, anticipa-t-il. Dis-leur que je suis sorti. » Et de se diriger vers la chambre.

« Allô », fit son épouse.

Trois autres andros, se disait Rick, *que j'aurais dû pourchasser aujourd'hui au lieu de rentrer chez moi.* Le visage de Harry Bryant avait pris forme sur l'écran vidéo, ce qui rendait toute fuite impossible. Les jambes raides, Deckard retourna vers l'appareil.

« Oui, il est ici, disait Iran. Nous avons acheté une chèvre. Passez donc la voir, monsieur Bryant. » Son interlocuteur lui répondit, puis elle passa le combiné à Rick. « Il veut te dire quelque chose. » Pour rejoindre aussitôt la boîte à empathie, s'y asseoir en hâte et reprendre les deux poignées. Elle s'y absorba presque immédiatement. Rick restait le combiné en main, conscient de la fuite mentale de son épouse. Conscient de sa propre solitude. « Allô.

— On a une piste pour deux des androïdes restants. » Harry Bryant appelait depuis son bureau. Rick voyait la table familière, le fatras de documents, de papiers, de tropie. « Quelqu'un les a manifestement prévenus – ils ont quitté l'adresse que Dave vous a donnée. On peut maintenant les trouver à... attendez. » Bryant farfouilla sur son bureau, et finit par localiser ce qu'il cherchait.

Rick se mit machinalement en quête d'un stylo. Il posa sur ses genoux le contrat d'achat de la chèvre et se prépara à écrire.

« Conapt 3967-C, dit Bryant. Allez-y aussi vite que possible. Nous devons présumer qu'ils savent, pour ceux que vous avez abattus – Garland, Luft et Polokov. C'est pour ça qu'ils ont pris un vol clandestin.

— Clandestin, répéta Rick. Pour sauver leur peau.

— Iran m'a dit que vous aviez acheté une chèvre. Aujourd'hui ? En sortant du bureau ?

— En rentrant chez moi.

— Je viendrai voir votre chèvre quand vous aurez retiré les androïdes restants. À propos – je viens de parler avec Dave. Je lui ai raconté les ennuis qu'ils vous ont causés, et il m'a dit de vous féliciter et de vous inciter à la prudence. Que les Nexus-6 étaient plus malins qu'il ne le croyait. En fait, il n'arrivait pas à croire que vous en ayez eu trois en une journée.

— Et c'est bien suffisant, fit Rick. Je ne peux pas faire plus. J'ai besoin de repos.

— Ils auront filé d'ici à demain. En dehors de notre juridiction.

— Pas si tôt. Ils seront encore dans le coin.

— Allez-y ce soir. Avant qu'ils ne s'enterrent quelque part. Ils ne s'attendront pas à ce que vous agissiez si vite.

— Bien sûr que si, fit Deckard. Ils vont m'attendre.

— Vous avez la tremblote ? À cause de ce que Polokov…

— Je n'ai pas la tremblote, dit Rick.

— Alors où est le problème ?

— D'accord. J'y vais. » Il commença à reposer le combiné.

« Tenez-moi au courant dès que vous avez des résultats. Je serai à mon bureau.

— Si j'arrive à les descendre, je vais m'acheter un mouton.

— Vous en avez déjà un. Je vous ai toujours connu avec.

— Il est électrique. » Puis Rick raccrocha. *Un vrai mouton, cette fois. Il m'en* faut *un. En guise de compensation*.

Son épouse se tenait accroupie devant la boîte noire, le visage extatique. Il demeura à ses côtés un moment, la main posée sur sa poitrine, qu'il sentait monter et descendre, signe de vie, d'activité. Iran ne remarquait pas sa présence ; sa fusion avec Mercer l'avait, comme toujours, complètement absorbée.

Sur l'écran, la silhouette presque indistincte de Mercer montait à grand-peine, quand soudain une pierre le frôla. *Mon Dieu. Ma situation est encore pire que la sienne. Mercer n'est pas obligé de faire quoi que ce soit qui lui est étranger. Il souffre, mais au moins ne lui demande-t-on pas d'aller à l'encontre de son identité profonde.*

Il se pencha pour doucement retirer les doigts de sa femme des deux poignées. Et prendre sa place. Pour la première fois depuis des semaines. Une impulsion : il ne l'avait pas prévu. Ça lui était venu d'un coup.

Un paysage de mauvaises herbes s'étendait devant lui, désolé. L'air était chargé d'une odeur âpre. C'était le désert, il n'y pleuvait jamais.

Un homme se tenait devant lui, ses yeux noyés de douleur luisant d'une tristesse infinie.

« Mercer, fit Rick.

— Je suis ton ami, dit le vieillard. Mais tu dois continuer comme si je n'existais pas. Est-ce que tu comprends ? » Il étendit ses mains vides.

« Non, dit Rick. Je ne comprends pas. J'ai besoin d'aide.

— Comment puis-je te sauver si je ne peux me sauver moi-même ? » Il sourit. « Ne vois-tu pas ? *Il n'y a pas de salut.*

— Alors à quoi est-ce que tout cela sert ? À quoi est-ce que *vous* servez ?

— À te montrer, dit Wilbur Mercer, que tu n'es pas seul. Je suis ici avec toi, et toujours je le serai. Va accomplir ta tâche, quand bien même tu sais que c'est mal.

— Pourquoi ? Pourquoi devrais-je le faire ? Je vais quitter mon boulot et émigrer.

— On exigera de toi que tu fasses le mal où que tu ailles. C'est le fondement même de l'existence, d'être forcé à aller à l'encontre de sa nature. Chaque créature vivante doit le faire un jour ou l'autre. C'est l'ombre ultime, la défaite de la création. C'est la malédiction à l'œuvre, la malédiction qui se nourrit de toute vie. Partout dans l'univers.

— C'est tout ce que vous pouvez me dire ? »

Une pierre fendit l'air jusqu'à lui. Rick se baissa et la reçut à l'oreille. Il lâcha aussitôt les poignées, pour se retrouver à nouveau dans son salon, à côté de sa femme et de la boîte à empathie. Sa tête lui faisait horriblement mal. Y portant la main, il découvrit du sang frais qui dégoulinait en larges gouttes brillantes le long de son visage.

Iran entreprit de tamponner son oreille avec un mouchoir. « Je suppose que je dois te remercier de m'avoir sortie de là. Je ne supporte vraiment pas d'être frappée. Merci d'avoir pris la pierre à ma place.

— Je dois filer, dit Rick.

— Un boulot ?

— Trois. » Il lui prit le mouchoir des mains et se dirigea vers la porte. Non seulement la tête lui tournait encore, mais il avait la nausée à présent.

« Bonne chance, lui souffla Iran.

— Ça ne m'a rien apporté de tenir ces poignées, fit Rick. Mercer m'a parlé, ça ne m'a pas franchement aidé. Il n'en sait pas plus que moi. Ce n'est qu'un vieillard occupé à gravir une colline en direction de son trépas.

— Ne serait-ce pas ça, la révélation ?

— Je l'ai déjà eue, celle-là. » Il ouvrit la porte. « À tout à l'heure. » Il sortit dans le couloir et referma la porte derrière lui. *Conapt 3967-C*, réfléchit-il, relisant ce qu'il avait écrit au dos du contrat. *C'est en banlieue, un coin presque complètement à l'abandon. Un endroit de choix pour se cacher. Sauf qu'il ne fait plus noir la nuit, et je compte bien m'en servir pour me guider. Les lumières. Phototropiques, comme le sphinx tête-de-mort. Et après ça, j'en aurai fini. Je ferai autre chose, je trouverai un autre moyen de gagner ma vie. Ces trois-là sont les derniers. Mercer a raison, il faut que je laisse tout ça derrière moi. Quant à savoir si je peux y arriver... Deux andros en même temps – ce n'est plus une question morale, c'est une question* pratique.

Je ne vais probablement pas réussir à les retirer. Je suis épuisé, et il s'est passé bien trop de choses aujourd'hui. Peut-être que Mercer le savait. Il a peut-être prévu tout ce qui va arriver.

Mais je sais où trouver de l'aide. Une aide qu'on m'a offerte, mais que j'ai refusée.

Il atteignit le toit, alla s'asseoir dans l'obscurité de son aéromobile et composa un numéro.

« Fondation Rosen, dit la standardiste.

— Rachael Rosen, fit-il.

— Je vous demande pardon, monsieur ?

— Passez-moi Rachael Rosen, s'énerva Rick.

— Est-ce que Mlle Rosen attend...

— Je suis sûr que oui. » Il patienta.

Dix minutes plus tard, le petit visage sombre de Rachael Rosen apparut sur l'écran. « Bonsoir, monsieur Deckard.

— Vous êtes occupée ou je peux vous parler ? Je vous retourne votre question de tout à l'heure. » Mais ce n'était plus comme plus tôt dans la journée. Toute une génération avait vécu depuis la dernière fois qu'il lui avait parlé. Et tout son poids, toute sa lassitude s'étaient accumulés dans son propre corps, il en sentait physiquement la charge. *C'est peut-être à cause de la pierre*, songea-t-il. Avec son mouchoir, il tamponna son oreille toujours saignante.

« Vous avez une coupure à l'oreille, dit Rachael. Quel malheur.

— Vous pensiez vraiment que j'allais vous appeler ?

— Je vous ai dit que, sans moi, l'un des Nexus-6 allait vous avoir avant que vous ne l'ayez tué.

— Vous aviez tort.

— Mais vous êtes en train de m'appeler. Bon. Vous voulez que je descende vous voir à San Francisco ?

— Ce soir.

— Oh, il est trop tard. Je viendrai demain... Il y a une heure de trajet.

— On m'a ordonné de m'en occuper ce soir. » Puis, après une pause : « Il en reste trois sur les huit initiaux.

— Vous avez l'air d'avoir passé un sale moment.

— Si vous ne me rejoignez pas ce soir, je vais partir en chasse tout seul, et je n'arriverai pas à les retirer tous. Je viens de m'acheter une chèvre. » Pour ajouter aussitôt : « Avec l'argent que m'ont rapporté les primes pour les trois que j'ai mis hors service.

— Vous, les humains. » Rachael éclata de rire. « Les chèvres sentent terriblement mauvais.

— Uniquement les boucs. Je l'ai lu dans la notice d'instructions qui allait avec.

— Vous avez l'air vraiment épuisé. Vous êtes sûr de savoir ce que vous faites en essayant de retirer trois androïdes supplémentaires aujourd'hui ? Personne n'a jamais retiré six androïdes en une seule journée.

— Franklin Powers, fit Rick. Il y a environ un an, à Chicago. Il en a eu sept.

— Des McMillan Y-4 obsolètes, commenta Rachael. Ça n'a rien à voir. » Elle réfléchit. Rick, ça ne va pas être possible. Je n'ai même pas encore dîné.

— J'ai besoin de vous. » *Sans quoi je vais mourir. Je le sais, Mercer le sait, et je crois que toi aussi. Je perds mon temps avec toi. Les androïdes sont insensibles, rien ne peut les atteindre.*

« Je suis désolée, Rick, mais c'est impossible pour moi ce soir. Il va falloir attendre demain.

— Vengeance d'androïde.

— Quoi ?

— Parce que je vous ai prise en défaut avec le Voigt-Kampff.

— C'est vraiment ce que vous pensez ? » Les yeux grands ouverts, elle ajouta : « Vraiment ?

— Bonsoir, dit-il, prêt à raccrocher.

— Écoutez-moi, reprit hâtivement Rachael. Vous agissez en dépit du bon sens.

— C'est parce que vous autres Nexus-6 êtes plus intelligents que les humains que vous avez cette impression.

— Non, je ne comprends vraiment pas. » Rachael poussa un soupir. « Ce qui me paraît évident, c'est que vous n'avez pas envie de faire ce boulot ce soir – peut-être même jamais. Vous êtes sûr de vouloir que je vienne vous aider à retirer les trois derniers androïdes ? Ne voudriez-vous pas plutôt que je vous persuade de ne pas essayer ?

— Descendez ici, lui dit-il. Nous louerons une chambre d'hôtel.

— Pourquoi ?

— Quelque chose que j'ai appris aujourd'hui, dit-il d'une voix rauque. À propos de situations impliquant un humain mâle et un androïde femelle. Venez à San Francisco ce soir et je laisse tomber les andros restants. On fera autre chose. »

Elle le mesura du regard, puis : « D'accord. J'arrive. Où dois-je vous retrouver ?

— Au Saint-Francis. C'est le seul hôtel un minimum décent encore en activité dans la Baie.

— Et vous ne ferez rien avant mon arrivée ?

— Je vais rester dans la chambre d'hôtel, à regarder l'Ami Buster à la télé. Amanda Werner est son invitée depuis trois jours. Je l'aime bien, je pourrais passer le reste de mes jours à la regarder. Elle a des seins qui sourient. » Il raccrocha, puis resta assis un moment, l'esprit vide. Le froid qui régnait dans l'habitacle finit néanmoins par le sortir de sa torpeur. Il tourna la clé de contact et décolla en direction du centre de San Francisco et de l'hôtel Saint-Francis.

16

Assis dans sa vaste et somptueuse chambre d'hôtel, Rick Deckard était occupé à lire les fiches signalétiques des deux androïdes Roy et Irmgard Baty. Dans les deux cas, elles comprenaient des photos prises au téléobjectif, deux tirages flous sur papier couleur 3-D à peine utilisables. La femme, décida-t-il, était séduisante. Pas Roy Baty. Lui dégageait quelque chose d'inquiétant.

Pharmacien sur Mars, lut-il. C'était en tout cas la couverture que l'androïde s'était choisie. En réalité, il avait probablement œuvré comme travailleur manuel, un ouvrier agricole aspirant à quelque chose de mieux. *Les androïdes rêvent-ils ?* se demanda Rick. *De toute évidence, la réponse est oui, sans quoi il ne leur arriverait pas de tuer leurs employeurs pour s'enfuir ensuite sur Terre. Pour y trouver une vie meilleure, sans servitude. Comme Luba Luft, pour chanter* Don Juan *ou* Les Noces *au lieu de peiner dans un champ de cailloux sur quelque planète fondamentalement inhabitable.*

Roy Baty (l'informa la fiche) possède une personnalité agressive, affirmée, prétendument autoritaire. Enclin à la métaphysique, cet androïde a été l'instigateur d'une tentative d'évasion en groupe, assortie d'une pseudo-justification idéologique : le caractère censément sacré de la « vie » des androïdes. De plus, cet androïde a dérobé et expérimenté diverses drogues de fusion spirituelle, déclarant, lorsqu'on l'a pris sur le fait, qu'il espérait promouvoir pour les androïdes une expérience de groupe similaire à celle du Mercérisme, qui selon lui demeurait inaccessible à ses semblables.

Le compte rendu avait quelque chose de pathétique. Un androïde insensible, sans pitié, qui espérait prendre part à une expérience qu'un défaut volontaire de fabrication lui interdisait définitivement. Mais Rick avait du mal à éprouver de la sollicitude pour Roy Baty. D'après les notes de Dave, il se dégageait même de cet androïde particulier quelque chose de repoussant. Après avoir tenté en vain d'intégrer de force la fusion mercérienne, il avait manigancé l'assassinat d'un grand nombre d'êtres humains… puis le périple des huit andros jusqu'à la Terre. Le groupe de fuyards illégaux se réduisait désormais à trois membres remarquables, qui étaient eux aussi condamnés. Car si Rick ne parvenait pas à les tuer, un autre réussirait. *La marche du temps. Le cycle de la vie. Qui se termine ici, au dernier crépuscule. Avant le silence de la mort.* Il percevait dans tout cela un univers en miniature, complet.

La porte de la chambre s'ouvrit brusquement. « Quel vol », lança Rachael Rosen, hors d'haleine, en pénétrant dans la pièce. Elle était vêtue d'un long manteau en écailles de poisson, qui recouvrait un short et un soutien-gorge assortis. À côté de son grand sac à main ornementé, elle portait un sac en papier qu'elle tendit à Rick. « J'ai acheté une bouteille. Du bourbon. Jolie, la chambre. » Elle consulta sa montre. « Moins d'une heure – j'ai fait vite.

— Le pire des huit est encore en vie, fit Rick. Leur leader. » Il tendit la fiche de renseignement de Roy Baty dans sa direction. Rachael l'accepta après avoir déposé le sac en papier.

« Vous avez localisé celui-là ? s'enquit-elle après avoir lu.

— J'ai un numéro de conapt. Au fin fond de la banlieue, là où traînent peut-être encore quelques spéciaux dégénérés, des têtes de fourmi et de piaf, qui y vivent leur semblant de vie. »

Rachael tendit la main. « Voyons les autres.

— Deux femmes. » Il lui passa les feuilles. L'une concernait Irmgard Baty, l'autre une androïde se faisant appeler Pris Stratton.

— Oh... », fit Rachael après avoir jeté un œil à la dernière fiche. Laissant tomber les feuillets, elle alla à la fenêtre regarder le centre de San Francisco. « Je pense que la dernière va vous causer un choc. Ou peut-être pas. Peut-être que vous n'en avez rien à faire. » Elle avait pâli, sa voix tremblait. Tout d'un coup elle était devenue extrêmement nerveuse.

« Mais qu'est-ce que vous marmonnez exactement ? » Il récupéra les fiches, les étudia, en quête de ce qui avait bouleversé Rachael.

« On va ouvrir le bourbon. » La jeune femme emporta le sac en papier dans la salle de bains, y récupéra deux verres et revint dans la chambre. Elle semblait toujours distraite, hésitante – et préoccupée. Il percevait le cours rapide de ses pensées, la transition entre chacune était parfaitement visible sur son visage tendu. « Vous pouvez le faire ? lui demanda-t-elle. Faites attention, ça vaut une fortune. Il n'est pas synthétique, c'est un véritable alcool de grain d'avant guerre. »

Après avoir ouvert la bouteille, Rick versa du bourbon dans les deux gobelets. « Dites-moi ce que vous avez.

— Au vidéophone, vous m'avez dit que si je vous rejoignais ce soir, vous renonceriez aux trois derniers andros. "On fera autre chose", voilà ce que vous avez dit. Et nous voilà...

— Expliquez-moi ce qui vous a contrariée. »

Elle lui fit face d'un air de défi. « Dites-moi ce que nous allons faire au lieu de perdre notre temps en palabres à propos des trois derniers Nexus-6. » Elle déboutonna son manteau, l'emporta jusqu'à la penderie et l'y accrocha. Ce qui donna à Rick sa première occasion d'avoir une vue d'ensemble de la jeune femme. Les proportions de Rachael, remarqua-t-il une fois encore, étaient étranges : sa lourde masse de cheveux bruns lui faisait une grosse tête, et avec la taille minuscule de ses seins son corps adoptait une position assez raide, presque juvénile. Mais ses grands yeux, bordés de longs cils maquillés avec recherche, ne pouvaient appartenir qu'à une femme. Toute ressemblance avec une adolescente s'arrêtait là. Rachael avait tendance à faire porter le poids de son corps vers l'avant, ses coudes restaient toujours légèrement pliés quand elle laissait pendre ses bras. *La posture du chasseur sur ses gardes, ou peut-être celle d'un Cro-Magnon en phase de persuasion. Elle est de la race des grands chasseurs.* Guère charnue, un ventre plat, de petites fesses et une poitrine plus petite encore – on avait modelée Rachael sur l'archétype celtique, anachronique et séduisant. De son minishort s'échappaient deux longues jambes qui avaient quelque chose de neutre, d'asexué, dépourvues de courbes et de rondeurs nubiles. L'impression générale, cependant, restait tout à fait positive. Même s'il s'agissait définitivement du corps d'une jeune fille, pas de celui d'une femme. À part ces yeux perspicaces, agités.

Il sirota son bourbon. Son goût puissant, cet arôme presque violent, lui était devenu presque étranger, et il avait un certain mal à avaler. Rachael, au contraire, ne semblait éprouver aucune difficulté à boire le sien.

Elle s'assit au bord du lit et se mit à lisser la couverture d'un air absent, presque maussade. Rick posa son verre sur la table de nuit et vint s'installer à ses côtés. Le lit s'enfonça sous son poids, forçant Rachael à modifier sa position.

« Qu'y a-t-il ? » Il tendit la main pour s'emparer de la sienne ; elle était froide, osseuse, légèrement humide. « Qu'est-ce qui vous contrarie ?

— Ce fichu dernier Nexus-6, parvint-elle finalement à énoncer avec effort, est du même modèle que moi. » Baissant les yeux sur le couvre-lit, elle découvrit un fil qu'elle entreprit de rouler en boulette. « Vous n'avez pas remarqué son signalement ? C'est aussi le mien. Elle se coiffe et s'habille peut-être différemment – peut-être même qu'elle s'est acheté une perruque. Mais vous comprendrez ce que je veux dire quand vous la verrez. » Elle eut un rire sardonique. « C'est une bonne chose que la fondation ait reconnu ma nature d'androïde, sans quoi vous seriez probablement devenu fou en posant les yeux sur Pris Stratton. Ou alors vous l'auriez prise pour moi.

— Pourquoi est-ce que ça vous dérange à ce point ?

— Merde, je serai là quand vous la retirerez.

— Peut-être pas. Je ne vais peut-être pas la trouver.

— Je connais la psychologie des Nexus-6. C'est la raison de ma présence ici, c'est pour ça que je peux vous aider. Ils se terrent tous les trois ensemble. Rassemblés autour de celui qui est dérangé, l'andro qui se fait appeler Roy Baty. C'est lui qui va diriger leur ultime effort défensif – et ils vont jeter toutes leurs forces dans la bataille. » Ses lèvres se tordirent. « Mon Dieu.

— Déridez-vous. » Prenant son petit menton anguleux dans la paume de sa main, il lui releva la tête pour la forcer à lui faire face. *Je me demande ce qu'on ressent en embrassant un androïde*, songea-t-il. Il s'inclina en avant de quelques centimètres pour déposer un baiser sur ses lèvres sèches. Ne provoquant aucune réaction chez Rachael, qui demeura impassible. Comme si cela la laissait froide. Rick aurait pourtant juré le contraire. À moins qu'il ne prît ses désirs pour des réalités.

« Je regrette de ne pas l'avoir su avant de venir, reprit Rachael. Jamais je n'aurais fait le trajet jusqu'ici. Je crois que vous ne comprenez pas ce que vous me demandez. Vous savez ce que je ressens ? Vis-à-vis de cette Pris Stratton ?

— De l'empathie.

— Quelque chose comme ça. De l'identification, plus précisément. Mon Dieu… Voilà ce qui va peut-être arriver : dans la confusion, ce sera moi que vous allez retirer, pas elle. Et elle pourra retourner à Seattle y vivre ma vie. Jamais je ne m'étais sentie comme ça auparavant. Nous sommes des machines, embouties à la chaîne comme des capsules de bouteille. Le fait que j'existe réellement en tant que personne n'est… qu'une illusion. Je suis juste un modèle de série. » Elle frissonna.

Rick ne put s'empêcher de s'en amuser. La morosité de Rachael avait pris un tour si mièvre. « Les fourmis ne ressentent pas ce genre de choses, et pourtant elles sont physiquement identiques.

— Les fourmis. Elles n'ont pas la notion du temps.

— Les vrais jumeaux humains. Ils ne…

— Mais ils s'identifient l'un à l'autre. J'ai cru comprendre qu'ils avaient un lien empathique tout à fait spécial. » Elle se leva pour aller chercher la bouteille de bourbon, d'une démarche guère assurée. Une fois son verre rempli, elle en avala le contenu d'une traite. Pour ensuite se mettre à vagabonder dans la chambre, sourcils froncés, puis, comme par hasard, revenir s'installer sur le lit, où elle s'allongea et s'étira, enfoncée dans les gros oreillers. Et soupira. « Oubliez les trois andros. » Sa voix s'emplit de lassitude. « Je suis tellement fatiguée… Le voyage, je suppose. Et tout ce que j'ai appris aujourd'hui. J'ai juste envie de dormir. » Elle ferma les yeux. « Si je meurs, murmura-t-elle, peut-être que je me réveillerai sur une chaîne de fabrication de la fondation Rosen, dans la peau d'un androïde du même modèle que moi. » Elle rouvrit les yeux, qu'elle fixa sur Deckard avec férocité. « Vous connaissez la véritable raison de ma venue ? Vous savez pourquoi Eldon et les autres Rosen – les humains, j'entends – voulaient que je vous rejoigne ?

— Pour observer, fit-il. Pour leur raconter en détail ce que les Nexus-6 font pour passer au travers du Voigt-Kampff.

— Le Voigt-Kampff et le reste. Tout ce qui leur confère leur spécificité. Ensuite, je fais mon rapport, et la fondation effectue des modifications nécessaires aux facteurs de croissance présents dans les bains de zygotes. Et voilà le Nexus-7. Et quand celui-là se fera prendre, nous opérerons de nouvelles modifications, jusqu'à ce que nous obtenions un modèle cent pour cent indétectable.

— Vous avez déjà entendu parler du test d'arc réflexe Boneli ?

— Nous travaillons également sur les ganglions rachidiens. Un jour, le Boneli aura disparu dans les brumes vénérables de l'oubli spirituel. » Elle sourit avec une insouciance qui venait contredire ses propos. À ce stade, Rick n'aurait su dire à quel point elle était sérieuse. Un sujet aussi renversant, abordé avec une telle légèreté... *Peut-être est-ce un trait d'androïde. Aucune conscience émotionnelle, aucune compréhension de la signification profonde de ce qu'elle dit. Juste une approche intellectuelle, formelle,* creuse, *des divers termes de son discours.*

Sans compter que Rachael s'était mise à le taquiner. Imperceptiblement, elle était passée de son auto-apitoiement aux railleries sur le sien.

« Allez vous faire voir », dit-il.

Rachael éclata de rire. « Je suis ivre. Je ne peux pas vous accompagner. Si vous partez d'ici… » Elle fit un geste pour le congédier. « Je vais rester dormir ici, vous me raconterez plus tard ce qui s'est passé.

— Sauf qu'il n'y aura pas de plus tard, parce que Roy Baty va me choper.

— De toute façon, je suis trop ivre pour vous aider pour l'instant. Et puis, vous connaissez la vérité désormais, vous en avez percé la surface irrégulière, glissante. Je suis juste une observatrice, je n'interviendrai pas pour vous sauver. Quoi qu'il arrive, je n'interviendrai pas. Peu m'importe que Roy Baty vous descende ou pas. C'est à ma propre vie que je tiens. » Elle ouvrit de grands yeux ronds. « Bon Dieu, me voilà empathique à l'égard de moi-même. Vous comprenez, si je me décidais à aller avec vous dans ce conapt de banlieue en ruine… » Elle se mit à jouer avec un bouton de sa chemise – lentement, de ses doigts agiles, elle entreprit de la déboutonner. « Je n'ose pas y aller parce que les androïdes n'ont aucune loyauté les uns envers les autres, et parce que je sais que cette satanée Pris Stratton me détruira pour prendre ma place. Vous comprenez ? Ôtez votre veste.

— Pourquoi ?

— Pour que nous puissions aller au lit.

— J'ai acheté une chèvre noire de Nubie, fit-il. Il *faut* que je retire les trois derniers andros. Il *faut* que j'en termine avant de pouvoir rentrer chez moi, y retrouver ma femme. » Il se leva, fit le tour du lit en quête de la bouteille de bourbon, pour se servir précautionneusement un second verre. Ses mains, remarqua-t-il, tremblaient très légèrement. La fatigue, sans doute. *Nous sommes tous les deux épuisés*, comprit-il alors. *Beaucoup trop pour pourchasser trois andros, avec le pire des huit qui fait la pluie et le beau temps.*

À se tenir là, il prit soudain conscience que le chef des androïdes lui inspirait incontestablement de la frayeur – une frayeur évidente, qui l'avait peu à peu envahi. Tout dépendait de Roy Baty – depuis le début. Jusqu'à présent, Rick avait rencontré et retiré des avatars chaque fois plus dangereux de Baty. Et voilà c'était son tour. Cette seule idée emplit le chasseur de primes d'un surcroît de peur. Et elle s'emparait de tout son être maintenant qu'il lui avait laissé franchir le seuil de sa conscience. « Je ne peux pas y aller sans vous, dit-il à Rachael. Je ne suis même pas capable de quitter cette pièce. Polokov est venu me chercher ; Garland aussi, ou tout comme…

— Et vous croyez que Roy Baty va en faire autant ? » Après avoir posé son verre vide, elle se pencha en avant, passa ses bras dans son dos et dégrafa son soutien-gorge. Elle le fit glisser avec agilité, puis se redressa, titubante, ce qui la fit sourire. « J'ai dans mon sac un mécanisme fabriqué dans notre usine automatique de Mars, à utiliser en cas d'urgen… » Elle grimaça. « Un… bidule de sécurité, quand on contrôle les andros au sortir de la chaîne de fabrication. Sortez-le. Ça ressemble à une huître, vous allez voir. »

Il entreprit de fouiller son sac. À l'instar d'une femme humaine, Rachael y avait fourré à peu près tous les objets imaginables, ce qui valut au chasseur de primes une fouille interminable.

Dans l'intervalle, Rachael avait ôté ses bottes d'un coup de pied pour parfaire son effeuillage. En équilibre sur un pied, elle attrapa le morceau de tissu du bout de l'orteil et l'envoya balader à travers la pièce. Puis elle bondit sur le lit, roula sur elle-même pour aller récupérer son verre, qu'elle fit accidentellement tomber sur la moquette dans le mouvement. « Merde. » Et de se remettre sur pied en chancelant, pour rester un moment là à regarder Rick s'acharner sur le contenu de son sac, uniquement vêtue de son slip. Enfin, après mûre réflexion, elle écarta les couvertures, se glissa dans le lit et les ramena sur elle.

« C'est ça ? » Il leva une sphère métallique munie d'un bouton poussoir.

« Ça fait tomber les androïdes en catalepsie, dit Rachael, les yeux clos. Pour quelques secondes. En suspendant leur respiration... La vôtre aussi, d'ailleurs, mais les humains peuvent continuer à fonctionner sans respirer – transpirer ? – pendant deux ou trois minutes. Alors que le pneumogastrique d'un andro...

— Je sais. » Il se redressa. « Le système nerveux autonome des androïdes n'a pas la même souplesse d'adaptation que le nôtre. Mais vous dites que ça ne marche pas plus de cinq ou six secondes.

— Suffisamment longtemps, murmura Rachael, pour vous sauver la vie. Vous voyez... » Elle se cambra. « Si Roy Baty se pointe ici, vous aurez ceci entre les mains et vous n'aurez qu'à presser sur le bouton. Et pendant qu'il sera immobilisé, le sang privé d'oxygène et ses cellules cérébrales mises à mal, vous pourrez le tuer avec votre laser.

— Vous avez un laser, fit-il. Dans votre sac.

— C'est un faux. Les androïdes... » Elle bâilla, les yeux de nouveau clos. « ... n'ont pas le droit d'avoir un laser sur eux. »

Il s'approcha du lit.

Au prix de maintes contorsions, Rachael parvint enfin à rouler sur le ventre, le visage enfoui sous la blancheur des draps. « Voilà un beau lit propre, noble et virginal, déclara-t-elle. Seules des filles nobles et propres qui... » Elle réfléchit. « Les androïdes ne peuvent pas porter d'enfant, finit-elle par dire. Est-ce une perte ? »

Il finit de la déshabiller, exposant la froide blancheur de sa chute de reins.

« Est-ce une perte ? répéta-t-elle. Je l'ignore. Je n'ai aucun moyen de le savoir. Qu'est-ce que ça fait d'avoir un enfant ? Et qu'est-ce que ça fait de naître, d'ailleurs ? *Nous* ne naissons pas, nous ne grandissons pas… Au lieu de mourir de vieillesse ou de maladie, nous nous usons comme des fourmis. Des fourmis… voilà ce que nous sommes. Pas vous, moi, je veux dire. Des machines réflexe chitineuses qui ne sont pas vraiment vivantes. » Elle tourna la tête de côté et lança d'une voix forte : « Je ne suis pas vivante ! Ce n'est pas avec une femme que vous allez coucher. Ne soyez pas déçu, d'accord ? Vous avez déjà fait l'amour avec un androïde ?

— Non, fit-il en se débarrassant de sa chemise et de sa cravate.

— D'après ce qu'on dit, je crois que c'est assez convaincant dès lors qu'on n'y pense pas trop. Dans le cas contraire, si vous pensez à ce que vous êtes en train de faire, vous ne pourrez pas continuer. Pour des raisons, hum, physiologiques. »

Il se pencha pour embrasser son épaule nue.

« Merci, Rick, dit-elle dans un souffle. Mais n'oubliez pas : ne pensez pas, contentez-vous d'agir. Ne vous interrompez pas, ne commencez pas à philosopher, parce que c'est sinistre d'un point de vue philosophique. Pour nous deux.

— J'ai toujours l'intention de trouver Roy Baty ensuite. Et j'ai toujours besoin de vous pour ça. Je sais que le laser dans votre sac est…

— Vous pensez que je vais retirer un de vos andros pour vous.

— Je pense qu'en dépit de ce que vous avez dit, vous allez m'aider autant que vous le pourrez. Sans quoi vous ne seriez pas allongée dans ce lit.

— Je vous aime, dit Rachael. Si en entrant dans une pièce je tombais sur un sofa recouvert de votre peau, je ferais un excellent score au Voigt-Kampff. »

Ce soir, à un moment ou à un autre, songea-t-il alors qu'il éteignait la liseuse du lit, *je vais retirer un Nexus-6 qui est l'image exacte de cette fille nue. Dieu du ciel, Phil Resch avait vu juste. D'abord coucher avec elle. Puis la tuer.* « Je ne peux pas faire ça, dit-il en s'enfuyant du lit.

— Dommage. » La voix de Rachael tremblait.

« Ça n'a rien à voir avec vous. C'est à cause de Pris Stratton, de ce que je dois lui faire.

— Alors que moi, je me moque de Pris Stratton. Écoutez. » Elle battit des membres dans le lit pour se redresser. Rick distinguait à peine dans l'obscurité sa mince silhouette presque dépourvue de poitrine. « Couchez avec moi et je retirerai Pris Stratton. D'accord ? Parce que moi, je ne peux pas supporter d'en arriver là et de...

— Merci. » Il sentait sa reconnaissance – sans aucun doute due au bourbon – monter en lui, lui serrer la gorge. *Deux. Je n'en ai donc plus que deux à retirer. Juste les Baty. Rachael va-t-elle vraiment le faire ? Je pense que oui. Les androïdes pensent et fonctionnent de cette manière.* Et pourtant, jamais il n'avait vécu quoi que ce fût d'approchant.

« Et merde, venez dans ce lit », lui ordonna Rachael.

Il obtempéra.

17

Ils s'offrirent ensuite un véritable luxe : Rick demanda au room service de leur monter du café. Il se détendit un long moment dans les bras accueillants d'une chaise longue multicolore, à siroter son café en songeant aux quelques heures à venir. Rachael, quant à elle, s'ébrouait à grand bruit sous une douche brûlante.

« Tu n'as pas perdu au change en concluant ce marché avec moi », lui lança-t-elle quand elle eut coupé l'eau. Toute dégoulinante, les cheveux retenus par un élastique, elle apparut dans le plus simple appareil à la porte de la salle de bains. « Nous autres androïdes sommes incapables de maîtriser nos pulsions physiques, sensuelles. Tu le savais certainement. Si tu veux mon avis, tu as abusé de moi. » Elle ne semblait cependant pas réellement en colère. Plutôt enjouée, et sans doute aucun aussi humaine que n'importe quelle femme de sa connaissance. « On doit vraiment traquer ces trois andros ce soir ?

— Oui. » *Deux pour moi, un pour toi.* Ainsi que Rachael l'avait fait remarquer, le marché avait été conclu.

« Ça t'a plu ? s'enquit la jeune femme en s'enveloppant d'une immense sortie de bain blanche.

— Oui.

— Est-ce que tu recoucherais avec un androïde ?

— Si c'était une fille. Si elle te ressemblait.

— Tu connais l'espérance de vie d'un robot humanoïde tel que moi ? Ça fait deux ans que j'existe. Combien de temps me reste-t-il, d'après toi ? »

Il hésita. « Encore deux ans environ.

— Ils n'ont jamais réussi à résoudre ce problème. La régénération des cellules, je veux dire. Leur renouvellement perpétuel, ou du moins semi-perpétuel. Enfin, c'est comme ça. » Elle entreprit de se frotter vigoureusement. Son visage avait perdu toute expression.

« Je suis désolé, dit Rick.

— Merde, je n'aurais jamais dû parler de ça. Quoi qu'il en soit, ça évite aux humains de partir avec un androïde.

— Et ça s'applique aussi aux Nexus-6 ?

— C'est un problème de métabolisme. Pas d'unité cérébrale. » Elle sortit au petit trot, saisit ses sous-vêtements au passage et commença à se rhabiller.

Il en fit de même. Puis, sans guère parler, tous deux gagnèrent le toit de l'hôtel, où un aimable employé humain tout de blanc vêtu avait garé l'aéromobile.

« Quelle belle nuit, commenta Rachael alors qu'ils se dirigeaient vers la banlieue de San Francisco.

— Ma chèvre dort sans doute, à l'heure qu'il est. À moins que les chèvres ne soient des animaux nocturnes. Il y a des animaux qui ne dorment jamais. Les moutons, par exemple, pour ce que j'ai pu en voir : chaque fois qu'on les regarde, ils vous fixent en retour. En attente de nourriture.

— Quel genre de femme as-tu ? »

Il ne répondit pas.

« Est-ce que tu...

— Si tu n'étais pas un androïde, l'interrompit Rick, si je pouvais légalement t'épouser, je le ferais.

— Ou bien nous pourrions vivre dans le péché – sauf que je ne suis pas vivante.

— Pas légalement. Mais tu l'es bel et bien. D'un point de vue biologique. Tu n'es pas constituée de circuits à transistors comme l'est un animal artificiel. Tu es une entité *vivante.* » *Et dans deux ans, tu auras fait ton temps. Parce que nous n'avons jamais résolu le problème du renouvellement cellulaire, comme tu l'as fait remarquer. Je suppose que ça n'a donc guère d'importance, en fin de compte.*

Je suis fini. Comme chasseur de primes. Plus de retrait d'andros après les Baty. Pas après ce qui s'est passé ce soir.

« Tu as l'air si triste », dit Rachael.

Il tendit la main pour lui toucher la joue.

« Tu ne vas plus être capable de chasser des androïdes, dit-elle calmement. N'aie pas l'air si triste. S'il te plaît. »

Il la dévisagea.

« Aucun chasseur de primes n'a jamais pu continuer, poursuivit-elle. Après avoir couché avec moi. Sauf un. Un type extrêmement cynique. Phil Resch. Et un peu dingue ; il travaille de son côté, en franc-tireur.

— Je vois. » Deckard se sentait engourdi. Complètement. Son corps tout entier.

« Mais nous n'allons pas faire le voyage pour rien. Tu vas faire la connaissance d'un homme merveilleux, d'une grande spiritualité.

— Roy Baty. Tu les connais donc tous ?

— Je les connaissais tous quand ils étaient encore de ce monde. J'en connais trois, désormais. Nous avons tenté de t'arrêter ce matin, avant que tu ne te mettes à la liste de Dave Holden. Et j'ai réessayé juste avant que Polokov ne prenne contact avec toi. Mais après ça, il m'a fallu attendre.

— Le temps que je m'effondre et que je doive t'appeler.

— Luba Luft et moi étions des amies très intimes depuis presque deux ans. Qu'est-ce que tu as pensé d'elle ? Elle te plaisait ?

— Elle me plaisait.

— Mais tu l'as tuée.

— C'est Phil Resch qui s'en est chargé.

— Ah, donc Phil Resch t'a raccompagné jusqu'à l'opéra. Nous l'ignorions, nos communications ont été rompues à ce moment-là. Nous savions juste qu'elle avait été tuée – presque certainement par toi.

— D'après les notes de Dave, je pense pouvoir encore réussir à retirer Roy Baty. Mais peut-être pas Irmgard Baty. » *Et pas Pris Stratton. Même maintenant, même en sachant cela.* « Donc tout ce qui s'est passé à l'hôtel, ce n'était qu'une...

— La fondation voulait atteindre les chasseurs de primes ici et en Union soviétique. Ça a semblé marcher... pour des raisons que nous ne comprenons pas complètement. Une autre de nos limitations, je suppose.

— Je doute que ça fonctionne aussi souvent ou aussi bien que tu le prétends, fit-il d'une voix pâteuse.

— Ça a fonctionné avec toi.

— On verra.

— Je le sais déjà, dit Rachael. Dès que j'ai vu cette expression de chagrin sur ton visage. C'est ce que j'attendais.

— Combien de fois as-tu fait ça ?

— Je ne me rappelle plus. Sept, huit. Non, neuf fois, je crois. (Elle hocha la tête.) Oui, neuf fois.

— Un concept vieux comme le monde.

— Qu-quoi ? » Rachael était interloquée.

Rick poussa le volant à fond pour mettre l'aéromobile en piqué. « C'est l'effet que ça me fait, en tout cas. Je vais te tuer. Puis j'irai seul retirer Roy Baty, sa femme et Pris Stratton.

— C'est pour ça que tu atterris ? » Puis, avec appréhension : « Ça va te valoir une amende. Je suis la propriété, la propriété *légale* de la fondation. Je ne suis pas un androïde en fuite tout droit venu de Mars. Je n'appartiens pas à la même catégorie que les autres.

— Mais si je peux te tuer, ça signifie que je pourrai tuer les autres. »

Les mains de Rachael plongèrent dans son sac bourré de tropie et se mirent de le fouiller frénétiquement, pour enfin en sortir vides. « Satané sac, dit-elle avec férocité. Je n'arrive jamais à trouver ce que j'y cherche. Tu vas me tuer d'une manière indolore ? Je veux dire, fais-le proprement – je te promets de ne pas me défendre. Ça te va ? Tu es d'accord ?

— Je comprends à présent pourquoi Phil Resch m'a parlé comme il l'a fait. Ça n'avait rien à voir avec du cynisme : il en savait juste trop. Endurer tout ça... Je ne peux pas lui en vouloir. Ça l'a perverti.

— Mais à l'inverse de ce à quoi nous nous attendions. » Extérieurement, elle avait recouvré un semblant de dignité. Mais demeurait tout aussi tendue, survolté en son for intérieur. Cette sombre flamme finit néanmoins par vaciller. Sa force vitale suintait presque littéralement d'elle, comme Rick l'avait si souvent vu chez d'autres androïdes. La résignation habituelle. L'acceptation intellectuelle, mécanique, de ce à quoi un véritable organisme – avec deux milliards d'années de lutte pour la vie inscrites dans ses gènes – ne se serait jamais résigné.

« Je n'arrive pas à supporter cette façon dont vous autres, les androïdes, parvenez à accepter votre sort », dit-il avec fureur. Son véhicule avait pratiquement atteint le niveau du sol désormais, et il dut tirer le volant de toutes ses forces pour éviter de s'écraser. Après être finalement parvenu à stopper tant bien que mal son véhicule, qui donnait de la bande, Rick coupa le moteur et sortit son laser.

« L'os occipital, à la base de ma nuque, dit Rachael. Je t'en prie. » Elle se tortilla pour ne pas avoir à fixer le laser. Le rayon la pénétrerait sans même qu'elle s'en aperçoive.

Mais Deckard rengaina son arme. « Je suis incapable de suivre les conseils de Phil Resch. » Et de remettre le moteur en marche. Quelques instants plus tard, ils arpentaient de nouveau le ciel.

« Si tu dois vraiment le faire, fit Rachael, fais-le tout de suite. Ne me fais pas attendre.

— Je ne vais pas te tuer. » Il reprit la direction du centre de San Francisco. « Ton aéromobile se trouve au Saint-Francis, non ? Je vais te déposer là-bas, d'où tu pourras partir pour Seattle. » N'ayant plus rien à ajouter, il se mit à conduire en silence.

« Merci de ne pas m'avoir tuée, finit par dire Rachael.

— Merde, comme tu l'as dit il ne te reste que deux ans d'espérance de vie de toute façon. Moi j'en ai cinquante. Je vais vivre vingt-cinq fois plus longtemps que toi.

— Mais tu me méprises. À cause de ce que j'ai fait. » Elle avait repris de l'assurance, la litanie de sa voix avait retrouvé son rythme. « Tu suis le même chemin que les autres. Les chasseurs de primes qui t'ont précédé. À chaque fois, ils deviennent fous furieux, éructent qu'ils vont me tuer, mais le moment venu ils en sont incapables. Tout comme toi, à l'instant. » Elle alluma une cigarette, en inhala la fumée avec délices. « Tu comprends ce que cela veut dire, non ? Ça veut dire que j'avais raison : tu ne vas plus pouvoir retirer le moindre androïde. Pas seulement moi, ça concerne aussi les Baty et Pris Stratton. Rentre donc chez toi voir ta chèvre. Et repose-toi un peu. » Elle se mit soudain à brosser violemment son manteau du revers de la main. « Merde ! J'ai laissé tomber une braise de cigarette – là, elle est partie. » Et de se laisser aller en arrière dans son siège, détendue.

Il ne fit aucun commentaire.

« Cette chèvre, reprit Rachael. Tu l'aimes probablement plus que ta femme. D'abord la chèvre, ensuite ta femme, et puis en tout dernier... » Elle éclata d'un rire joyeux. « Mieux vaut s'en amuser, non ? »

Comme il ne répondait rien, ils poursuivirent un moment leur route en silence. Au bout d'un moment, Rachael se mit à farfouiller le tableau de bord en quête de la radio et l'alluma.

« Éteins ça, fit Rick.

— L'Ami Buster et ses Compagnons ? Amanda Werner et Oscar Scruggs ? Il est l'heure d'écouter la révélation fracassante de Buster – nous n'avons que trop attendu. » Elle s'interrompit pour regarder l'heure à sa montre à la lueur du tableau de bord. « Ça ne saurait tarder. Tu en as déjà entendu parler ? Il n'arrête pas de l'évoquer, de faire monter la pression pour... »

La voix d'Amanda s'échappait de la radio : *« ... ach, ja, il faut que che fous disse, mes amis, que Bouchter et moi-même zommes zur des jarbons ardents. Nous ne cessons de récarter dourner la bantule tans l'attonte te ze qui zera la réfélazion la plus... »*

Rick éteignit le poste. « Oscar Scruggs. L'intelligence faite homme. »

Rachael tendit aussitôt la main pour le remettre en marche. « Je veux écouter. Et rien ne va m'en empêcher. Ce que Buster va révéler ce soir dans son émission est de la première importance. » Le haut-parleur résonna à nouveau du babillage de la voix imbécile, et la jeune femme s'installa confortablement dans son siège. Dans l'obscurité de l'habitacle, l'extrémité de sa cigarette rougeoyait comme l'abdomen de quelque luciole en mal d'amour ; un signe immobile, indéfectible, de la victoire de Rachael Rosen. De sa victoire sur lui.

18

« Montez le reste de mes affaires, ordonna Pris à J.R. Isidore. Surtout le récepteur télé. Pour que nous puissions écouter l'annonce de Buster.

— Oui, approuva Irmgard Baty, les yeux aussi brillants que ceux d'un martinet à aigrette. Nous avons besoin de la télé. Ça fait a longtemps que nous attendions ce moment, et ça ne va plus tarder à présent.

— La mienne capte la chaîne gouvernementale », fit Isidore.

Dans un coin de la pièce, assis au fond d'un fauteuil profond comme s'il avait l'intention d'y rester à jamais – comme s'il y avait pris pension –, Roy Baty s'autorisa un renvoi sonore, puis : « C'est l'Ami Buster et ses Amis que nous voulons regarder, Iz – à moins que vous ne préfériez que je vous appelle J.R. ? Peu importe. Allez nous chercher ce récepteur. »

Isidore partit donc seul dans le hall vide rempli d'échos en direction de l'escalier. Le puissant parfum du bonheur s'épanouissait encore en lui, l'impression, pour la première fois de sa terne existence, d'être utile. *Il y a des gens qui dépendent de moi à présent*, exultait-il en descendant péniblement les marches rongées par les retombées.

Et ça va être bien de revoir l'Ami Buster à la télé, au lieu de me contenter de la radio de la camionnette.

D'autant, se rappela-t-il, *qu'il va faire ce soir sa sensationnelle révélation soigneusement documentée. Grâce à Pris, Roy et Irmgard, je vais donc connaître ce qui va probablement être la plus importante nouvelle de ces dernières années. Ça alors !*

L'existence de J.R. Isidore avait vraiment pris un tournant positif.

Une fois dans l'ancien appartement de Pris, il débrancha la télé et détacha l'antenne. Le silence se fit aussitôt, pénétrant. Isidore sentait ses bras s'estomper. En l'absence des Baty et de Pris, il avait désormais l'impression de se dissoudre, de devenir aussi inerte que le récepteur qu'il venait de débrancher. *Il faut être avec d'autres gens pour vivre un tant soit peu. Avant qu'ils ne viennent ici, je pouvais encore le supporter, de rester seul dans cet immeuble. Mais tout a changé désormais. Impossible de faire machine arrière. On ne peut pas revenir à la solitude après avoir goûté à la compagnie des gens.* Idée qui eut pour effet de l'emplir de panique. *Je dépends d'eux à présent. Dieu merci, ils sont restés.*

Deux voyages allaient être nécessaires pour transporter les possessions de Pris à l'étage au-dessus. Isidore décida de monter la télé en premier. Puis ce serait au tour des valises et des vêtements restants.

Quelques minutes plus tard, les doigts endoloris, il déposait l'appareil sur la table basse. Pris et les Baty le regardèrent faire impassiblement.

« On a un bon signal dans l'immeuble », haleta-t-il tout en branchant le récepteur et son antenne. Quand je recevais encore l'Ami Buster et ses…

— Contentez-vous d'allumer le poste, fit Roy Baty. Et arrêtez de parler. »

Le spécial s'exécuta, puis se précipita à la porte. « Un aller-retour supplémentaire va suffire. » Il s'attarda, se réchauffant auprès du feu de leur présence.

« Parfait », fit Pris d'une voix distante.

Isidore se remit donc en route. *Je crois qu'ils sont plus ou moins en train de m'exploiter.* Mais peu lui importait. *Ça reste quand même agréable d'avoir des amis.*

Une fois descendu à l'étage inférieur, il rassembla les vêtements de Pris, en entassa l'intégralité dans une valise, puis repartit à grand-peine dans l'escalier.

Quelque chose de petit se mouvait dans la poussière sur une marche au-dessus de lui.

Il laissa aussitôt tomber les valises pour extraire de sa poche le petit flacon de plastique que, comme tout un chacun, il avait toujours sur lui pour pareille perspective. Une araignée, quelconque, mais vivante. Les mains tremblantes, il l'introduisit doucement dans la bouteille qu'il referma aussitôt en vissant soigneusement le bouchon perforé de trous d'épingle.

Il marqua une pause devant la porte de son appartement afin de reprendre son souffle.

« ... oui, mes amis, l'heure est venue. Vous regardez l'Ami Buster, qui vous espère tous aussi impatients que lui de partager la découverte qu'il a faite grâce au travail de longue haleine de sa prestigieuse équipe de recherche. Et ils y ont passé des semaines, croyez-moi. Ah ah, mes amis, le moment est arrivé ! »

« J'ai trouvé une araignée », fit Isidore.

Les trois androïdes levèrent un instant les yeux de l'écran pour le regarder.

« Voyons ça, dit Pris tout en tendant la main.

— Buster est en train de parler, intervint Roy Baty.

— Je n'avais jamais vu d'araignée. » Pris mit ses mains autour du flacon, observant la créature qui s'y trouvait. « Toutes ces pattes. Pourquoi a-t-elle besoin d'autant de pattes, J.R. ?

— C'est dans leur nature, répondit Isidore. » Son cœur battait la chamade ; il avait du mal à respirer. « Huit pattes. »

Pris se leva. « Vous savez à quoi je pense, J.R. ? Je pense qu'elle n'a pas besoin de toutes ces pattes.

— Huit ? s'enquit Irmgard Baty. Quatre devraient amplement lui suffire ! Voyons voir ce qu'elle fera si on lui en coupe la moitié. » Et d'ouvrir impulsivement son sac pour en sortir une paire de ciseaux à ongles pointus, qu'elle passa à Pris.

Une étrange terreur s'empara alors de J.R. Isidore.

Pris transporta le flacon médicinal dans la cuisine et s'installa à la table où J.R. avait l'habitude de prendre son petit déjeuner. Après avoir en retiré le couvercle, elle en fit tomber l'araignée. « Elle ne pourra probablement plus courir aussi vite, mais il n'y a rien à attraper dans le coin de toute façon. Elle va juste mourir un peu plus tôt. » Elle tendit la main vers les ciseaux.

« S'il vous plaît », dit Isidore.

Pris leva sur lui des yeux interrogateurs. « Elle vaut quelque chose ?

— Ne la mutilez pas », l'implora-t-il d'une voix sifflante.

Elle lui coupa aussitôt une patte.

L'Ami Buster était en train de parler à l'écran, dans le séjour : *« Jetez un œil à cet agrandissement d'un morceau de l'arrière-plan. C'est le ciel que vous avez l'habitude de voir. Je vais demander à Earl Parameter, le chef de mon équipe de recherche, de vous exposer la découverte proprement renversante qu'ils ont faite. »*

Pris détacha une autre patte, tout en retenant l'araignée du bord de la main. Elle souriait.

« Soumis à une rigoureuse étude en laboratoire, disait une voix différente, *les agrandissements vidéo révèlent que la toile de fond grise du ciel et la lune diurne devant lesquelles Mercer se déplace ne se trouvent pas seulement sur Terre – elles sont artificielles. »*

« Tu manques tout ! » lança anxieusement Irmgard à l'adresse de Pris. Se précipitant à la porte de la cuisine, elle découvrit ce que celle-ci avait commencé à faire. « Oh, tu feras ça après, fit-elle d'un ton enjôleur. Ce qu'ils sont en train de raconter est tellement plus important ! Ça prouve que tout ce en quoi nous croyions...

— Silence, fit Roy Baty.

— ... était vrai », conclut Irmgard.

La télé continuait : « *La "lune" est peinte. Sur les agrandissements – vous pouvez actuellement en voir un à l'écran –, on remarque les coups de pinceau. Et tout porte à croire que les herbes sèches, le sol stérile – jusqu'aux pierres que des gens invisibles jettent sur Mercer – sont pareillement factices. Il est tout à fait possible que les "pierres" soient en fait des morceaux de plastique mou, totalement inoffensifs.*

— *Autrement dit*, l'interrompit alors l'Ami Buster, *Wilbur Mercer ne souffre pas* du tout.

— *En fin de compte, monsieur Buster*, poursuivit le chercheur, *nous sommes parvenus à débusquer un ancien spécialiste des effets spéciaux à Hollywood, un certain Wade Cortot, qui affirme catégoriquement, d'après ses longues années d'expérience, que le personnage de "Mercer" pouvait très bien n'être qu'un figurant traversant un plateau de tournage. Cortot est même allé jusqu'à déclarer qu'il reconnaissait le studio – il aurait été utilisé par un cinéaste mineur à présent à la retraite avec lequel Cortot a travaillé à plusieurs reprises il y a des décennies.*

— *Donc*, reprit Buster, *d'après Cortot, ça ne fait pratiquement aucun doute.* »

Pris avait à présent coupé trois pattes à l'araignée, qui se traînait misérablement sur la table de la cuisine en quête d'une quelconque échappatoire. En vain.

« *En toute franchise, nous avons pris Cortot au mot*, reprit le chef de recherche de sa voix aride. *Nous avons consacré de nombreuses heures à examiner les photos professionnelles de figurants autrefois employés par la défunte industrie du cinéma de Hollywood.*

— Et vous avez découvert... »

« Écoutez ça, » fit Roy Baty. Irmgard fixait l'écran des yeux ; quant à Pris, elle avait cessé de mutiler l'arachnide.

« L'examen de milliers et de milliers de photos nous a permis de localiser un très vieil homme du nom d'Al Jarry, qui a joué quantité de petits rôles dans des films d'avant guerre. Nous avons envoyé une équipe de chercheurs à son domicile, à East Harmony dans l'Indiana. Je vais laisser un des membres de ladite équipe nous décrire ce qu'ils ont trouvé là-bas. » Silence. Puis une nouvelle voix, tout aussi prosaïque : *« La maison de Lark Avenue, à East Harmony, tombe littéralement en ruine. Elle est située en périphérie de la ville, dans un secteur presque totalement inhabité. Al Jarry nous a aimablement invités à entrer, puis à nous installer dans un séjour confiné, rempli de tropie à moitié moisie. Par des moyens télépathiques, j'ai sondé l'esprit brumeux, encombré de souvenirs inutiles de M. Jarry, qui se trouvait assis en face de moi. »*

« Écoutez », répéta Roy Baty, en équilibre sur le bord de sa chaise, comme prêt à bondir.

« J'ai découvert, poursuivit le technicien, *que le vieil homme avait bel et bien joué dans une série de courts métrages pour un producteur qu'il n'a jamais rencontré. Ainsi que nous l'avions supputé, les "pierres" étaient effectivement composées de caoutchouc synthétique. Le "sang" versé était du ketchup et...* (l'homme gloussa) *la seule souffrance que M. Jarry a dû endurer fut d'avoir à passer une journée entière sans une goutte de whisky.*

— Al Jarry. » Le visage de l'Ami Buster réapparut à l'écran. *« Vous m'en direz tant. Un vieillard qui, même dans sa jeunesse, n'a jamais rien accompli qui soit digne de respect. Al Jarry a tourné toute une série de films pour*

quelqu'un dont il ignorait – et ignore encore – l'identité. Les adeptes du Mercérisme ont coutume de dire que Wilbur Mercer n'est pas un être humain, qu'il serait en fait quelque entité supérieure, archétypale peut-être venue d'une étoile lointaine. Eh bien, en un sens cette assertion s'est révélée correcte. Wilbur Mercer n'est pas humain, pour la simple et bonne raison qu'il n'existe pas. Le monde dans lequel il accomplit son ascension n'est qu'un minable studio d'Hollywood qui a disparu depuis des années dans la tropie. Mais qui, dans ce cas, a répandu ce canular dans le système solaire tout entier ? Réfléchissez-y un instant, mes amis. »

« Nous ne le saurons peut-être jamais », murmura Irmgard.

« Nous ne le saurons peut-être jamais, fit l'Ami Buster. *Comme nous ne comprendrons peut-être jamais quelles étranges motivations se cachent derrière cette escroquerie. Oui, mes amis, une escroquerie. Le Mercérisme est une escroquerie ! »*

« Je crois que nous le savons tous, enchérit alors Roy Baty. C'est évident. Le Mercérisme est apparu… »

« Mais réfléchissez à ça, poursuivait Buster. *Demandez-vous ce que provoque ce Mercérisme. Eh bien, s'il faut en croire ses nombreux pratiquants, l'expérience fusionne… »*

« C'est cette empathie que possèdent les humains », intervint Irmgard Baty.

« … des hommes et des femmes partout dans tout le système solaire en une seule et unique entité. Mais une entité manœuvrable par la prétendue voix télépathique de "Mercer". Écoutez bien ça. Un aspirant dictateur ambitieux, un nouvel Hitler, pourrait… »

« Non, c'est cette histoire d'empathie, répéta Irmgard avec vigueur. » Les poings serrés, elle alla rejoindre Isidore dans la cuisine. « N'est-ce pas un moyen de démontrer que les humains peuvent faire des choses dont nous sommes incapables ? Parce que sans Mercer, il ne nous reste plus qu'à vous croire sur parole à propos de toute cette histoire d'empathie. Comment va l'araignée ? » Elle se pencha par-dessus l'épaule de Pris.

Celle-ci était en train de couper une nouvelle patte de l'animal. « Plus que quatre. (Elle lui donna un petit coup.) Elle ne veut plus bouger. Elle le pourrait, pourtant. »

Roy Baty fit son apparition dans l'embrasure de la porte, le souffle lourd, le visage empreint d'une expression satisfaite. « C'est fait. Buster l'a clamé haut et fort, et presque tous les humains du système solaire l'ont entendu. "Le Mercérisme est une escroquerie." Toute cette histoire d'empathie est une escroquerie. » Il s'approcha pour observer l'araignée.

« Elle ne veut même pas essayer de marcher, dit Irmgard.

— Moi, je peux la faire marcher. » Après avoir produit une boîte d'allumettes, Roy Baty en alluma une, qu'il approcha peu à peu de l'araignée jusqu'à ce que celle-ci se décide à bouger tant bien que mal.

« J'avais raison, fit Irmgard. Je vous avais bien dit qu'elle pouvait marcher juste avec quatre pattes. » Elle leva des yeux interrogateurs en direction d'Isidore. « Qu'est-ce qu'il y a ? » Elle lui toucha le bras. « Vous n'avez rien perdu, nous vous... paierons le prix que donne le... comment l'appelez-vous, déjà ? ah oui, le *Sidney*. N'ayez pas l'air si triste. Vous ne trouvez pas ça incroyable, ce qu'ils ont découvert à propos de Mercer ? Toutes ces recherches ? Eh, répondez-moi ! » Elle lui secoua le bras d'inquiétude.

« Il est contrarié, fit Pris. Parce qu'il a une boîte à empathie. Dans la pièce d'à côté. Vous vous en servez, J.R. ?

— Bien sûr qu'il s'en sert, dit Roy Baty. Ils le font tous – ils le faisaient, en tout cas. Tout cela va peut-être leur ouvrir les yeux.

— Je doute que ça mette un terme au culte de Mercer, objecta Pris. Mais en cet instant même il doit y avoir pas mal d'humains malheureux. » Puis, à l'adresse d'Isidore : « Ça fait des mois qu'on attendait ça. On savait tous que ça allait arriver, ce coup d'éclat de Buster. » Elle hésita, puis : « Après tout, pourquoi pas. Buster est l'un des nôtres.

— Un androïde, expliqua Irmgard. Et personne ne le sait. Aucun humain, je veux dire. »

Pris entreprit de couper une nouvelle patte d'araignée. Sans crier gare, John Isidore la repoussa violemment, souleva la créature mutilée, l'emporta jusqu'à l'évier et l'y noya. Emportant par là même tous les espoirs qu'il portait en son for intérieur. Aussi vite que l'araignée.

« Il est vraiment bouleversé, fit Irmgard d'une voix nerveuse. Ne faites pas cette tête-là, J.R. Et pourquoi ne dites-vous plus rien ? » Elle se tourna vers Pris et son époux. « Ça m'inquiète terriblement de le voir dans cet état, planté devant l'évier sans dire un mot. Il n'a pas ouvert la bouche depuis que nous avons allumé la télé.

— Ça n'a rien à voir avec la télé, comprit Pris. C'est l'araignée. C'est bien ça, Isidore ? Il s'en remettra », lança-t-elle à l'adresse d'Irmgard, qui était passée dans la pièce d'à côté pour éteindre le poste.

Roy Baty semblait s'amuser follement. « Tout est fini, Iz. Le Mercérisme, je veux dire. » Avec ses ongles, il parvint à récupérer le cadavre de l'araignée dans l'évier. « C'était peut-être la dernière araignée. La dernière araignée vivante sur Terre. » Il réfléchit. « Auquel cas tout est fini pour les araignées aussi.

— Je… je ne me sens pas bien », dit Isidore, avant d'aller chercher une tasse dans le placard de la cuisine. Après être resté planté là un bon moment à la tenir – combien de temps exactement, il n'aurait su le dire –, il demanda à Roy : « Est-ce que le ciel derrière Mercer est vraiment… peint ? Artificiel ?

— Vous avez vu les agrandissements à l'écran. Les coups de pinceau.

— Ç… ça ne signifie pas la fin du Mercérisme. » *Ces trois androïdes ont quelque chose qui ne va pas, quelque chose de terrible. L'araignée. C'était peut-être la dernière araignée sur Terre, comme l'a indiqué Roy Baty. Et elle a disparu. Tout comme Mercer.* Il vit alors la poussière et la ruine se déployer de toutes parts dans l'appartement – entendit venir la tropie, le bouleversement ultime de toute forme, l'absence qui allait tout engloutir. Elle grandissait autour de lui, qui restait désespérément accroché à sa tasse vide. Les placards de la cuisine se craquelèrent, puis volèrent en éclats, et il sentit le sol céder sous ses pieds.

Il tendit la main pour toucher le mur. Sa main en brisa la surface. Des particules grises s'en détachèrent, des éclats de plâtre qui ressemblaient à la poussière radioactive de l'extérieur. Isidore s'assit à la table ; les pieds de sa chaise plièrent tels des tubes évidés corrompus. Se relevant en hâte, il reposa la tasse et tenta de reformer la chaise, de lui redonner sa forme normale. Elle partit en morceaux entre ses mains, les vis ayant auparavant raccordé ses diverses parties s'en arrachèrent et tombèrent par terre. Sur la table, la tasse en céramique se fendilla, se couvrit d'un réseau de fines craquelures semblables aux ombres d'une vigne, puis un éclat se détacha de son rebord, révélant la matière brute, non vernissée.

« Qu'est-ce qu'il fait ? » La voix d'Irmgard Baty lui semblait incroyablement distante. Il est en train de tout casser ! Isidore, arrêtez…

— Ce n'est pas moi. » Il marcha tant bien que mal jusqu'au séjour, pour y être seul. Debout à côté de ce qui restait du lit, il fixait les murs jaunâtres constellés de toutes les petites taches brunes que des insectes disparus depuis y avaient laissées. Et de nouveau il songea au cadavre mutilé de l'araignée. *Tout est si vieux ici. Ça fait bien longtemps que tout a commencé à tomber en ruine, et ça ne va pas s'arrêter. Le cadavre de l'araignée a pris le pouvoir.*

Des morceaux d'animaux apparurent dans la dépression causée par l'effondrement du plancher : une tête de corbeau, des mains momifiées qui devaient avoir appartenu à des singes. Il y avait un âne un peu plus loin, parfaitement immobile, mais apparemment en vie ; au moins n'avait-il pas commencé à se détériorer. En s'approchant de lui, Isidore sentait se briser sous ses chaussures des os aussi secs que de la mauvaise herbe. Mais avant qu'il ne puisse atteindre l'âne – l'une des créatures les plus chères à son cœur –, un corbeau bleu-noir tomba du ciel pour aller se percher sur le museau de l'animal. « Ne fais pas ça », dit-il au volatile. Mais le bec puissant avait déjà crevé les yeux de sa proie. *Ça recommence. Ça m'arrive à nouveau. Je vais rester là un bon moment,* comprit-il alors. *Comme avant. Ça dure toujours longtemps, parce que rien ne change jamais ; même la tropie finit par trouver le temps long.*

Un vent sec se mit à souffler, et les monceaux d'ossements autour de lui commencèrent à partir en morceaux. *Même le vent les détruit à présent. À ce stade, juste avant que le temps ne s'arrête, j'aimerais pouvoir me rappeler comment on s'échappe d'ici.* Levant les yeux, il ne vit rien à quoi s'accrocher.

« Mercer, dit-il à voix haute. Où êtes-vous ? Je suis retombé dans le monde du tombeau, mais cette fois vous n'êtes pas avec moi. »

Quelque chose rampait sur son pied. Il s'agenouilla pour voir de quoi il s'agissait – et n'eut aucune peine à le trouver, tant ça se déplaçait lentement : l'araignée mutilée, qui avançait tant bien que mal sur ses pattes survivantes. Il la ramassa, la déposa dans la paume de sa main. *Le temps,* comprit-il alors, *s'est inversé. L'araignée est de nouveau en vie. Mercer ne doit pas être loin.*

Le vent soufflait, fracassant ce qui restait des ossements, mais Isidore sentait la présence de Mercer. *Viens ici,* lui dit-il. *Rampe sur mon pied ou trouve un autre moyen de m'atteindre. D'accord ? Mercer...* Puis, à voix haute : « Mercer ! »

Les mauvaises herbes commençaient à envahir le paysage, à se frayer un chemin dans les murs de la pièce, à les pénétrer jusqu'à ce qu'elles deviennent leurs propres spores, qui enflèrent, se divisèrent, explosèrent à l'intérieur de l'acier corrompu et des débris de béton qui précédemment avaient constitué la cloison. Mais la désolation ne disparut pas avec les murs ; elle poursuivait tout le reste, à l'exception de la frêle et minuscule silhouette de Mercer. Le vieil homme faisait face à Isidore, le visage empreint de sérénité.

« Est-ce que le ciel est peint ? demanda Isidore. Ce sont vraiment des coups de pinceau qui apparaissent à l'agrandissement ?

— Oui, fit Mercer.

— Je ne les vois pas.

— Tu es trop près. Il faut être loin, très loin, à la manière des androïdes. Ils ont une meilleure perspective.

— C'est pour ça qu'ils vous traitent d'imposteur ?

— Je suis un imposteur. Ils sont sincères, tout comme le sont leurs recherches. De leur point de vue, je suis un vieux figurant à la retraite du nom de Al Jarry. Toutes leurs révélations sont exactes. Ils m'ont interviewé chez moi, comme ils l'ont affirmé. Je leur ai dit tout ce qu'ils voulaient savoir, sans rien leur cacher.

— Même à propos du whisky ? »

Mercer sourit. « Même le whisky. Ils ont fait du bon travail, à leurs yeux les révélations de l'Ami Buster étaient tout à fait convaincantes. Ils vont avoir du mal à comprendre pourquoi rien n'a changé. Car tu es toujours ici, et moi aussi. » D'un grand geste de la main, Mercer balaya l'aridité du flanc de coteau familier. « Je viens de t'arracher au monde du tombeau, et je le ferai encore jusqu'à ce que tu t'en lasses et décides de me quitter. Mais tu devras alors cesser de me chercher, car moi je ne renoncerai jamais.

— Je n'ai pas aimé cette histoire de whisky, fit Isidore. C'est dégradant.

— C'est parce que tu es une personne de haute moralité. Moi pas. Je ne juge personne, pas même moi. » Mercer lui tendit une main fermée, paume vers le ciel. « Avant que je n'oublie, j'ai ici quelque chose pour toi. » Il ouvrit les doigts. Dans sa main reposait l'araignée mutilée, qui avait recouvré ses pattes coupées.

« Merci. » Isidore accepta l'araignée. Il s'apprêtait à dire autre chose...

Quand une sirène d'alarme retentit.

« Il y a un chasseur de primes dans l'immeuble ! gronda Roy Baty. Éteignez toutes les lumières. Extirpez-le de cette boîte à empathie, il faut qu'il aille répondre à la porte. Allez – *dépêchez-vous* ! »

19

Baissant les yeux, John Isidore vit ses propres mains agrippées aux poignées jumelles de la boîte à empathie. Il les contemplait encore, bouche bée, quand les lumières du séjour s'éteignirent d'un seul coup. Dans la cuisine, il vit Pris se hâter d'attraper la lampe de table.

« Écoutez, J.R. », lui chuchota durement Irmgard à l'oreille. Elle l'avait saisi à l'épaule, ses ongles aigus s'enfonçaient dans sa chair avec frénésie. Elle ne semblait plus consciente de ce qu'elle faisait à présent. Son visage s'était déformé dans la faible lumière nocturne venue de l'extérieur. Elle s'était transformée en une petite créature effrayée, avec de minuscules yeux sans paupières. « Il faut que vous alliez à la porte quand il frappera – si jamais il frappe. Montrez-lui votre carte d'identité et dites-lui qu'il n'y a personne d'autre que vous dans cet appartement. Et demandez à voir son mandat.

— Ne le laissez pas entrer, J.R., murmura Pris, qui se tenait de l'autre côté, le corps tendu. Dites-lui n'importe quoi, faites quelque chose pour l'arrêter. Vous savez ce qu'un chasseur de primes ferait si on le laissait entrer ? Vous *comprenez* ce qu'il nous ferait ? »

Isidore s'éloigna des deux androïdes pour s'approcher à tâtons de la porte. Ses doigts localisèrent le bouton et il s'immobilisa, tous les sens aux aguets. Il pouvait sentir le hall de l'autre côté, semblable à ce qu'il avait toujours été : inoccupé, dénué de vie, juste rempli d'échos.

« Vous entendez quelque chose ? » s'enquit Roy Baty en se penchant près de lui. Isidore sentit alors l'odeur fétide qui émanait de son corps. La peur en suintait, en émanait, l'entourant telle une brume. « Allez jeter un œil dehors. »

Isidore s'exécuta. L'air avait une certaine transparence à l'extérieur, en dépit de la poussière. Le spécial tenait toujours l'araignée que Mercer lui avait donnée. S'agissait-il bien de celle que Pris avait taillée avec les ciseaux à ongles d'Irmgard Baty ? Sans doute pas. Mais jamais il ne le saurait. Quoi qu'il en soit, celle-ci était vivante ; il la sentait remuer à l'intérieur de sa main fermée, sans pour autant le mordre – les mandibules des petites araignées avaient rarement la force de transpercer de la peau humaine.

Une fois à l'extrémité du hall, il descendit l'escalier et sortit par ce qui jadis avait été un chemin dallé passant à travers un jardin. Ce dernier avait péri pendant la guerre, et le sentier s'était rompu en un millier d'endroits. Mais Isidore connaissait par cœur sa surface. Il trouvait rassurantes les dalles sous ses pieds. Longeant ainsi toute la façade de l'immeuble, il atteignit enfin l'unique tache de verdure des environs – un mètre carré de mauvaises herbes saturées de poussière. Il y déposa l'araignée, ressentant chacun de ses pas vacillants tandis qu'elle quittait sa main. Eh bien, voilà qui était fait. Il se redressa.

Le faisceau d'une lampe vint balayer les herbes. Leurs tiges à moitié mortes apparaissaient austères dans l'éclat éblouissant, menaçantes. Mais cela lui permit de retrouver l'araignée ; elle avait trouvé refuge sur une feuille dentelée. Elle avait donc réussi à s'échapper sans encombre.

« Qu'est-ce que vous avez fait ? demanda le propriétaire de la torche électrique.

— Je viens de poser une araignée », fit-il, étonné que l'homme qui lui faisait face puisse la louper : dans le rayon de lumière jaune, l'arachnide semblait plus gros que nature. « Pour qu'elle puisse s'enfuir.

— Pourquoi ne la montez-vous pas chez vous ? Vous devriez la garder dans un bocal. D'après le *Sidney* de janvier, la plupart des araignées ont augmenté de dix pour cent au prix de détail. Vous auriez pu en tirer une bonne centaine de dollars.

— Si je l'avais remontée, *elle* aurait recommencé à la couper en morceaux. Petit à petit, pour voir ce que ça fait.

— Les androïdes font ça », dit l'homme. Qui plongea la main dans son manteau pour en sortir quelque chose qu'il tendit en direction d'Isidore.

Dans la lumière incertaine, le chasseur de primes avait l'air d'un homme de taille moyenne, guère impressionnant. Un visage rond et glabre, la physionomie lisse d'un quelconque employé de bureau. Méthodique, mais banal. Pas du tout le demi-dieu auquel Isidore s'était attendu.

« Je suis détective pour le service de police de San Francisco. Deckard, Rick Deckard. » L'homme referma son porte-cartes et le remit dans son manteau. « Ils sont là-haut en ce moment ? Les trois ?

— Eh bien, fit Isidore, pour tout vous dire je m'occupe d'eux. Il y a deux femmes. Ce sont les derniers de leur groupe. Tous les autres sont morts. J'ai monté la télé de Pris dans mon appartement pour qu'ils puissent regarder l'Ami Buster. Buster a apporté la preuve irréfutable que Mercer n'existait pas. » Isidore se sentait tout excité à l'idée de savoir quelque chose d'aussi important – des nouvelles dont le chasseur de primes n'avait manifestement pas encore entendu parler.

« Montons », dit Deckard, qui braqua soudain un laser sur Isidore. Pour bientôt l'écarter, indécis. « Vous êtes un spécial, n'est-ce pas. Une tête de piaf.

— Mais j'ai un boulot. Je conduis une camionnette pour… » à sa grande horreur, il découvrit qu'il en avait oublié le nom « … une clinique vétérinaire. La clinique Van Ness. Elle appartient à M. Hannibal Sloat.

— Vous voulez bien m'emmener là-haut et me montrer dans quel appartement ils se trouvent ? Il y a plus d'un millier de logements ici, vous me feriez gagner beaucoup de temps. » Sa voix était lourde de fatigue.

« Si vous les tuez, vous ne serez plus jamais capable de fusionner avec Mercer, observa Isidore.

— Vous ne comptez donc pas m'y conduire ? Me montrer l'étage ? Dites-moi juste l'étage. Je me débrouillerai pour trouver l'appartement.

— Non.

— Au nom de la loi fédérale… », commença Deckard, avant de renoncer à prononcer la sommation d'usage. « Bonne nuit », dit-il. Puis il s'en fut par l'allée, sa torche lui ouvrant un chemin jaune devant lui, et s'engouffra dans l'immeuble.

Rick Deckard éteignit sa lampe une fois à l'intérieur. Guidé par les ampoules encastrées guère efficaces qui s'alignaient devant lui, il s'engagea dans le hall tout en réfléchissant. *La tête de piaf sait qu'il s'agit d'androïdes, il le savait déjà avant que je ne le lui dise. Mais il ne comprend pas. Qui pourrait s'en vanter, soit dit en passant ? Moi ? Avant tout ça ? Et l'un d'eux sera une réplique de Rachael*, songea-t-il. *Peut-être même que le spécial vit avec elle. Je me demande ce que ça lui faisait. Si ça se trouve, c'est d'elle qu'il redoutait des mutilations de son araignée. Je pourrais retourner la récupérer, d'ailleurs. Je n'ai jamais trouvé le moindre animal sauvage vivant. Ça doit être une expérience incroyable de baisser les yeux et de voir quelque chose de vivant déguerpir devant soi. Peut-être que ça m'arrivera un jour, comme ça lui est arrivé.*

Il avait emporté du matériel d'écoute dans son aéromobile – un détecteur giratoire qu'il mettait présentement en marche. L'écran n'indiquait rien dans le silence du hall. *Rien à cet étage*, se dit-il. Et d'engager la recherche verticale. Le radar recueillit aussitôt un faible signal. *C'est au-dessus.* Il rassembla son matériel et s'engagea dans l'escalier.

Une silhouette attendait dans l'ombre.

« Un geste et je vous retire », fit Rick. C'était le mâle, à l'affût de son arrivée. Le laser était dur sous ses doigts crispés, mais il ne pouvait le lever pour viser. Malgré toutes ses précautions, on l'avait pris de court.

« Je ne suis pas un androïde, dit la silhouette. Je m'appelle Mercer. » L'inconnu avança dans une zone éclairée. « J'habite cet immeuble à cause de M. Isidore. Le spécial avec l'araignée… Vous venez d'échanger quelques mots avec lui à l'extérieur.

— Suis-je hors du Mercérisme, à présent ? s'enquit Rick. C'est ce que la tête de piaf m'a dit. À cause de ce que je m'apprête à accomplir dans les minutes qui viennent.

— M. Isidore a parlé en son nom, pas pour moi. Au risque de me répéter, ce que vous allez faire *doit* être fait. » Il leva un bras en direction de l'escalier situé derrière Rick. « Je suis venu vous dire que l'un d'entre eux n'est pas dans l'appartement. Il se trouve derrière vous, à l'étage au-dessous. Ce sera le plus coriace des trois, vous devez le retirer en premier. » L'antique voix voilée regagna soudain de la ferveur. « Dépêchez-vous, Deckard. *Sur les marches.* »

Son laser sorti, Rick pivota sur lui-même tout en se laissant tomber en face de l'escalier. Une femme en descendait sans bruit dans sa direction. Une femme qu'il connaissait. Il abaissa son laser. « Rachael », dit-il, perplexe. L'avait-elle suivi dans son propre véhicule, filé jusqu'ici ? Et pourquoi ? « Retourne à Seattle. Laisse-moi tranquille. Mercer m'a dit qu'il fallait que je le fasse. » C'est alors qu'il remarqua qu'elle n'était pas tout à fait Rachael.

« Au nom de ce que nous avons été l'un pour l'autre », disait l'androïde en s'approchant de lui, ses bras tendus comme pour l'étreindre. *Les vêtements*, se dit-il. *Ce ne sont pas les bons. Mais les yeux... les mêmes. Et il y en a encore davantage comme ça. Il peut y en avoir une légion, chacune avec son propre nom, mais toutes Rachael Rosen* – Rachael, le prototype, dont se servait son fabricant pour protéger les autres. Il ouvrit le feu sur la jeune femme alors qu'elle se jetait sur lui, implorante. L'androïde explosa en mille morceaux qui se mirent à voler en tous sens. Rick se couvrit le visage pour s'en protéger. Lorsqu'il rouvrit les yeux, ce fut pour voir le laser que l'androïde avait dissimulé rebondir de marche en marche dans l'escalier. Le son métallique se répercuta tout au long de la cage, diminuant peu à peu jusqu'à enfin mourir. Le plus dur des trois, avait dit Mercer. Deckard plissa les yeux, en quête du vieillard. Il avait disparu. *Ils peuvent me poursuivre jusqu'à ma mort*, songea le chasseur de primes, *ou jusqu'à ce que leur modèle devienne obsolète – tout dépend de ce qui arrivera en premier. Et maintenant, les deux autres. Mercer m'a dit que l'un d'entre eux ne se trouvait pas dans l'appartement. Il m'a protégé*, comprit-il alors. Il s'est manifesté pour m'offrir son aide. *Elle – cette chose – m'aurait eu si Mercer ne m'avait pas mis en garde. Je peux y arriver, maintenant. J'ai déjà accompli l'impossible – ce que Rachael me croyait incapable de faire. Mais c'est fini. En un instant. J'ai mené à bien une tâche en principe insurmontable. Les Baty, je peux les avoir en me contentant de suivre les procédures stan-*

dard ; ça ne va pas être une partie de plaisir, mais rien à voir avec ça.

Il était seul dans le hall désert. Mercer l'avait laissé après avoir fait ce pour quoi il était venu, et Rachael Rosen – ou plutôt Pris Stratton – avait fini démembrée. Ne restait donc plus que lui. Mais les Baty attendaient quelque part dans l'immeuble, conscients de sa présence. Sachant pertinemment ce qu'il venait d'accomplir. Ils devaient sans doute être morts de peur à l'heure qu'il était. Ils avaient joué leur dernière carte. Sans Mercer, celle-ci aurait fonctionné. Mais l'hiver leur tombait dessus à présent.

Il va falloir en finir – et maintenant. Alors qu'il traversait le hall en hâte, son matériel de détection enregistra tout à coup la présence d'une activité céphalique. Il avait trouvé leur appartement. Plus besoin de l'appareil ; après s'en être débarrassé, il frappa à la porte.

Une voix masculine lui parvint de l'intérieur. « Qui est-ce ?

— C'est M. Isidore, fit Rick. Laissez-moi entrer parce que je m-m'occupe de vous et que d-deux d'entre vous sont des femmes.

— Nous n'allons pas vous ouvrir, répliqua une voix féminine.

— Je veux voir l'Ami Buster sur la télé de Pris, dit Rick. Maintenant qu'il a prouvé que Mercer n'existait pas, c'est devenu très important de le regarder. Je conduis une camionnette pour la clinique vétérinaire Van Ness, qui appartient à M. Hannibal S-S-Sloat. » Il se forçait à bégayer. « V-vous voulez b-bien ouvrir la p-porte ? C'est mon appartement. » Elle finit bel et bien par s'ouvrir. À l'intérieur, il faisait sombre. Il aperçut deux formes indistinctes.

La plus petite – la femme – dit alors : « Vous devez nous faire passer des tests.

— C'est trop tard pour ça », fit Rick. La plus grande des deux silhouettes tenta de refermer la porte et de mettre en marche une espèce d'appareil électronique. « Non, reprit Deckard, je dois entrer. » Il laissa Roy Baty faire feu une fois, retenant son propre tir tout en évitant de justesse le rayon. « Vous venez de perdre vos droits légaux en me tirant dessus. Vous auriez dû me forcer à vous administrer le Voigt-Kampff. Mais ça n'a plus d'importance désormais. » Roy Baty lui envoya une nouvelle salve de laser, qui manqua sa cible. Laissant alors tomber son arme, il s'enfuit en courant dans les profondeurs de l'appartement, sans plus prendre garde à ses appareils électroniques.

« Pourquoi Pris vous a-t-elle raté ? s'enquit Mme Baty.

— Il n'y a pas de Pris, répondit-il. Juste Rachael Rosen, encore et encore. » Il aperçut alors dans la pénombre le laser qu'elle tenait à la main. Roy Baty le lui avait glissé, espérant sans doute l'attirer plus loin dans l'appartement pour qu'elle puisse lui tirer dans le dos. « Je suis désolé, madame Baty. » Et il l'abattit.

Dans la pièce contiguë, Roy Baty laissa aussitôt échapper un cri de souffrance.

« D'accord, tu l'aimais. Et moi, j'aimais Rachael. Et le spécial aimait l'autre Rachael. » Et de tirer sur Roy Baty. Le corps du colosse fut secoué d'un spasme violent, puis s'effondra sur la table de la cuisine, comme si ses membres avaient été indépendants les uns des autres, entraînant dans sa chute toute la vaisselle qui s'y trouvait. Ses circuits réflexes l'agitaient de convulsions. Rick l'ignora, ne le voyant pas plus qu'il ne voyait le cadavre d'Irmgard Baty près de la porte d'entrée. *J'ai descendu le dernier. Six en une journée, presque un record. Et c'est fini maintenant, je vais pouvoir rentrer chez moi, retrouver Iran et la chèvre. Et pour une fois nous aurons suffisamment d'argent.*

Il s'assit sur le lit. Bientôt, dans le silence de l'appartement, au milieu des objets immobiles, le spécial, M. Isidore, apparut à la porte.

« Mieux vaut ne pas regarder, fit Rick.

— Je l'ai vue dans les escaliers. Pris. » Le spécial pleurait.

« Il ne faut pas que ça vous affecte à ce point. » Deckard se releva à grand-peine ; la tête lui tournait. « Où est votre téléphone ? »

Le spécial ne dit rien, ne fit rien à part rester debout au même endroit. Rick partit donc lui-même en quête du téléphone, sur lequel il composa le numéro du bureau de Bryant dès qu'il l'eut déniché.

20

« Bien, dit Bryant quand Deckard lui eut fait son rapport. Bon, allez prendre un peu de repos. Nous enverrons un véhicule du service récupérer les trois corps. »

Rick Deckard raccrocha. « Les androïdes sont stupides, lança-t-il brutalement à l'adresse du spécial. Roy Baty n'a pas réussi à me distinguer de vous. Il a cru que c'était vous à la porte. La police va venir nettoyer les lieux. Pourquoi n'iriez-vous pas dans un autre appartement jusqu'à ce qu'ils en aient fini ? Je doute que vous vouliez rester ici avec des cadavres.

— Je quitte cet im-m-meuble, dit Isidore. Je vais a-aller vivre plus p-près du c-centre-ville, là où il y a plus de m-m-monde…

— Je crois qu'il y a un appartement libre dans mon immeuble, dit Rick.

— Je ne v-veux pas vivre p-près de vous, bégaya J.R.

— Allez dehors ou plus haut dans les étages, mais ne restez pas ici. »

Le spécial semblait totalement perdu, ne sachant que faire. Toute une variété d'expressions muettes se succédèrent sur son visage, jusqu'à ce que sans crier gare il tourne les talons et quitte l'appartement d'un pas traînant, laissant Rick seul.

Quel boulot je fais. Je suis un fléau, comme la famine ou la peste. Une antique malédiction qui me suit partout où je vais. Comme me l'a dit Mercer, on exige *de moi que je fasse le mal. Je n'ai rien fait d'autre que ça depuis le début. Enfin, il est temps que je rentre chez moi à présent. Peut-être qu'après y avoir passé quelque temps avec Iran, j'oublierai tout cela.*

Iran l'attendait sur le toit quand il se posa sur son immeuble. Elle le regardait d'une manière étrange, perturbée. Jamais au cours de toutes les années qu'ils avaient passées ensemble il ne l'avait vue ainsi.

« C'est fini, lui dit-il en mettant un bras autour d'elle. Et j'ai bien réfléchi : je peux peut-être demander à Bryant de m'affecter...

— Rick, fit-elle, j'ai quelque chose à te dire. Je suis désolée. La chèvre est morte. »

Pour quelque obscure raison, cela ne le surprit pas. Ça ne fit que le rendre encore un peu plus malheureux, tel un poids supplémentaire sur ses épaules déjà bien mises à contribution. « Je crois que le contrat comporte une garantie, dit-il. Si l'animal tombe malade dans les quatre-vingt-dix jours qui suivent la vente...

— Elle n'est pas tombée malade. Quelqu'un... » Iran s'éclaircit la gorge, puis reprit d'une voix voilée : « Quelqu'un est venu ici, a sorti la chèvre de sa cage, l'a tirée jusqu'au bord du toit...

— Et l'a poussée dans le vide ?

— Oui. » Elle hocha la tête.

« Tu as vu qui a fait ça ?

— Parfaitement. Barbour était encore en train de perdre son temps sur le toit à ce moment-là. Il est descendu me chercher et nous avons appelé la police, mais entre-temps la chèvre était déjà morte et la fille repartie. Une fille petite, d'aspect assez jeune, avec des cheveux noirs et de grands yeux sombres, très mince. Elle portait un long manteau en écailles de poisson et un grand sac à main. Elle n'a fait aucun effort pour se dissimuler à nos yeux. Comme si elle n'en avait rien à faire.

— Elle n'en avait rien à faire, fit Rick. Rachael se fichait complètement que tu la voies ; sans doute même le voulait-elle, pour que je sache qui avait fait ça. » Il l'embrassa. « Et tu m'as attendu ici tout ce temps ?

— Juste depuis une demi-heure – c'est ça, une demi-heure, depuis que c'est arrivé. » Elle lui rendit son baiser avec douceur. « C'est tellement horrible. Tellement inutile. »

Il regagna son véhicule, en ouvrit la porte et se mit au volant. « Non, pas inutile. Elle avait une raison bien à elle de le faire. » *Une raison d'androïde*, se dit-il.

« Où vas-tu ? Tu ne veux pas descendre, rester avec moi ? Il s'est passé quelque chose d'incroyable à la télé : l'Ami Buster prétend que Mercer est un escroc. Qu'est-ce que tu en penses, Rick ? Tu crois que c'est possible ?

— Tout est vrai, dit-il. Tout ce que quiconque a jamais pensé. » Et de mettre en route le moteur.

« Ça va aller ?

— Ne t'en fais pas », dit-il, ajoutant en son for intérieur : *je vais juste mourir.* Deux assertions aussi vraies l'une que l'autre. Il referma la porte de l'habitacle, envoya un baiser à Iran de la main et s'envola dans la nuit.

À une époque, j'aurais vu des étoiles. Mais maintenant, il ne reste plus que la poussière ; ça fait des années que personne n'a vu la moindre étoile, pas sur Terre en tout cas. Je vais peut-être aller là où on peut en voir, se dit-il tandis que son véhicule prenait de la vitesse et gagnait de l'altitude. Il s'éloignait de San Francisco, pour se diriger vers la désolation inhabitée du Nord. Là où aucun être vivant ne se serait jamais rendu. À moins de sentir approcher sa fin.

21

Dans la lumière du petit matin, le paysage semblait s'étendre à l'infini sous son aéromobile, gris et jonché d'ordures. Des rochers de la taille d'une maison avaient roulé jusqu'à s'arrêter les uns à côté des autres. *Ça ressemble à un entrepôt d'expédition,* songea-t-il, *quand il n'y reste plus de marchandises. Il n'y a plus que des morceaux de caisses vides, des conteneurs qui ne signifient rien en eux-mêmes. Jadis, des récoltes poussaient ici et des animaux y paissaient.* Quelle idée incroyable d'imaginer que quoi que ce soit ait pu brouter de l'herbe en ces lieux.

Et quel étrange endroit pour mourir, pour qui que ce fût.

Il perdit de l'altitude, pour poursuivre quelque temps sa route en rase-mottes. *Qu'est-ce que Dave Holden dirait de moi, maintenant ? En un sens, je suis le plus grand chasseur de primes de tous les temps : personne n'a jamais retiré six Nexus-6 en moins de vingt-quatre heures, et je doute que qui que ce soit y parvienne à l'avenir. Je devrais l'appeler.*

Un flanc de colline se rapprochait dangereusement. Il fit s'élever in extremis son véhicule pour éviter l'impact. *L'épuisement,* songea-t-il. *Je ne devrais pas conduire dans cet état.* Il coupa le contact, se laissa planer un moment, puis atterrit. Le véhicule culbuta et rebondit sur les rochers dispersés dans la pente ; pour finir par s'immobiliser dans un dernier grincement, capot pointé vers le ciel.

Rick s'empara du vidéophone de l'aéromobile et appela l'opérateur de San Francisco. « Passez-moi l'hôpital Mount Zion, s'il vous plaît. »

Une standardiste apparut bientôt sur l'écran miniature : « Hôpital Mount Zion.

— Vous avez un patient du nom de M. Dave Holden. Est-il en état d'avoir une conversation ?

— Juste un instant, monsieur, je vais vérifier. » Elle disparut de l'écran. Les secondes devinrent des minutes. Dans un frisson, Rick prit une pincée de Dr Johnson – sans chauffage, la température de l'habitacle avait commencé à plonger. « Le Dr Costa dit que M. Holden n'est pas en état de recevoir des appels, indiqua enfin la standardiste à sa réapparition.

— C'est une affaire de police, dit-il en présentant à l'écran sa pièce d'identité.

— Un instant. » Et de disparaître de plus belle. Rick inhala une nouvelle pincée de Dr Johnson. Le mélange mentholé avait du mal à passer si tôt dans la matinée. Deckard descendit la fenêtre pour jeter la petite boîte jaune dans les graviers. « Non, monsieur, reprit enfin la standardiste. D'après le Dr Costa, l'état de M. Holden ne lui permettra pas de parler au vidéophone, pour quelque raison que ce soit, avant au moins…

— D'accord. » Et il raccrocha.

L'air matinal avait lui aussi quelque chose d'infect. Rick remonta la fenêtre. *Dave est donc vraiment hors jeu*, se dit-il. *Je me demande comment j'ai fait pour m'en sortir. Parce que j'ai agi promptement. Tous en une journée, ils ne pouvaient pas s'y attendre. Bryant avait raison.*

Il faisait vraiment trop froid dans l'aéromobile, aussi en ouvrit-il la porte pour sortir. Un vent nauséabond, tout à fait inattendu, s'immisça dans ses vêtements et le glaça jusqu'aux os. Il se mit à marcher en se frottant les mains.

Ça aurait vraiment été gratifiant de pouvoir parler avec Dave. Il aurait probablement approuvé ce que j'ai fait. Mais il aurait aussi compris le reste, ce que même Mercer n'a pas vu à mon avis. Tout est facile pour Mercer, parce qu'il accepte tout. Rien ne lui est étranger. Contrairement à moi – mes propres actes me sont devenus étrangers. En fait, tout ce qui me concerne est devenu anormal : je me suis transformé en un être contre nature.

Il poursuivit son ascension, sentant le poids qui pesait sur ses épaules s'alourdir à chacun de ses pas. *Trop fatigué pour grimper*, se dit-il. Il s'arrêta pour essuyer la sueur qui lui piquait les yeux – des larmes salées produites par sa peau, par tout son corps douloureux. Puis, en colère contre lui-même, il cracha – cracha son mépris, sa haine de soi – sur le sol stérile. Et reprit sa pénible progression sur cette pente désolée, inconnue, éloignée de tout – rien d'autre n'y vivait que lui-même.

La chaleur. Il s'était mis à faire chaud. À l'évidence, du temps avait passé. Et Rick se sentait affamé. Dieu seul savait depuis combien d'heures il n'avait rien mangé. Faim et chaleur se combinaient pour emplir sa bouche d'un goût pernicieux, qui évoquait la défaite. *Oui, c'est exactement ça. J'ai été vaincu, sans trop savoir comment. En retirant les androïdes ? Quand Rachael a tué ma chèvre ?* Il l'ignorait, mais un voile de brume presque hallucinatoire enveloppait son esprit tandis qu'il poursuivait sa progression d'un pas lourd. À un moment, il se retrouva malgré lui à un pas d'un précipice, sur le point d'accomplir une chute presque certainement fatale – une chute humiliante, irréversible, songea-t-il. Sans personne pour y assister. Il n'y avait personne ici pour consigner sa déchéance, la sienne ou celle de quiconque, personne pour remarquer un éventuel sursaut de fierté qui se serait manifesté à la fin – les pierres mortes, les mauvaises herbes envahies de poussière, desséchées et mourantes, ne percevraient rien, ne se rappelaient rien.

Ce fut alors que la première pierre – et ce n'était ni du caoutchouc, ni du plastique mou – l'atteignit à l'aine. Et la douleur, la prise de conscience d'une solitude et d'une souffrance absolues, se fraya un chemin à travers l'intégralité de sa forme présente.

Il s'immobilisa. Mais quelque chose d'invisible, et pourtant de réel, quelque chose d'impossible à défier, le força alors à reprendre son ascension. *Je monte en roulant*, songea-t-il. *Comme les pierres. Je fais ce qu'elles font, sans volonté. Et sans que ça ait la moindre signification.*

« Mercer », parvint-il à lâcher entre deux halètements alors qu'il faisait une pause. Il distinguait devant lui une vague silhouette immobile. « Wilbur Mercer ! Est-ce bien toi ? » *Mon Dieu*, comprit-il soudain, *c'est mon ombre. Il faut que je parte d'ici, que je redescende de cette colline !*

Il dévala aussitôt la pente. Tomba une fois. Des nuages de poussière obscurcissaient tout, des nuages qui semblaient le poursuivre. Il accéléra encore, glissant et trébuchant sur les cailloux. Devant lui, il aperçut enfin son aéromobile. *J'y suis arrivé*, se dit-il. *À m'échapper de cette colline.* Il ouvrit la portière, se glissa à l'intérieur. *Qui m'a jeté cette pierre ? Personne. Mais pourquoi est-ce que ça me tourmente à ce point ? J'ai déjà vécu cette expérience, pendant la fusion. En utilisant ma boîte à empathie, comme n'importe qui d'autre. Ça n'a rien de nouveau. Mais là, c'était différent. Parce que je l'ai fait seul.*

Tout tremblant, il sortit une nouvelle boîte de tabac à priser de la boîte à gants de son véhicule. Après en avoir arraché la bande de protection, il en prit une énorme pincée, encore à moitié assis à l'extérieur, un pied toujours sur le sol aride et poussiéreux. *C'était le dernier endroit où venir*, se dit-il. *Je n'aurais pas dû voler jusqu'ici*. D'autant qu'il se retrouvait à présent trop épuisé pour repartir.

Je me sentirais mieux si je pouvais juste parler avec Dave. Je pourrais partir d'ici, je rentrerais chez moi et je me coucherais. J'ai encore mon mouton électrique, et j'ai encore mon boulot. Il y aura d'autres andros à retirer, ma carrière n'est pas terminée. Je n'ai pas retiré le dernier andro du monde. C'est peut-être ça le problème, songea-t-il. *J'ai peur qu'il n'y en ait plus.*

Il consulta sa montre. Neuf heures trente.

Deckard reprit le combiné pour appeler le palais de justice de Lombard Street. « J'aimerais parler au commissaire Bryant, dit-il à Mlle Wild, la standardiste de la police.

— Il n'est pas dans son bureau, monsieur Deckard. Il est parti en voiture, mais je n'arrive pas à le joindre. Il doit en être temporairement sorti.

— Est-ce qu'il a dit où il comptait se rendre ?

— C'était en relation avec les androïdes que vous avez retirés hier soir.

— Passez-moi ma secrétaire, s'il vous plaît. »

Quelques instants plus tard, le visage triangulaire constellé de taches de rousseur de Mlle Marsten apparut à l'écran. « Ah, monsieur Deckard. Le commissaire Bryant a essayé d'entrer en contact avec vous. Je crois qu'il est en train de donner votre nom au Chef Cutter pour une citation. Le retrait de ces six...

— Je sais ce que j'ai fait.

— C'est la première fois que ça arrive. Oh, et votre femme a appelé, monsieur Deckard. Elle voulait savoir si vous alliez bien. Vous allez bien ? »

Il se garda bien de répondre.

« En tout cas, vous feriez peut-être bien de la rappeler. Elle a laissé un message disant qu'elle restait à la maison en attendant.

— Vous êtes au courant pour ma chèvre ?

— Non, je ne savais même pas que vous en aviez une.

— Ils me l'ont prise.

— Qui ça, monsieur Deckard ? Des voleurs d'animaux ? On vient justement de recevoir un rapport sur un nouveau gang, sans doute des adolescents, qui opèrent…

— Des voleurs de vie.

— Je ne comprends pas, monsieur Deckard. » Elle le dévisagea. « Monsieur Deckard, vous avez vraiment une sale mine. Vous avez l'air épuisé. Et, mon Dieu, vous saignez de la joue. »

Il leva une main, qu'il retira poisseuse de sang. Une pierre, probablement. Il en avait donc manifestement reçu plus d'une.

« Vous ressemblez à Wilbur Mercer, fit Mlle Marsten.

— Bien sûr, répondit-il. Je suis Wilbur Mercer. J'ai fusionné avec lui de manière permanente. Je n'arrive plus à défusionner. Je suis assis là, près de la frontière de l'Oregon, à attendre de défusionner.

— Vous voulez qu'on envoie quelqu'un ? Une voiture du service peut passer vous prendre

— Non, dit-il. Je ne fais plus partie du service.

— Vous en avez manifestement trop fait hier, monsieur Deckard, le réprimanda-t-elle. C'est d'aller vous coucher dont vous avez besoin à présent. Monsieur Deckard, vous êtes notre meilleur chasseur de primes, le meilleur que nous ayons jamais eu. Je dirai au commissaire Bryant que vous avez appelé à son retour. Vous, rentrez chez vous et mettez-vous au lit. Et appelez votre femme tout de suite, monsieur Deckard, elle est terriblement inquiète. Croyez-moi. Vous êtes tous les deux dans un sale état.

— C'est à cause de ma chèvre, fit-il. Pas des androïdes. Rachael avait tort – les retirer ne m'a pas gêné le moins du monde. Et le spécial aussi, à propos de mon incapacité à refusionner avec Mercer. Le seul qui ne se soit pas trompé, c'est Mercer.

— Vous feriez mieux de retourner dans la Baie, monsieur Deckard. Il n'y a pas la moindre âme qui vive à proximité de l'Oregon, n'ai-je pas raison ? Vous êtes bien tout seul ?

— C'est étrange, reprit Rick. J'ai eu l'illusion absolue, totale, incroyablement réelle que j'étais devenu Mercer et que des gens me bombardaient de pierres. Mais c'était différent de ce qu'on expérimente avec les deux mains sur les poignées d'une boîte à empathie. Dans ce cas-là, on se sent *avec* Mercer. Alors qu'il n'y avait personne avec moi. J'étais complètement seul.

— Il paraît que Mercer serait un escroc, en fin de compte.

— Mercer n'est pas un escroc. Ou alors c'est toute la réalité qui est une escroquerie. » *Cette colline. Cette poussière, ces innombrables pierres, toutes différentes.* « J'ai peur de ne plus pouvoir m'arrêter d'être Mercer. Une fois qu'on a commencé, c'est trop tard pour revenir en arrière. » *Est-ce que je vais devoir refaire l'ascension de la colline ?* se demanda-t-il. *À jamais, comme Mercer... Pris au piège de l'éternité.* « Au revoir, dit-il, s'apprêtant à raccrocher.

— Vous allez appeler votre femme ? Promis ?

— Oui. Merci, Ann. » Il raccrocha. *Mon lit. La dernière fois que je me suis couché sur un lit, c'était avec Rachael. En violation de la loi. Copulation avec un androïde. C'est absolument interdit, ici comme sur les mondes coloniaux. Elle doit avoir atteint Seattle à l'heure qu'il est. Elle doit se trouver avec les autres Rosen, humains et humanoïdes. J'aimerais pouvoir te faire ce que tu m'as fait,* souhaita-t-il. *Mais c'est impossible, les androïdes n'ont pas de sentiments. Si je t'avais tuée hier soir, ma chèvre serait encore vivante aujourd'hui. C'est là que j'ai pris la mauvaise décision. Oui, tout remonte à ça, ainsi qu'à la nuit qu'on a passée ensemble. En tout cas, tu avais raison sur un point : ça m'a changé. Mais pas de la façon que tu avais prévue.*

D'une façon bien pire.

Et pourtant je n'en ai plus vraiment grand-chose à faire. Plus maintenant. Pas après ce qui m'est arrivé là-haut, vers le sommet de la colline. Je me demande ce qui aurait suivi si j'avais continué mon ascension jusqu'au bout. C'est là que Mercer a l'air de mourir. C'est là que son triomphe se manifeste, au terme du grand cycle sidéral.

Mais si je suis Mercer, je ne mourrai jamais, pas même au bout de dix mille ans. Mercer est immortel.

Une fois encore il s'empara du combiné, pour appeler sa femme.

Et se figea.

22

Il reposa le combiné sans quitter des yeux la tache qu'il avait vue bouger à l'extérieur du véhicule. La protubérance sur le sol, parmi les cailloux. *Un animal*, se dit-il. Et son cœur manqua s'arrêter sous le choc de cette évidence, beaucoup trop lourde pour lui. *Je sais ce que c'est*, se dit-il. *Je n'en ai jamais vu, mais je les connais par les vieux documentaires animaliers qu'ils passent à la télé gouvernementale.*

Ils ont disparu ! Il se hâta de prendre son *Sidney* tout froissé, pour en tourner les pages de ses doigts tremblants.

CRAPAUD (BUFONIDAE), TOUTES VARIÉTÉS .... D.

Disparus depuis des années. La créature la plus précieuse aux yeux de Wilbur Mercer, plus encore que les ânes.

Il me faut une boîte. Il tourna la tête, ne vit rien sur la banquette arrière de l'aéromobile. Bondit donc aussitôt à l'extérieur pour se précipiter jusqu'au coffre. Celui-ci accueillait une boîte en carton contenant une pompe à carburant de rechange. Rick se hâta de l'en extraire, dénicha quelques vieux bouts de ficelle effilochés et s'en fut lentement en direction du crapaud. Sans le quitter des yeux.

L'animal se confondait en totalité avec la texture et les nuances de la poussière omniprésente. Peut-être avait-il évolué pour s'adapter au nouveau climat, comme il l'avait fait avec les précédents. Rick ne l'aurait jamais remarqué s'il n'avait pas bougé. Il se tenait pourtant à moins de deux mètres de l'endroit où le chasseur de primes était assis. *Qu'est-ce qui se passe quand on trouve – si on trouve – un animal censé avoir disparu ?* Il tentait en vain de s'en souvenir – ça arrivait si rarement. Quelque chose à propos d'une médaille d'honneur remise par les Nations unies, ainsi qu'une récompense. Qui s'élevait à plusieurs millions de dollars. Et de toutes les possibilités – trouver la créature la plus sacrée aux yeux de Mercer… *Bon Dieu. C'est impossible. J'ai peut-être subi des lésions cérébrales, dues à mon exposition à la radioactivité. Je suis devenu un spécial. Il m'est arrivé quelque chose. Comme la tête de piaf avec son araignée, c'est exactement la même chose. Est-ce que Mercer se trouve derrière tout ça ? Mais je* suis *Mercer. J'en suis l'artisan, j'ai trouvé le crapaud. Parce que je vois par les yeux de Mercer.*

Il s'accroupit à proximité de l'amphibien. Celui-ci avait excavé du sable avec sa croupe pour s'aménager un trou dans la poussière. De sorte que seul le sommet de son crâne plat et ses yeux proéminents dépassaient à présent du sol. Son métabolisme s'était ralenti le temps que Rick revienne, pour le faire sombrer dans une espèce de transe. Ses yeux vides regardaient le chasseur de primes sans avoir conscience de sa présence. *Il est mort*, se dit Deckard avec horreur. *De soif, peut-être.* Mais il avait bougé.

Après avoir posé par terre la boîte en carton, il entreprit de déblayer le sol meuble autour de l'animal. Qui ne parut pas y voir d'inconvénient – mais bien sûr, Rick aurait tout aussi bien pu ne pas exister à ses yeux.

Il sentit la singulière froideur de l'animal lorsqu'il le souleva ; son corps semblait sec et ridé dans sa main – presque flasque – et aussi froid que s'il avait élu domicile dans une grotte souterraine à des kilomètres du soleil. Le crapaud s'était mis à se tortiller. De ses faibles pattes de derrière, il essayait d'échapper aux doigts qui le retenaient, instinctivement poussé à sauter loin d'un danger potentiel. *C'est un gros*, se dit Rick. *Un adulte plein de sagesse. Capable de survivre à sa manière là où nous-mêmes en aurions été incapables. Je me demande où il trouve de l'eau pour ses œufs.*

Voilà donc ce que voit Mercer, se dit-il tout en ficelant minutieusement la boîte – encore et encore. *Une vie que nous ne sommes plus en mesure de distinguer ; une vie soigneusement enterrée jusqu'aux yeux dans le cadavre d'un monde mort. Mercer perçoit sans doute dans chaque cendre de l'univers des traces de vies discrètes, presque invisibles. Je le sais désormais. Et ayant vu par les yeux de Mercer, je ne pourrai probablement plus jamais arrêter.*

Et aucun androïde ne viendra lui couper les pattes. Comme ils l'ont fait à l'araignée de la tête de piaf.

Il déposa soigneusement la boîte sur un siège puis se glissa derrière le volant. *C'est comme si j'étais redevenu un gosse*. Toute pesanteur l'avait quitté à présent, cette fatigue monumentale tellement oppressante. *Et quand je vais le dire à Iran...* Il décrocha le combiné, commença à composer le numéro. Puis s'interrompit. *Je vais lui faire la surprise. Ça ne va me prendre que quarante minutes de vol pour rentrer.*

Il démarra le moteur avec enthousiasme, et peu après filait dans le ciel en direction de San Francisco, un millier de kilomètres au sud.

Iran était assise devant l'orgue d'humeur Penfield, son index droit sur le cadran. Mais elle ne composait rien. Elle se sentait trop apathique, trop mal pour vouloir quoi que ce soit. Un poids qui obstruait l'avenir et la moindre des possibilités qu'il avait pu un jour sembler receler. *Si Rick était là*, songea-t-elle, *il me forcerait à composer le 3, et je me retrouverais à vouloir composer quelque chose d'important,* joie exubérante *par exemple, ou encore un 888,* Envie de regarder la télé, peu importe ce qu'elle diffuse. *Je me demande d'ailleurs ce qui y passe en ce moment.* Elle se demandait aussi où Rick était parti. *Il va peut-être rentrer, mais peut-être pas*. Et elle sentit ses os se ratatiner de vieillesse dans son corps.

On frappa à la porte de l'appartement.

Posant le mode d'emploi du Penfield, elle se leva d'un bond. *Je n'ai plus besoin de composer quoi que ce soit désormais – pour peu que ce soit Rick.* Elle se précipita à la porte, l'ouvrit toute grande.

« Salut », lança-t-il. Il était là, devant elle, une coupure à la joue, les vêtements fripés et grisâtres, les cheveux eux-mêmes saturés de poussière. Ses mains, son visage – de la poussière avait adhéré à la moindre parcelle de son être, à l'exception des yeux. Des yeux qui brillaient, ronds d'émerveillement, comme ceux d'un petit garçon. *Comme s'il était allé jouer et s'était enfin décidé à rentrer pour le dîner*, songea-t-elle. *Pour se reposer, faire sa toilette et me raconter les miracles de sa journée.*

« Ça fait plaisir de te voir, dit-elle.

— J'ai quelque chose. » Il tenait dans ses mains une boîte en carton, qu'il ne posa pas en pénétrant dans l'appartement. *Comme si elle contenait quelque chose de trop précieux, de trop fragile pour qu'il la lâche ; comme s'il voulait la garder à jamais entre ses doigts.*

« Je vais te préparer du café. » Et elle alla presser le bouton de la cafetière ; quelques instants plus tard, elle déposait l'imposante tasse à sa place, sur la table de la cuisine. Rick vint s'asseoir sans pour autant lâcher la boîte, le visage toujours empreint du même émerveillement. Toutes ces années qu'ils avaient partagées... et jamais elle ne lui avait vu pareille expression. Quelque chose s'était produit pendant son absence, depuis qu'il était reparti au volant de son aéromobile la nuit précédente. Il était de retour à présent, nanti de cette boîte : elle devait contenir tout ce qui lui était arrivé.

« Je vais dormir, annonça-t-il. Toute la journée. J'ai appelé le bureau, Harry Bryant m'a dit de prendre un jour de repos. Je ne vais pas me faire prier. » Il déposa précautionneusement la boîte sur la table et prit sa tasse. Consciencieusement, parce que c'était ce qu'elle attendait de lui, il commença à boire son café.

« Qu'est-ce qu'il y a dans la boîte, Rick ? lui demanda-t-elle après s'être assise en face de lui.

— Un crapaud.

— Je peux le voir ? » Elle le regarda défaire la ficelle qui entourait la boîte et retirer le couvercle. « Oh ! » Pour quelque obscure raison, l'animal l'effrayait. « Est-ce qu'il mord ?

— Prends-le. Il ne va pas te mordre, les crapauds n'ont pas de dents. » Il sortit l'animal de sa boîte et le lui tendit.

Dominant son aversion, elle l'accepta. « Je croyais qu'ils avaient disparu », dit-elle en le retournant, curieuse de voir ses pattes ; celles-ci semblaient presque inutiles. « Ils peuvent sauter comme des grenouilles, non ? Je veux dire, il ne risque pas de me sauter de la main sans crier gare ?

— Les crapauds n'ont pas beaucoup de force dans les pattes. C'est ce qui les différencie des grenouilles, avec l'eau. Une grenouille ne s'éloigne jamais de l'eau, alors qu'un crapaud peut vivre dans le désert. Je l'ai trouvé dans celui qui s'étend le long de la frontière avec l'Oregon. Où tout a péri. » Il tendit la main pour le lui reprendre, mais elle avait découvert quelque chose ; alors qu'elle le tenait toujours à l'envers, à lui tripoter l'abdomen, elle localisa de l'ongle le minuscule panneau de contrôle. Qu'elle ouvrit d'une chiquenaude.

« Oh… » Le visage de Rick se décomposa peu à peu. « Ouais, je vois. Tu as raison. » L'air penaud, il contemplait sans mot dire l'animal artificiel. Il le reprit, joua avec ses pattes, dérouté, comme incapable de comprendre. Puis il le remit précautionneusement dans sa boîte. « Je me demande comment il s'est retrouvé là-bas, dans le désert de Californie. Quelqu'un doit l'y avoir déposé. Quant à savoir pourquoi…

— Je n'aurais peut-être pas dû te le dire – qu'il était électrique. » Elle posa une main sur son bras. Elle se sentait coupable, de voir l'effet que ça produisait sur lui. Le changement.

« Non, fit Rick. Je suis content de le savoir. Ou du moins… » Il se tut un instant. « Je *préfère* le savoir.

— Tu veux utiliser l'orgue d'humeur ? Ça te ferait du bien. Tu en as toujours tiré davantage de profit que moi.

— Ça va aller. » Toujours abasourdi, il secoua la tête comme pour essayer de se clarifier les idées. « L'araignée que Mercer a donnée à la tête de piaf, Isidore… Elle était probablement artificielle elle aussi. Mais peu importe. Ces trucs électriques ont leur propre vie. Si dérisoire soit-elle.

— Tu as l'air de quelqu'un qui aurait couru cent kilomètres. »

Il hocha la tête. « La journée a été longue.

— Va dormir un peu. »

Il la dévisagea, perplexe. « C'est fini, n'est-ce pas ? » Il semblait attendre d'elle qu'elle le lui confirme, comme si ça avait été à elle de le savoir. Comme si le dire lui-même ne signifiait rien, ses propres paroles étant sujettes à caution. Elles ne prendraient corps que si son épouse en reconnaissait la véracité.

« C'est fini, confirma-t-elle.

— Mon Dieu, quelle mission marathon. Une fois que j'ai commencé, je n'avais pas d'autre issue que de continuer. Elle m'a entraînée d'un bout à l'autre, jusqu'à ce que je finisse par avoir les Baty – et là, d'un seul coup, je n'avais plus rien à faire. Et c'était… » Il hésitait, à l'évidence stupéfait de ce qu'il s'apprêtait à dire. « C'était le pire. Après que j'en ai eu fini. Je ne pouvais pas m'arrêter, parce qu'il n'y aurait plus rien ensuite. Tu avais raison ce matin, quand tu m'as dit que je n'étais qu'un vulgaire flic.

— Ce n'est plus ce que j'éprouve, dit-elle. Je suis juste sacrément heureuse que tu sois rentré à la maison, là où se trouve ta place. » Elle l'embrassa, ce qu'il parut apprécier. Son visage s'éclaira, presque autant qu'avant – avant qu'elle lui ait révélé que le crapaud était électrique.

« Tu penses que j'ai mal agi ? s'enquit-il. Ce que j'ai fait aujourd'hui…

— Non.

— Mercer disait que c'était mal, mais que je devais quand même le faire. Vraiment étrange. Il vaut parfois mieux faire le mal que le bien…

— C'est notre malédiction, fit Iran. Celle dont parle Mercer.

— La poussière ?

— Les tueurs qui ont trouvé Mercer dans sa seizième année, quand ils lui ont interdit d'inverser le cours du temps et de ramener des choses à la vie. De sorte qu'il ne peut plus désormais faire autre chose que suivre le mouvement de la vie, d'aller là où elle va, vers la mort. Et ce sont les tueurs qui lui jettent les pierres, sans cesse à le poursuivre. À nous poursuivre tous, en fait. N'est-ce pas l'un d'eux qui t'a blessé à la joue ?

— Si, fit-il d'une voix éteinte.

— Tu vas aller au lit maintenant ? Je règle l'orgue sur 670 ?

— À quoi ça correspond ?

— À un long repos mérité. »

Il se leva à grand-peine, le visage ensommeillé, confus, comme si toute une série de batailles s'était jouée ces dernières heures. Puis, pas après pas, il parcourut le chemin qui le séparait de la chambre à coucher. « D'accord, dit-il. Un long repos bien mérité. » Comme il s'étendait de tout son long sur le lit, un nuage de poussière s'échappa de ses vêtements et de ses cheveux pour aller se déposer sur la blancheur des draps.

Pas besoin d'allumer l'orgue d'humeur, comprit Iran en pressant le bouton qui opacifiait les fenêtres de la chambre. La lumière grisâtre du jour disparut.

Sur le lit, Rick finit par sombrer dans le sommeil.

Elle resta là un moment, le temps de s'assurer qu'il n'allait pas se réveiller, se redresser d'un bond en criant de terreur comme cela lui arrivait certaines nuits. Puis, bientôt, elle retourna dans la cuisine et se rassit à la table.

Le crapaud électrique s'agitait dans sa boîte à ses côtés. Elle se demanda ce qu'il lui fallait « manger » pour rester en bon état. Des mouches artificielles, décida-t-elle.

Elle ouvrit les pages jaunes à la rubrique « Accessoires pour animaux électriques » et composa le numéro. « J'aimerais commander une livre de mouches artificielles, s'il vous plaît, dit-elle à la vendeuse quand celle-ci apparut à l'écran. Celles qui volent et bourdonnent vraiment.

— C'est pour une tortue électrique, madame ?

— Un crapaud.

— Je vous suggère dans ce cas notre assortiment d'insectes rampants et volants de toutes sortes, comprenant...

— Les mouches feront l'affaire, fit Iran. Vous allez me livrer à domicile ? Je ne veux pas quitter mon appartement. Mon mari dort et je veux m'assurer qu'il va bien.

— Pour un crapaud, je ne saurais trop également vous conseiller une mare auto-entretenue, à moins qu'il ne s'agisse d'un crapaud cornu, auquel cas nous avons un kit comprenant du sable, des galets multicolores et divers débris organiques. Et si vous comptez le nourrir par les voies naturelles, je vous suggère de laisser notre service après-vente venir procéder à un ajustement périodique de la langue. C'est absolument vital pour un crapaud.

— Parfait, fit Iran. Je veux qu'il fonctionne à la perfection. Mon mari y est très attaché. » Elle donna son adresse, puis raccrocha.

Soulagée, elle se servit enfin une tasse de café noir brûlant.

Postface

C'est ainsi que finit le monde.
Pas sur un Boum, sur un murmure.

T. S. Eliot, « Les Hommes creux », 1925.
Traduction de Pierre Leyris

Ce n'est pas Los Angeles en novembre 2019, mais San Francisco en janvier 1992. Son titre n'a jamais été *Blade Runner* mais *Les androïdes rêvent-ils de moutons électriques ?* D'ailleurs Rick Deckard n'y pourchasse pas des répliquants mais des androïdes.

Étrange et fascinante destinée que celle de ce livre ! À la fois martyrisé et révélé par son adaptation cinématographique de 1982 – dont le titre est emprunté à l'écrivain William Burroughs –, ce roman de Philip K. Dick aurait pu disparaître à jamais. On lui avait en effet proposé d'en écrire la novélisation, avec un joli pactole à la clé, à condition que cette dernière remplace le livre original. Ce que Dick a fermement refusé, au grand dam de l'éditeur qui adopta néanmoins le titre du film.

Les androïdes rêvent-ils de moutons électriques ? – gardons son titre original afin de le distinguer du film – est aujourd'hui considéré comme un classique. Quand Dick l'écrit, il se trouve dans une des rares périodes paisibles de son existence. Il vit avec sa quatrième femme, Nancy, et leur nouveau-née, Isa.

Publié en 1968, chez Doubleday, le livre a en fait été rédigé près de deux ans plus tôt, en 1966. Année faste durant laquelle Dick écrit également son seul roman jeunesse, *Nick et le Glimmung*, et un chef-d'œuvre, *Ubik*. À l'époque il avait enfin recommencé à écrire, après le long blocage créatif consécutif à la séparation d'avec sa précédente femme, Anne. La première édition connaît de très bonnes ventes et reste à ce jour un de ses titres qui se vendent le mieux, certainement à cause du film.

L'intrigue est de prime abord assez limpide. En une seule journée, un chasseur de primes, Rick Deckard, doit remplir un contrat particulièrement difficile afin de gagner de quoi acheter un animal vivant... Une intrigue secondaire se concentre sur un personnage étrange, John R. Isidore, un *spécial*, considéré comme un sous-homme parce que ses capacités cognitives ont été définitivement altérées par les radiations. Nous sommes dans un futur proche, postapocalyptique, où une mort lente consume la civilisation à mesure que la poussière et le vide s'emparent progressivement de tout. En conséquence, l'humanité a quitté la Terre au profit de Mars, incitant tout un chacun à partir à son tour.

Nous pourrions penser que nous sommes dans un roman de science-fiction traditionnel. Mais la colonisation est un échec, les androïdes, conçus pour aider l'homme, se retournent contre lui et veulent exister à leur tour. Comme le raconte l'androïde Priss à John R. Isidore, les romans de science-fiction se sont trompés : on ne peut que « lire des descriptions de villes et de gigantesques complexes industriels, d'une colonisation véritablement réussie. » La déception est là, présente, que ce soit pour l'horizon inaccessible de la « Nouvelle-Amérique, la principale colonie étasunienne sur Mars » ou pour les derniers habitants de San Francisco. *Les androïdes rêvent-ils de moutons électriques ?* ne parle pas du futur de l'humain, mais de ce qu'est l'humain. Dick ne travaille pas une science-fiction de la distraction ou de la prospective, mais une science-fiction comme théâtre de ses questionnements et idées. Il tourne le dos à l'Âge d'or de la science-fiction pour envisager une littérature de l'exploration personnelle, de l'angoisse métaphysique. Progressivement nous laissons le récit d'aventures policières futuristes – le *film noir* de *Blade Runner* inspiré par Raymond Chandler – pour atteindre un espace inédit et profondément original. Dick nous parle et nous donne à lire moins une aventure qu'un parcours philosophique, moral et éthique. Nous croyons suivre une enquête policière, mais celle-ci se révèle rapidement un prétexte – ou, comme le disait Alfred Hitchcock, un MacGuffin – à lancer le personnage dans des aventures dont les enjeux sont plus internes (comprendre qui je suis) qu'externes (résoudre l'enquête).

Avec *Blade Runner*, on doute seulement de l'humanité de Deckard tandis que *Les androïdes rêvent-ils de moutons électriques ?* questionne la nature humaine. Le film s'écarte du roman en ce qu'il en limite la portée. Certes, on est amoureux d'un androïde dans les deux. Mais dans le livre, on écoute Mozart. On adopte un crapaud électrique. On pleure devant une humanité qui nous échappe. Et Mercer nous aime et nous parle, d'ailleurs il est prêt à mourir pour nous.

Comme souvent chez Dick, le texte prend ses racines dans une nouvelle antérieure, « La petite boîte noire[1] ». On y trouve pour la première fois l'évocation du Mercérisme ainsi que des boîtes à empathie. En outre,

---

1. « *The Little Black Box* », août 1964, in *Nouvelles Tome 2/1953-1981*, traduction d'Alain Dorémieux, revue et harmonisée par Hélène Collon, Denoël, 2000.

comme l'a montré Patricia Warrick dans son essai *Mind in Motion The Fiction of Philip K. Dick*[1], le texte reprend également plusieurs éléments d'un manuscrit d'un roman qui n'avait alors pas encore trouvé preneur, celui du *Bal des schizos*[2].

Le procédé n'est en rien choquant. Son manuscrit dormait chez son agent new-yorkais, Dick pouvait toujours en extraire quelque chose, sans en faire une réécriture ni une expansion. Il en a travaillé la matière même pour obtenir un résultat profondément différent. Patricia Warrick a éclairé les nombreux parallèles entre les deux livres. Par exemple, Eldon Rosen, le puissant dirigeant de la fondation Rosen des *Androïdes rêvent-ils de moutons électriques ?* peut parfaitement être un descendant de Louis Rosen, du Bal des *schizos*, clôturant ainsi de manière discrète un cycle interne qui lierait les deux romans. Nous irions des débuts de la société, qui se lancent dans la fabrication d'androïdes, à une puissante multinationale, dont les produits sont essentiels à l'humanité dans sa conquête de Mars et de Proxima. Nous irions également d'une Pris à l'autre, de la schizophrène Pris Frauenzimmer du *Bal des schizos* aux Nexus-6 Pris Stratton/Rachael Rosen. Ce sont des femmes manipulatrices, séductrices et destructrices – ah ! ces femmes aux cheveux noirs qui hantent les écrits de Philip K. Dick !

Le bal des schizos présente la folie comme échappatoire au monde et à ses règles. Le livre avait été pour Dick l'exercice d'une fusion entre les romans de science-fiction qu'il vendait et les romans de littérature générale qu'il ne parvenait pas à placer. Cependant la folie n'est plus à l'ordre du jour dans *Les androïdes*

1. Southern Illinois University Press, 1987.
2. *We Can Build You*, écrit en 1962, publié seulement en 1972, in *Romans 1960-1963*, traduction d'Anne et Georges Dutter, harmonisée par Julie Pujos, J'ai lu, Nouveaux Millénaires, 2012.

rêvent-ils de moutons électriques ? : les personnes *spéciales*, comme Jack Isidore, sont officiellement identifiées et déclassées, Rick Deckard ne vacille pas au bord de la raison. Tout simplement parce que le problème de l'humanité n'est plus la folie, mais la perte de sa propre humanité.

Le cadre romanesque devient alors signifiant. Un conflit nucléaire, la « Dernière Guerre mondiale », a entraîné la fuite de la population, puis la mort lente de toutes choses. John R. Isidore est un produit de l'apocalypse ; nous le rencontrons dès le deuxième chapitre, avec sa solitude douloureuse. La force du roman tient peut-être dans sa capacité à ressentir presque physiquement la destruction entropique des êtres et des choses. La « tropie » est à l'œuvre, comme l'a baptisée John. « La tropie, ce sont les objets inutiles, les imprimés publicitaires, les boîtes d'allumettes vides, les papiers de chewing-gum ou les journaux de la veille. Quand il n'y a personne dans le coin, la tropie en profite pour se reproduire. » Tout se délite et tombe lentement en cendres.

Sur ces ruines, le capitalisme a conquis les derniers territoires de notre humanité. Nous voulons des animaux pour nous sentir humains ? On va nous les vendre. Rick Deckard se promène sans cesse avec son « *Catalogue Animalier Sidney*, déjà tout froissé d'avoir été maintes fois compulsé ». Bien sûr, si on ne peut s'en payer un, il est toujours possible d'en acquérir une copie. L'argent est le moteur profond des actions de Deckard pendant une grande partie du roman, un appât du gain qui devrait lui assurer un statut social auquel il pense avoir droit.

Il veut posséder et avoir. Il veut également être distrait, que ce soit par l'« orgue d'humeur Penfield » ou la télévision, présentée comme un système de domination des masses, avec son tourbillon d'invités absurdes. « Les femmes comme Amanda Werner ne tournaient jamais de films, elles ne se produisaient jamais sur scène ; elles passaient le plus clair de leurs belles et étranges existences comme invitées des émissions interminables de Buster. Isidore avait un jour calculé qu'elles y apparaissaient jusqu'à soixante-dix heures par semaine. » Variété du vide, animée par un androïde, spectacle d'un monde et monde d'un spectacle qui ne donne rien à comprendre, rien à voir, rien à dire.

L'incertitude règne comme un principe fondamental tout au long du texte. D'un côté, nous avons les androïdes. Oublions ceux du film capables d'accéder à un statut humain, d'apprendre l'empathie et de réaliser que « tous ces moments se perdront dans l'oubli, comme les larmes dans la pluie ». Ici, ils sont froids, ils sont véritablement dangereux. La scène où Pris mutile, en souriant, l'araignée d'Isidore est là pour nous le rappeler. Ils sont menteurs, manipulateurs et de manière inquiétante deviennent aisément nos doubles : des androïdes se font passer pour des humains, comme Pris Stratton, Polokov, Luba Luft, Roy et Irmgard Baty tandis que Rachael ignore sa nature artificielle (dans son cas, on peut ne pas la croire).

Par extension, le monde se trouve également être celui du faux-semblant, du dédoublement : le palais de justice dirigé par Garland dans Mission Street est un double inversé de celui de Lombard Street. Phil Resch est un autre chasseur de primes, il utilise le test d'arc réflexe Boneli et semble si peu humain que Deckard doute de son humanité. Les masques tombent, Mercer est incarné par un comédien alcoolique, Al Jarry. L'animateur vedette, l'Ami Buster, est en réalité un androïde. Qui est qui ? Comment le savoir dans un monde où on peut confondre un chat de chair et de sang avec sa réplique androïde ?

Prenons le cas de Rachael : elle prétend aider Deckard, mais lui tend en fait un piège grossier. « Aucun chasseur de primes n'a jamais pu continuer, poursuivit-elle. Après avoir couché avec moi. Sauf un. Un type extrêmement cynique. Phil Resch. Et un peu dingue ; il travaille de son côté, en franc-tireur. » Double jeu, certes, mais pour qui travaille-t-elle véritablement ? Pour la cause androïde ? Pour Tyrell Rosen ? Comment Pris Stratton peut-elle déclarer à Deckard, au moment où elle le rencontre pour la première fois et qu'elle s'apprête à le tuer : « Au nom de ce que nous avons été l'un pour l'autre » ? Connaît-elle déjà les plans de Rachael ? Dans quelle mesure sont-elles complices ? Le roman ne donne aucune clé. Chaque élément de révélation pouvant être contredit par un autre. Est-ce que Rachael ment systématiquement ? Parfois ?

Patricia Warrick voit en Rick Deckard et John R. Isidore deux manifestations métaphoriques d'une même personne. Sa thèse est séduisante. Le système narratif choisi par Dick, adoptant au fil des chapitres soit le point de vue Deckard soit celui d'Isidore, nous pousse à la suivre. L'un est le tueur, l'autre sa part aliénée. Effectivement ce n'est qu'à la fin du roman que les deux personnages se retrouvent, chacun ayant perdu la même femme, sous deux identités différentes. Warrick écrit : « La fonction des nombreux doubles du roman devient claire. Ils représentent toutes les alternatives que les individus rencontrent alors qu'ils luttent pour faire des choix et agir pour donner authenticité et intégrité morale à leur existence. » Effectivement, la question morale est essentielle.

Rick Deckard est en premier lieu une exception dans l'œuvre de Dick, ce n'est pas un M. Tout-le-Monde ni un individu déclassé : c'est un chasseur de primes, euphémisme pour un assassin professionnel. Là où il est par contre parfaitement dickien, c'est qu'il est, au mieux, une doublure – malheureux en ménage, cela va presque de soi. Le « chasseur de primes principal de la zone », c'est Holden, mais ce dernier s'est fait descendre et, bien malgré lui, Deckard suit une mission qui dépasse ses capacités et ses ambitions. Sa femme le persécute, son chef le méprise, Polokov lui tend un piège grossier, Rachael Rosen le manipule aisément, Luba Luft le trouble profondément quand elle lui apprend que Phil Resch serait un répliquant... Deckard perd pied progressivement et, au fur et à mesure de sa chute, devient quelqu'un de nouveau.

En fait, il est un piètre héros, et n'accomplit sa mission extraordinaire que parce qu'il reçoit constamment l'aide d'autrui. Mais n'est-ce pas là ce qui fait sa qualité essentielle ? Sa capacité à faire des erreurs, à se tromper et à être trompé, se révélant comme un être toujours recommençant et agissant. Voilà ce que ne pourrait concevoir ni comprendre un androïde : un être foncièrement faible et somme toute assez médiocre, mais capable de toujours aller de l'avant, même si cela signifie aller vers sa propre mort.

Rick Deckard doit résoudre un dilemme moral durant sa journée de destruction. Dans un premier temps, sa mission ne lui pose aucun problème, sa cible est clairement identifiée comme « un robot humanoïde en fuite, un robot qui avait tué son maître, qu'on avait équipé d'une intelligence supérieure à celle de bien des êtres humains, qui n'avait aucun égard pour les animaux et aucun moyen de ressentir une quelconque empathie pour une autre forme de vie, dans ses joies comme dans ses peines ». La question de la définition de l'humain a une réponse limpide : seule l'empathie représente la normalité.

Son parcours l'amène progressivement à remettre tout cela en cause. D'abord, lors de l'examen de Rachael, il prend conscience de la fragilité du test

Voigt-Kampff. Il n'y a plus de moyen simple et efficace pour distinguer l'androïde du schizophrène. Ensuite, il rencontre et affronte Polokov. Puis il admire Luba Luft, une artiste, qui est capable de restituer miraculeusement *La Flûte enchantée* de Mozart. Mais est-elle une artiste ou incarne-t-elle une idée de l'artiste[1] ?

Luba chante merveilleusement. La nature de sa prestation – qui lui donne le droit de vivre aux yeux de Deckard – est miraculeuse, bouleversante. Deckard se trompe en croyant qu'elle pourrait être sauvée. Ce n'est pas d'elle que la beauté surgit, c'est de lui, qui est capable de la comprendre et de la ressentir. Par la suite, le trouble ne fait que s'emparer de lui : au commissariat sa rencontre avec Phil Resch est dévastatrice. L'autre chasseur de primes incarne tout ce que Deckard refuse d'être : froid, sans pitié, en un mot inhumain. Enfin il admet aimer Rachael, au risque de le conduire à sa propre mort. Comment pourrait-il tuer ce qu'il aime ?

Fredric Jameson, dans son essai *Penser avec la science-fiction*[2], évoque l'importance d'une analyse cartésienne de l'œuvre de Philip K. Dick. Pour Descartes[3], l'homme est *un quelque chose qui doute*. Je questionne la réalité qui m'entoure, les êtres qui la composent, voire moi-même et ma propre existence. Mais je ne peux douter qu'au fond de moi subsiste une conscience en train de formuler ce doute et qui est moi. Pour Jameson, Dick a

1. Amateur éclairé d'opéra, Dick connaissait certainement les *Contes d'Hoffmann* d'Offenbach (1881). Dans l'acte II de l'opéra, Hoffmann tombe amoureux d'un automate chantant, Olympia. Outre *La Flûte enchantée*, apparaissent également dans le roman *Le Cri* et *La Puberté*, deux tableaux de Munch. L'acteur qui incarne Mercer est bien évidemment un clin d'œil à Alfred Jarry.

2. *Archaeologies of the Future*, 2005, traduction de Nicolas Vieillescazes, Max Milo Éditions, 2008.

3. N'oublions pas la proximité des noms de René Descartes et Rick Deckard…

dépassé le doute cartésien en ajoutant la figure de l'androïde, à savoir un être pensant et agissant, mais manufacturé et techniquement reproductible à l'identique. Et voilà qu'apparaît le cogito androïde : *je pense donc je suis un androïde.*

Que sont les androïdes du roman[1] ? Des mécaniques ou des créatures bio-mécaniques ? Ce sont en tout cas des machines qu'il n'est possible de discerner de l'humain authentique que par le biais d'une analyse comportementale, et non pas un test biologique. L'androïde de *Blade Runner* n'est pas la fourmi électrique, dont les engrenages font tourner de minuscules bandes perforées, ni un robot, il est notre double quasi exact.

Retrouvons le dilemme moral de Deckard. Comment tuer des créatures qui sont de véritables prédateurs – « Le robot humanoïde était manifestement un prédateur solitaire », écrit Dick dans le premier chapitre – sans prendre le risque de développer une forme d'empathie à leur égard ?

La réponse du film, ou du moins dans la dernière version du montage dite *Director's cut*, est de suggérer que Deckard est également un répliquant, utilisé par la police afin de faire une tâche qui répugne les humains – idée qui apparaît dans le roman deux fois, la première quand Deckard est arrêté par les faux policiers, la seconde quand il émet l'hypothèse que Phil Resch est un androïde.

Le roman propose une réponse plus riche, mais nettement moins cinématographique : l'humanité se définit

---

1. Le glissement entre l'humain et la machine est fréquent dans les textes de Dick et constitue un de ses thèmes profonds. Par exemple, Garson Poole dans « La Fourmi électrique » (texte de 1969, in *Nouvelles Tome 2/1953-1981*) découvre par accident qu'il est un robot et commence à jouer avec ses mécanismes internes, manipulant de fait la réalité.

par sa complexité, son ambiguïté. Être humain revient à accepter de ne pas savoir ou de se contredire, en un mot de ne pas avoir de réponse absolue. Là réside la leçon de Mercer.

Dick met pour la première fois en scène un personnage ouvertement messianique. Mais il n'est pas un avatar du messie chrétien, il n'annonce pas un avènement et n'est le porte-parole d'aucun dieu. Il incarne au contraire la condition humaine. « Mercer n'est pas un être humain ; de toute évidence, il s'agit d'une entité archétypale venue des étoiles, superposée à notre culture par quelque volonté cosmique. » La vie de Wilbur Mercer semble issue d'un roman de science-fiction...

Plus que tout, Mercer est une énigme. On lui voue un culte quasi officiel. En effet « le Mercérisme faisait diminuer la criminalité en rendant les gens plus sensibles à la situation de leurs congénères. "L'humanité a besoin de davantage d'empathie", avait déclaré à plusieurs reprises Titus Corning, le secrétaire général de l'ONU ». Par le biais des boîtes à empathie, chacun s'immerge dans Mercer, dans sa longue ascension et se met à partager : les émotions de tous ceux qui sont connectés, et les douleurs physiques de Mercer.

Nous sommes devant une communion, qui permet de ressentir non pas la passion du Christ, mais celle de Mercer. Seul un androïde, incapable de fusionner avec Mercer, peut vouloir sa chute. Mercer ne peut cependant tomber. Tel Sisyphe, il émerge de nouveau : « Terrassé au sommet de la colline, il sombre dans le monde du tombeau, mais se relève inévitablement. »

Les androïdes rêvent-ils de moutons électriques ? peut alors être lu comme l'histoire d'une conversion. Deckard, dans le premier chapitre, est tout entier pris par sa mission. À la fin du roman, nous le laissons s'endormir, métamorphosé. Il a accepté de perdre la chèvre tuée par Rachael, il aime la présence du crapaud (animal favori de Mercer), même s'il est artificiel[1].

Qui est Mercer ? On n'en saura rien. Il est une trinité. Il est d'abord celui grâce auquel la fusion est possible par le biais de la boîte à empathie. Il est ensuite Al Jarry, l'acteur qui l'incarne, mais on ignore qui l'a embauché ni dans quel but, et « nous ne le saurons peut-être jamais ». Il se manifeste enfin trois fois aux personnages et accomplit des miracles. Mercer parle tout d'abord à Deckard dans le cadre de la fusion, il lui affirme qu'il doit « accomplir [s]a tâche, quand bien même [il sait] que c'est mal ». Puis il apparaît devant Isidore, dans notre réalité, et lui confirme qu'il est bel et bien une supercherie, puis lui restitue son araignée, vivante et soignée. Il surgit une dernière fois devant Deckard, expliquant qu'il « habite cet immeuble à cause de M. Isidore ». Mercer lui sauve la vie en lui révélant l'attaque imminente de Pris. Surtout il lui répète une leçon essentielle : « Ce que vous allez faire *doit* être fait. »

Tout est dit. Deckard peut accomplir sa mission de mort pour revenir différent. Dans le dernier chapitre, il est enfin le meilleur chasseur de primes, mais il ne veut plus tuer. Deckard s'enfuit dans la terre morte du nord de la Californie, dans un dernier mouvement suicidaire. Tel Mercer il monte une colline, est blessé par un caillou, jusqu'au moment de la révélation qui prend la forme d'une épiphanie. « *Je monte en roulant,* songea-t-il. *Comme les pierres. Je fais ce qu'elles font, sans volonté. Et sans que ça ait la moindre signification.* » Autrement dit, Mercer lui a appris l'absurdité.

1. Dick explorera les notions d'*agapê* et de son équivalent latin de *caritas*, l'amour infini, notamment dans les romans de la *Trilogie divine* mais surtout dans son journal, *L'Exégèse*.

À partir de ce moment, il devient quelqu'un de nouveau, capable de pleinement ressentir l'empathie, sans passer par une machine, une empathie qui peut toucher toutes les créatures, vivantes ou non. « Je suis Wilbur Mercer. »

Son parcours est maintenant terminé. Un parcours finalement plus existentialiste que religieux. Il est impossible de ne pas penser à ce qu'écrivait Albert Camus en 1942 dans les dernières lignes de son *Mythe de Sisyphe* : « Je laisse Sisyphe au bas de la montagne ! On retrouve toujours son fardeau. Mais Sisyphe enseigne la fidélité supérieure qui nie les dieux et soulève les rochers. Lui aussi juge que tout est bien. Cet univers désormais sans maître ne lui paraît ni stérile ni fertile. Chacun des grains de cette pierre, chaque éclat minéral de cette montagne pleine de nuit, à lui seul, forme un monde. La lutte elle-même vers les sommets suffit à remplir un cœur d'homme. Il faut imaginer Sisyphe heureux. »

Il faut imaginer Deckard heureux.

Étienne Barillier

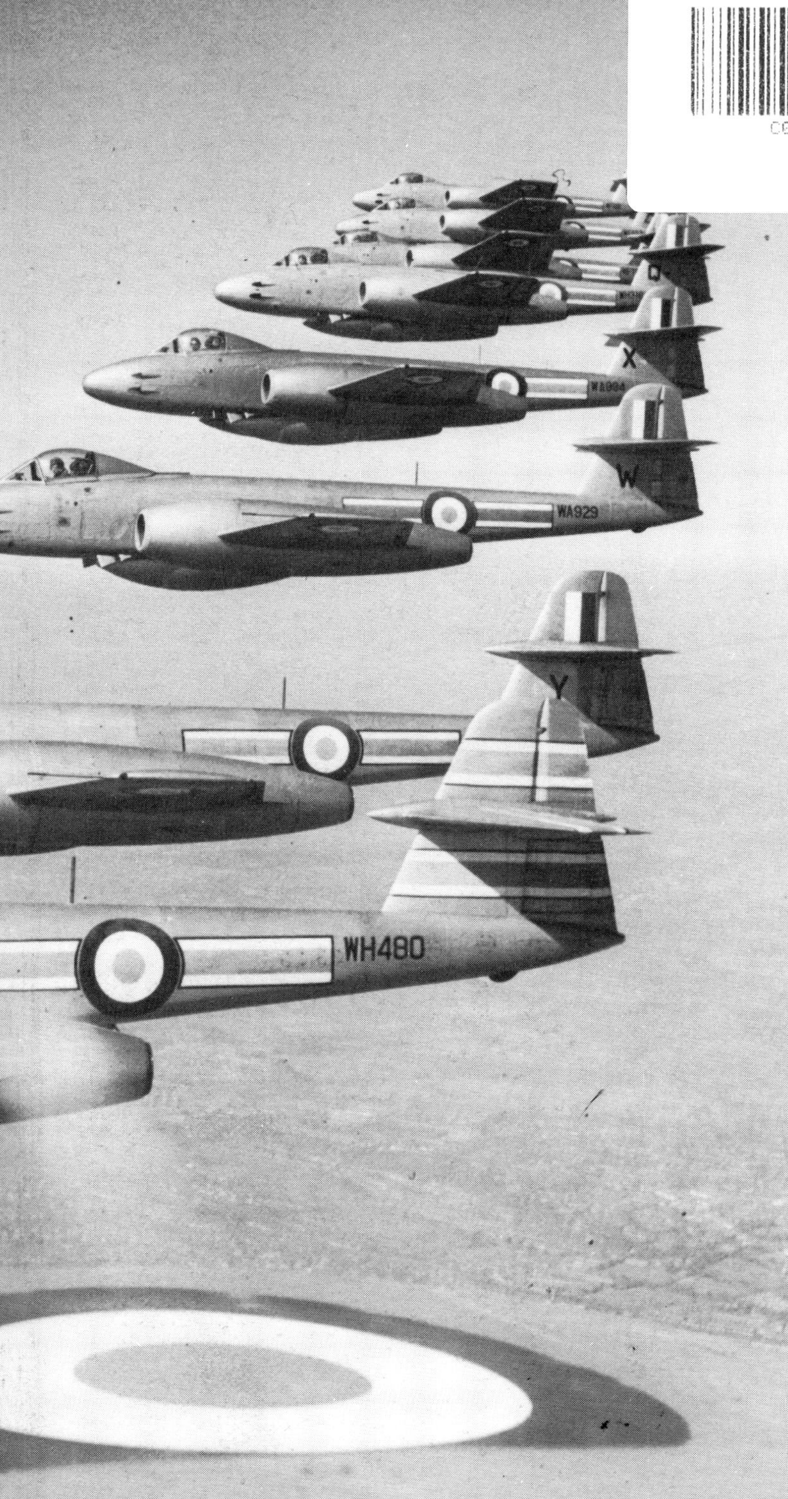
X
W
WA929
Y
WH480

C000219593

METEOR

WA615
WH241
WG362

METEOR

Bryan Philpott

Patrick Stephens, Wellingborough

Frontispiece *Four instructors from Central Flying School putting their T 7s through their paces.* (GAC.)

First published in 1986

British Library Cataloguing in Publication Data

Philpott, Bryan
Meteor.
1. Meteor (Fighter planes)—History
I. Title
623.74'64 UG1242.F5

ISBN 0-85059-734-X

Patrick Stephens Limited is part of the Thorsons Publishing Group

Photoset in 10 on 11 pt Plantin by Avocet Marketing Services Limited, Launton, Bicester, Oxon. Printed in Great Britain on 115 gsm Fineblade coated cartridge, and bound, by Butler & Tanner Limited, Frome, Somerset, for the publishers, Patrick Stephens Limited, Denington Estate, Wellingborough, Northants, NN8 2QD, England.

Contents

WL364
WL364

Introduction

On 8 November 1956 I made my first flight in a Meteor. It was a T 7, *WL368*, piloted by Flight Lieutenant Brindle, and we took off from RAF West Raynham, then the home of Central Fighter Establishment, at 16:05. My log book shows that the flight lasted 55 minutes and included aerobatics and low flying. I recall that during the flight we encountered a Hunter from Odiham and for some five minutes we engaged in a tail chase over Reading. My pilot eventually persuaded the Hunter pilot to try and out turn him. As our turn became tighter and tighter the Meteor shuddered and protested, but at last the Hunter flicked over and fell away. Over the intercom my pilot chuckled, 'See there's life in the old dog yet.' Thirty years ago the Meteor was being called the old dog, as it began to give way to Hunters and Swifts, but it still had the last laugh on some of its younger brethren including a return to front-line use with No 56 Squadron when the Swifts they equipped with in 1954 proved to be a total disaster. There are few who in 1944 would have believed that over thirty years later the Meteor, or Meatbox as it became affectionately known, would still be flying and performing necessary tasks for the RAF. In the Vintage Pair and the trio of Meteors at RAE Llanbedr, as well as the privately owned T 7s and NF 11s, work in public relations, target facilities, and keeping alive the memory of the RAF's first combat jet fighter goes on.

Built in 34 sub-types, with seventeen different types of power units, the Meteor was responsible for converting a large number of air forces throughout the world to jet propulsion. It gave millions of people their first view of a jet aeroplane and generally introduced this type of aircraft to the world. Of the many people intimately involved with its original design, construction and entry into service, the name of Hugh Burroughes is the one that more often than not comes to the fore.

Burroughes was a quiet unassuming man but in the words of one former employee, 'He got more done by saying nothing than any other person I have met.' He had the ability to get the best from everyone from the most junior apprentice to top management, and at all times was able to appreciate every point of view whether or not they happened to coincide with his own. He had a dead pan face, but also a pair of twinkling eyes which showed that behind this he had a perfect sense of humour. He was a highly respected employer summed up by another of his contemporaries as, 'A most fantastic man to work for, and without doubt the power behind Gloster Aircraft Company'.

Another man who, in my view, has never received due recognition for the work he did in test flying the E.28/39, F.9/40 and Meteor is Michael Daunt. Now living in Birmingham and enjoying his retirement, Michael Daunt has a host of wonderful stories concerning the early days when jet flight was in its infancy. He carried the burden of making the first test

Left *A T 7 of Central Flying School entering the top of a loop.* (GAC.)

flights after his friend Gerry Sayer had been killed, at which time he was recovering from injuries received in a crash himself. His early retirement from test flying in 1944, and the circumstances surrounding it, may well have left a less resolute man very bitter but his charm and unique sense of humour has enabled him to put life into true perspective.

The Meteor has carved its own unique niche in aviation history. It was not perhaps a classic aircraft but it certainly earned the affection of all those connected with it, and there are precious few aeroplanes that have done that.

Acknowledgements

In writing this book I have been helped by many organizations as well as private individuals. Following publication of my requests for information I was swamped with letters, photocopies of log-books, brochures, drawings and over 1,000 photographs; all of which indicated from the very beginning that the story of the Meteor was long overdue.

In 1962 Edward Shacklady wrote the only full-length book to date on the aircraft and this was published by Macdonalds. Twenty-three years later it still serves as a useful starting point. By the time this book appears, at least two others will have been released but the author of one has co-operated fully with me and, at an early time in my researches, explained that his work was not intended to be nearly as comprehensive as I intended mine to be. The material I amassed would have provided a tome much greater in length — and commercially unviable — so I must take full responsibility for what has been included; this was my decision and, whilst I think I made the right one, others will no doubt disagree. The co-operation I received was immense, but I was disappointed not to receive any form of acknowledgement or even a curt refusal of help, from some overseas magazines, aviation agencies and embassies; but I guess this saved me the bother of dealing with such bureaucratic bodies. The following organizations and individuals provided help in many ways and to them all I am most grateful:

The RAF, MoD, RAE Farnborough, RAE Llanbedr, RAeS London and various country branches, RAAF, RNZAF, RDAF, RSAF, Belgian Air Force, RNeth AF, Air Historical Branch, Public Records Office, BAeC Warton, SBAC, MoT New Zealand, Australian High Commission, No 77 Sqn RAAF, Dept of Defence Australia, Air Force Association Australia, Australian War Memorial, Flight Refuelling Ltd, Rolls-Royce Ltd, Airwork Services Ltd, Martin-Baker Aircraft Company Ltd, Norwich Airport Aviation Group, Cotswold Aircraft Restoration Group, IPMS, VMF Corsair Aviation Pty, Scotpics, Hawker-Siddeley Aviation Ltd, The Mirror Group Newspapers, *The Daily Express*, *The Daily Telegraph*, the editors of the following aviation magazines: *Le Trait d'Union*, *Air Pictorial*, *Aeroplane Monthly*, *Aviation News*, *Air Enthusiast*, *Flight International*, *Scale Models*, *Scale Aircraft Modelling*, *Aerospace*, *Fly Past*, *RAF News*, *Air Cadet News* and *Talk Down*. Eric Absalom, Ross Adams, Eric Ainsworth, Ken Aitken, Edwin Alsop, Keith Ansell, Brian Ashley, Bill Aston, Robin Barrett, J. K. Barry, J. G. Bartlett, Roland Beamont, Michael Beething, Ron Bennet, A. Bennett, Lennart Berns, Rudi Binnemans, Chaz Bowyer, Michael Bowyer, J. Brugaro, P. A. Brown, Tom Brooke-Smith, A. H. Burgess, A. J. Burgess, G. Carter, Chris Chown, H. E. Cox, D. A. Coombs, D. Craven, Dave Cullen, D. P. Curtis, John F. Cuss, Ian Dale, Michael Daunt, D. Davies, R. W. Deacon, J. de Looff, Robert Dorr, G. Duncan, Mrs Billie Emett, G. F. Evelein, D. Everest, D. Fitzpatrick, W. N. M. Fadden, Bob Gaskell, W. W. Gibb, Brian Gosling, E. J. Gregson, N. Haffenden, Alan Hall, Owen Hammond, Wilf Hastings, W. Heiron, G. Higges, J. O. Hitchcock, Harry Holmes, Ted Hooton, W. Horler, Stuart Howe, Stephen Ives, Graham Jackson, P. Jeavons, Miss Sam Jennings, J. F. King, R. G. Knight, G. H. Kamphuis, Maurice Landi, Rob Lawrence, C. B. Lewis, Roger Lindsay, Alan Lowther, W. Mackenzie, D. Mallett, M. P. Marsh, William McFadden, S. McCreith, Eric Memmot,

Rob Mills, Len Morgan, Kenneth Munson, Dennis Newton, A. W. L. Nayler, J. P. O'Sullivan, R. K. Page, R. J. Parkes, M. Payne, Alain Pelletier, Peter Pennie, Hans Percy, R. Pike, A. H. Porteous, John Preece, P. V. Prefontaine, Alex Reinhard, P. M. Rice, W. H. Roberts, W. Rouse, Alan Rowden, K. Russell, William Russell, Warren Russell, Fred Sanders, Duncan Simpson, Mike Spick, Ivan R. Spring, A. G. Streather, J. E. Talbot, D. J. R. Terry, Stephen Thompson, Svein Tonning, J. Van Den Berg, John Walters, Richard Leask Ward, Mrs Rita Ward, H. R. Watson, Ian White, Ray Williams, Frank Wootton, D. Wordley and finally, to any I may have missed my sincere apologies, but your help was still greatly appreciated.

Bryan Philpott
Newbury, April 1985

Chapter 1

Gestation of a fighter

A cloud-encircled Meteor of the air,
A hooded eagle among blinking owls.
— Shelley

In September 1965, writing in the Royal Aeronautical Society's publication *A century of British Aeronautics*, the noted British designer Sir Sydney Camm made the following observations. 'Looking back over the development of aircraft one is struck by the number of factors which have to be considered — aerodynamics, materials and structures are the main categories and it is fascinating to notice how from time-to-time, just as we had seemed to reach a stage when progress was slowing down, some new discovery raised the horizon yet again. The classic case of this, was the jet engine which was being developed by Frank Whittle. From 1930 it had been obvious that we were approaching the limit of speed with the airscrew/engine combination, as in spite of all we could put in to airscrew developments, any extra power developed by the engine was wasted due to tip speed losses of the airscrew, and it looked as though speeds between 450-500 mph were about as far as we could go with this arrangement.

'Almost overnight the Whittle engine changed this and although we are again approaching a limit due to what may be called the heat barrier, I am sure this will be surmounted. The point which emerges from this, is the dependence of aircraft design on the production of improved power-plants.

'This was obvious, even in the days of the Wrights. They first flew, not because the aircraft they had possessed any great merits, but because they produced a power-plant airscrew combination able to lift the somewhat cumbersome machine off the ground. The introduction of the rotary Gnome engine in 1911 was responsible for a tremendous surge forward until the arrival of the Hispano Suiza in-line engine which more-or-less eclipsed the rotary type of engine, although it was still used on a number of aircraft with some success, until the arrival of the Rolls-Royce Kestral in 1927.'

It is interesting to reflect just how much truth there is in the quarter century covered by Sir Sydney in that brief extract, even more so when it is considered that only three years after the last date to which he refers, several people, including Whittle, were independently working on the gas turbine engine that was to revolutionize the world of aviation.

It is often claimed that war speeds the development of projects that otherwise might have taken decades to perfect, and this is perhaps very true when it comes to aircraft. In 1914 the Royal Flying Corps had a strength of 110 aircraft and six airships, the BE 2a, an unarmed reconnaissance machine, had a top speed of 70 mph. Four years later the Royal Air Force — which had been born from the amalgamation of the RFC and the RNAS on 1 April 1918 — had a strength of 20,000 aircraft of which their premier fighter, the Camel, had a maximum speed of 122 mph, an increase in just four short years of 74 per cent.

Taken in their widest perspective, the next two decades brought a relatively slow rate of progress in aircraft design. The biplane, which many considered far superior to the monoplane, still reigned supreme and indeed many of the mid thirties designs could trace their ancestry to the First World War. In 1932 the RAF was still equipped with the Bristol Fighter which had fought in World War 1 and was eagerly awaiting a biplane fighter to take it beyond the 200 mph mark. The Kestral engined Hawker Fury represented quite a leap forward in biplane design and performance, but major advances did not come until 1939 when the eight-gunned, 300 mph Hawker Hurricane and the superlative Spitfire began to equip front-line squadrons. Six years later with piston-engined fighters reaching their ultimates in airframe and engine performance, the RAF had received and operated its first jet fighter, the Meteor, whose top speed of 493 mph was only marginally beyond that of its more conventional cousins, but whose potential was far greater than anything descendants of the Camel could dream about. Once again six years of warfare had brought giant strides in aircraft design and propulsion units and it is well worth reflecting how long it might have taken to get British 'officialdom' interested in the gas turbine engine if aggression by another nation had not somewhat forced their hand.

It was in 1930, when the RAF was a small elite force which some have, perhaps unkindly, compared to a 'playboys' flying club' that an ex-Cranwell cadet, Frank Whittle, filed his first patent for a jet engine. His was the first conception of the constant-pressure gas turbine and centrifugal compressor combination for a jet propulsion unit, and for a number of years it was only his dogged perseverance that overcame the indifference, lack of support and even incredulity he encountered. The frustration of this period is well documented in Whittle's classic book *Jet*, and is outside the scope of this book which is to document the history of one of the first aircraft to use this (then) revolutionary power unit. However, it is worth taking a brief look at the early pioneering work carried out to enable an overall appreciation of the problems encountered to be considered in the general context of the engine that was to revolutionize aircraft performance and design.

In 1926 Dr A. Griffiths of the Royal Aircraft Establishment Farnborough produced a paper showing that it was possible to overcome the limitations that would be encountered if the gas turbine was to be developed as an aircraft power unit. These limitations were in the main concerned with the metallurgical aspects, and due credit must be given to Messrs Griffiths, Hignett and Pfeil who were responsible for the development of NIMONIC, without which Whittle could never have produced his first engines. In 1928 the then Pilot Officer Whittle began work on his idea for a turbine produced jet of gasses to propel an aircraft. A year later the Air Ministry, having considered his proposal, turned it down as impracticable.

At this time the British Thomson-Houston Company of Rugby — who were in fact to build his first engine — and Armstrong Siddeley Motors refused to back Whittle's invention. Although his patent (no 347206) was filed on 16 January 1930 it took a further five years before enough financial support, coming mainly from Tingling and Williams, enabled Power Jets Ltd to be formed at Lutterworth, and turn theory into practice. The first Whittle jet engine consisted of a single-stage, double sided centrifugal compressor driven by a directly coupled turbine. Air was drawn into a large 'U' shaped cylinder where it was mixed with fuel, ignited and fed to the turbine which ejected hot gasses into a long jet pipe. This design was submitted to BTH in January 1936 and fifteen months later the engine was ready for initial bench tests.

Meanwhile in Germany, Dr Hans Joachim Pabst von Ohain and Max Hahn, who had been experimenting with an axial-flow jet engine at Göttingen University, had been employed by Ernst Heinkel in March 1936 to continue their work in secret at one of his workshops situated at the company's airfield at Marienhe. On 12 April 1937 the Whittle engine was run for the first time, thus preceding the Germans' efforts by five months. It is also worth noting that the first bench tests of the von Ohain engine were carried out using hydrogen for fuel, whereas the Whittle engine employed kerosene which it would consume in its flight mode. The German engine was known as the HeS1 and developed a thrust of some 550 lb. It proved to be practically uncontrollable and was not, in any case, suitable for installation in an aircraft. In some respects the English counterpart was little better.

The basic problem with Whittle's prototype was that it continued to accelerate even with the throttle closed, the revolutions building up to 8,000 rpm and the combustion chambers becoming exceedingly hot. The main cause was that fuel collected in the combustion chamber and continued to feed the turbine until it was exhausted, the solution was to bleed the fuel feed lines before each test to eliminate air pockets that were contributing to the difficulties. The basic principle of the engine, in slightly oversimplified terms, was that the compressor would draw air in, this would be mixed with fuel and ignited, forcing hot gasses over the turbine which would rotate as they passed. The turbine was connected to the compressor by a drive shaft, so as it turned it rotated the compressor, the faster the turbine moved the faster it rotated the compressor, thus the greater the volume of air sucked in the more thrust was developed over the turbine, so the faster it turned and so on. A situation very akin to perpetual motion but unless controlled, a potentially very dangerous one.

Whittle modified his design initially by considering a straight boiler-like combustion chamber fed by ten pipes from the compressor, but this was quickly replaced by a design using ten separate combustion chambers located radially around the compressor housing with their ends parallel to the turbine/compressor drive shaft. This layout proved to be successful and was not unlike the final arrangement of the early production jet engines that were to power the first Meteors.

This engine was known as the U.1 but often referred to by the cynics as 'a running heap of scrap' because even with the theory proved there was still little interest in this new form of motive power. It was only the faith that Whittle had, the support of technicians and draughtsmen and the provision of laboratory facilities, provided at little cost by BTH, that the engine came into being when it did. In March 1936 Whittle formed Power Jets with himself — now a Squadron Leader — as chief engineer. In 1938, with the Air Ministry at last beginning to take some interest, he moved to a disused BTH foundry at Lutterworth. Incidently, as recently as 1984 the original test shop and laboratories were still *in situ* on the site which is now owned by the giant GEC Company. By this time the U.1 had successfully reached 14,000 rpm and although after a five hour run the turbine blades failed, some coming adrift and destroying the impeller, the possibility of a jet engine for flight tests was a reality.

The rebuilt engine, known as the W.1, continued to provide valuable information and in March 1938 the Air Ministry placed a contract with Power Jets for a 'flight' engine with the accent being on lightness whilst retaining the same proven principles of the U.1 and W.1 engines. Money, however, was still in short supply and the company continued to carry the majority of development costs until well into 1940 when, with the war halfway through its first year, the Government, through the Ministry of Aircraft Production, accepted total responsibility.

A study of British politics reveals that there were many occasions when too little, too late brought the delay or downfall of many interesting and worthwhile projects. This was so nearly the case with the jet engine for, although there can be little doubt that such an engine would have eventually materialized, if its potential had been recognized in the early 1930s and Government money used to support and develop it, a jet fighter force could well have been supporting jet powered bombers during the Second World War.

In Germany such potential was recognized, although to be fair, in some quarters the engine came in for as much criticism and suspicion as it had in England. Nonetheless, the point is supported by the fact that in 1941 the Germans had six teams working on jet engines, had flown test-beds, had one jet powered aircraft, were about to fly the He 280 and Me 262, and had half a dozen other projects in hand. By the end of the war they had not only jet fighters in operational use, but also a squadron of bombers which on one occasion were used to try to negate the threat they saw from the Meteor. At the same time the British, who had beaten the Germans to the running of the first jet engine, still had no aircraft powered by this type of engine in the air and only one design programme for a jet fighter. With hindsight it is easy to be ultra critical, but the fact remains that even after the engine had been demonstrated as a practical proposition and a contract placed, the company with whom the work was placed had no capacity for mass production of it.

One company tasked with the production of jet engines was the Rover Car Company. Many people have been extremely critical of their work, but this must be put into correct perspective. They had little experience of such production and were continually dogged by problems which they had to sort out before any form of serious production could be undertaken. The fact that during this period they managed to design their own unit based on Whittle's theories says much for the design team which was greatly influenced by Major Frank Halford who had been introduced into their set-up to reinforce the Vauxhall Motors team that was also involved. Vauxhall were soon to withdraw because of their many other commitments, but Halford continued his work on his H.1 engine which was eventually to materialize as the DH Goblin. It is perhaps not too surprising that the world renowned name of Rolls-Royce was not too long in entering the picture.

On the initiative of Mr (later Lord) E. W. Hives, the Rolls-Royce general manager, the company had set up a small department to investigate the design and research of gas turbines for use as aircraft propulsion units in 1938. At this time the company was involved in an intensive programme of work and delegated responsibility connected with the re-arming of the Royal Air Force with Merlin-engined fighters and so deep was its commitment that full responsibility for the control over production engines to Whittle's basic design could not be undertaken. Nonetheless, experience gained with centrifugal compressors in the Merlin supercharger provided much useful experience.

Throughout 1940 test rigs for aerofoils, bearings and combustion chambers were constructed and the manufacture of components for the Whittle engine was carried out. In 1941 an intensive study of centrifugal compressors was undertaken, the main objective being to seek the cause of surging and the means to prevent it. Surging was when the engine appeared to back-fire because it momentarily pushed air out of the compressor instead of sucking it in. These activities, which included a test rig in which a Vulture engine developing nearly 2,000 hp drove compressors, were mainly private venture work, with some support from the Air Ministry, until late in 1941 after which total support was given by the Air Ministry.

The relationship between Whittle and Rover gradually became more strained, and was not helped when the motor car company began meddling with the designer's original ideas. Relations gradually deteriorated further, and reached a most unsatisfactory state when the two principal characters concerned, Whittle and S. B. Wilkes, more or less broke off relationships. The totally unsatisfactory stalemate was finally broken by Hives (who had been kept well informed throughout by Stanley Hooker, one of his more brilliant designers) when, at a meeting in Clitheroe, Lancashire, the Rolls-Royce chief asked Rover to pass the jet engine to his company in return for taking over production of tank engines. This historic meeting occurred in November

1942 and within a very short space of time Rolls-Royce had taken over further work on the W.2B engine and Hooker turned his talent to pushing through the design work which was to result in the rapid development of the W.2B/23, later known as the Welland.

The Rolls-Royce organization had available flight test facilities which had previously been unavailable and they quickly used these to install a jet engine in a converted Wellington bomber, the tail turret having been removed by Vickers to allow the engine to be accepted. It was not long before a complete set of tests using recording instruments installed in the fuselage was under way. The Wellington was capable of flight at altitudes up to 25,000 ft and the first series of tests encompassed a period of 25 hours' running time. A second Wellington was fitted with two-stage supercharged Merlins which enabled a flight level of 35,000 ft to be reached, and this aircraft continued to be used by the company until well after the end of the war for flight testing of their jet engines.

In April 1943 a Welland made the first observed 100 hour run under test conditions and by June two had been delivered for installation in one of the F.9/40 Meteor airframes which Gloster had been developing. This engine weighed some 850 lb, was 43 in in diameter, and produced 1,450 lb thrust, later increased to 1,700 lb. It fitted the bill ideally for RAF operations and by 1944 was approved for use in RAF Meteors. Such was its reliability and rapid development, that although originally only cleared for a maximum of eighty hours service between overhauls, this limit was raised to 180 hours after a 100 hour endurance run had continued for a period of 500 hours.

Whilst engine development was progressing at an accelerating rate, with not only Rolls but also de Havilland and Metropolitan-Vickers having orders on their books for their products, only Gloster and de Havilland had received orders for aircraft. de Havilland were in the process of designing the DH 100, later to be called the Vampire, powered by the Halford H.1 which ran successfully in April 1942, while Gloster were working on the E.28/39 and F.9/40, later to be known as the Meteor. It is also worth noting that Metro-Vick ran the first axial-compressor engine (the F.1), which was based on research carried out at the RAE in December 1941. Until the introduction of the Wellington flying test-bed there was no means of air-testing these experimental engines, so the first batch of F.9/40s was awaited with great interest since it was envisaged that herein there was an ideal test vehicle.

So much for a very brief appraisal of the situation relating to the development of the jet engine, which as previously mentioned has been covered in much greater depth elsewhere. The story of the Meteor and the jet engine run parallel, so it will be necessary to mention the various power units as the story unfolds, but the major aim is to cover the aircraft, so let us look at how it enabled the first tentative steps into the unknown area of jet flight to be taken. With the realization that Whittle's engine might enable a jet fighter to be produced for combat use during the war, the Air Ministry began to look around for a suitable company to undertake the design and production of such an aircraft.

The Gloucestershire Aircraft Company, as it was first called, was formed on 5 June 1917 with a capital of £10,000, its founder directors being George Holt Thomas, A. W. Martyn, Hugh Burroughes, David Longden and Guy Peck. Holt Thomas and Burroughes had been involved with the Aircraft Manufacturing Company which the former had founded at Hendon in 1912, whilst Martyn had previously been the managing director of the company supplying spruce and ash to them. The growth of the Aircraft Manufacturing Company during the First World War was such that the directors sought to form a new concern to take over the responsibility of sub-contract work with which the parent company was becoming increasingly involved. So resulting mainly from an initial order for 250 DH 2 Scouts placed with AMC in 1914, came the formation of the new concern that was itself to sub-contract work to other companies in the Gloucester/Cheltenham area, among which was the Gloucester Carriage and Wagon Co Ltd and Daniels of Stroud.

With the cessation of hostilities in 1918 orders for military aircraft were drastically cut and almost overnight what had been a successful and flourishing company was fighting for its very existence. In 1920 Holt Thomas, now in failing health, sold his interests to BSA/Daimler who, after a careful appraisal of the situation, closed down and sold off the original AMC and GAC factories in Hendon, Walthamstow and Merton. GAC weathered the difficult period with a variety of contracts for motor car parts and general engineering work, but throughout the directors were determined to stay as a creative part of the embryo aircraft industry.

One of the first problems that had to be overcome was the appointment of a designer, since both Longden and Burroughes were quite rightly adamant that the company could make no progress in the field of aviation without such a position being filled. The lack of orders for aircraft was affecting most other companies and this proved to be the Gloucestershire Aircraft Company's salvation, for in 1920 the Nieuport and General Aircraft Company closed its doors and GAC acquired the design rights for the Nieuport Nighthawk and at the same time the services of the former company's chief designer, H. P. (Bill) Folland. Harry Folland brought with him a reputation for producing superb single seat fighters, which included the famous SE 5 and SE 5a. Having bought a large supply of Nighthawk components GAC were well placed to supply fifty machines to the Japanese Government. Suitably modified for naval flying and renamed Sparrowhawk, they were quickly produced.

Throughout the following years the company, which in 1926 changed its name to Gloster Aircraft Ltd, went from strength to strength with a series of fighter aircraft including such names as Grebe, Gamecock, Gauntlet and Gladiator, that earned for it a world-wide reputation for quality and reliability. There were of course a variety of problems, but these were overcome and by 1930 the company was established at its new factory situated at Hucclecote and was considered to be one of the country's leading exponents of metal constructed aircraft.

The early 1930s brought another recession in the aircraft industry and Gloster again found themselves diversifying into other fields. With aircraft contracts almost non-existent, some form of consolidation became necessary, and under the guidance of the SBAC several smaller companies became absorbed into others thus reducing the industry in numbers of individually owned aircraft companies, but increasing resources and sharing of the financial burdens. In 1934 Gloster Aircraft Company Ltd became part of the Hawker Aircraft Group, thus ending its life as an independent concern. Production of Hawker designs was soon established at Hucclecote which was expanded in area during 1934–1937 but Folland was not happy with the situation, believing that the Hawker board would prefer Camm's designs to his own, so in 1937 he tendered his resignation and left to form Folland Aircraft Ltd. His successor was George Carter and it was one of his early designs, the F.18/37, for a twin-boom twelve-gun fighter that first attracted Frank Whittle when the two men met for the first time in 1939. At this historic meeting Carter was told of Whittle's new type of engine, which the latter thought to be ideal for the fighter Carter was working on. Such was Whittle's enthusiasm, and so impressed was he with the Gloster design team, that it was not long before the Air Ministry approached Carter and sounded him out about designing an airframe for the jet engine. Carter, accompanied by T. O. M. Sopwith (now Sir Thomas), and Stuart Tresilian of Armstrong-Siddeley Motors, visited the Power Jet's factory at Lutterworth to see at first hand the new form of motive power and question the designer on what he expected from it.

Although at this time an output of only 600 lb thrust was anticipated, it was felt that this was sufficient, in the right airframe, to prove the principle of jet propulsion. Consequently Carter agreed to undertake the work on behalf of Gloster whose work-load at that time made them an ideal choice for such a project. Hugh Burroughes, who was a director of both Gloster and the Hawker Siddeley Group, favoured the idea of an agreement being made with Power Jets for Armstrong Siddeley to produce the jet engine, thus making the entire project a Hawker Siddeley venture, but neither concern viewed this proposal with any great enthusiasm and it was eventually dropped.

The official contract (SB/3229) for the production to specification E.28/39 of what was to be Britain's first jet, was placed with Gloster on 3 February 1940 and the second paragraph read:

'The primary object of this aeroplane will be to flight test the engine installation but the design will be based on the requirements for a fixed-gun interceptor fighter as far as the limitations of size and weight imposed by the power unit permit. The armament equipment called for in this specification will not be required for the initial trials but the contractor will be required to make provision in the design for the weight and space occupied by these items.'

The contract also called for a maximum speed of 380 mph, an engine thrust of 1200 lb, and four .303 Browning machine guns having 2,000 rounds of ammunition.

The mutual respect which Whittle and Carter had for each other blossomed into friendship, this of course helped as the design of the aircraft and its power unit progressed, and is one of the major reasons why the aircraft took only the incredibly short period of fifteen months to progress from drawing board to maiden flight.

The installation of the engine and an 81 gallon fuel tank aft of the cockpit led Carter into deciding to use a tricycle undercarriage layout, since he felt that with the more conventional — for the time — tail wheel arrangement there might be problems in getting the aircraft to lift its tail. Air for the engine was taken via a nose-intake through two ducts which passed either side of the cockpit and fed by a double sided centrifugal compressor to ten combustion chambers. The fuel was injected by ten Lubbock burners and the hot gasses drove a single-stage axial-flow turbine which had 72 blades. One original idea was to exhaust the gasses through a short tail-pipe, thus enabling the maximum amount of thrust to be used. To do this it would have been necessary to mount the empennage on some form of twin boom layout. Although this would have enabled the engine to operate at a greater level of efficiency and marginally increased the top speed, it was felt that problems with jet efflux over the tailplane might create unacceptable difficulties, so a long jet pipe exhausting through the rear fuselage below the fin and rudder was chosen instead. The possibility of enemy action against aircraft factories brought a decision to assemble the prototype, now allocated serial *W4041*, at another location. The site chosen was Regent Motors in Cheltenham, where under a veil of great secrecy the Pioneer, as it had been called, was put together under the guiding influence of the Experimental Superintendent, Jack Johnstone.

As work proceeded on the two prototypes, *W4046* now having joined the programme, progress was being made on the W.1 engine with which they would be powered. Sub-standard work on some of the components caused them to be rejected, but they were utilized with spare parts to build a test engine which was given the designation W.1.X and eventually fitted to the airframe for taxying trials.

By modern standards the E.28/39 was a small aeroplane spanning only 29 ft with a length of 25 ft 3 ¾ in. It was of all-metal monocoque construction with fabric covered control surfaces, the rest of the aircraft being covered in a light-alloy stressed skin. The jet pipe was covered by fifteen laminations of tin foil, with a small air gap between each laminer, thereby insulating the monocoque structure from the enormous heat radiated from the jet pipe. The

The Gloster E.28/39, W4041 'Pioneer' which proved the theory of jet flight.

low set mainplanes were fitted with ailerons with automatic balance tabs. The tailplane was set just below the fin on top of the fuselage, the rudder and elevators having larger areas than a conventionally powered aircraft of the same size would have to allow for the lack of propellor generated slipstream over their surfaces. It was decided to construct two sets of wings, one having a high-speed EC1240 section, the other with NACA 23012 section; it was the latter set of planes that were fitted for initial taxying and flight trials.

Ground tests of the W.1 engine showed that it needed some form of cooling for the rear bearings and eventually two radiators were installed, one in each intake duct, filled with 3.5 gallons of coolant. Early flight trials indicated that these were perhaps not necessary so at first one was blanked off, and then both were removed without creating any adverse effect since the rear bearing was found to be adequately cooled by bleeding air from the compressor.

Initial trials with the W.1.X engine fitted were started on the evening of 7 April 1941 at Hucclecote, to where the aircraft had been transported by road earlier in the day from Regent Motors. Gloster's chief test pilot, Gerry Sayer, was at the controls on this historic occasion and although he found the control response to be excellent, the acceleration from the engine was very poor at the limit set that day which was 13,000 rpm. The aircraft needed over 10,000 rpm before it began to move, this no doubt being affected by the resistance created from the soft grass surface. The following day the limit was upped to 16,000 rpm and during the third run Sayer achieved three short 'hops', reaching about 6 ft altitude for a distance of between 100 and 200 yd. The anticipated lack of slipstream over the elevators did not cause the problems initially anticipated and the only serious criticism from the pilot was the poor adjustment of the throttle control.

During these trials, Whittle also taxied the aircraft and one can imagine how he must have felt as he sat in the cockpit of the Pioneer with the engine he had total belief in from the very beginning, providing the motive force. Whittle, by the way, was a very fine pilot in his own right and on one occasion at the RAF Display at Hendon he did the so called 'crazy' flying in an Avro Lynx.

With the completion of the initial trials, the Pioneer was taken to another dispersal factory in Cheltenham, this time Crabtree's Garage. Here a new nosewheel with longer leg travel was fitted and the undercarriage retraction mechanism, which had been inoperative for the taxying trials, was activated and tested. The tricycle undercarriage was designed by Dowty it had a steerable nosewheel and retracted inwards into the mainplanes. Operation was by hydraulic pressure provided by an accumulator which was charged before each flight. In the event of emergency a compressed air system was used to lower all three wheels.

With the first flight becoming imminent, it was decided that an airfield with a long hard-surfaced runway would be needed to help acceleration. The Royal Air Force College at Cranwell fitted the bill ideally and its location in the desolate Lincolnshire countryside gave an added security bonus. So the E.28/39 was dismantled and taken by road to this location. The Whittle W.1 flight engine, cleared for ten hours flying time, was installed and ground-run on 14 May 1941 and the first flight of a British jet-propelled aircraft was set for the following day. Unfortunately the day brought unfavourable weather and hopes were not high for any improvement, but by early evening the clouds had cleared and at 19:00 it was decided that conditions were suitable. At 19:45, with only 50 gallons of fuel on board, Gerry Sayer taxied the aircraft to the end of the serviceable runway, turned its nose into wind, opened the throttle and set the Pioneer rolling.

This historic flight has been well documented on many occasions by quoting direct from Sayer's flight report, so it does seem appropriate to use it once again, since there can be no doubt that it is a fascinating and comprehensive account of an occasion that forms a cornerstone of the birth of the jet-age:

'The pilot's cockpit hood was in the full open position for take-off and the elevator trimmer was set to give a slight forward load on the control column as during the unsticks at Hucclecote it was felt that the nose tended to rise rather rapidly as soon as the aeroplane was in the air. The flaps were full up for the first take-off. The engine was run up to maximum take-off revolutions of 16,500 with the brakes held full-on. The brakes were then released and the acceleration appeared quite rapid. The steerable nosewheel enabled the aeroplane to be held straight along the runway although there did not appear to be any tendency to swing, feet off the rudder bar.

'The aeroplane was taken-off purely on the feel of the elevators and not on the airspeed. After a run of approximately five hundred to six hundred yards it left the ground, and although the fore and aft control was very sensitive for very small movement the flight was continued. The rate of climb after leaving the ground and with the undercarriage still down is slow and the aeroplane appeared to take some time to gain speed. The undercarriage was raised at 1,000 ft after which the climb and increase in climbing speed improved.

'The fore and aft change of trim when raising the undercarriage did not appear to be appreciable.

'The thrust available for take-off is 860 lb at 16,500 rpm and as the aircraft weight is approximately 400 lb up on estimate the take-off run of five to six hundred yards is considered to be quite reasonable. As soon as the aeroplane was on a steady climb the engine revolutions were reduced to 16,000 which is the continuous climbing condition. The engine appeared quite smooth and noise in the cockpit resembled a high-pitched turbine whine. The ailerons feel responsive and quite light at 240 ASI at small angles. The elevators are very sensitive indeed and on first impressions will require some adjustment. The rudder feels reasonably light at small angles and possibly slightly overbalanced. Further investigations to be carried out during later flights.

'The aeroplane feels unstable fore and aft but this may be due to the over-sensitive elevators. It is very left wing low flying level at 240 ASI and carries quite a lot of right rudder. The jet-pipe is slightly out of alignment, and looking up the pipe it is off-set to the left which may possibly be the cause of the turning tendency to the left.

'Gentle turns were carried out to the left and right and the aeroplane behaved normally. The engine ran well and temperatures appeared satisfactory up to the revolutions reached during this short flight. The aeroplane was trimmed to glide at 90 ASI with the flaps fully down and the throttle slightly open for landing.

'The approach was carried out in very gentle gliding turns and the controllability was very good. The aeroplane was landed on the runway slightly on the main wheels first, after which it went gently forward onto the nosewheel. The landing was straightforward and the landing run with the use of brakes was quite short.' In an interview with the author during July 1984, Michael Daunt, who succeeded Sayer as chief test pilot, stressed that Sayer was not only very precise and thorough in his flying, but also had a wonderful ability to present clear and concise reports which left no one in doubt about any aspect of whatever he had been doing. His detailed account of the first seventeen minutes in the air of the E.28/39 brought delight to George Carter and Frank Whittle as well as the staff of Gloster and Power Jets who had worked so hard on the project. The staff at Gloster were advised of the success the following day when a short notice was posted on the bulletin board in the design office, it simply read, 'Last night a short flight was successfully completed'.

But this was just the beginning, and although the prophets of doom who had forecast that the aircraft would behave like a rocket, or that its tail unit would be burned off, had been proved totally wrong there was a long way to go before a true jet fighter became an operational reality.

In the following thirteen days the specified ten hours of flight time was accumulated during a total of fifteen sorties, during which time the Pioneer was taken to 25,000 ft and flown for 56 minutes with its full fuel load. Apart from some minor trim changes, all that was necessary during the first ten hours flying of the E.28/39 was the normal check on lubricants and insertion of fuel. A truly remarkable achievement for a prototype aeroplane.

Following the successful completion of the initial trials the aircraft was taken back to the factory and stripped for examination and to await installation of the more powerful W.1.A engine. It was to be seven months before it was ready for flight again, this time with the new engine and the high-speed EC1240 section wing. During this period flight testing facilities were transferred from Cranwell to Edgehill in Warwickshire, which also had a 2,000 yd hard runway and was more centrally located for both Gloster and Power Jets' personnel. The following months saw flying continuing and problems encountered and overcome. These included Sayer's first experience of a total engine failure which occurred at 30,000 ft on 6 June 1942 when the engine flamed-out after a short period of rough running. Sayer made a forced landing at Edgehill, where examination proved that his instant diagnosis of a broken bearing was correct.

Just over three months later, on 27 September, Sayer made what was to be his last flight in the E.28/39. On this occasion, at which visitors from the United States were present, the aircraft, which was now fitted with a W.1.A engine with a modified oil system, took off normally but soon after becoming airborne encountered problems with falling oil pressure. The pilot returned to Edgehill and made a successful landing without damage to the engine although there was some damage to the port wing tip.

On 21 October, accompanied by Gloster's service manager, Gerry Sayer visited No 1 Squadron then based at Acklington in Northumberland and flying Typhoons. The Typhoon had a difficult entry into RAF service, but No 1 Squadron, who were in the process of trading in their ageing Hurricanes for the new Hawker fighter, had encountered fewer difficulties than most. Sadly their first fatal accident was to claim the life of the man who had done so much in proving that Whittle's engine and Carter's airframe could turn jet flight from a dream into reality. Sayer and Pilot Officer P. N. Dobie took off in a pair to take part in an air-to-ground firing sortie and both failed to return. Sometime later part of the Typhoon Sayer was flying was washed ashore, but it gave no clues as to the cause of the tragedy and it was concluded that the two aircraft collided in cloud over the sea off Amble.

In March 1942 Michael Daunt — Sayer's assistant — had suffered a broken collar bone, broken wrist and shock after baling out of a Folland aircraft he was flying. Recovery had been slow and he was in London celebrating a full return to health and the return of his licence when the news of Sayer's death reached him. He realized that the task of carrying on flight tests of the E.28/39 and the prototype of what was to become the Meteor would now be his. Returning to Hucclecote he took over his former friend and colleague's mantle and on 6 November 1942 made his first flight in the now fully repaired Pioneer from Edgehill.

Michael Daunt, who had been a fighter pilot in the RAF and flown in the pre-war Hendon Air Days, during which he was a member of No 25 Squadron's famous 'tied-together' formation of Fury biplanes, is insistent that it was only the splendid relationship cultivated by Sayer between him and his fellow test pilots that made it comparatively easy for him to continue the test flight programme at this crucial stage. During November the E.28/39 was dismantled and taken by road to RAE Farnborough where Daunt completed the test flying he had commenced at Edgehill which was primarily aimed at proving the new oil system. After this the aircraft was flown by Service pilots, the first being Wing Commander H. J. Wilson, who three years later was to establish a new air speed record for Britain in the Meteor.

By the following March the second airframe, *W4046*, had been fitted with the long-awaited Rover W.2.B engine which developed 1,200 lb thrust. On the first of that month John Grierson, Gloster's development pilot, carried out the maiden flight. During the next two weeks he made a total of twelve flights and on 17 April carried out the first cross-country flight in Britain by a jet propelled aircraft when he took *W4046* from Edgehill to Hatfield where Michael Daunt demonstrated the aircraft to Winston Churchill. The test pilot recalls that this demonstration had to impress the Prime Minister but restrictions prevented any dramatic manoeuvres or aerobatics, so he finally decided sheer speed without the aid of a dive was the best option. After take-off he kept the aircraft below the level of the tree tops, turned in a wide arc, then screamed past Churchill at full throttle. Daunt still says this was the fastest both he and the little jet had ever travelled up to that time. Churchill was duly impressed and asked many questions of Daunt when he landed.

In May another Gloster pilot, John Crosby-Warren, took the second aircraft to Farnborough where it was fitted with a more powerful W.2.B engine and flown by RAE pilots. Unfortunately this aircraft was to have a short life, for on 30 July whilst carrying out a ceiling climb the pilot, Squadron Leader Douglas Davie, found that the ailerons had jammed. Despite his efforts to free them the aircraft entered an inverted spin and at 33,000 ft he abandoned the machine and in so doing became the first pilot to bale out from a jet aircraft.

The first E.28/39 was returned to the factory where it was fitted with a Power Jets' W.2/500 engine producing 1,700 lb thrust, almost double that of the first flight engine. Michael Daunt made the maiden flight of the re-engined aircraft, which was now fitted with an auto-observer, and the aircraft was then taken over by Grierson who completed the engine development programme. During a seventeen day period in June the aircraft completed 23 flights, several at over 41,000 ft, and on the 24th of the month Grierson, wearing a pressure waistcoat, took *W4041* to 42,170 ft.

At the end of 1943 the aircraft was again despatched to Farnborough by road where it was fitted with end-plates on the tailplanes to cure some instability problems and a jettisonable hood. Flying began again in April 1944 with a new W.2/500 engine and the aircraft saw out its life with a variety of test programmes before being consigned to the Science Museum in South Kensington on 28 April 1946, where it is still on view today. By the time this happened the Meteor, for which the Pioneer had provided invaluable data and experience, had progressed from development to squadron service and combat in World War 2. It then started to re-equip the post-war Fighter Command squadrons where it was to prove popular for several years and gave this country a spectacular, albeit short-lived, lead in the jet age.

Chapter 2

Birth of a fighter

Carter's enthusiasm, total belief and foresight for the future of jet propulsion made him in no way reluctant — as some designers had been — to put his reputation on the line in designing jet aircraft, in this he was totally supported by Gloster who had a lot to lose if things had not worked out the way they did. Well before work started on the E.28/39 Carter had realized that a fighter aircraft would be the best starting point, since to develop enough power to produce an effective bomber was still a long way in the future. Nonetheless, he did give this some thought and made a preliminary design study for a bomber using four Rover W.2.B engines, this project being carried out in parallel with the F.9/40 but at a much slower rate.

His first thoughts for a fighter design were centred on the F.18/40 which was a twin-engined twin boom fighter design he had worked on in 1939, and in which Whittle had shown a great interest during the early meetings between the two men. In fact, it was this design that Carter initially considered for the E.28/39, since the twin boom layout would have enabled the short jet pipe he at first favoured to have been used. Eventually, however, he stayed with a more conventional airframe since he reasoned, quite correctly, that to achieve the main attributes of a fighter; a good rate of climb and a high usable speed, a twin-engined aircraft would be required. The prospects of building an engine capable of giving the 2,000 lb thrust he considered necessary, and to have it operational by the end of the war which the Air Ministry were anxious to do, were very unlikely so the obvious solution was to use two of the early proven engines which together would give the power he required to make a six-gunned fighter an effective weapons system. Although some thought was given to mounting two engines side by side in a modified version of the E.28/39, Carter eventually decided that a completely new airframe was needed.

A preliminary design brochure was submitted in August 1940 in which it was envisaged that the proposed fighter would use two 2,000 lb thrust engines and be armed with six 20 mm Hispano cannon with 20 rpg. The engines were to be mounted in easily accessible nacelles on the wings, with the main spar passing in front of the engine and the rear spar having a 'banjo' ring through which the jet pipes would pass. A Dowty tricycle undercarriage with the main wheels inboard of the engines and a high set tailplane — there was still concern at this time of the effect of jet efflux on the tail unit — completed the picture which was accepted by the Air Ministry and resulted in the issue of specification F.9/40 in December 1940.

At this time the proposed fighter was unofficially called Rampage, but soon after the initial order for twelve aircraft was placed on 7 February 1941 (contract SB 21179/C 23(2)) the Ministry of Aircraft Production presented a list of several names for the aircraft including Terrific, Terrifier, Thunderbolt, Tempest and Cyclone. The latter two were deleted at the request of Gloster since they clashed with the logical lineage of Hawker fighters and an American built engine.There followed an amended list from which the company favoured Avenger, but this was unacceptable due to its similarity to the Vultee Vengeance. The Ministry of Aircraft Production chose Thunderbolt but it was pointed out that the Republic P-47 already had this name, so in February 1942 Meteor was finally selected. Gloster, who had suggested Annihilator, Ace and Reaper, were not too happy about the choice, but the powers that be were adamant so the F.9/40 became the Meteor. Perhaps Gloster had their rejection in mind when much later they used the name Reaper for a development of the F 8. The name favoured by the Gloster test pilots was Gemini — with a twinkle in his eye Daunt explains that this was because they thought it was a heavenly twin!

Although the F.9/40 airframe was fairly conventional for the period there were many problems which had to be overcome, not the least of these was the best position for the engines. As already mentioned, the main spar passed in front so as the Whittle engine absorbed air all round, instead of through a forward-facing ram intake, a duct guiding air around it had to be provided. The jet pipe was led though a 'banjo' ring in the rear spar. Bill Horler, who was an apprentice at GAC at this time, recalls that one of his first jobs was cutting the 5/16 in diameter snap-head rivets for these spars down to length and filing the stainless steel rear spar 'banjo' to accept the jet pipe which passed through it. An alternative layout was to sling the engines in nacelles under the wings, but this would have meant a greater weight distribution on the spars and longer undercarriage legs. This method was in fact used on the third F.9/40, *DG204/G*, when it was fitted with Metro-Vick F.2 engines. Wind tunnel tests on the mid-wing mounted installation indicated that drag figures would be low and a further, not inconsiderable, advantage was the easy access that could be gained to the engines via large removable cowlings. It was also suggested by Power Jets that larger diameter intakes than those originally designed would provide higher thrust, so this modification was accepted. Lack of engine weight forward meant that the centre of gravity would be well aft of that normally associated with propeller driven aircraft. Some compensation for this came from the nosewheel and nose-mounted armament. Another advantage of the tricycle undercarriage layout was that it made the fuselage horizontal, thus putting the tailplane into the take-off position. Dowty's undercarriage had knee-action shock absorbers and a Gloster designed gravity lock, making it impossible for the gear to be retracted whilst the weight of the aircraft was on it. There were, however, problems with the undercarriage after the aircraft had entered service, but these will be dealt with later. The undercarriage was hydraulically operated and provided with two emergency back-up systems, one being a hand pump and the other an independent compressed air system which gave the pilot one last chance to lower his gear if all else failed. In addition to the normal cockpit lights indicating a locked down undercarriage, there was also a mechanical visual indicator provided forward of the windscreen.

The Air Staff's requirements for a jet fighter included six gun armament, a lounging position somewhat akin to a deckchair for the pilot and provision for the use of a pressure suit. Although the original Gloster drawings included the six cannon installation, and in fact even on the F 4 drawings this still appeared, Carter persuaded the Air Ministry that there could be problems in removing the lower two weapons which were to be installed under the fuselage in anything other than ideal conditions and that the weight saving in omitting them could be critical in view of the unknown amount of thrust that was likely to be obtained from early engines. This suggestion, together with the promise that the 'reclining' type seat and pressure suit provision would be kept in hand for possible future investigation on following marks, satisfied the MAP, who settled for four cannon armament with 150 rpg fed from ammunition tanks located behind the pilot. Aft of the tanks provision was made for two fuel tanks carrying 330 gallons and behind these was a compartment for the radio gear.

A mock-up of the cockpit, fuselage and one wing was ready by January 1941 and, after a final conference on 11 February, approval was given for production to begin. The original contract for twelve aircraft to F.9/40 also gave authority for the manufacture of tools and jigs necessary to produce eighty machines per month, and allocated the serials *DG202* to *DG213*. These serials were used with the wartime suffix '*G*' meaning Guard, but for clarity this will be omitted in all future reference to the aircraft.

Design of the aircraft allowed for all major components to be produced in easily transported sub-assemblies, with the centre section being the backbone. This included the fuel and ammunition tanks, main undercarriage assemblies, engine nacelles and inboard wings complete with trailing edge flaps. It was constructed around two parallel spars. The nose section comprised the cockpit, weapons bay and nosewheel assembly, this being located on the centre section by four pick-up points. The rear fuselage was also attached to the main longerons of the centre section by four points and to this was attached the cruciform tail unit. Like the E.28/39 the structure was of the monocoque type employing light aluminium alloys with a stress bearing alloy skin. It was envisaged that at a later date the girder section ribs would be replaced by 'T' section components made from rolled steel.

Cockpit pressurization was a new field to Gloster and at the behest of the MAP support from Westland Aircraft of Yeovil was sought. Carter and his team were therefore relieved of some of the pressures they might otherwise have encountered and made several visits to Westlands, where W. E. Petter — later of Canberra and Lightning fame — and his design team provided a great deal of useful information.

For some time Gloster had been building other companies' designs and therefore did not have the capacity needed to produce all the jigs, tools and components detailed in the MAP contract. The general manager at that time was Frank McKenna and he pointed out the difficulties that his company might face, especially as other members within the group were unable to help due to their war production. However MAP rallied to the task and found several main and sub-contractors, including Standard Motors Ltd, Pressed Steel Ltd, Boulton Paul Ltd, Parnall Aircraft Ltd and several others. The priority given to the F.9/40 was such that all equipment required was placed with contractors on a special lemon-coloured order form which received top priority through all channels. One of the problems in using some of the appointed contractors was that they had little experience in working to the limits demanded of the aircraft industry, and in some cases were working under pressures that were completely alien to them. With the companies already experienced in aircraft production there were no similar problems, and on 5 March 1941 Gloster were able to advise MAP that Boulton Paul had the drawing office and production capacity to build twelve sets of wings as well as the necessary jigs to meet the demanded production rate of eighty per month. Similarly, Parnall Aircraft was geared to produce the required number of tail units, and Pressed Steel the rear fuselages.

Although Gloster were somewhat opposed to the policy of hand-building the first twelve aircraft, feeling that the labour force involved could be better employed in preparing for mass-production, the MAP were adamant that their chosen path was the correct one to follow. Assuming that all components were delivered on time and were engineeringly compatible, it was planned that the first airframe should be completed in February 1942, two more by the end of March and three each month for the next three months. Should there be unacceptable delays or the components received be below the engineering standards required, Gloster was authorized to assume total responsibility by taking over the sub-contractors' work forces and instructing them in the satisfactory completion of the work. As production of components gained momentum, so too did a variety of problems which began to make the proposed schedule look unrealistic. But in June 1941 a much needed fillip came with the order from MAP for 300 F.9/40 aircraft, these to be supplied to contract A/C1490/41 confirmed on 8 August 1941.

Throughout 1941 work proceeded but some suppliers fell behind in deliveries and doubts began to arise as to whether Gloster would be in a position to meet the original completion date of February. Production problems were not only confined to the airframe, since Rover were running into many problems with engines and of the original batch of thirty planned to be ready by December 1941 it was envisaged that less than a dozen would be ready for bench testing. The allocation of the first batch of engines was two to Power Jets for tests, two to Gloster for *DG202*, and one to the RAE for use in a projected wind tunnel test on the aircraft's wing and engine nacelle. The difficulties encountered by Rover almost caused the complete cancellation of the whole Meteor project as the MAP became impatient with progress and sought other avenues to obtain an operational jet fighter. One of these was the substitution of the twin jet fighter with a single-engined project known as the E.5/42, and through the autumn and winter months there was much discussion between Gloster and MAP, much of it being hinged on the company's suggestions of varying the proportion of aircraft to be built with Rover W.2.B or W.2/500 engines or Halford's H.1.

In November 1942 the MAP ordered all work on the F 1 Meteor to cease due to the inability of Rover to produce W.2.B engines and at the same time they reduced the quantity of F.9/40 to six, although soon after the aircraft had made its maiden flight this was increased to eight. Fortunately the Halford H.1 engine was not proving as problematic in the hands of de Havilland as the W.2 and McKenna was delighted when news reached him that two would be available for the fifth airframe. By this time the prototype had been completed and two Rover built engines delivered, but they were suitable only for ground running as they could not produce sufficient thrust to enable the aircraft to fly.

Ground running of the two Rover engines in *DG202* took place on 29 June 1942 and on 2 July the aircraft was dismantled and taken by road to Newmarket Heath which had been chosen as an ideal location for initial trials because of its comparative isolation and 3,000 yd emergency runway. On 10 July 1942 Gerry Sayer started taxying trials during which he made several short hops, but the limited thrust of 1,000 lb placed on each of the W.2.B engines made anything more than this impossible. Sayer commented in one of his reports that using the engines a run of some 15,000 yd would have been needed to reach flying speed, he also noted that the directional stability was very good, although the rudder was ineffective until a fairly high speed had been reached.

It took another eight months before suitable flight engines became available, during which time Gloster had been instructed to prepare one airframe for Metro-Vick's axial-flow engine and another for Halford's centrifugal compressor engine. The third airframe, *DG204*, was chosen for the axial-flow engine and the fifth, *DG206*, for the de Havilland units. To their great credit it was the latter company that produced the flight engines first, and on 28 November one of these was delivered to Gloster, the second arriving on 12 January 1943. Two weeks later the first ground runs of the engines installed in the airframe were carried out but were cut short when problems were encountered with a starter panel and booster coil.

On 27 January the company very nearly suffered another tragedy when Michael Daunt, who had taken over as chief test pilot on the death of Sayer, was lucky to escape with his life following an incident during the second set of ground runs. It had been discovered that the 'banjo' joints of the fuel pipes tended to leak. It was possible to go either side of the engine nacelle and see if these joints were weeping, in which case they could be tightened. Michael Daunt was carrying out this examination when he stepped back from the side of the engine practically into line with the intake. The flap of the leather coat he was wearing — which incidentally he still has — started to flap and rise and was then sucked together with Daunt into the engine. He recalls, 'My ribs did a bit of tin bashing as I was sucked in and it was very noisy. My first reaction on being inside that air intake was to hold my breath, as I was quite convinced that if I didn't I could have a collapsed lung. I have never ceased to be amazed how quickly the human brain reacts to such situations, how I thought about a collapsed lung as the incident happened so quickly, I shall never know.' Luckily the man in the cockpit was quick to react and closed the throttle almost immediately, allowing a shaken and bruised test pilot to be extracted. Michael Daunt is a big man who came close to selection for his native Ireland's rugby XV as a wing three quarter, the suction power of the jet was therefore frighteningly demonstrated when in a split second of carelessness it took him bodily off his feet without warning. Daunt was in fact the third thing to be sucked into a jet engine, the previous two being a hat and a tea-tray. Fortunately for him and Gloster the injuries received were not serious and after two days rest he was back at work.

Following this incident it was decided to fit wire mesh grills in front of the engine intakes and to those concerned with the Meteor they quickly became known as 'anti-Daunts' or 'Daunt-stoppers'. If Daunt had been seriously injured John Grierson, Daunt's number two, or John Crosby-Warren who had worked very closely with him and Sayer, would no doubt have taken over and because of the very close relationship that existed between the three men it is likely that there would have been no damaging delays in the flight programme.

Sayer always insisted that there was a spirit of co-operation and respect between all his pilots and staff and Michael Daunt goes to great lengths in stressing that it was this that made it so easy for him to carry on after his colleague's death. Research and test flying was always shared and after every flight there would be no discussion between the men until the one who had not carried out the flight in question had had the opportunity to do so. Only then would separate reports be written and then compared in very fine detail. By doing this Sayer claimed that there was no possibility of influencing each other or of sowing seeds of doubt where perhaps none existed. Both men were equally involved in the cockpit layout and therefore totally at home in it. Although the credit of flying the F.9/40 for the first time is in the history books as being Daunt's he still feels that it should be shared with Sayer.

The services available at RAF Cranwell were far superior to those at the emergency strip at Newmarket, so the College was chosen as the venue for the first flight of the F.9/40. Under a great cloak of secrecy the aircraft was transported there by road on 12 February 1943. This journey presented greater problems than the similar one when the F.28/39 followed the same route as the F.9/40 had a much wider centre section and at several locations on the route telegraph poles and other obstacles had to be moved to allow progress to continue. Darkness, with its associated black-out regulations, would have made the journey even more of an adventure so it was carried out in daylight with a heavy RAF and civil police escort.

Photographic reconnaissance over Germany had already detected scorch marks on grass airfields where experiments into jet flight were believed to have started. In some member companies of the Group to which Gloster belonged, rumours were rife. Drivers operating between Hawkers at Kingston and the various Gloster outposts had commented to work colleagues and friends about the aeroplanes without propellers they had seen at Hucclecote, so much for the wartime slogans claiming that 'even walls have ears' and 'careless talk costs lives'. However the well covered load with tarpaulins keeping its secrets from prying eyes probably caused no great interest as it weaved its way through the narrow English roads. Perhaps the Germans' carelessness in not hiding the tell-tale burn marks did more damage to their activities than the occasional inspired guess did as far as the Meteor was concerned. Great credit must go to Constance Babington-Smith of the photographic interpretation department at Medmenham, who was the first to notice the scorch marks and analyse them correctly. She knew the Gloster team well and had flown with Daunt, it was therefore on her advice that all run-ups of jet engines were carried out on a hard concrete surface and not grass. It is fortunate that the photographic units of the Luftwaffe were not as efficient as those of the RAF, since they may have then also found the tell-tale scorch marks, made in runs before Constance Babington-Smith's revelations.

Within a week of its arrival at Cranwell the F.9/40 was reassembled and prepared for flight and on 3 March Daunt began taxying trials. It was immediately apparent that the greater thrust from the H.1 engines made the F.9/40H, as it was now designated, a much different proposition than *DG202* which he had previously handled at Newmarket. Despite a weight increase to 11,500 lb, the greater power enabled the aircraft to be taxied at higher speeds than previously attained, this highlighted the decrease in effectiveness of the brakes and the greater work load put on the nose gear shock absorbers. This particular aircraft had been modified in several ways, the most important, as far as the pilot was concerned, was the improved vision from the now completely transparent hood and the addition of a rear view mirror housed in a small fairing on top of the windscreen frame. The centre section was increased in width by 15 in to accommodate the larger engines, giving this aircraft a span of 44 ft 3 in. An anti-spin parachute was fitted behind the fairing at the intersection of the tailplane/fin.

By 5 March Daunt felt that he had learned all that it was possible to do from the ground runs, which had included a short hop unstick occurring at 110 mph, so the scene was set for the first flight of what was virtually the Meteor prototype. It was decided to keep the aircraft as light as possible so the tanks were only half filled and Daunt was advised to limit the engines to 9,000 rpm at take-off for aerodynamic reasons associated with possible elevator buffet. He was also advised to try to keep engine revolutions down to 8,000 rpm (just less than 15,000 lb thrust) during the flight. The first flight lasted 3½ minutes and was different from the experience he had in his first jet flight in the E.28/39 which he described as '... strange but not difficult, the aircraft handled nicely, and it was a completely new experience with no vibration and little noise'. The maiden flight of the F.9/40H is well covered by Michael Daunt's report which is quoted verbatim:

'Flaps were set at 25°, elevator trimmer tabs at neutral. Both engines were opened up to 8,000 rpm, the brakes released and with very little effort on the part of the pilot the aircraft was kept straight down the runway. Unstick was achieved in approximately 1,230 yd. Immediately after take-off, slight vibration was felt throughout the airframe but this stopped by application of the handbrake, thus proving that one of the three wheels (the nosewheel was suspected) is out of balance.

'The undercarriage was retracted and the aircraft held low to gain speed. It is significant that by the time the aerodrome boundary was crossed — that is 2,600 yd from the starting point — the ASI recorded a little under 200. It was just about this time that the first indication that the aircraft was not under full control directionally was noticed, and by the time 230 ASI had been reached it was impossible to stop the aircraft yawing violently from side-to-side, the forces transmitted through the rudder bar being considerably greater than the pilot could hold.'

During the author's interview with Michael Daunt he stressed just how great this force was by commenting that his rugby playing had given him extremely strong leg muscles but they were in no way able to cope with the forces then being exerted on them by the rudder bar. 'Both throttles were pulled back in case this violent directional instability was the product of jet effect, it having been prophesied that this jet interference might easily have effect on fore and aft control. Reference to the loading sheet will show how this had been catered for by increasing ballast in the nose.

'The throttling back had no effect whatever on the directional instability, and by gently easing the control column back and putting the aircraft into a slightly steeper climb, the speed was reduced from approximately 230 to 160 ASI. At 160 ASI it was possible to control

DG202:G, *the first F.9/40 to be completed. It made its maiden flight on 24 July 1943 from Barford St John, piloted by Michael Daunt. This picture shows the aircraft after being 'rescued' from being gate guardian at Yatesbury and restored.* (R. Deacon.)

the tendency to yaw from side-to-side, but if one's feet were taken off the rudder bar the aircraft immediately started to yaw again, but with considerably less amplitude than had been experienced at 230 ASI. It was therefore decided to land back on the aerodrome without further delay. Speed was reduced to 150 ASI and undercarriage and flaps lowered. The operation of the undercarriage, both up and down, was most satisfactory, everything happening in such a very deliberate manner that confidence in this undercarriage system was immediately established. As on both the unstick and landing during taxying trials and on this first take-off, the unsticking speed had been somewhere between 110 and 115 ASI. During the last part of the glide-in, and when it was realized that there was no possibility of undershooting the aerodrome, both engines were opened up fully to 9,000 rpm in order to check once more whether directional instability was a product of forward speed or jet effect. It is significant that not only was there no tendency for the directional instability to return, but also there was no change of trim fore and aft.'

The landing run occupied 1,300 yd from touch-down until the aircraft was brought to a halt and Daunt went on to comment that he felt the brakes could be improved and perhaps the wheels changed. He mentioned to the author that these initial problems with the brakes led to Dunlop's co-operation with Bendix in introducing both the disc type unit and later anti-skid maxaret units for modern (sic) high speed aircraft. The yawing which had concerned Daunt was traced to an unbalanced rudder. Oscillations were rather gentle and could be damped by pressure from the pilot's feet, nonetheless it was undesirable and a solution had to be found. This was done by thickening the trailing edge of the rudder and adding trimmers and, later on *DG208*, an enlarged fin/rudder with flat sides and a torpedo fairing at the fin/tailplane intersection. The trimmer modification was added at Cranwell after the first flight but before further flying could be carried out the arrival of Turkish Air Force Officers for a course presented a security risk — in the eyes of authority — so further test flights were cancelled. Once again the aircraft was broken down into transportable parts and moved back to Newmarket where on 17 April Daunt once again took the aircraft into the air, this time for a flight time of seven minutes. This flight was curtailed by noises from the area of the nose gear, but during it a speed of 230 ASI was reached without any recurrence of the yaw problem.

Newmarket was not considered to be an ideal location, since its runway had a poor surface which placed severe restrictions on the programme. There were other complications relating to local weather, which was likely to change quickly in that part of Suffolk, and the sport of kings. Michael Daunt recalls with a certain amount of cynicism, how on one occasion the aircraft was being prepared for flight when a bowler hatted and pinned striped official arrived and advised the team that flying could not take place on that day as there was a race meeting! This occurred once a fortnight on a Wednesday, so in the midst of a programme to develop what the Air Ministry hoped would be a revolutionary weapon to help curtail the war, the sport of kings took priority.

Short flights continued until 28 May when the aircraft finally left Newmarket with a full fuel load and made its maiden cross-country flight to Barford St John, an airfield near Banbury which had been made available to Gloster. This move followed a considerable amount of discussion during which Daunt and his deputy John Grierson had asked for the use of a Bomber Command airfield, with its associated long, well surfaced runway. At one point they asked for a site in Shropshire which was just being completed and therefore did not present the problems that an operational airfield might have, but it was pointed out that work was being carried out by an Irish labour force and therefore the security risk was far too high. At this point Michael Daunt suggested that the Meteor project might just as well be cancelled. The incredulous officials asked him why he had made such a statement, to which he replied with a twinkle in his eye, 'Well I'm the test pilot and I'm Irish'. Debate over the location took several months but it was eventually agreed by the Air Ministry to allow Gloster to use the airfield at Moreton Valence located just to the south of Gloucester. The runway was to be extended to 2,000 yd, and sufficient secure hangars to be erected to house the secret aircraft.

The arguing and petty bureaucracy over the new location took in all some twelve months to resolve, but once it had been work progressed at such a pace that the runway and hangars were ready for use within twelve weeks. But it was not only with the aircraft that resistance to the acceptance of necessary change was met. The growth of ancillary technical departments as distinct from the design department was of fundamental importance, so when the F.9/40 was built there was no Experimental Flight Department, because with the exception of the E.28/39 Gloster had not built aircraft of their own design and were functioning purely as a sub-Hawker production unit. The only other department with some design responsibility was that concerned with mechanical tests based at Brockworth, this department also dealing with routine material quality checks and instrument calibrations. In May 1943 Fred Sanders, who eventually retired in 1977, was charged with the task of forming a Flight Test Department which later became the Flight Development Department. This move was welcomed by the test pilots, but was received with some hostility by others. In parallel to this, as the Meteor engineering systems were so complex, the Mechanical Test Department became the Research Department handling system rig testing as well as having a considerable design function in addition to its other work. At a later stage Jim Louch, the chief research engineer, persuaded R. W. Walker, later to become chief designer and Technical Director, to allow him to transfer his deputy G. Longford, with some of his staff and equipment, to Fred Sanders at the airfield at Moreton Valence which was occupied by

Gloster in October 1943.

This placed Sanders in the rather unique position of having delegated authority from the Chief Designer over technical staff, a small drawing office, instrument flight test and development engineers, and similar authority from the Works Director over works staff, this being much to the disgust of the Works Manager who always insisted that it was quite wrong for a works department to be controlled by a technician. Sanders' function was to co-ordinate the activities of these people, works and AID inspectors, as well as test pilots, thus providing a strong link with the design staff. He was also free to deal direct with suppliers on technical matters and with most of the relevant departments of RAE and A &AEE, excepting in matters relating to aerodynamics and performance, although he was always invited to meetings on these matters. These moves certainly speeded up development work as Fred Sanders' appointment was mainly to ensure that from the time the aircraft left the Experimental Department until its trials were complete, it had as smooth a passage as possible with the minimum amount of delays.

From 19 July 1943, R. W. Walker assumed total responsibility for the completion of the F.9/40 and Meteor projects thus leaving Carter free to work on new designs. Apart from those who are regularly mentioned in connection with the development of the Meteor, there were many others whose work was just as important and who have never received due recognition for the parts they played. Among these was I. C. G. Longford and C. W. Chick, the former being a most competent and dedicated engineer to whom the expression 'equally at home with angle iron or differential equations' was never more apt. Longford, who was as happy with strain gauges as electronics, designed and built a variety of flight test recorders and applied them with effect long before proprietary ones were available. He also had a wonderful capacity for producing answers to practically any problem with which he was presented. One of the latter concerned difficulties that had been experienced with the cracking of main laminations of the bullet-proof windscreen. In conjunction with Dr Holland of Triplex a screen was produced with a series of 1/8 in laminations with interspaced thermocouples. A Longford flight recorder revealed a steep temperature gradient through the screen during the climb which placed the outer skin in tension which was aggravated by the cabin pressure. Longford then devised a rig and produced a nozzle supplied by hot air from the engine to blow across the face of the screen, with a barometric control limiting the loss of engine power at low altitude. This not only solved the cracking problem, but also improved visibility under difficult flight conditions.

Mr Chick was recruited by Fred Sanders to fulfil the important requirement of monitoring progress of physical works programmes, such as trial installations of equipment, armaments or system developments, preparation for tropical trials and the many associated tasks that must be kept up to schedule. His honesty and previous experience were such that he was on good terms with all departments and was therefore able to get the best from people under circumstances that other less popular men might have found difficult. If critical parts were required from outside suppliers he was able to obtain the all-important order numbers from the buying department, his persuasive powers enabled him to obtain the only appropriate piece of equipment that was on embodiment loan, as well as to acquire machined or fabricated parts that were beyond the capacity of his department from any other of the main works areas either with or without the necessary paperwork. Fairly tight schedules were set, but largely because of the efforts of Chick they were nearly always achieved within the planned time-scale.

Personnel such as Sanders, Longford and Chick made as valuable a contribution to the early days of jet flight as those who are more commonly known. Fred Sanders himself says that although it was something like two years before he was totally accepted in the role he was given, he considers himself very fortunate to have been involved in the industry at such an exciting time. His contribution was recognized when he was presented with a silver salver which is inscribed, 'To FCS in recognition of his contribution to the development of jet aircraft'. This was presented at a dinner given in London and organized by Tim Kendall, who at the time was Sales Director of Rolls-Royce Derby, and those subscribing included Frank Whittle, Stanley Hooker, Dr Moult, Dr Smith (the latter two being involved with the Halford and Metro-Vick engines) and Joe Wright of Dunlop, as well as many of the test pilots and engineers who worked alongside him.

It was not only within the organization at Gloster that changes were being made, the RAF was already planning ahead for the entry of jet aeroplanes into service and in May 1943 the Turbine Flight, more commonly known as the 'T' Flight, was formed at Farnborough. The NCO placed in charge was ex-Halton apprentice Flight Sergeant Wilf Hastings whose main task was not only to acquaint himself with the new type of engine but to train airmen engine fitters. Wilf Hastings recalls that most of the men posted to this unit were conscripts with little knowledge of conventional engines, let alone jets, but, with the support of Rolls-Royce, he moulded a nucleus of men who all eventually found themselves at Manston with No 616 Squadron when the unit became the RAF's first operational jet fighter squadron.

Flight Sergeant Hastings speaks with great affection of Adrian Lombard who was one of the few Rover engineers to remain at Barnoldswick when Rolls-Royce took over the design, development and production of jet engines from the motor car company and was to establish himself as the foremost design engineer in the whole international gas turbine industry. One of Lombard's early contributions was to design a modification to the original air supply system. In the original system the air was sucked in and drawn through the rear of the combustion chambers which lay parallel to the drive shaft, before being expelled at the front end and led to the turbine. Lombard rearranged this system so that air was sucked straight into the chambers, which were pointed down at their rear ends, and exhausted straight into the turbine.

Meanwhile the vital work of proving the theory in the F.9/40 aircraft was beginning to gather momentum. The long delays experienced in obtaining the originally planned flight engines for the first airframe finally ended in June when the W.2B/23 engines, later to become the Welland, were installed in *DG202* and *DG205*, both of which had been moved to Barford St John the previous month.

On the twelth of the month Michael Daunt took *DG205* into the air for the first time, but was singularly unimpressed by its initial performance, reporting that the engines produced a poor take-off and climb performance, the elevators were too sensitive and the hydraulic pump was very noisy. Both *DG202* and *DG205* had been fitted with a new type of wheel during their period of forced inactivity and the port one on *DG205* burst soon after the aircraft had been taxied to the hangar. The purpose of the new wheel was to improve cooling of the brake drums, but the heat generated during the initial taxying, landing and ground movement had not been satisfactorily dissipated and the inner tube finally called enough. During the early days wheel brakes presented a serious problem, the design office had applied the usual kinetic energy formula without making due allowance for the absence of propeller drag or the presence of high engine idling thrust — fuel atomization was also an associated problem finally resolved by the Lucas Company — so brakes had a very short life. Many solutions including dual drums, cast iron linings, copper plates, and finally steel plates were tried. The co-operation of Dunlop and Jaeger solved the difficulties which, incidentally, led to the commonly used car brakes of today.

On the flying side, Daunt at last flew the original airframe *DG202* on 24 July 1943 for six minutes, and two days later John Crosby-Warren handled the aircraft for 27 minutes. The same pilot flew the aircraft on three successive days at the end of July to check engine handling, gearbox oil temperatures and aileron characteristics, accumulating 117 minutes' flight time and a maximum altitude of 29,000 ft.

This particular aircraft had a chequered career and could easily have ended up on the scrap heap if it had not been for the sharp eyes of an RAF airman at Yatesbury. After the initial flights *DG202* was grounded at Barford St John awaiting new B.23 engines which arrived on 30 September. By 12 October it was ready for flight again and soon after was handed to Rolls-Royce at Hucknall where it completed some 25 hours before being returned to Gloster at Moreton Valence in January 1944. On 10 March it was returned to Rolls-Royce at Balderton and on 28 April was moved to Church Broughton for further development flying. A total of 365 hours had been attained before the port engine blew up on take-off on 13 December causing extensive damage to the nacelle, outer wing and centre section. The aircraft was categorized as a 'Cat : A-C' airframe, but upon further inspection was recategorized as a 'Cat : B' and returned by road to Moreton Valence. Repairs and modifications were put in hand and on 14 May it was once again declared as serviceable. At the beginning of August Michael Daunt retired from flying and his place as chief test pilot was taken by Eric Greenwood. On 11 August he flew *DG202* to Abbotsinch where it was dismantled and taken by lighter to HMS *Pretoria Castle* moored in the Firth of Clyde. On board the carrier it was reassembled and used for a variety of deck handling trials to test the suitability of jet aircraft for carrier work.

By the end of August the trials were complete and *DG202* was returned to Moreton Valence where it remained until 25 April when it was transferred as instructional airframe 5758M to No 5 School of Technical Training at RAF Locking. From there it was moved to RAF Yatesbury in January 1951 where it was used by a succession of RAF Apprentices and Boy Entrants for training purposes. In March 1958 P. A. Brown was detailed to paint the aircraft, which incidently was one of three Meteors at the camp, prior to a forthcoming AOC's Inspection. In cleaning the airframe he noticed earlier markings under the finish the aircraft then carried, and decided to restore the Meteor to its original finish. Although he was unaware at the time that the serial he uncovered was that of the first F.9/40, this did not escape the notice of a former Dowty employee who was passing Yatesbury later that year and stopped to look at the refurbished Gate Guardian. The nosewheel undercarriage leg was recognized as being of the type fitted to early aircraft and the serial confirmed his thoughts that this was indeed an historic airframe. The attention of the authorities was called to the F.9/40, two Welland engines were found at Cosford and the airmen at No 2 Radio School Yatesbury fully refurbished the aircraft, which was then taken into the custody of the aerospace museum at Cosford. Therefore the diligence in carrying out a normal run of the mill spruce-up job to a very high standard probably saved *DG202*, which might otherwise have ended up on a fire dump.

Throughout the late summer months test flying continued with *DG202* and *DG205* as well as the E.28/39 now equipped with a W.2/500 engine which Michael Daunt sums up simply as 'an extremely good engine'. The third airframe, *DG204*, joined the programme and was powered by the axial-flow Metro-Vick F.2 engines (later to become the Beryl) housed in slim underwing mounted nacelles which enabled the rear spar to be a continuous structure thus disposing of the 'banjo' through which the tail-pipe of the other power units passed. This aircraft also had a lengthened landing gear which was not immediately apparent since the lower positioned nacelles tended to disguise it. The F.2 engine was derived from work carried out by Metropolitan Vickers in 1937 when they were commissioned by the Air Ministry to design and develop an axial-flow engine using their experience of steam turbine design. The first compressor was a failure but the second, known as the D.11 was more ambitious, it had seventeen stages and was of drum construction. A contract for the first axial-flow jet engine was placed in 1940 and the compressor blading was designed by the RAE Chief Designer of this project, Dr D. M.

Smith, and an important part was also played by K. Baumann. The engine was first tested in December 1941 and flown in a modified Lancaster bomber in July 1943. It laid the foundations for this type of jet engine and led to the development of the Sapphire which went into production in 1949 in the hands of Armstrong Siddeley Motors Ltd, who had assumed all responsibility for design and development in 1947.

During taxying trials which began at Barford St John on 3 August, Michael Daunt found the idling thrust of the F.2 engines to be very high and the aircraft would move away quite easily without the throttle being opened. This led to the brakes overheating and after thirteen minutes of the trials, during which the pilot attempted one take-off but was unable to achieve this due to the incorrect positioning of the centre of gravity preventing the nosewheel from lifting, he had some difficulty in stopping the aircraft. It was agreed that the engines should be removed and returned for modification, after which they went back to Gloster just after the move to the new airfield at Moreton Valence.

On the instructions of the MAP *DG204* was moved to RAE Farnborough together with other aircraft not immediately required for airframe development. It was from this location that the Metro-Vick powered F.9/40 made its maiden flight on 13 November. Before any real assessment of the axial-flow engines could be carried out, the aircraft was destroyed in a flight on 1 April 1944, having accumulated a total flight time of under four hours, during which it had never been taken above 6,000 ft. Test flying had revealed two worrying problems, one was aileron instability at high altitude and the other engine surge. On 28 June both these problems manifested themselves when Daunt was flying *DG205*. Just as he was noting his time for a climb to 25,000 ft the port engine surged, it repeated this twice more before the throttles were closed and a descent to 20,000 ft was commenced. It was during this descent that the pilot tried the aileron control at an IAS of 330 and found them to be overbalanced. During level flight at 20,000 ft the overbalancing did not recur and in the following descent to 15,000 ft, during which the speed was pushed up to 360, the situation did not repeat itself.

Michael Daunt told the author that in those early days of test flying jet aircraft there was no sophisticated computer equipment to help and the pilot was very much on his own, relying on notes written on a knee pad, his memory and on some occasions very rudimentary, by today's standards, recording equipment. It was therefore, in his view, necessary to take things in easy stages and he said that at this time he would make sure that every action was taken with very careful thought and planning where the latter was possible. He pointed out that in such cases as the first encounter of the aileron problem, he would take the aircraft to the edge of the flight envelope in which difficulties might be expected, then gradually ease it into the unknown. For example, when he first started to encounter the phenomena of compressibility, he climbed to 35,000 ft, then carried out a series of shallow dives increasing the airspeed in 10 mph increments so that he hit trouble as quietly as possible. He went on: 'We heard of Spitfire and Typhoon pilots, who had encountered problems with compressibility at speeds of about 75 per cent of the speed of sound, and had difficulty in pulling their aircraft from the dive. My first experience in the Meteor was announced by extreme vibration and a stiffening of the controls, particularly noticeable was the vibration from the ailerons. I had no idea what to expect but decided to allow the aircraft to continue downhill, so that the Mach number decreased as the air became denser. The objective was not to panic and although the aircraft recovered quite easily once the Mach number had decreased, it shed some rivets during the recovery.'

It was at this time that scientists thought they knew what happened to the airflow around airframes at 80 per cent of the speed of sound and probably what would happen at Mach unity, but test pilots were less convinced, and it was after Daunt's first encounter with this situation that he sat down and penned the following lines to George Carter :

Sing a song of shock stall, words by Ernest Mach;
Four and twenty slide rules, shuffling in the dark.
Begone, O doubting fancies, our George will fill the bill.
But George! Please make the Meteor a wee bit meatier still.

Several modifications were carried out to the aileron installation in an attempt to cure the problems encountered, these included the cleaning up of the metal shrouds around the leading edges, spring tabs and mass-balance weights carried inside the wings and short extensions to the trailing edges. But despite these it was found that improvement in one area invariably led to problems in another, thus making it practically impossible to provide light aileron feel throughout the aeroplane's altitude envelope. Aileron flutter was also encountered on some flights and this was cured by the introduction of internal mass-balances on the flat side of the control surfaces.

The W.2/500 engines, so much liked by Daunt, were fitted to *DG203* and proved to be surge free, therefore providing the ideal power sources to use when testing controls at high altitude. The first flight was successfully made in November 1943 but just prior to the second the port engine's impeller disintegrated and virtually destroyed the engine. The aircraft was re-equipped with the 700 series engine which developed over 1,700 lb thrust at 16,750 rpm and it was ready for its maiden flight with the new engine in early 1944. The aircraft responded well with the increased power reaching over 460 mph at 20,000 ft although a sharp decline in performance was noted as altitude increased. It was in this particular machine that Michael Daunt used another of his 'nine lives'.

Whilst flying at a fairly high speed the port engine impeller disintegrated and took debris out through the top of the engine nacelle. Lateral control appeared to have gone and despite Daunt's efforts the port wing would not come up. He decided that the aircraft was beyond recovery and should be abandoned but by the time he had jettisoned the hood and released his Sutton harness the speed had decayed and some control returned. With the stick fully over to the right, the wing came up but it was impossible to turn the aircraft to starboard, however he felt that a landing was possible and therefore decided against baling out. A wheels-up landing was successfully made in a potato field during which the aircraft dug a furrow with its nose, throwing the crop into the engines. Daunt was unhurt and his wry sense of humour prompted him to suggest the formation of the Whittle-Daunt Agricultural Company to produce the first all in one potato lifter/chipper and cooker.

Although the test flying of the early Meteor prototypes was shared by Michael Daunt, John Crosby-Warren, John Grierson and civilian as well as service test pilots, the contribution of Daunt has tended to be overlooked in some circles, although he was remembered in 1984 when a celebration dinner was held at RAF Cranwell to mark the fortieth anniversary of the Meteor's entry into RAF service.

It is not only test pilots who make valuable contributions, and in addition to those previously mentioned the following Gloster personnel were closely involved with the valuable, and sometimes frustrating, maintenance of the very first Meteors: W. Drew, P. Lowe, R. Haynes, R. Lane, A. Worster, J. Godwin, W. Baldwin and P. Anderson.

As well as paving the way for the first production Meteors, the F.9/40 made a tremendous contribution to the gaining of knowledge of jet aircraft and engine operations. From the outset the airframe proved a reliable mount in which test pilots quickly gained confidence and it was possible to gain an enormous amount of experience on the operation of all the early British gas turbines in their airframes. The following summary details the units which were used in the eight aircraft:

DG202 W.2B/23 engines first flown 24 July 1943

DG203	W.2/500 engines first flown 9 November 1943
	W.2/700 engines first flown October 1944
DG204	Metro-Vick F.2 engines first flown 13 November 1943
DG205	W.2B/23 engines first flown 12 June 1943
DG206	de Havilland Halford H.1 engines first flown 5 March 1943
DG207	de Havilland Halford H.1b engines first flown 24 July 1945. This aircraft was the sole prototype of the Meteor F 2
DG208	W.2B/23 engines first flown 20 January 1944
DG209	W.2B/37 engines, the original Derwent, first flew 18 April 1944

The F.9/40 was, however, primarily designed as a fighter and all the time development flying and various engine installations were being carried out work was proceeding on the original batch of twenty F 1s ordered under contract A.C.1490/41 on 8 August 1941. Each modification found necessary by the F.9/40s was introduced where required, with the final goal being the introduction into operational service as quickly as possible.

In the United States a great deal of interest had been taken in the work being done by Gloster and the numerous engine developments taking place on this side of the Atlantic. General 'Hap' Arnold, who was commanding General of the Army Air Forces in 1941, had started things moving in the United States and the Bell Aircraft Company had designed and built the XP-59 Airacomet, which like the Meteor was a twin-engined aeroplane. Towards the middle of 1943 arrangements were made to swop an Airacomet for a Meteor. This exchange of equipment was provided for under the terms of Lend-Lease and was intended to further the mutual aid plans of the two countries. The American half of this two-way exchange arrived in crates at Hucclecote in September 1943 and Gloster carried out the reassembly of the aeroplane, assisted by nine senior NCOs from the RAF under the command of Flight Lieutenant Pickles. In addition the General Electric Company of America sent Charles Cosser and Frank Burrcham to supervise the engine installation and 'Doc' Meshako from Bell to assist with the erection of the airframe. The latter company also sent their deputy chief test pilot, Bud Kelly, to carry out a check flight before the P-59 was handed over to the RAE at Farnborough for the purpose of obtaining comparative data on airframe and engines.

In December 1943 the MAP decided that the first production Meteor F 1 *EE210*, powered by Welland 1 engines, would form their half of the bargain. Consequently in February 1944 the aircraft was shipped to the Air Base at Lake Muroc in the Mojave Desert. In some publications this aircraft has been referred to as *DG210*, but this is incorrect since this serial was allocated to one of the original twelve F.9/40s and was allocated to a spare airframe earmarked for a second Metro-Vick test-bed, but eventually not proceeded with.

On 15 April 1944 the small British party, which comprised Vic Drummond-Henderson, Bill Baldwin and John Grierson of Gloster and Tim Kendall of Rolls-Royce, was rewarded when Grierson carried out the first flight of a British-built aircraft in America. The party had suffered the discomfort of life under rough conditions in the desert and had been frustrated by the lack of spares and other equipment, but these difficulties were soon put behind them once the aeroplane was flying. The British party returned at the end of July 1944 by which time the Meteor was in RAF service and about to record its first aerial combat. So from the F.9/40s a jet fighter, albeit still somewhat short of its final potential, had been born.

Chapter 3

Single-seat Meteors

The first production single-seat Meteor, of which twenty had been ordered, was basically a military version of the F.9/40 powered by Rolls-Royce W.2B/23 Welland engines each developing 1,700 lb static thrust. In all other respects it was identical to *DG202*. The prototype, *EE210*, made its first flight in the hands of Michael Daunt on 12 January 1944 after which it was shipped to the USA as related in the previous chapter. Whilst this Meteor was being prepared and test flown in the United States, in England the Prime Minister's enthusiastic reception of the demonstration flight carried out at Hatfield the previous spring by the E.28/39 had had a stimulating effect on production and the first RAF squadron earmarked to have the distinction of operating jet fighters was beginning to receive its aircraft. This was No 616 South Yorkshire Squadron Auxiliary Air Force, then based at Culmhead in Devon, whose experience with the aircraft will be told later on.

The first two aircraft to be delivered were *EE213* and *EE214*, their arrival with the squadron being recorded in the ORB as 12 July 1944. So just sixteen months after the first flight of F.9/40 *DG206*, the F 1 was a reality and in operational use. Although it has been claimed that the aircraft was rushed into squadron service this is not so, for as already told the prototypes had been used extensively to test airframes and engine installations and enough experience had been gained to enable this step to be taken with some confidence. Of the twenty F 1s produced sixteen were delivered to the RAF, twelve of these going to No 616 Squadron. The aircraft were flown from Moreton Valence to Farnborough where they were taken on charge by a newly formed unit under the command of Wing Commander H. J. Wilson. This unit's task was to evaluate the aircraft from a service point of view, find out just what it could do, prepare pilot's notes and decide how the conversion from piston-engined aircraft (remember there were no two-seat jet trainers at this time) should be carried out. Surprisingly few difficulties were encountered and although the first two squadron aircraft lacked armament and were used to give pilots experience in flying jet-propelled aircraft the remainder were fully equipped and had their previously yellow undersurfaces resprayed pale grey, retaining the standard RAF camouflage on the top surfaces and having the squadron's code letters, *YQ*, applied to the fuselage sides.

Carrying the company designation G41A, the F 1, although not outstanding in performance, gave the first taste of jet operations to the RAF, as well as carrying out a vital role in the continuing testing and development work that was to lead to improvements in subsequent marks. The second and third airframes, *EE211* and *EE212*, were used as experimental aircraft, the former being delivered to RAE Farnborough where it had its original Wellands replaced by a pair of Power Jets W.2B/700 engines and was involved in a series of tests which led to the fitting of long chord nacelles that were to become standard later on. The third aircraft was used for directional stability trials, during which the rudder area was reduced and the ventral fairing below the rear fuselage was removed. The characteristic

An early F 1, EE223:G. *Note the mirror above the windscreen. This aircraft was used by* Rolls-Royce *and was the first to be fitted with Derwent 1 engines in short-chord nacelles.* (MAP.)

ventral fin of the early mark Meteors was replaced by a tail bumper which was later fitted as standard on the Mk 8.

One of the early problems with the Meteor, as indeed it has been on successive jet fighters like the Hunter and Lightning, was the extremely healthy appetite of the engine for fuel. In an attempt to increase the limited range of the F 1, *EE214* was fitted with a 100 gallon ventral tank, which was later to become a standard fitment on all Meteors. On this particular aircraft the tank was not jettisonable but that fitted to *EE221*, which incidently was the first aircraft to be flown operationally with W.2B/700 engines, was. This aircraft was converted to F 3 standard and used for tank jettison trials. Another important development was tried on *EE223*, it was fitted with Derwent 1 engines, these being basically modified Wellands with new impellers and larger turbines. The thrust of 2,000 lb lifted the performance above that of the standard F 1 which was marginally less than that of the de Havilland Vampire. This aircraft was also the first production Meteor to have a pressurized cockpit.

One of the most interesting F 1s was *EE227*, one of the last production aircraft which after service with No 616 Squadron was taken to Farnborough where the top section of the fin/rudder above the tailplane was removed in further directional stability investigation work. This machine was then handed over to Rolls-Royce at Hucknall where it was fitted with the RB.50 Trent turboprop engines. Fitted with 7 ft 11 in diameter propellers, this aircraft was first flown by Eric Greenwood on 20 September 1945 to record the world's first flight by a turboprop aircraft. Although the pilot found vibration extremely uncomfortable he was very impressed with this type of power unit and quite correctly forecast a great future for it. The increased side area and torque of the propellers made the Trent Meteor, as it was called, directionally unstable and it was returned to Moreton Valence where it had two additional finlets added to the tailplanes. Although this modification improved the handling, the flying characteristics were still not entirely satisfactory and eventually the Trent, which was basically a Derwent with spur reduction gear driving the propeller, was fitted with reduced diameter airscrew. The new Rotol propeller was just under 5 ft in diameter and absorbed 350 hp, at the same time the thrust was increased to 1,400 lb by decreasing the size of the jet pipe.

In April 1948 the Trent Meteor was transferred to A & AEE at Boscombe Down where it underwent several trials, including simulated deck landings. During its time at Boscombe the aircraft was flown by a number of test pilots as well as Ministry pilots who had been familiar with the standard Meteor. One of the techniques used by service pilots during take-off with the normal jet powered Meteor was to get the aircraft close to flying speed and then raise the undercarriage, although the machine would dip slightly, it would gain speed more quickly thus accelerating the climb-out. This in fact was a procedure that was to lead to some exhaustive tests being carried out on Meteor undercarriages which will be covered in a later chapter. Mr J. E. Talbot — now a Chief Systems Engineer with British Aerospace — was at Boscombe during the Trent Meteor tests and recalls one occasion when a pilot attempted the 'early retraction of the undercarriage' technique to get airborne, apparently not appreciating the presence of the small propellers. The aircraft settled back and approximately 4 in was removed from each blade. A successful circuit was flown and the aircraft landed without further damage, but an important if somewhat embarrassing lesson had been learned. After about 47 hours flight time with the turboprop engines, the aircraft was converted back to F 1 standard and used for fire destruction tests.

The twelve aircraft used by No 616 Squadron proved popular and reliable, as can be seen

The turbo-prop Meteor 3, EE227, *known as the Trent Meteor.* (GAC.)

from an extract from the servicing log covering a fifty day period from 29 June to 17 August 1944:

Aircraft	**Days on RAF charge**	**Days Serviceable**	**Days Unserviceable**	**Flying Time** Hours	Mins	**Serviceability**
EE213	38	32	6	149	00	84%
EE214	50	39	11	136	00	78%
EE215	50	28	22	22	50	56%*
EE216	40	33	7	45	00	82.5%
EE217	20	18	2	14	45	90%
EE218	35	28	7	24	20	80%
EE219	37	34	3	26	55	92%
EE220	19	18	1	14	15	94.5%
EE221	21	21	-	14	10	100%
EE222	13	12	1	9	45	92.5%
EE224	13	11	2	12	45	84.5%
EE225	9	8	1	12	00	89%

* The comparatively low serviceability of *EE215* is due to the fact that this aircraft was used for all the trial installations for armaments and other improvements during the period quoted.

To complete this short survey of the Meteor F 1s it is necessary to mention *EE215*. This aircraft arrived at Manston on 23 July. It was the first Meteor to be fitted with guns and was used in trials of these at Boscombe Down. It was returned to Power Jets for experimental work in relation to the use of reheat. The early Welland-powered aircraft had very poor initial acceleration but tests had indicated that increased thrust could be obtained by injecting fuel into the jet pipe. The starboard engine of the aircraft was modified by the fitting of a flame tube to the end of the bullet fairing behind the turbine, a spark plug was installed at the front end of the tube and at the other end a circular disc with twelve equally spaced holes was fitted. Fuel was sprayed from the holes into the jet pipe, air currents took the fuel mist into the flame tube where it was ignited by the plug, this formed a pilot flame which burned fuel in the jet pipe and increased thrust until either the reheat fuel was switched off or exhausted. Several problems, including the failure of some welds caused by resonance, arose and it was not until February 1945 that these had been dealt with effectively enough to enable both engines to be converted. During the period work was being carried out on modifying the engines the opportunity was taken to remove the armament and ammunition bay from the aircraft and fit an additional seat for a flight test observer, thus technically *EE215* also became the first two-seat Meteor.

Early trials indicated a gain of some 50 mph with the reheat operational, but with it off the additional weight of the system created enough drag to slow the aircraft down below that of a standard F 1. The rate of climb was greatly improved, but so was the fuel consumption and consequently the aircraft's endurance. It became necessary to fit a ventral tank similar to that used on *EE214* and although that obviously increased fuel capacity it led to other difficulties, since a form of chain reaction was set up by the reheat system. When reheat fuel was burned, pressure across the turbine decreased making it necessary to inject more fuel into the system, this had the effect of raising the turbine's temperature to beyond safe limits, therefore restrictions on the amount of reheat fuel used had to be introduced.

Power Jets accepted the aircraft back from RAE to carry out more tests, during which it was decided that the Welland had been stretched to its limits and further investigation using this type of engine would not be worthwhile. However, work continued with a pair of 700 series engines and the much modified aircraft was finally ready for more tests in October 1945. By May 1947 sufficient experience had been gained — after much experimentation — to make reheat a worthwhile addition to jet aircraft and today it is a standard component on interceptors.

In 1941 Henry Tizard invited the de Havilland Aircraft Company to design a jet engine, the result was the Halford H.1 which, as already related, was used to fly the first Meteor in March 1943, following Rover's inability to provide the originally planned power units. The H.1 engine used a single-sided compressor with sixteen combustion chambers; anticipated thrust was 3,000 lb but although this was obtained from the Goblin 11, which was a derivative of the H.1, the latter engine was initially restricted to 2,000 lb. The H.1 engine, later called the Goblin 1, was destined for the de Havilland Vampire and was later developed through the Goblin 11 to the more powerful Ghost, which powered the ill-fated Comet 1 airliners. From these beginnings came the Gyron and the Gyron Junior. Halford became the Technical Director and Chairman of the de Havilland Engine Company which was formed in 1944. The company suffered a double blow in 1955 and 1959 when first Halford, then his life-long friend and colleague John Brodie, died. Dr E. S. Moult, who had worked with both men, carried on the design function with de Havilland and later became the Technical Director of the Small Engines Division of Bristol Siddeley Engines.

The first H.1 engines were used to achieve the maiden flight of the F.9/40 and Gloster were impressed enough by these to suggest that a number of Meteors be modified to F 2 configuration and fitted with Goblins to get the aircraft into RAF service. Although the MAP could see the logic of this, and were equally frustrated at delays in delivery of the original Rover engines, they preferred the option of de Havilland pushing on with the Vampire and did not want this delayed by diverting the DH engine to Gloster's aeroplane.

Some seven years later the two companies were again in the situation of co-operating in the use of the Goblin, this time when Sweden was expressing an option for 30 NF 11 night fighters fitted with the de Havilland engine. This rather interesting aspect of the night fighter Meteor will be covered in the following chapter.

In October 1942 the MAP had instructed Gloster to give some priority to an operational version of the Meteor with Halford engines, which was to be known as the F 2, Gloster's type designation being G.41B. The sixth F.9/40 airframe, *DG207*, was earmarked for this work, and in the event proved to be the only F 2 Meteor to fly. Modifications to the aircraft, which was to have increased fuel capacity and an ammunition requirement of 780 rounds instead of 480, included strengthening of the centre section, main undercarriage location points and the engine ribs. The wing span was to be increased by 8 in and the fuselage very slightly reduced in length. Although the all up weight increased to 13,140 lb, top speed was calculated to go up to 520 mph at 30,000 ft and the service ceiling to 46,000 ft. The prototype F 2 made its maiden flight on 24 July 1945 in the hands of John Grierson from Moreton Valance, by which time the F 3 was already in service. The planned production of fifty aircraft between January and May 1945, with a schedule of twelve per month following on, was not proceeded with.

With Rolls-Royce taking over responsibility for development and production of the W.2 series of engines and the MAP's realization that this would negate the need to use the alternative de Havilland power plant for the Meteor, Gloster started work on the third variant, the G.41C, F 3, which was in fact the second single-seat version to fly. This aircraft was designed specifically for the W.2B/37 Derwent 1 engine and was improved by the inclusion of a fully transparent hood with the centre canopy section of the 'blown' Malcolm type sliding on runners rather than being hinged as on the F.9/40s. Internal fuel capacity was increased and the aircraft was fitted with slotted air brakes on the top and bottom surfaces of the mainplanes, which still retained the 43 ft wingspan of the F 1.

By the time the first F 3 airframe was ready to start flight trials the Derwent was just entering production, so it was decided to use W.2B/23C Wellands as an interim measure. These were in fact installed on the first fifteen F 3 airframes, of which a total of 210 had been ordered on contract 6/ACFT/1490 CB 7(b). The first aircraft, *EE230*, made its maiden flight in early September 1944 and deliveries to the RAF began on 18 December when *EE231* went to No 616 Squadron at Manston to start replacing the F 1s.

Commencing with *EE245* the F 3s started to be fitted with the 2,000 lb thrust Derwent 1, the Gloster designation for these being G.41D, and subsequently all the remaining 195 aircraft were equipped with this engine. Several of the first fifteen Welland engined Meteors were retrospectively fitted with Derwents and could be identified by the shortened tail pipe of the engine and two oil cooler vents on the top of the nacelles.

Tests by the RAE to improve the high speed handling characteristics of the Meteor indicated that there was a breakdown of airflow around the engine nacelles at about Mach .75, which caused a high increase in drag as well as severe buffeting and placed the centre section in a stalled condition. Experiments indicated that by increasing the length of the nacelles in front of and behind the wings, the conditions experienced could be delayed in their onset. The longer nacelle was tested on F 1 *EE211*, and found to live up to its expectations. It was therefore introduced as standard on the aircraft, the last fifteen production F 3s being the first aircraft to have these. Once again, several earlier F 3s were retrospectively fitted with the long-chord nacelle, as it was known, and in this configuration the aircraft was designated G.41E.

However it was with the Welland engined aircraft that one flight of No 616 Squadron wrote another chapter in the history of British aviation, when it took its aircraft to Belgium in

Top right *A factory-fresh F 3. Compare the changes in canopy and windscreen with the F 1 in the photo on page 36.* (MAP.)
Right *Four factory-fresh F 3s await flight checking. Painting of the furthest aircraft looks to be incomplete.* (GAC.)
Below right *A No 616 Squadron F 3,* EE236:YQ-H, *on active service in 1944. Note the Airspeed Oxford and Jeeps in the background.* (Charles E. Brown.)
Below *An F 3,* EE457, *from the fifth production batch. This aircraft was issued to No 222 Squadron where it became* ZD-Q. (H. Holmes.)

January 1945 to become part of the 2nd Tactical Air Force and the first Allied unit to operate jet fighters on the continent of Europe during World War 2. Later they were joined by No 504 Squadron which had received its first F 3s on 10 April 1945. Another distinction for the F 3 was that it became the first jet fighter to equip a peacetime Auxiliary Squadron when No 500 (County of Kent) Squadron took delivery of its aircraft on 14 August 1948, as the regular service began to take delivery of the more powerful F4.

The F 3 was a big improvement over the F 1 with a performance well in excess of any contemporary piston-engined fighter then in service, but initial delays in production saw only a handful in service by the time the war ended. Nonetheless the thirty or so which had reached the squadrons completed several hundred combat sorties, although they never met the Luftwaffe's jet fighters in air-to-air combat.

Over thirty of the 210 F 3s built were used in very important experimental work, including ejection seat trials, carrier operations, initial work in camera installations for the fighter-reconnaissance role and the first tentative steps in the fitting of nose radar, later adopted for the night fighters. A brief resumé of some of these aircraft is shown in the appendices.

The greatly improved performance of the straight-flow Derwent 1 engine over the reverse-flow Welland gave the F 3 that little bit more 'bite', but it was only the tip of the iceberg as far as Rolls-Royce and Gloster were concerned. The B.37 Derwent I engine had a diameter of 43 in, the same as the Welland, the series II engine was a development giving extra thrust, whilst the series III was a special unit used in experiments to provide suction on aircraft wing surfaces for boundary layer removal. The series IV gave a further increase in thrust to 2,400 lb but it was the series V, which was a completely new engine, that gave the Meteor F 4 its vastly increased performance and made it the first 600 mph fighter to serve the RAF.

Experience gained in developing the Derwent series led Rolls-Royce into the design of the much larger B.41 Nene, which was designed in response to a MAP specification issued in 1944 for a jet engine giving a minimum thrust of 4,000 lb. The Nene handsomely exceeded this, reaching 4,500 lb during early tests runs, but its 55 in diameter was far too great to fit into the Meteor's engine nacelles although much later on *RA490* was modified to take these engines during trials of a jet deflection system.

Rolls-Royce decided that a scaled down version could be produced and undertook an intensive redesign programme under the leadership of J. P. Herriot, which produced the Derwent 5. This engine, which retained the acceptable 43 in diameter of the earlier versions carrying the same name, easily completed its 100 hour test run at 3,000 lb thrust and between July and September 1945 this was increased to 4,000 lb. Meteor F 3 *EE360* was modified to take the Derwent 5 engines and therefore technically became the prototype F 4, flying for the first time on 17 May 1945 in the hands of Eric Greenwood. Installation of the Derwent 5 was the major factor in giving the F 4 a performance that Greenwood described as being ahead of any other jet aircraft at that time.

The massive increase in thrust, which was more than double that of the Welland and 75 per cent greater than the Derwent 1, took the F 4 to 30,000 ft in six minutes, an improvement of nine minutes over the F 3, and maximum sea level speed approaching 600 mph. But of course the new engines were not the only improvements incorporated in the aircraft. It was equipped with a fully pressurized cockpit, this being provided by air drawn from the Derwents' compressor casings, which source also inflated the rubber gasket sealing the canopy. The aircraft was fitted with a 100 gallon ventral tank and later on was also equipped with wing tanks. The basic breakdown of the structure was the same as the already proven components of the F 1 and F 3 and made it one of the most easily transported aircraft ever to go into service. The structure, which was increased in strength to accommodate the increased performance, was broken down as described for the F.9/40 but it is worth looking at this in greater detail as it was incorporated into a production aircraft rather than a virtually hand-built prototype.

Above *The private venture F 4,* G-AIDC, *at Manston on 14 April 1947, prior to its European Demonstration Tour.* (H. Holmes.)

Below *The F 3 was replaced by the greatly improved F 4. This aircraft,* EE592, *was from the second production batch of 32 aircraft.* (MoS.)

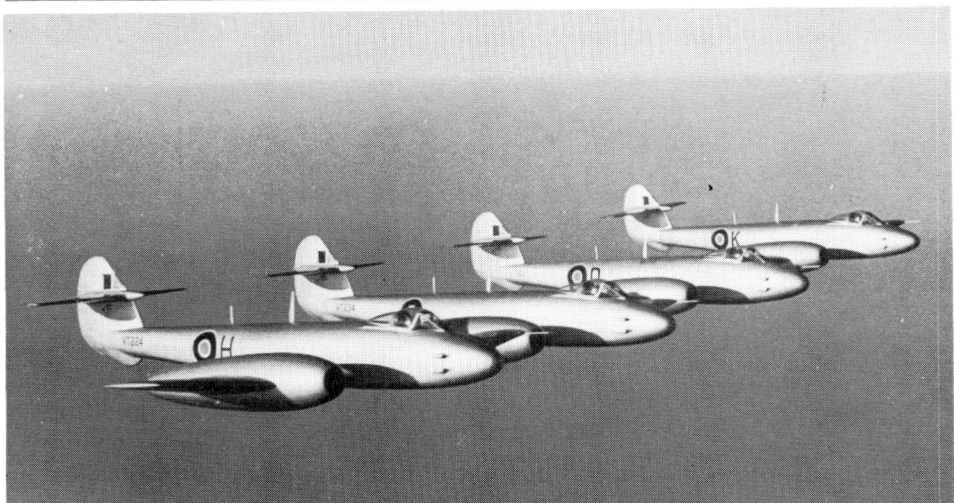

Above *A quartet of F 4s belonging to the RAF's Central Fighter Establishment* (H. Holmes.)

Top *This F 4,* VZ386, *was the first Meteor to be built by Armstrong Whitworth Aircraft.* (AWA.)

Top right *The original three piece hood of the F 4 is clearly visible on* VT229 *which served with 66 Squadron before going to 203 AFS.*

Right *Like its piston-engined forerunners, the Meteor could also be flown with the hood open.* EE464, *an F 3, served with No 124 Squadron and No 56 Squadron, but in this view it is carrying No 124 markings.* (A. Thomas.)

VT229
ON
F

The three major components into which the fuselage was divided consisted of the nose, rear and centre sections. The basis of the front fuselage was two vertical webs and three bulkheads, the first of these carrying the nosewheel mounting structure and forming the front pressure bulkhead. The seat was attached to the second bulkhead, whilst the third carried the front spar and completed the end of the nose section.

The inner and top skins between the nosewheel and seat bulkheads were of heavy gauge light alloy to withstand the loads created by the 3 lb per square inch cabin differential pressure. The canopy was in three parts comprising the windscreen, consisting of three bullet proof panels in an alloy frame, the sliding hood and a rear transparent fairing attached to the top of the ammunition bay access door. The hood was opened and closed by a hand-winding mechanism and was fully jettisonable in the event of an emergency. The four Hispano 20 mm cannons were mounted in pairs either side of the cockpit between the inner and outer skins and were easily accessible through large removable panels. The complete front assembly was attached to the centre fuselage, which was an integral part of the centre section, by four longerons which took the loads at the top and bottom of the main frames.

The centre section was of all-metal cantilever construction with the front spar duplicated to create a transport joint. The engine nacelles were an integral part of this section, with the main undercarriage location points being located between these and the fuselage fuel tank bay. In this bay were four bearers with tie members to absorb the fore and aft motion of the fuel. The wing root sections between the fuselage and nacelles also contained the slotted air brakes which were located aft of the rear spar.

Completing the fuselage was the rear section which was of stressed skin structure with an oval cross-section, the last two frames of which were extended to accept the tailplane and upper fin.

As on the F 1 and F 3 the mainplanes were divided into four sections, two outer and two centre, the latter having six major ribs with lighter ones between them and the two spars. The two spars comprised the front, which was the main, and the rear, which in the engine area was increased in depth to accept the tail pipes and formed the famous 'banjo' mentioned in earlier descriptions. The spar and associate webs in this area were of stainless steel construction.

Excellent access was gained to the engines via removable panels on the nacelles which were located on the top half between the two wing spars. The entire nose section forward of the main spar was also completely removable. The outer wings were attached at the front and rear spars and had lattice type wing ribs, with a thickness/chord ratio of 12 per cent at the root and 10.4 per cent at the tips which were detachable.

The wing sections were EC1240 in the centre section and a combination of this and EC0940 outboard of the engines. The first F 4s had the same 43 ft wingspan as the earlier aircraft, but during tests it was found that the structure was unable to accept the increase in performance with any degree of safety. Most of the additional loads were having to be taken by the wing structure and it was thought that a major redesign would be necessary, but this would have created delays in the aircraft's entry into service. The Gloster design office came up with the simple solution of reducing the span by 5 ft 10 in. This resulted in the familiar clipped wing version of the F 4, which was designated G.41G. The modification first appeared on *EE525* and was subsequently incorporated into all F 4s, only about a hundred of the original aircraft were produced with the long-span wing, some of which were retrospectively modified after being delivered to the RAF. The reduced wingspan greatly improved the aircraft's rate of roll to more than 80° per second, but a small penalty had to be paid in higher take-off and landing speeds. However the modification overcame the stress problems within the centre section structure and made the Meteor a superb vehicle for aerobatics; an essential and much appreciated part of a fighter aircraft.

During flight trials with the converted F 3, *EE211*, it was found that the improved engine

Above *A busy scene as a new F 4 leaves the workshop at Hucclecote.* (GAC.)
Below *Gloster carried out a variety of tests with underwing stores on the F 4. Here* EE519 *is carrying 1,000 lb bombs. It was also fitted with 95 lb rockets before going to Martin-Baker.* (GAC.)

nacelles had increased speed by about 60 mph at sea level, a figure which decreased to 50 mph at 4,000 ft. It was also reported by the pilot responsible for a lot of these early flights — Flight Lieutenant P. Stanbury — that as the limiting Mach number was approached the aircraft tended to become tail heavy, to combat this the tailplane incidence was increased by one degree. John Grierson also found that when diving close to the critical Mach number, a fore and aft pitching movement developed and this was eased by reducing the previously introduced incidence by ½°. The area of compressibility experienced by Michael Daunt was now being reached regularly and serious consideration had to be given to it.

Piston-engined aircraft such as the Typhoon and Tempest, powered by 2,000+ hp Napier Sabre engines, had already met the problem of stiffening controls and severe buffeting, as indeed had other aircraft such as the more aerodynamically 'clean' Spitfire and the enormous American built Republic P-47. In the magazine *Aeronautics* of February 1943 the following news item relating to the American aircraft was included:

'According to a report from America, two USAAF pilots have flown aircraft (presumably Republic Thunderbolts) in dives when the speed reached 725 mph! Both pilots said afterwards that they had retained mental clarity, it was stated. The tremendous speed "froze their control columns". To pull the machines out of the dives, "emergency cranks" had to be used. Details of these "cranks" are lacking.'

Without being in possession of all the facts it is hard to make any accurate comment, but it does seem very likely that the story as reported was grossly exaggerated, and one can only conjecture as to the equipment used and so quaintly described. But there was a real problem, and although aerodynamists had evolved theories these could only be proved by practical use of a high speed aircraft.

The famous test pilot George Bulman had long discussions with Michael Daunt and the Gloster team as well as other pilots, and had already made it quite clear that the effect of compressibility was looming on the horizon as the next barrier to be overcome. Flight

An F 4, EE593, *just after roll-out at Moreton Valence in 1948. It went to No 203 AFS.* (G. F. Evelin.)

Work progressing on an F 4 at Gloster's main factory. Accessibility to major components is well illustrated. (H. Holmes.)

investigation of the problem at the RAE was described by Handel Davies when he lectured on 'Flight Research at High Subsonic Speeds' to the Royal Aeronautical Society just after the war. He pointed out that tests using recording equipment on Spitfires and Meteors had shown that as the Mach number increased, lift became limited by trim and stability changes or by buffeting before the true stall. He likened the problem to that encountered some two decades earlier in the correlation of wind tunnel and full scale drag measurements, and summed up by saying, 'Now practically everything is in the melting pot again, and we have to find a fresh basis whereby the difficult results can be judged against the background of experience'. This could only be done by continual approaches in flight to the problem area, and was being carried out by the RAF and Naval pilots at Farnborough. A cautious approach was needed and this brought a timely warning from Commander Eric 'Winkle' Brown, that there was a dangerous tendency among some pilots from non-testing units where they had been flying the innocuous Meteor F 3 to look longingly at the more lethal F 4 and say, 'Let me get at it and I will burst the sonic barrier wide open for you'.

It was just not as simple as that, and although the emergence of the jet engine had brought about the cessation of further development of the Sabre, its embodiment in a cleaner airframe was not the total answer. The propeller fighters were becoming uncontrollable in dives at speeds approximating to M.70-M.75, but the significance of this was not immediately appreciated. Then the more powerful jets proved to be still disappointingly limited, for example at around M.74 in both the Vampire and early Meteors,which was slower than the M.76 recorded by Frank Murphy in a Tempest at Langley in 1944.

The much improved fineness-ratio nacelles of the Derwent 5 powered F 4 resulted in a further small increase in usable Mach number, and in an intensive series of dives to the out of control condition in March-April 1946 from Moreton Valence, mainly in aircraft *EE455*, Roland Beamont found that M.79 was the new boundary of reasonable control. By M.83-M.84 there was powerful pitch-down with no response to elevator and the consequent dive had to be ridden down in violent buffeting until passing 15,000 ft where the nose began to rise slowly under continued heavy pull-force as the Mach number reduced with loss of altitude. This was a finite limit which no Meteor 4 was going to exceed operationally for any practical purpose, but it was restricting only in the dive as the level thrust/drag performance maximum of about M.78 at altitude could be reached without serious control trouble, although buffet and the beginnings of compressibility trim changes were in evidence.

The margins were small however, and service pilots would have to be trained on the technique for descents keeping clear of 'compressibility'. This reflects very much the earlier comment of Michael Daunt when he referred to allowing the aircraft to descend to levels where thicker air reduced the Mach number. As production of the F 4 increased so more and more service pilots were acquiring their first taste of jet flying, finding it very much to their liking and not as difficult to convert to as had been predicted. The main controls and instrument layout of this first RAF quantity production jet fighter were very similar to those of the Spitfire, Tempest and Typhoon that many of the first post-war jet pilots had been flying. At this time there was no jet trainer, so conversion usually started on the Airspeed Oxford to enable those pilots used to single-engined aircraft to gain experience on twins. The ease with which the majority of the pilots converted can be seen by examining the log-book of A. H. Burgess who was a pilot with No 234 Squadron when they converted from Spitfire IXs to the F 3 in 1946.

On 30 January he made his last Spitfire flight before going to No 1335 Meteor Conversion Unit based at Molesworth in Cambridgeshire. He then flew an Auster on 11 February to familiarize himself with the local area and eight days later he made his first solo on Meteor F 3 *XL-Y*, the flight lasting 35 minutes. A further flight on the same day, followed by two more on the 21st, saw him ready to practise low flying on the 22nd and aerobatics at high altitude by the 27th of the month. This was followed by several flights in an Oxford but by July he was well and truly converted to jet fighters.

The instrument layout was almost identical to that familiar to single-seat fighter pilots, with the addition of jet pipe temperature gauges and duplicated engine instruments, but the deletion of propeller pitch controls. At this time electrically operated gyro instruments were still things of the future so a vacuum system consisting of two engine driven pumps was used to operate the standard RAF Blind Flying panel.The gun sight was a Mk 11 Gyro sight with a recording camera, ranged by a twist grip on the throttle levers. A G.45B cine-camera was installed in the aircraft's nose. The electrical system, which operated heating, lighting and instrument services, was powered by one 1.5 kW 24 volt generator, charging two 12 volt accumulators connected in series. Radio equipment was a T/R1143 in early aircraft, replaced by a two-way T/R1464 VHF set, with provision for standard beam approach. In later aircraft IFF was achieved via an R3121 installation.

Coming to the Meteor for the first time, most pilots were immediately impressed by the extremely good all-round vision and the absence of a long nose cowling which made taxying in aircraft like the Spitfire a tricky business. Either side of the cockpit were the four Hispano 20 mm cannons, which were fed by belt feed mechanisms from the ammunition tanks located aft of the cockpit, the spent cases and links being ejected through chutes in the bottom skin of the under fuselage. The weapons could be selected to fire in top or bottom pairs, or all together, and firing was by Dunlop electrical sear release units operated by a button on the control column. The latter had a spade grip and was connected to the elevators and ailerons by torque rods, chains and cables.

The rudder pedals deviated from the conventional because the nosewheel cover occupied the space in which the rudder bar would normally have been, therefore each pedal was mounted on a separate roller unit which moved in its own guides. Trim tabs on the rudder and elevator were operated via conventional hand wheels, and that on the rudder could also be used as a balance tab. Fuel was carried in the main cells situated behind the ammunition bay and there was also a ventral tank from which fuel was fed to the main tanks by air pressure, the flow being controlled by a float valve in each cell. An electrically operated pump drew fuel through an inverted flight trap and delivered it through a low-pressure cock to the respective engine, the front half of the tank feeding the port engine and the rear the starboard. A balance cock could be opened to enable all fuel to be fed to one engine and in operation Meteors could be flown on one to stretch endurance. In fact flying on one engine the aircraft still had a healthy performance and could reach 400 mph at sea level. Wing tanks were introduced on the F 4 but used for ferrying purposes only, although on later versions they were used operationally.

As more and more modifications were carried out to the airframe the centre of gravity which had been problematic on the F.9/40, F 1 and F 3 became worse. The heavier engines and jet pipes of the F 4 exacerbated the problem of tail heaviness and was cured by the addition of lead ballast distributed in the nose, nacelle leading edges and nosewheel mounting, in some cases this could total over 1,000 lb.

Compared to the piston engine, starting the Derwents was quite simple; throttles closed, high-pressure and low-pressure fuel cocks on, ground/flight switch to ground, low-pressure fuel pump on and then depress the starter button thereby initiating the automatic starting cycle, during which the engines were accelerated to an idling speed of 3,000 rpm. A watchful eye was kept on the jet pipe temperature gauge which should not be allowed to go beyond 500°C, and any jet pipe resonance had to be countered otherwise a turbine blade could be shed. Once the engines were started it was essential to get underway as quickly as possible, since on the ground and at low level, the aircraft had a tremendously healthy appetite for fuel. In the early days of jet engines the phenomenon of a 'wet start' resulted in a most spectacular scene. This occurred when the igniters failed to operate and resulted in the engine being flooded with fuel, this in itself was not dangerous as kerosene has a low flash point. Fuel which accumulated in the jet pipe could often be ignited on the subsequent start and the flames which exited via the tail pipes could be quite dramatic, especially at night. The correct procedure was to repeat the starting sequence with the high-pressure cock switched off, to drain the engine of excess fuel and get the ground crew to sponge out the unburned fuel from the rear of the nacelles.

The F 4 was simple to handle both in the air and on the ground and its harmonized controls provided good qualities through the speed and altitude ranges. Its tremendous power enabled it to reach its limiting Mach number of around M.8 fairly quickly and if this was exceeded the airbrakes, which could be opened at any speed, brought about very rapid deceleration. On approaching the edge of compressibility the aircraft warned the pilot by slightly pitching up its nose, which also helped to correct the situation. At high Mach numbers the controls became almost solid which prevented them being overstrained by violent movements, and it is worth mentioning that they were all manually operated as opposed to the later modern tendency, and indeed absolute necessity, of power-operated controls. Of the 680 F 4s built by Gloster and Armstrong Whitworth, who came into the programme in 1946 and built 45 aircraft, 489 saw RAF service with 22 operational squadrons including seven Auxiliary Air Force Units, as well as OCUs, CFE and AFS.

Although there were problems, some of which will be dealt with in a later chapter, the F 4 was extremely popular with pilots and proved to be a very valuable weapon in the RAF's immediate post-war inventory. It was a very good aerobatic machine and few who witnessed it will ever forget the scintillating display carried out by Squadron Leader Roger Emett (then a Flight Lieutenant) at the RAF Display Farnborough in 1950.

Roger Emett joined the RAF as an apprentice in 1938 and during the Battle of Britain he was an engine fitter. It had always been his ambition to be a pilot and this was realized in 1943 when he was selected for flying training which he did in Southern Rhodesia. After obtaining his 'wings' he flew with No 192 Bomber Squadron and made several operational trips during 1944 before becoming a flying instructor. Graduating to the Meteor, Roger Emett became an instructor at No 203 Advanced Flying School where his prowess with the aircraft quickly became evident. In 1950 Fighter Command held an eliminating contest to select the RAF's

Meteor demonstration pilot, and against very stiff opposition he was chosen by the C-in-C, Air Marshal Sir Basil Embry, to hold this position. Roger Emett gave many aerobatic displays to the press and overseas visitors, but his finest hour was at the July 1950 RAF Display at Farnborough, where before the King and Queen he gave one of the most polished aerobatic displays ever seen, a view expressed by Air Marshal Embry who wrote the following to the pilot on 10 July 1950:

'I am writing to thank you very much indeed and congratulate you on the show you put up at the RAF Display. I thought your show was one of the most polished exhibitions of flying I have ever seen and I am most grateful.'

There are many who consider Roger Emett to be the best aerobatic pilot produced by the RAF, and among these is Air Commodore D. B. FitzPatrick who served for 38 years before his retirement in 1975, during which he flew every mark of Meteor and was responsible for the formation of the Advanced Flying Schools at Driffield and Middleton St George in 1949-50. In July 1984 he told the author, 'I consider Flight Lieutenant Roger Emett, who was under my command in 1949-50 as an 'A' category QFI, to be quite the most brilliant jet aerobatic pilot the RAF ever produced'. In the 1951 New Year Honours Roger Emett was awarded the AFC for his work with the Meteor which came at a time when the RAF was in a post-war expansion period and had embarked on the training of National Servicemen as pilots. Many of these, and those selected for the regular air force, were inspired by Emett's example both at the controls of his F 4 and as an instructor in the T 7.

So in the hands of men like Roger Emett the F 4 and the less powerful Vampire introduced the jet fighter to the RAF, which for a short period in the late 1940s and early 1950s made it the best equipped jet fighter force in the world. But as is so often the case, politicians became involved and the lead set up by the British aircraft industry and the RAF was whittled away as the Meteor soldiered on long after it had been overtaken by more advanced aircraft. However that is another story, and to continue in chronological order with the single-seat versions of the Meteor it is necessary to look at the next variant which was the F 5.

As straight fighter aircraft moved into the jet age it was obvious that there was a need for a jet replacement for the Spitfire FR 18 (used to carry out armed fighter reconnaissance work) as well as totally unarmed, but camera equipped, aircraft for strategic reconnaissance, the latter task being in the hands of aircraft such as the PR X1 and PR 19 Spitfires. It was therefore logical that the Meteor should be considered for both roles.

Gloster had already looked at the situation and had installed two cameras in the nose of F 3 *EE338* after it had been used as a photographic aircraft for the filming of ejection seat trials from *EE416*. In this earlier guise an additional seat had been installed in the ammunition bay from which the seat trials had been filmed. On completion of this valuable work the aircraft was taken to Farnborough where a special nose section containing two cameras was installed. Problems arose with the positioning of the ventral camera and work came to a halt. Although it was continued on some F 4s it was not until the Air Ministry made an official request to Gloster to proceed with the development of a fighter-reconnaissance version that it was again looked at in any detail.

Whereas the F 3 mentioned had had its nose cannons removed, thus not making it a true fighter-reconnaissance machine, the F 4 chosen to become the first F 5 retained its armament and had a new camera nose fitted. This aircraft was *VT347* and the installation comprised vertical and oblique cameras, which it was intended to supply as a separate pack that could be fitted to any F 4. The nose and two ventral cameras were controlled from the cockpit and could be set to operate through three apertures. The F 5 was designated G.41H but only a few were produced by converting F 4s, most of these being used by the Central Fighter Establishment. The installation on *VT347* was never tested since the aircraft broke up on its maiden flight on 15 July 1949 killing the company's acting chief test pilot, Rodney Dryland. A former fighter

Above *Squadron Leader Roger Emett, the RAF's top Meteor Aerobatic Pilot who flew a much acclaimed display at the RAF Display, Farnborough, on 6 and 7 July 1950.* (Mrs B. Emett.)
Below *The prototype FR 9.* VW360 *made its maiden flight on 22 March 1950. This aircraft was later restored to F 8 configuration and used for HVAR rocket trials.* (GAC.)

pilot with four enemy aircraft and 21 flying bombs to his credit, Dryland had only been with Gloster for three years when the tragedy happened. Approaching Moreton Valence at fairly high speed, the pilot pulled the aircraft into a climb and part of it broke away. The aircraft then completely disintegrated, the wreckage falling on the field. The cause of the accident was traced to failure of the centre section fuel tank bay side skins and as a result many modifications were incorporated into subsequent aircraft. The FR 9 was one of the results of these modifications and the prototype of this, *VW360*, made its first flight on 23 March 1950 with Jan Zurakowski at the controls.

The Meteor F 6 was a design project only and allotted type number G.41J, it is surrounded by confusion and dangerous assumption. Many have stated that the aircraft was a 'swept-wing' version of the Meteor but Gloster design staff involved with the project have advised the author that this was not so. During 1947-48 there were many projects in hand at Gloster, and several of them featured different wing planforms. For example, project P.203 was a design study to fit long span square tipped wings to the F 3 and/or F 4 for high altitude work, and the GA drawing of this aircraft dated January 1946 shows it to have a squared off tailplane similar to the F 8 and Derwent series 5 engines. Project P.262 dated 13 November 1947 shows another Derwent 5 engined aircraft but this time with the mainplanes being of delta configuration, the tail unit being F 8 with a straight trailing edge to the tailplanes and a steeply swept leading edge. It seems very likely that it is the latter that has been confused with the F 6 over the passing years.

The F 6 project was in fact similar to the eventual F 8, the aircraft having the short span wings of the F 4, Derwent 7 engines in long nacelles and the empennage of the E.1/44 which was a single-engined Nene powered fighter, the second prototype of which used the square cruciform tail eventually used on the Meteor F 8. A GA drawing of this aircraft dated 7 February 1946 has no signs of a swept-wing planform and in fact is almost identical to the F 8 which was the last single-seat fighter version and followed the F 4 into service.

By 1947 the Meteor had been in production for four years and although initially it was as good as any jet fighter operational at that time it was gradually being overtaken by more advanced designs being developed in America and Russia. In fact the F-86 Sabre and MiG 15, both superior in performance to the Meteor, had already flown and were to enter service whilst the F 4 was still the RAF's front-line fighter. Close co-operation with the Americans had helped their programme, but it was a political decision by the post-war Labour Government under Prime Minister Clement Attlee to allow Rolls-Royce engines to be handed to the Russians that enabled them to produce the diminutive MiG 15 that was superior in performance, if not quality, to the Gloster aeroplane.

Aware of the need to improve the Meteor the Gloster design team set about looking at ways to do this whilst still retaining as many components of the F 4 as possible to ease production difficulties. The longer fuselage of the G.43 T7 had improved the longitudinal stability of the aircraft, so it was decided to incorporate this feature into the new design. A mark IV, *RA382*, was fitted with a 30 in extension aft of the cockpit which involved a forward shift of the ammunition bay and its 800 lb of ammunition. This proved successful and the longer fuselage was subsequently introduced into late production F 4s. Although the modified F 4 was destroyed during a series of handling tests, it had proved that the design team were on the right lines. During the trials it was found that the forward movement of the ammunition bay, which had enabled an additional internal fuel tank to be added, resulted in a movement of the centre of gravity as fuel and ammunition were used. This led to instability, making control with the original F 4 tail unit difficult. At this time wind tunnel tests were being carried out at RAE Farnborough on the third prototype E.1/44, which was fitted with the angular tail unit that was to become familiar on the F 8, and these indicated that the new tail might solve the problem of the Meteor's nose pitching up as fuel and ammunition usage lightened it.

Above *This is an interesting picture of* VZ454 *on test. The undercarriage doors are slightly open and deformation of the aircraft's skin can be clearly seen. At the time its speed was M.74 and its height 5,000 ft.* (H. Holmes.)

Below *The classic lines of the F 8, in this case* WE970 *which was destined to serve with No 610 and 611 Squadrons. Note the small diameter intakes, ammunition link chutes and part metal canopy. (The Aeroplane.)*

Consequently *RA382* was fitted with the tail and the following handling trials proved very successful, so it was decided that it should be fitted to the new fighter although the first hundred aircraft with F 4 tails had been ordered.

The prototype F 8 was modified from the seventh production batch of F 4s and carried the serial *VT150*. It made its maiden flight from Moreton Valence, piloted by Jan Zurakowski, on 12 October 1948. The first contract for 128 aircraft, 6/ACFT/24/0 C.B. 7(B) was dated 4 September 1949. The original fin/rudder assembly of the F 4 had already been subcontracted but the angular assembly of the E.1/44 was so superior that it was decided to fit it to all G.41Ks, as the F 8 was known.

More or less to confirm that the new tail was better the prototype aircraft was refitted with the F 4 style tail and taken to Boscombe Down where further handling trials confirmed the greater suitability of the modified tail. With the angular tail once again in place *VT150* was flown extensively at Boscombe between midsummer and December 1949, where pilots reported that it had a higher Mach limiting number than the F 4, lighter rudder forces and much better single-engined performance. Spinning often presented problems and, as will be related later, was the subject of many decisions and counter decisions as to whether or not it should be attempted during training. During the mentioned trials at Boscombe it was found that the F 8 had satisfactory recovery characteristics, but when rotation ceased unpleasant yawing, snaking, and nose-down pitch could occur. The clear bubble hood, which on early models had a metal section at the rear, gave greatly improved all-round vision and another item greatly appreciated by pilots was the introduction of a Martin-Baker ejection seat.

Like many Meteors, *VT150* was used for a variety of experimental work in connection with later projects, one such series with this aircraft was to flight test the Javelin's anti-spin parachute. A rearward facing Bell and Howell camera filmed the deployment of the 'chute which had a breaking force of over 1 ton on the locating link. On one occasion in November 1951 the breaking strain on this link was tested to destruction and absorbed 3,620 lb before it

Two F 8s of No 85 Squadron who are more usually associated with night fighter Meteors. The clear view canopy and large diameter intakes make an interesting comparison with the previous picture. The markings are red and black chequers. (MoD.)

failed.

Various components of the F 8's structure were strengthened to enable the increased stresses to be accommodated, and these included the use of high tensile steel in the spar webs, centre section and rear fuselage. A minor but important modification was also carried out to the ammunition case and link ejector chutes, the slots in the under section of the nose were found to be inadequate since the ejected links were hitting the ventral tank. The remedy was to fit extended external chutes to carry the debris clear of the aircraft.

The basic structure break-down was the same as that proven on earlier models, but the undercarriage bay was 'beefed up' as were the main gear attachment points. The rear portion of the nacelles, which now housed 3,500 lb thrust Derwent 8 engines, was made detachable and it is interesting to note that the forward nose ring was manufactured from mahogany or ash covered with aluminium. Modifications to increase the aircraft's speed included the enlargement of the intakes at the front of the nacelles by 4½ in, thus increasing the airflow to the Derwents. This produced an additional 200 lb of thrust and resulted in later aircraft having the so-called 'large diameter' intakes.

It is often overlooked that the Meteor's airframe was a direct legacy from the piston-engined era and its manufacture used techniques that had been perfected from long experience in producing such aircraft. Its short legged undercarriage was one of the few portents of future jet aircraft development, made possible by the absence of the need for propeller clearance. Nonetheless the Meteor was a sturdy aircraft much liked by the majority of its service pilots who received their first taste of the F 8 when the first aircraft was delivered to No 1 Squadron at Tangmere on 10 December 1949, this was *VZ438* which was from the first production batch of 128 machines.

The F 8 was produced in greater quantity than any other mark, and by the time production ceased in April 1954 with *WL191*, 1,187 had been produced. From 1950-55 when it was phased out in favour of the Hunter and Swift, the F 8 was the major type of single-seat interceptor used by Fighter Command and equipped forty regular, auxiliary, OCUs, AFS and other RAF units. The first squadron to be fully operational with the aircraft was No 245,

An F 8 retained by Gloster carrying two 1,000 lb bombs. (GAC.)

which received its first aircraft on 29 June 1950, and ironically they were the last to operate the F 8, surrendering their final aircraft in April 1957. During this period, the F 8 was subjected to much sensational publicity in the popular press, in much the same way as the F 104 was to be some 25 years later during its service with the Luftwaffe.

There were many tragic accidents, but the fact that the aircraft was in service in greater numbers than any other single-seat fighter meant that any fatal accident stood a good chance of happening in a Meteor, this, however, was conveniently overlooked. There can be no doubt that levels of pilot experience and capability, coupled to some rather unpleasant handling aspects of the aircraft, made it a handful for some pilots, but taken in true perspective the F 8 was no more dangerous than many other aircraft, and a good deal safer than some. There are many pilots who lived to thank its sturdiness and Wing Commander 'Mac' Mackenzie, who flew in the Battle of Britain with No 501 Squadron, was a Prisoner of War from 1941-45 and then OC Flying and Chief Instructor at 226 OCU Stradishall in the early 1950s, has recalled some of them.

Wing Commander Mackenzie flew some 1,400 sorties accumulating 850 hours in various marks starting with the T 7 in 1947 at Hullavington. He confirms that the aircraft was strong but had some weaknesses including a proneness to shed rivets from the wing fillets and tailplane/fin bullet fairing assembly. On one occasion at Stradishall a student who was completing his last solo before joining his squadron made a celebratory high speed low-level fly past, but as he pulled into a climb the aircraft disintegrated giving him no chance to escape. The cause was never fully established but as the aircraft had twice been treated for cracks around the wing root it was thought that this had been the cause of the accident.

The staff at Stradishall found the F 8 to be an ideal OTU aircraft, being safe, reliable, forgiving, lighter than the F 4, faster and with greater acceleration. The engines were utterly reliable and took rough handling in their stride. Although the cockpit was cramped and could be very cold its instrument layout was satisfactory, the only criticism being the location of the HP and LP cocks, but as these were seldom needed in flight, unless asymmetric practice was being undertaken, this could be lived with. The aircraft was a steady gun platform, but had some critical weaving tendencies during air-to-ground firing. The staff at Stradishall held monthly competitions in armament practice with a 'jackpot shoot', and their averages were consistently well above those for the Command. During these monthly 'wing dings' there was often a 'Wing Scramble' and on one occasion 24 F 8s were airborne from the ASP in 2½ minutes.

Formation flying was considered to be easy in the F 8 which was not a tiring aeroplane to fly and was very stable in such situations, therefore instilling great confidence in the students. Such was the Meteor's performance during close formation flying that the staff at Stradishall formed a nine aircraft aerobatic team, but official encouragement and backing was not forthcoming, so this did not receive the recognition that similar aerobatic teams later received. It did teach some lessons, however, and was one of the forerunners of the now commonly seen nine aircraft formations flown by the legendary Red Arrows.

The strength of the F 8 was ably demonstrated on one occasion when two collided during an exercise. The pilot of one ejected safely as his aircraft broke up but the other, despite the loss of his starboard wing outboard of the engine, managed to 'belly' land his aircraft. The starboard engine was tilted up by about 15° in the collision and the resultant downthrust compensated for the lost lift. On landing the aircraft swung on the wet grass and finished on top of an underground fuel bunker, the pilot abandoned the wreck in record time, but there was no fire and eventually the F 8 was repaired and returned to flying.

The Wing Commander himself had a dramatic moment when he was performing an eight-point roll across Stradishall at about 1,000 ft. On completion of the roll he tried to level the aircraft but the stick was firmly stuck to starboard and the Meteor continued rolling. Finding

In July 1976 this F 8, VZ467, *was the last of the mark still airworthy in RAF service. It was photographed at the Tactical Weapons Unit, RAF Brawdy, where it was used as a target tug and in the training of forward air controllers. It served with Nos 54, 257, 500 and 615 Squadrons and 229 OCU. It was called 'Winston' in memory of Winston Churchill.* (MoD.)

that he still had longitudinal movement on the control column he put the aircraft into a rolling climb to 15,000 ft where he tried to sort out the problem. Using brute force and forward and backwards movement to create positive and negative 'g' he at last managed to free the stick and regain lateral control. After descending rather quickly he carried out a perfect landing and later examination showed that a large roll of insulating tape had wedged in the bottom link mechanism of the stick.

Another pilot who experienced control problems in an F 8 was Graham Carter, now an airline pilot living in Maidenhead. He was posted to No 257 Squadron after completing his pilot training on Prentice, Balliol and T 7s. He first flew the F 4 at No 203 AFS Driffield, making his first solo in *RA397*. Joining his squadron on 1 May 1954 he had only flown the T 7 and F 4, but immediately took to the aircraft which he says was a great revelation after the old F 4. The most welcome change from a pilot's point of view was the spring tabs on the ailerons and the Martin-Baker ejection seat. On 21 December that year he was to be very thankful for the latter.

A four aircraft formation, in which Graham was No 2, took off to carry out a sortie, part of which was to include a 'tail chase' in which the aircraft would be spaced out some 400–600 yd astern of each other and each pilot would carry out ranging and tracking practice on the one in front. At this time the F 8 was limited to a maximum speed of Mach .8 below 20,000 ft, but above this there was no restriction. If the speed exceeded M.8 the aircraft would encounter severe compressibility followed by loss of control. Recovery could be accomplished by

Having seen days of glory with No 610 Squadron, WH398 *now awaits the breaker's axe. Its last role as a target tug is shown by the yellow and black striped undersurfaces.* (AWA.)

selecting airbrakes out and throttling back, and once the speed had decayed control could be regained.

On this occasion the tail chase commenced at 25,000 ft with Carter ranging and tracking his gun sight on the leader. After a series of high-speed manoeuvres his speed increased to M.82 and as was to be expected the aircraft went out of control. The Meteor failed to respond to the corrective measures outlined, and the Mach meter stayed rigidly on the M.82 mark. Descending through 10,000 ft with the nose pointing vertically downwards, the pilot realized he had a major problem to which the only solution seemed to be to eject. Jettisoning the hood brought severe buffeting accompanied by loud noises in the cockpit and the high 'g' together with the turbulence prevented him from reaching up to the seat firing handle. This was to become a problem to most ejectees in the early seats and was eventually solved by the introduction of the seat firing handle between the knees.

Whilst attempting to reach the handle, the pilot tried pushing his right hand up into the slipstream with his left, but such was the buffeting in the cockpit that it was immediately smashed into the seat assembly and broken at the wrist. A further attempt using the left hand only was successful and the seat fired at a height of 1,000 ft, according to eye witnesses on the ground. Another shortcoming of the seat was the absence of leg restraints, although these were eventually fitted, and after leaving the stricken Meteor the pilot's legs were splayed by the considerable force of the slipstream causing a broken leg, broken ankle and four toes ripped off his right foot.

During the subsequent enquiry into the accident, it became clear that there was a marked similarity between this accident and other unexplained fatal crashes when Meteors were known to have spiralled into the ground from some height. Some of these had occurred in the F 4 which of course had no ejection seat. It was established that recovery from the situation outlined was much more difficult if aileron was being applied with a 'g' loading at the time control was lost, and that final recovery was dependent on the outside air temperature at the time. As a result of the findings the Meteor Pilot's Notes were amended in January 1956 (AL 3) so as to limit the speed to M.8 at all altitudes, and a complete new section was included warning pilots of the dangers when pulling 'g' and applying aileron at high Mach numbers — especially at or above 20,000 ft.

Graham Carter's Martin-Baker Club membership card is No 37, so he was one of the first pilots to use the seat operationally and his experiences that day contributed towards later improvements. Soon after the ejection described it became common practice for Meteor pilots to eject through the hood, thus overcoming the problems of buffeting and turbulence in the cockpit after the hood had been jettisoned.

On that day two other Meteor pilots were killed in crashes, so adding to the popular belief that the aircraft was unsafe. But it was not the only occasion that three Meteors were involved in fatal crashes at the same time. On 18 June 1951 No 615 (County of Surrey) Squadron of the RAuxAF was inspected by its honorary Air Commodore the Rt Hon Sir Winston Churchill. During the following fly-past one aircraft encountered difficulties and crashed into the garden of a nearby bungalow after narrowly avoiding the main road. The pilot ejected at the last moment but was killed, since in those days there was no zero-zero capability on the seat. Two pilots distracted by the fireball of their colleague's aircraft, momentarily lost concentration and collided, they too were killed. Naturally the incident received a great deal of attention from the press, the Daily Mirror reporting it twice in the same edition.

Although the aileron problem encountered by Graham Carter was only a contributory factor to his crash, these control surfaces had long been a headache to Gloster, and Bill Horler, whom we last met as an apprentice making rivets for the F 3 main spars, recalls that he lost count of the number of times that he had to change them during his time with Gloster and Armstrong Whitworth.

Many arrangements such as geared, servo, hollow ground and spring, and combinations of all four, were tried and at one stage it looked as though the lateral control problems would never be solved. This period is indelibly engraved in Bill's memory and he remembers how soon after moving to Armstrong Whitworth they introduced aileron droop, the amount being .68 in and this, together with the spring tab, brought an end to the difficulties which could have brought the Meteor's career to a similar fate to that which befell the Swift many years later.

The F 8 carried out legion service in the RAF but to be truthful was out of date at the time it entered service and was well outclassed in the interceptor role as was shown during the Korean War when No 77 Squadron of the RAAF took it into action. It must be said that as a post-war day fighter it did not rate highly — it was easily outflown by the new generation of jet bombers including the Canberra which was introduced into service just after it, and it was no match for the F-86 Sabre that was beginning to arrive in East Anglia in growing numbers at the height of the Meteor's front-line service period. At this time its handling problems at speeds above Mach .8 and heights above 20,000 ft meant that it could not be considered an effective fighter aircraft.

It became apparent to the Air Ministry that there was a need to replace its ageing Spitfires and Mosquitoes with a jet powered fighter-reconnaissance aircraft, so following the work already initiated with the F 5, it came as no great surprise when Gloster were invited to modify the Meteor for this important role.

Assigned Gloster type no G.41L, the FR 9 retained the same airframe as the F 8 but the new camera nose extended the length of the fuselage by 9 in. The camera was a type F.24 controlled by the pilot and able to take oblique photographs through two side and one nose panel. Heating for the camera installation was provided by air drawn from the starboard Derwent's compressor casing. Armament was exactly the same as the F 8 and, like the fighter, it could operate with wing tanks. With a full fuel load the aircraft was restricted to a top speed of 350 kt, and aerobatics were prohibited. A total of 126 aircraft were ordered in six batches and the prototype *VW360* first flew on 22 March 1950, the pilot again being Jan Zurakowski. The first aircraft to be delivered was *VW363* which went to No 208 Squadron on 28 July 1950. The last FR 9 was *WX981* which went to No 79 Squadron on 14 August 1952.

The FR 9 was used by only three squadrons, Nos 2, 79 and 208 and operated overseas, mainly with the 2nd Tactical Air Force in Germany or in the Middle East, although the Central Fighter Establishment operated eight machines in England. The aircraft's prime role was low-level tactical reconnaissance and it handled much like the F 8, although at approach speeds it tended to pitch about its longitudinal axis. Like the F 8 it was first produced with a canopy having a metal section at the rear, later replaced by a fully transparent hood. It was powered by Rolls-Royce Derwent 8 engines and had large diameter intakes.

The last single-seat variant of the Meteor was the PR 10, which was given the type number G.41M. Intended for high-altitude strategic reconnaissance, this aircraft was fitted with the long-span wings of the F 3, although it retained the F 4 tail unit and F 8 centre section. The nose camera installation was the same as the FR 9 and heating of the installation was accomplished in the same way, but in addition to this camera the aircraft also carried two type F.52 units in the ventral position of the rear fuselage. These were also remotely controlled by the pilot via a type 35 No 8 controller positioned in the space normally occupied by the gyro gunsight, which was not needed as the PR 10 was unarmed. The two ventral cameras were heated by air drawn from the port engine compressor casing, and to protect them during taxying and take-off jettisonable metal covers were fitted over their ports. The aircraft was developed in parallel with the FR 9 and the first one, *VS968*, made its maiden flight in the hands of Zurakowski on 29 March 1950, just seven days after the FR 9, after which it went to Boscombe Down for handling trials. This model also retained Derwent 8 engines and used the same centre section as the F 8. Some aircraft appeared with small diameter intakes, but these were later modified as was the part metal canopy, to bring the aircraft into line with the F 8 and FR 9. Once again a Martin-Baker 2E type ejection seat was fitted.

The aircraft had the highest service ceiling of any single-seat Meteor and a clean aircraft could reach 47,000 ft. It also had the capacity, with wing and ventral tanks, to stay airborne for 3 hours 40 minutes. Although somewhat slower than the stripped Venoms used as an interim measure for this type of work — which incidentally could reach 55,000 ft — the PR 10 was a much sturdier aircraft and handled better than its de Havilland counterpart. It served the RAF well until replaced by a PR version of the versatile Canberra and was, in fact, the last Meteor in RAF service to be used operationally against an enemy when it flew reconnaissance sorties against the terrorists in Malaya.

Only 59 PR 10s were produced and these operated with Nos 2, 13, 81 and 541 Squadrons, the first batch arriving at Benson for No 541 Squadron in December 1950. By February 1951 the squadron had fourteen aircraft on strength and displayed these at a press conference before

Left *An FR 9, from the fourth production batch of eleven aircraft, heads towards the top of a loop. This aircraft served with No 226 OCU. Like the F 8, the FR 9 part metal canopy was later replaced with a clear view hood.* (GAC.)

Right *FR 9s of No 208 Squadron at Abu-Sueir in 1957.* (N. Haffenden.)

departing for Gütersloh. No 2 Squadron was also based in Germany as part of the 2nd Tactical Air Force and was operating the FR 9, they received a quantity of eight PR 10s in March 1951 which replaced 'B' Flight's Spitfire PR 19s. However when No 541 took up residence at Gütersloh in June, No 2 Squadron surrendered its aircraft and became solely a fighter-reconnaissance unit operating from Buckeburg.

In January 1952 No 13 Squadron, based at Fayid in the Canal Zone, started to receive the PR 10 and they immediately noticed the reduced range of the twin jet when compared with the Mosquito PR 34s they had been operating. In June of that year the squadron was the centre of one of the biggest post-war searches ever mounted for a missing pilot. On the 7th of the month the AOC of No 205 Group, Air Vice Marshal David Atcherley, went missing on a liaison flight from Fayid to Nicosia. The AVM was flying *WB161*, which had been delivered to No 13 Squadron on 11 February 1952, and he departed in the early morning for what should have been a straightforward flight. The aircraft failed to arrive at its destination and no distress calls were picked up. Shackletons, Hastings, Varsities and other Meteors combed the area in which the missing PR 10 should have been, but no trace was ever found of the machine or its distinguished pilot. It is possible that he overflew the island and crashed in the Turkish mountains or the Mediterranean, but this is pure conjecture.

The PR 10 was liked by most of its pilots and Wing Commander Brian Ashley, who flew all versions of the Meteor during a distinguished RAF career, had this to say about the photographic reconnaissance machine:

'In general the handling of the PR 10 was excellent. If one was prepared to use a strong right arm the manoeuverability was better than most other marks of Meteor. The stall was clearly marked by a moderate buffet and the behaviour in the stall was docile. In manoeuvres the stall was announced by the onset of steadily increasing buffet and the aircraft could be pulled deep into the stall before any severe lateral or pitch oscillations set in. It could be manoeuvered on the edge of the buffet with ease and confidence. Perhaps its most gentlemanly characteristics were displayed during the approach and landing. It was extremely steady on the approach, and the GCA controllers at Buckeburg, who were in first rate practice after the Berlin Airlift,

could detect the difference between a PR 10 on the glide path and a FR 9 yo-yoing its way down the hill.

'It was possible to fly the PR 10 down the approach without one's hands on the control column, by using rudder for directional and lateral control, and the elevator trimmer for pitch control. Some anticipation was required to correct for changes of trim caused by lowering the undercarriage and flaps, but these were predictable. The recommended threshold speed was 95 kt and this could be achieved with confidence. Touch-down speed could be reduced to as low as 88 kt with care, but it was not recommended as the bottom of the fin was getting very close to the runway. In common with the T 7, if the aircraft was dropped on to the runway at low speed, the tail bumper could be thumped into the tarmac, but with such a soft and flattering undercarriage, who wanted to drop the old lady on to the runway!?'

The PR 10 was used by No 81 Squadron for the Firedog operations in Malaya in the late 1950s and the squadron had the task of providing forward facing oblique photographs of the approaches to the small airstrips which were the lifelines for the jungle forts. These strips were used by Sycamore helicopters and by single and twin Pioneers. The very steep terrain close to the strips meant that the Pioneer pilots had to make their approaches with great care. For a Meteor it was a challenge, but by using 15^0 of flap and reducing speed to about 135 kt, the PR 10 could be wriggled on to the approach to get very good photographs for the briefing books.

The Firedog operations were primarily in support of the Army with their jungle war against the communist terrorists and the day to day task of No 81 Squadron was to produce up to date overprinted maps for use by the ground forces. Tropical jungle changes very quickly and the only way to produce accurate and up to date maps was from the air and the PR 10s of No 81 proved their worth in this essential work. Operations were fairly routine and there was of course no danger from aerial interception, but at low-level there was always the chance of

The Mark 4 tail unit, long span wings and absence of armament distinguishes the PR 10, the prototype of which is shown here. This aircraft made its maiden flight on 29 March 1950 and was delivered to 541 Squadron in Germany in April 1953. It was scrapped in July 1958. (H. Holmes.)

Above *Air-to-air photographs of Meteors on operations are fairly rare. This PR 10 is* VA987 *of No 81 Squadron whose badge is on the ammunition hatch. The playing card is yellow with a black motif and there is a Squadron Leader's rank badge below the screen. The type 35 controller can be seen behind the screen. The pilot on this occasion (8 July) is Flight Lieutenant Brian Ashley.* (B. Ashley.)
Below *Light grey (top) and blue camouflage was used on some PR 10s including* VS975 *of No 541 Squadron pictured here.* (MAP.)

ground fire finding a vital spot and pilots who were on stand-by for long periods were no doubt aware of this and well versed in jungle survival. During 1955 the squadron was commanded by the then Squadron Leader S. McCreith who often flew the lead formation on ceremonial occasions such as the Queen's Birthday, Battle of Britain days or the visit of dignitaries. He also flew sorties to reconnoitre shipping and on one occasion took low-level oblique shots of Russian destroyers in transit near Singapore.

Squadron Leader McCreith is well qualified to comment on the PR 10 since after flying PRU Mosquitoes during the war in the Middle East he was posted to the Photographic Reconnaissance Development Unit at Benson where *EE338*, the original F 5, was delivered in December 1945. It proved to be a reasonable successor to the superb Spitfire but like the piston-engined fighter, the camera installation was limited to a pair of split vertical cameras in the rear fuselage and an oblique camera in the nose. An additional camera with a short focal length lens would have helped a great deal with plotting of the vertical coverage. The aircraft was a steady and stable camera platform, although it was somewhat heavy and lacked the manoeuvrability of the Spitfire. The F 5 proved satisfactory apart from some minor problems at altitude with the Derwent 1s and formed the basis from which the later PR 10 was derived.

In 1947 Squadron Leader McCreith, then a Flight Lieutenant went to 'B' Squadron of the Empire Test Pilots' School at Boscombe Down where he flew Meteor F 3s including *EE491* and *EE398*. This was followed by a year at Staff College before a refresher course on jets at Weston Zoyland and on to No 231 OCU(PR) at Bassingbourn where he became acquainted with the PR 10, before taking over No 81 Squadron. He found the PR 10 a good aircraft for its task but points out that it was, in his view, like the F 5, not as manoeuvrable as the Spitfire under certain circumstances. With drop tanks it was not aerobatic and in any case the camera installation would not take too kindly to high or negative 'g'. The PR 10 had a very good record of serviceability which was just as well, since they were in fairly short supply and the squadron had a high operational commitment. One of the biggest problems was with tyres since most of

The effectiveness of camouflage can be appreciated in this view of WB156, *a PR 10 of No 541 Squadron, over Germany.* (Chaz Bowyer.)

the runway at Seletar was at that time still Pierced Steel Planking (PSP) and cuts in the tyres had to be looked for very carefully. To help with this problem tyres were changed from block to radial tread and S.A.C. Gosling, who was involved in this move, says that it certainly reduced the incidents.

As a qualified test pilot, Squadron Leader McCreith often helped out with testing of T 7s and F 8s at the Maintenance Units based at Hong Kong and Seletar and was awarded a bar to his AFC towards the end of his tour. On return from the Far East, the Squadron Leader went to the RAE at Bedford where he continued his association with the Meteor flying *VW411* which was basically a T 7 with F 8 fin/rudder and a PR 10 nose, as well as NF 11s and NF 12s. He retired as a Wing Commander, with fond memories of the Meteor.

Apart from a variety of hybrid single seaters, the PR 10 completes the line of such aircraft, so it is now worth looking at the trainer which evolved from them and gave many pilots their first experience of jet flying.

Chapter 4

The T 7 trainer and training

In the immediate post-war years there was an enormous potential export market for jet fighters as many air forces realized that the dawn of the jet age heralded the ultimate end of the piston-engined fighter. The RAF, which was then still one of the largest air forces both in terms of men and equipment, was well advanced with re-equipping its fighter squadrons with Meteors, whilst the Americans were doing the same with their own Shooting Star and Thunderjet. The American programme was releasing large numbers of P-51s and P-47s which were being offered to foreign air forces, so Gloster saw the opportunity to cash in on a lucrative market with the Meteor which had already captured the imagination of people throughout the world. The company already had a good reputation for being a reliable exporter with eleven countries having selected its aircraft during the pre-war period, the most successful of these being the Gladiator which had been exported to eleven overseas air forces.

Keen to make their mark, the Gloster team looked towards Europe and decided to mount a tour of Holland, Belgium, Denmark, Sweden and Norway and try to sell their aircraft by the best possible means; practical demonstration to the air force chiefs and governments. A standard Mk 4 was earmarked for the task and this was duly modified by having its armament removed and an additional fuel tank installed in its ammunition bay. It was painted carmine and had its civil registration, *G-AIDC* applied in cream. The driving force behind the tour was Gloster's Technical Sales Manager Eric Greenwood, who assumed command of the team which comprised seven men including representatives of Rolls-Royce, the Meteor to be flown by Digby Cotes-Preedy, a support Rapide which Greenwood himself would fly and a truck to carry supporting spares.

On 14 April the Meteor left Moreton Valence and headed for Holland via customs clearance at Manston, arriving at Valkenburg later the same day. The jet was immediately prepared for the first of its demonstrations which was scheduled for the following morning. Cotes-Preedy gave an impressive flying display which was soon being talked about all over the country. The enthusiasm of air force officers and officials who witnessed this demonstration was everything that Gloster hoped for, and it was with hopeful hearts that they set off for Belgium where at Melsbrook the treatment was repeated and received the same sort of accolade.

During the transit flight to Denmark the Meteor established a new capital to capital record when it covered the 500 miles from Brussels to Copenhagen in 45 minutes. The scheduled demonstration to the Danes had to be cancelled following the death of the country's King but the tour progressed with Sweden — which had already ordered de Havilland Vampires — being the next port of call. The Gloster team were anxious to impress the Swedes and prove that their aircraft was better than their rival's. An exhilarating display did not result in a change of heart by the Swedes but it left a lasting

The prototype T 7 under construction. (G. Evelein.)

impression which was responsible for the country looking seriously at the night fighter version of the Meteor.

In Norway the aircraft was demonstrated before a large gathering on 4 May 1947 and subsequently four Norwegian Air Force pilots were allowed to fly the Meteor. Returning to Brussels the team was in very high spirits as orders looked to have been secured, as indeed events were to prove, but during its second visit to Belgium the tour was brought to a dramatic conclusion. Following another polished performance by the Gloster pilot, a select band of Belgians were allowed to fly the Meteor and one of these encountered problems which resulted in failure of the undercarriage on landing. The damaged Meteor was dismantled whilst the team returned in the Rapide and a few days later, now in basic component form, *G-AIDC* returned on a truck to this country.

It was obvious to the company that a training version of the aircraft was required as this would not only be essential in converting pilots, but would also enable the company test pilots to check out those invited to fly the jet before they were allowed to go solo. Consequently it was decided to convert the damaged F 4 to a two seat dual-controlled configuration. The decision to carry out this work was also greatly influenced by the first export order which had been placed by Argentina in May 1945, and covered not only the supply of one hundred F 4s but also the training of pilots. The latter was carried out at Moreton Valence where a batch of the Argentine aircraft were retained for the purpose. The difficulties encountered in teaching the pilots on an F 4 with the canopy removed and the instructor sitting astride the fuselage shouting instructions to the pupil, until it was deemed that he was ready to fly the aircraft, were astronomical, as well as being somewhat farcical.

Speedy development of the trainer was essential and once again the Gloster design team, under the guidance of R. W. Walker, met the challenge head-on. The wings, rear fuselage and tail unit of *G-AIDC* were refurbished by the experimental department, whilst the

Left *The tandem cockpit layout of one of the Vintage Pair's T 7s.* (S. Howe.)

Right *The original private venture T 7* G-AKPK, *with Bill Waterton in the front cockpit and Eric Greenwood in the rear, on the occasion of the London–Paris City Centre Race in September 1948. The helicopter is an S-51 Dragonfly. (The Aeroplane.)*

design department worked on a 30 in extension to the nose which would accommodate a second seat under a heavily framed tandem canopy. All armament was removed and the controls duplicated, the cockpit was not pressurized and the Derwent 5 engines were retained. On 19 March 1948, with Bill Waterton at the controls, the prototype T 7, as it was known, made its maiden flight from Moreton Valence. Like the F 4 from which it was built it was painted carmine with white registration, in this case the letters being *G-AKPK*. This aircraft was purely a private venture financed by the company and illustrates the confidence and belief they had in the potential of their aircraft. No doubt official financing would have been forthcoming, but how long this would have taken, and what effect it might have had on export orders can only be imagined. Designated type G.43 the T 7 immediately created enough interest in official circles for the Air Ministry to issue specification T.1/47 for a service version.

Like its civil registered single-seat counterpart, the Private Venture T 7 set off on a demonstration tour in May 1948, this time Bill Waterton taking the controls of the world's first jet dual-controlled trainer. The tour which lasted until 7 June 1948 was another success story, with the aircraft flying some 5,000 miles, and carrying 31 pilots from five nations before its return to England.

Having completed its tour the T 7 was overhauled by Gloster and in November 1948 became an export itself when it was sold to the Royal Netherlands Air Force where it was given serial number *I-1* and entered service on 27 February 1949. The aircraft flew with Nos 322 and 323 Squadrons and was not taken off the active list until 23 May 1959, long after the single-seat F 4 from which it was derived had passed into history. Following the issue of the Air Ministry specification for a military version a contract was placed with Gloster in August 1947, this being No 6/ACFT/1389 CB 7(b) covering the supply of seventy aircraft. The first of these, *VW410*, made its maiden flight on 26 October 1948.

Production T 7s were largely based on the F 4 structure, the only difference being in the

new nose which on production aircraft from *VZ639* onwards was also fitted with the improved Mk 8 nosewheel gear and retracting mechanism. The aircraft was unarmed and was provided with facilities for a 175 gallon ventral tank as well as two 100 gallon wing drop tanks. The large amount of ballast necessary in earlier aircraft was gradually reduced from 1,000 lb to 300 lb as modifications were carried out during the aircraft's life. The total weight of the T 7 was nearly 400 lb less than that of the fighter, consequently it had a greater rate of climb and a better take-off performance and could in fact out-perform the single-seater in many situations. The longer nose increased directional stability, although it was to contribute to a unique handling problem, which will be recounted later. The Derwent 5 was standard equipment on early production aircraft but this was later changed to the Derwent 8 with large diameter intakes.

Some T 7s were also fitted with the F 8 tail and are often described as the T 7½. A few aircraft also had the camera nose installed and one of these can still be seen at the time of writing in the Torbay Aircraft Museum. The trainer was used by many overseas air forces and the Fleet Air Arm also took delivery of 43 aircraft for use as their basic jet trainer from shore establishments, these aircraft were not fitted with arrestor gear but on occasions the T 7 was used to carry out touch-and-go landings on carriers at sea.

The RAF took delivery of its first T 7 in December 1948 and from the accepting MU it went to No 203 Advanced Flying School at Driffield in early 1949. The AFS was one of the specially formed units to convert pilots from piston-engined aircraft, on which they had completed their basic 'wings' training, to jets. In those days initial flying was carried out on Prentice aircraft and from that rather docile and underpowered machine the pupil progressed to the Harvard and later Balliol, twin-engined experience was given on the Oxford and then the fledgling pilot had his first taste of jets on the T 7. The first course started at Driffield in September 1949 and this method of introducing pilots to jets continued until 1954 when the Provost/Vampire pilot training scheme was introduced.

Quite naturally the press had been very supportive of all the achievements by Gloster and their Meteor, since in those days there was great national pride and the newspapers took pride in reporting British successes rather than the present day tendency to be ultra critical of British industry and compare it unfavourably with other countries. National pride was therefore much to the forefront and the T 7 at last gave journalists who had waxed lyrical about the Meteor a chance to experience it. In July 1950 the press was invited to Middleton St George to see the aircraft at first hand, to report on pilot training and in some cases to fly in the rear seat of the T 7.

It is interesting to record how one such journalist, Bryan Buckingham of the *News of the World*, reported his flight. At this time the RAF was in the process of expansion and selected National Servicemen were being trained alongside regular aircrew volunteers to fly Meteors. The journalists were given a demonstration of aerobatics by Flight Lieutenant Roger Emett in an F 4 which part of Buckingham's report covers in typical journalese of the period: 'I stood on the tarmac that afternoon and watched him throw a Meteor about the sky with astounding ease and daring. He pointed the nose of the aircraft earthwards from the clouds and hurtled down, down, down, until 50 ft from the runway he pulled out and went into a vertical spiralling climb, finally disappearing into the clouds again. As he flashes back and forth across the sky, a group of his pupils watched with eager eyes pointing out the niceties of his performance. Soon they would be up there doing similar things — 20,000 ft above the earth and flying an aircraft that is the answer to a pilot's prayer.' Excellent *Boys Own* material but hardly guaranteed to make good reading for the taxpayers over their Sunday morning breakfasts. Buckingham was then flown in a T 7 by Flight Lieutenant Francis Debenham and had this to say about his experience:

'We taxied to the end of the runway, strapped tight in the little cockpit I watched fascinated as the silver-painted Meteor gathered speed and hurtled down the runway. We were airborne and, in no time at all it seemed, the runway disappeared far below us. The altimeter showed that in a matter of seconds we had reached 10,000 ft.

'The airspeed indicator hand crept down past the 300 mph mark to 350. . . 400, and with our speed still increasing, the inter-com crackled in my ear as Flight Lieutenant Debenham asked: "Like to try a slow roll?" I gulped, clutched at my seat, and as bravely as I could, replied, "Yes, please". Our Meteor rolled gently over on its back. I gulped again and I looked around to find myself hanging upside down. We rolled over again and dived down through the clouds at nearly 600 mph. Such are the thrills of jet flight.'

In its edition of 13 July 1950 the magazine *Flight*, as one would expect, took a less dramatic look at the work of the AFS and summed it up very succinctly in the following way:

'Much material, time and money is now being expended on fashioning the arrowhead of our fighter force, by the training of National Service and Regular commissioned pilots. That it is not being wasted is apparent when one sees — as we did last week — this flow of raw material taking positive shape. At No 205 AFS at Middleton St George, we found both types of servicemen rubbing shoulders, each being taught to fly jets in exactly the same manner.

'All pilot officers who have reached the AFS from one of the many Flying Training Schools have knowledge of flying such aircraft as the Chipmunk, Prentice, Oxford and Harvard. The purpose of the AFS is to convert pilots to current types of operational jet fighters to enable them to go forward to Operational Conversion Units as masters of their aircraft before applying gunnery and kindred subjects to their flying training.

'The aim of the AFS course is to make pilots thoroughly conversant with all pure-flying aspects of modern fighter aircraft, including operations in bad weather. Instrument flying receives special attention, and emphasis is also placed on acrobatics (the Service uses this term rather than "aerobatics"), and some form of acrobatic manoeuvre is carried out on each sortie.

'The average age of the pupil is twenty years and the impetuousness of youth has a check in the first week — no aircraft for him yet! He must spend many hours of classroom

Above *A real hybrid; PR 10 nose, T 7 fuselage, wings and engines and an F 8 tail unit. The fuselage legend reads 'Experimental Flying Wing, RAE Bedford', the serial is* VW441. *A similar hybrid was* WL375 *which had nose camera port mounted upside-down.* (Chaz Bowyer.)

Below *This T 7 has the conventional tail but a photographic nose. It is from A & AEE Boscombe Down.* (R. Deacon.)

Above *A T 7 with F 8 tail unit used by Martin-Baker for ejection seat tests. A total of 670 ejections were made from its rear cockpit.* (GAC.)

Below *This all black T 7,* WL353, *served with 702 and 728 Squadrons of the Fleet Air Arm. It is seen here at Hal Far, Malta.* (R. Sturtivant.)

familiarization with the jet's attributes — increase of speed, limitation of endurance, and so on; great stress is laid on these contrasts with previous types flown. The first instruction is received on the Gloster Meteor 7s. The course consists roughly of fifty hours of jet flying, mostly executed on Meteor 4s, which are the aircraft in which the pupils eventually go solo. Having reached the Mk 4 the pupil is assumed to be sufficiently conversant with high-speed and high-altitude flight to apply solutions to its principal problems; he is therefore expected to concentrate on aerobatic sorties.

'Once started, flying at the AFS is intense, as many as ninety take-offs and landings an hour being accomplished in good weather. Turn-round of aircraft has been reduced to eleven minutes by means of rapid refuelling and servicing. No 205 AFS, under the command of Group Captain G. T. Jarman, at present has fifty pupils and uses the neighbouring airfield at Neasham as a satellite for "roller landings" to ease the pressure at Middleton. Those occasional doubts one hears voiced of the lowering standards to obtain the much needed numbers are quickly put into the right perspective when one listens to the instructors praising the National Service pilots; their training reflects much credit on the IFSs and FTSs of the country.'

The *Flight* account gives a basic summary of how the T 7 was being integrated into the training role, but it was not all milk and honey, and initially the accident rate was quite high with a phenomenon which became known as the 'phantom dive' making its first unwelcome appearance. The most usual place for this to occur was towards the end of the downwind leg and, although they were encountered in other places, the causes were always the same. The PD, as it became known, was unique to the T 7 which is why it had not been experienced until after the first AFS began operating at Driffield. The basic cause was loss of directional control. If the side view of the T 7 is looked at it is immediately apparent that the addition of the large canopy brought the centre of lateral area much further forward than in the single-seat versions. This was exacerbated when a ventral tank was fitted. Directional stability was only maintained because the fin was a much better lifting surface at small angles of attack than the forward fuselage side surfaces. Anything which reduced the effectiveness of the fin would reduce the directional stability and the inducing of yaw could easily lead to loss of directional control. The two easiest ways of reducing fin effectiveness were flying at high angles of attack, which caused fin blanketing, and selecting airbrakes out thereby bringing turbulent air over the fin. The airbrake effect was worse at high angles of attack, as the turbulent airflow spread higher up the fin. When the undercarriage was down the nosewheel also presented a side area well ahead of the centre of gravity and this added to the problem.

Now let us fly the downwind leg starting at 1,000 ft and 170 kt. Just to make life really difficult, we will choose to fly a flapless circuit and to load the dice against us, we will leave the airbrakes out to reduce speed for the flapless approach. Towards the end of the downwind leg, speed will have reduced to about 150 kt and directional stability will be almost nil, but we can still cope if we take care. However, in this idiotic mood we are in, we select undercarriage down with gay abandon. As always the port wheel lowers before the starboard and because we are having a really bad day we don't move our right foot forward to counteract the yaw to the left. The fin can produce little lift to oppose the yaw and as the forward side surfaces take over to increase the divergence, the fin stalls and off we go. The increasing yaw induces a powerful roll to the left, the nose drops and, heigh ho we've done it. A PD has been entered and the only thing to stop us will be the ground 1,000 ft below. On occasions when the PD was set up deliberately, the best method of recovery was to roll into the spiral, select airbrakes in and undercarriage up. Subsequent recovery took nearly 3,000 ft.

Many Meteor QFIs encountered a Meteor 7 trick closely associated with this same problem during the final part of a flapless landing. As the speed was reduced towards 110 kt, the aircraft would be in a similar situation as that required for a PD and an inexperienced student could often allow a little yaw to develop, and if the conditions were just right, at low height and speed, the yaw could begin to increase.

The automatic reaction was to use rudder to counteract the yaw, but as the aircraft would no longer be lined up with the runway, full power would be applied to go round again. As the speed increased and the aircraft's nose was eased down, full control was regained and the instructor hoped that the student had learned a valuable lesson. No doubt many runway controllers were also taught to be ready to evacuate their caravans if a T 7 appeared to be yawing towards them in an apparently uncontrolled state. It is easy to see why QFIs hammered into their students the essential checks; airbrakes in, correct the yaw while the undercarriage is going down and keep the sideslip ball central, particularly in the circuit.

It was not only students who came to grief when encountering the PD and it was no respecter of rank. AVM Embling, the AOC of one of the Fighter Command groups, was flying a T 7 on a visit to Leconfield which at the time was having its runway extended. He made a normal approach but went round again from about 400 ft to have a look at the new work from the air. He used only moderate power and flew slowly along the runway, as he passed the middle of the runway the aircraft yawed to the left, rolled and dived into the ground. It is possible that this was a classic case of the 'phantom dive'. Reconstructing the accident, one can visualize that the pilot used restricted throttle to pass down the runway at about 160 kt. He selected undercarriage up and was then distracted by watching the work on the airfield and allowed some yaw to develop. He may then have selected flap up, and at the slow steady speed the aircraft was travelling it began to sink. Being an experienced pilot the AVM would automatically raise the nose to hold his height and this may have produced enough blanking of the fin to allow the yaw to build up and cause a PD.

There were many accidents which were attributed to this unusual characteristic of the T 7, but those occurring in other marks of Meteor were not caused by 'phantom dives', although

Below and right *The Royal Navy used the T 7 for training and communications.* WL332 *was with 702 Squadron and is shown during its service days and when only memories remained. The nose is painted white, hence the blunt appearance.* (R. Deacon and R. Mills.)

the circumstances surrounding the crashes may have looked similar and it was convenient to generalize.

The basic training syllabus on the T 7 included high speed runs. The aircraft would be accelerated straight and level at full throttle at 35,000 ft until the speed stabilized at about M.79, depending on the aircraft's age and condition. The nose would then be eased down and speed increased until the effect of compressibility was encountered. This was most pilots' first introduction to this phenomenon and it could be unpredictable. Generally the aircraft would just judder and bang about at around M.83-M.84 and the ailerons would snatch and begin to lose their effectiveness. To demonstrate the situation to the full, instructors would often allow the T 7 to continue in the dive until, as Wing Commander Ashley put it, 'something worth writing home about happened'. This would often be an uncontrollable roll ending in the inverted position, recovery being achieved by throttling back the engines and extending the airbrakes. Occasionally the aircraft would pitch nose down and this could be much more alarming and rougher, but the recommended recovery action was still effective.

With quantity production there were bound to be variants within each airframe so the response from one aircraft to a set of circumstances might well vary from that of another. Wing Commander Ashley, who flew 113 different Meteors and carried out much investigation into the PD and handling of the T 7, recounts that one aircraft, *WH226*, was the best he knew for handling at high Mach numbers. He air tested it at No 207 AFS Full Sutton when it was new and found that it could be dived vertically from 35,000 ft with full throttle and the speed would stabilize at M.85. It shook and rattled but full control was retained. He used it for two aerobatic seasons then six years later came across it again at Tengah where he flew an aerobatic display for the opening of the new Paya Lebar airport. He comments, 'It was still going strong, but it had had some of the shine worn off it'.

As previously mentioned spinning was always surrounded with controversy and to quote one instructor, 'used to go in and out of the training syllabus like a fiddler's elbow'. One of Wing Commander Ashley's first spins was in a Meteor F 4 during a period when they were being checked for safety during this manoeuvre. He started his spin at 25,000 ft and the first

Above *A Yeovilton based T 7,* WS103, *of 702 Squadron FAA, with dayglo breaking up the starkness of the black finish.* (R. Sturtivant.)
Above right *Two T 7s at the Martin-Baker airfield at Chalgrove. In this picture* WA638 *has not yet been modified. To date it has carried out over 365 ejections. Worthy of note is the ejection seat in the front of* WA634. (Martin-Baker.)
Below right *A low level T 7! This photograph was taken on 5 September 1960 off the east coast of Pulua Island when an Airmen's Detachment Camp was visited and 'beaten up' in traditional friendly fashion by Flight Lieutenant Brian Ashley in* WH209 *of No 81 Squadron.* (B. Ashley.)
Below *Camouflaged T 7s are fairly rare. This is the refurbished* WL349 *which was originally with 229 OCU.*

two turns were almost copybook examples of a nice steep steady spin. Suddenly, in the third turn, all hell was let loose. The rate of spin increased and the nose began pitching up and down. It was a very rough ride; the pilot's head banged on the side of the canopy and the control column was whipped from his grasp. When he reached out to grab it again it whacked the back of his hand as it thrashed around the cockpit. Eventually, by taking hold of the stick beneath the aileron control hinge, and then working his hands up to the grip, he regained control. After that experience the standard procedure adopted was to close the throttle and hang on to the control column with both hands.

Spinning put a great stress on the aileron control runs and it was discovered that the control rods were being bent where they passed through the false leading edge inside the engine nacelles. The rods were flattened on the under-side to rest on a guidance roller but this weakened them and the heavy stresses caused them to bend upwards. Following this discovery, spinning was once again out of the syllabus for a couple of years!

The Meteor was a great trainer for single-engined flying, which had always been fraught with danger and often resulted in a full emergency being declared and the aircraft landed as quickly as possible. On piston-engined twins, the asymmetric approach was usually flown high and fast, but with slower normal threshold speeds this was not critical. The introduction of the Meteor opened up a whole new concept; the higher thrust meant that there was a more severe problem to maintaining control during an engine failure on take-off, but in flight there was enough thrust to fly within a good sized flight envelope, including aerobatics. Low-level navigation flights could be flown on one engine to increase range and/or endurance, but single-engined approaches had to be much more accurate because threshold speeds and landing runs were higher and left much less margin for error. Before the introduction of the T 7, Meteor pilots coped as best they could, using old techniques, and when such training was first introduced at No 203 AFS Driffield on the T 7 it was still a problem with the accident rate being fairly high. Let us once again hear from Wing Commander Ashley who began instructing on the Meteor in 1952, he writes:

'By this time we had introduced a basically sound syllabus and the accident rate was reducing. In my first full month at Full Sutton we had only one fatal accident when a T 7 flying a single-engined overshoot into another circuit crashed. The airbrakes were accidently left out, the speed reduced too much after the undercarriage was selected down on the downwind leg, and it began to yaw to port; it was a classical set-up for a phantom dive. After that we went for two years without another major accident even though students were required to make several solo flame-out landings during their course. I note from my log book that I was doing at least 30 such landings a month, and that was not exceptional. The syllabus was constantly being refined and eventually we had an excellent training programme which soon afterwards formed the basis of the Canberra training syllabus. The RAF learned a lot about single-engined flying from the Meteor and perhaps the greatest incentive was the fact that if you did not obey vital rules it would kill you.

'Students received a very sound training but it was not without incident. A fellow QFI asked his student to make a flame-out single-engined landing at the relief landing ground at Breighton before he sent him solo. The approach was too fast and it was doubtful if they would be able to stop in the available runway length. Immediately following touch-down, the instructor decided to make it a 'roller' on one engine. This was possible but only in a dire situation. Unfortunately too much throttle was applied too soon, and as soon as the aircraft became airborne, it yawed and rolled to the left. A fatal accident was in the making, but the aircraft was so low that the port wing tip hit the ground and bounced the aircraft back to starboard. At this stage, discretion overcame valour and the instructor decided to land on the grass, thereby supporting the old RAF adage that any landing you walk away from is a good one.

'A little later the same pair were flying in a T 7 and the instructor was trying to get the pupil to pull into a maximum rate steep turn at about 10,000 ft. With a cry of "Not like that, Bonehead, I'll show you how", the instructor hurtled into an enthusiastic turn to port. Almost immediately they both blacked out and the QFI recovered to find the aircraft in a gentle left turn at 3,000 ft. He was an ex-wartime fighter pilot and lacked nothing in fighting spirit, so the exercise was continued and the sortie completed with some medium level aerobatics. Soon after landing, the flight line Flight Sergeant entered the crew room and invited the pilots to examine the aircraft. It was seen that it had a kink in the fuselage just above the main spar, and the tailplane appeared to have about 5^0 negative angle of attack, it had been so badly stressed that the fuselage had bent where the very strong monocoque structure was weakened by the fuel tank access panels. The T 7 was certainly a tough old bird.'

Engine failures on take-off were frequently simulated by the instructor pulling off a high pressure cock at about 140-150 kt. Most students were usually waiting for it and their reaction was pretty quick. Rudder was fully applied and although the leg load was fairly high, it soon reduced as speed decayed.

This brings us to another problem encountered on the T 7. If the student anticipated the situation too quickly and applied the wrong rudder, the pedal which should have been pushed was forced back towards the pilot and the instructor's leg which was waiting in eager anticipation to give it a hefty push in the right direction. This resulted in the instructor's leg being bent at such an angle that he was unable to apply sufficient pressure to overcome the power being applied by the student in the front cockpit. While the instructor was screaming 'I have control' the aircraft's behaviour could be quite impressive. The rudder force added to the asymmetric force, caused a faster yaw than usual, the nose would rise slightly and a fast roll would develop. Quite often the student's action would be overcome, but on two occations when Wing Commander Ashley found himself in this position the roll had developed to a stage where it was more prudent to whip the stick over into the roll, and with judicious use of the elevators to keep the nose up, complete the manoeuvre. This was not often very elegant but certainly impressive, and on the first occasion it happened the Wing Commander was given a roasting by the Wing Commander Flying, for carrying out unauthorized low-level aerobatics. This caused some hurt to him since he felt that his rolls following take-off were much better than the one carried out during the leg 'duel' with his student!

Another pilot who experienced leg problems in the Meteor was Geoffrey Higges who was a National Service pilot trained on Meteor 4s and 7s at Stradishall during 1951. Although quite competent on the 4 he found it quite impossible, because of his short legs, to apply full rudder on the 7 during single-engined take-offs. A check with the chief instructor on the Mk 7 brought this to light and it took the student pilot some while to explain to the CFI that he was perfectly proficient on the single-seater. Eventually his eloquence paid off and he was allowed to demonstrate his prowess to the CFI by carrying out the test in the single-seat aircraft. This pilot also had the frightening experience of a double flame-out in a Mk 4 at 30,000 ft over Scarborough, whilst he was a student, and his successful force landing was no doubt instrumental in convincing the staff that his short legs were only a handicap on the trainer. In passing it is also worth noting that later in his career whilst flying a F 8 he experienced the same loss of control described in the previous chapter which resulted in Graham Carter's ejection. On this occasion Geoffrey Higges, by sheer brute force, managed to recover his aircraft but not before he had seriously considered using the Martin-Baker seat for his descent.

This pilot also completed many hours on Meteors and has a great personal affection for it, although he claims that it was a total failure as a fighter due to its small range of useful speeds between stall and the critical Mach number, its very poor handling characteristics above 20,000 ft and the lack of air/fuel ration controls on the engine throttle fuel system, which meant that it was fairly easy to put an engine out. On the early 4s and 7s the engine relight

A 207 AFS T 7 on a training sortie from Full Sutton in 1953. (B. Ashley.)

buttons were situated on the port console in front of the throttles and, to quote one pilot of the period, 'it was a one armed paper hanger's job to relight them. LP pump on, LP cock on, HP cock off, throttle ⅓ open, about 1,200, then with one hand pressing the relight button and the other easing the HP cock on, there were not many hands left to keep the aircraft on an even keel!' Thankfully, later on the relight buttons were put on the end of the HP cocks, making the actions a one handed job.

With hindsight and from the comfort of an armchair, many of the incidents occurring during training, especially those involving single-engined flying, can be looked upon as humorous, but they were all vitally important and such practice paid dividends when a real emergency arose. To illustrate this, let us look at two cases, one of which did have an amusing sequel, and the other illustrating the very high level of competence pupils reached, thus vindicating the high standards required for those men who were selected for pilot training and who completed the course.

The first happened at No 207 AFS Full Sutton in early March 1952 when pilots were nearing the end of the first course using the T 7. On this occasion the instructor was Flying Officer Paddy Cardwell and his student Pilot Officer Lew Levitt*. Towards the end of the sortie in question the pilot requested a controlled descent through cloud, and became somewhat apprehensive when he broke through the overcast over the North Sea east of Flamborough Head with only about 100 gallons of fuel remaining. To conserve this fuel the instructor flamed-out the port engine — the starboard one being essential because it operated the single hydraulic pump — and set course for base.

When he approached the Full Sutton circuit, the last few gallons of fuel were sloshing about the bottom of the tanks, but he saw the short 900 yd runway well placed to starboard and elected to make a right hand turn to land on it. To make a good single-engined landing

* Later killed in an F 8 when an elevator hinge broke.

on a 900 yd runway with a railway embankment just short of the touch-down point, and no wind down the runway, presented a mansized problem, but the instructor was well able to accept the challenge. He made a beautifully judged approach, lowering flap to reduce his speed to the precise threshold speed. At this delicate stage, the fickle finger of fate decided to intervene. A goods train en route from York to Hull chose the worst possible moment to pass the beginning of the runway. The nose of the Meteor went between two waggons, and dealt the train a mighty blow. Several trucks were knocked off the rails and a huge pile of wreckage was deposited in the undershoot area. Rescuers were soon on the scene and they found that the cockpit area was intact and the canopy had broken open. Fate was having a field day, because some of the wrecked waggons had been filled with overripe fish, which had spilled into the cockpit. Lew Levitt, in the front seat, was about chest high in stinking fish but was soon extracted suffering from a broken arm and vivid memories of a close-up of a train smash. Paddy Cardwell was in much better shape but was in grave danger of suffocating under a load of fish. He was soon dug out from his thoroughly unpleasant cockpit and continued undaunted with a fine flying career. The epilogue to this incident occurred when the Station Engineering Officer puffed up on his bicycle, took one look and smell at the wrecked Meteor and announced, 'I'm not having that bloody thing in my hangar!'

The second story is contained within the following narrative which graphically illustrates how a new pilot first encountered the T 7 and the training he received on it before being awarded the coveted 'Wings'. In this case the account covers the aircraft's use when it was reaching the end of its life as a jet trainer. Its first introduction to service was as a follow-on from piston-engined trainers where it was used extensively by Advanced Flying Schools. This method started in 1949 and carried on until 1954 when the new method of straight-through training on jet aircraft was phased in and made the AFS system unnecessary. But it will be seen from Pilot Officer Ivan Spring's account that, as late as 1961, there was still room for the old warhorse in the out and out training roll in cases where other aircraft proved to be unsuitable.

The last T 7 was delivered to the RAF in July 1954, but was still much liked by instructors and students some eight years later, and even today is recalled with awe and nostalgia by those who flew it. It is interesting to compare some of the situations outlined by Pilot Officer Spring with those related earlier in the chapter, for they show that even after twelve years service the problems encountered during the early days were not entirely overcome, and were always waiting to catch the unwary. Let us now join student pilot Spring and find out just what it was like to go from the Jet Provost basic trainer of the 1960s to what is described as 'A real man's aeroplane'.

'I had the privilege of undergoing Advanced Flying Training on the Gloster Meteor T 7 during the twilight of its service career. I had done my basic training on the Jet Provost Mk 3 between July 1960 and April 1961. The Meteor was a totally different proposition. The JP was designed and built as a trainer. It was docile and very straight-forward to fly. With side by side seating one was conscious of being under the critical eye of the instructor during dual sorties. His hovering hands could be off-putting; his bulk in the right-hand seat intruded. One was equally conscious, during solo flight, of the empty second seat and the second set of controls.

'I was posted to Swinderby (8 FTS) at the end of April 1961 after completing the Basic phase, but was assessed to be too long in the leg to be guaranteed a safe exit from the Vampire T 11, with which this unit was equipped, in the event of having to use the bangseat. This criterion was evaluated by strapping me into the cockpit of a static T 11, and slowly winching the seat, which had its charges removed and its latches released, up the ejection guide rails with a Coles Mobile crane. My knees collected a few switches on the way out and the point was proven. I must admit that I made a conscious effort to stretch my knees as far forward as possible by squirming down in the seat! I was keen on the idea of flying the Meteor which seemed to me to be so much more of an aeroplane than the little Vampire. I wasn't going to let this opportunity get away from me!

'There were three Advanced Flying Training Schools in those days. Swinderby was straight through on Vampires (120 hours), 4 FTS at Valley flew 40 hours on Vampires, followed by 80 hours on Varsity aircraft. RAF Oakington was, like Swinderby, geared to 120 hours straight through training on Vampires. It did, however, have provision for those whose geometry, like mine, did not match that of the Vampire cockpit. It was to the Meteor Flight at Oakington that I was posted — literally overnight. The RAF College at Cranwell similarly had a Flight of Meteor aircraft alongside its advanced Vampire Flights.

'I slipped a course as a result of my reposting, and joined a course which had come from Ternhill (6 FTS), where they had trained on Provosts-with-props, and were to continue on Vampires. Although I was trained under the so-named Provost/Vampire scheme, I flew neither aircraft at any time!

'The Meteor Flight at 5 FTS Oakington was part of HQ Squadron. It was established solely to provide facilities for those of us who were long-legged. There was a common crewroom shared by instructors and students. The Flight Commander had a cupboard of an office and the briefing room and locker room were equally cramped. The wooden prefab hut also housed the servicing Flight personnel and the hatch where we signed the F 700's. The Flight Sergeant (a Chief Tech in those days) had his own tiny office in deference to his status among the ground crew. We all shared an Elsan in a small lean-to at one end of the building. We were few in number. The flying instructors were all ex-Fighter or Fighter Recce pilots and the atmosphere was far more that of a 'real' squadron than that of a flying training unit. We had a lot of fun and an excellent spirit in our elite little empire.

'I reported to Oakington during late afternoon on 10 May 1961. I had spent a long day journeying by train from Newark via Lincoln and Peterborough to the local halt where I was collected by MT. The next morning I met my new course mates, many of whom I remembered from ITS at South Cerney. We were interviewed by the Chief Ground Instructor and addressed by the Chief Flying Instructor. We met the ground school staff in between clearing in at the many sections. That night we were hosted by our new mentors at the Pike and Eel at Earith, and at this informal get together, met our flying instructors, most of whom were from the Vampire Flight.

'At Oakington there were four Vampire Flights and the Meteor Flight. There were from one to three representatives from each of the concurrent courses on the Meteor Flight. I was on 153 Course, replacing No 149 who were on the point of graduating, having completed their nine months and qualified for "Wings". I had two fellow course members with me. One had come from Ternhill, while the other had, like me, come from Syerston via Swinderby. We became firm friends, students and instructors alike, and were quickly on first name terms with one another. Our Meteor Flight identity subjected our course identity and we tended to affect a disdain for all those who flew Vampires or, as we referred to them, Kiddiecars or Squeakers.

'Our introduction to the Meteor Flight came a few mornings after our arrival when we were sent down to meet the instructors formally. They were preoccupied, preparing to join a flypast practice for 149's graduation. We had taken our flying kit down with us. Introductions were brief, and I was invited to "kit up" and "ride along". Before I knew it, I was strapped into the rear seat of Meteor *WH208* and we were trundling out to the holding point for a formation take-off and climb to rendezvous with the Vampires. The cockpit was a close fit; intimate. I sat high with the broad wings and big nacelles equally spaced on either side. Looking round, I was able to see out of the aircraft to both sides and well back. I was surprised how unobtrusive the heavy canopy framing, which from outside looked so restrictive, was from inside. We bumped along, nodding slightly as the pilot braked gently to kill acceleration. The hiss and puff of the pneumatic brakes added atmosphere. My pilot used differential power to guide the aircraft round the bends on the taxyway. He muttered the litany of pre-take-off checks audibly over the intercom. We turned onto the runway, rolling forward to straighten out. The two wingmen pulled up close in, one to either side. They stabbed their thumbs up. My pilot whirled his index finger in front of his forehead. The wingmen came to full power, their aircraft bowed forward, doubling the nose gear knuckle joint. I felt the thrust dipping our nose too as power came up. My pilot snapped his head forward in a sharp nod. The brakes came off and we surged forward. The seat pushed firmly against my back. I felt the acceleration all the way to unstick. The nosewheels came off the ground. A check held them firmly in their new attitudes. The wings bled weight from the mainwheels as we rode faster and faster. The wingmen were locked in position, seemingly part of the leader. With slight sink of the tail we were airborne, holding down, accelerating to safety speed, the wheels thumped up. We tilted into a smooth turn, still accelerating, the wingmen still rock steady one each side. The flaps eased in as we passed safety speed and nosed up into a climb, still turning. The ground swam rapidly away from us. This was a totally new experience.

'We found the Vampires over the holding point, turned past them in a smooth descent, and throttling back, held a gentle orbit while they closed up behind us. We racetracked in orbit while counting down, rolling out on cue, opening up power, descending smoothly to race across the Cambridgeshire fens, running level across the airfield in salute, bending left and climbing to the south. Our power came up to full thrust. We absorbed acceleration with speed as we racked round hard, pulling away from the Vampires, leaving them to slip down into the circuit and position for their own landing. Our No 3 ducked down out of position. Looking to starboard, I saw that No 2 had gone too, sliding back into line astern as we chased away to position for a long straight-in approach, only slotting back into Vic at five miles for a formation touchdown.

'We rode down finals, nose high, arrogant. My pilot gave a running commentary on safety speeds, decision heights and the inertia of centrifugal compressors. We crossed the threshold, flared sweetly, held off for a moment and touched gently, to run, nose held high, down the runway, braking aerodynamically until the nose was ready to "go". The pilots gently lowered their nosewheels to the ground, decelerating smoothly, braking lightly to walking pace. We turned off the runway, paused briefly to clean up, reset trimmers and to swing the heavy canopy open. The breeze was refreshing, the hint of paraffin in the air evocative. We taxied back to dispersal, swung into line at the behest of the erk, waited for chocks and shut down.

'The flight had lasted 20 minutes from take-off to touch-down. My impressions were of power and grace. I clambered out, reaching with my toe down the painted guide lines for the kick in step, feeling for the pull-down step with my other foot and hopped to the ground. It was the start of an affair with an aircraft which posed a challenge. "Best aircraft in Training Command, separates the men from the boys,"my pilot said. He had no need to ask how I'd enjoyed the trip; how I felt. My expression showed I was hooked.

'I flew in the back seat again ten days later, this time on an aircraft air test. The pilot this time was the deputy CFI. We went through the required sequences, including a spin so steep we seemed to be inverted. The DCFI showed off his repertoire of aeros and we finished off with a low-level round the houses sector recce of many of the local pubs with commentary on the quality of the ale and hospitality available at each.

'After that we started training in earnest. We were treated as lesser equals by our instructors. After the Jet Provost the Meteor was a big aircraft and needed to be mastered.

The JPs on strength at Syerston had been new aircraft and deliveries from the factory continued while we were there. They smelled new. The dull black interior paint was unscratched. The cockpit layout was ergonomically planned. The UHF radio equipment had pre-select dialable channels. The axial-flow compressor spun smoothly under the cowlings. The throttle could be slammed from stop to stop while the Acceleration Flow Control Unit (AFCU) took care of fuel metering, preventing over-fuelling or starvation. Fancy little attention-getters winked lights and clanged to warn of out-of-line situations. The fuel gauges read in pounds and were accurate. Overall the JP looked like a trainer, felt like a trainer and flew like a trainer. It was forgiving and one had to be rather careless or brutal for it to get the better of one. At take-off one opened up to full chat against the brakes after lining up. If the brakes held at full power, they could be released and the JP would roll away gently, accelerating to 85 kt where the nosewheel could be lifted off and held off until a touch of back pressure would unstick the aircraft at around 110. The transition to climb was easy with lots of time to do everything. I trimmed easily, flew positively. A push on the red plastic button and the gear would retract while one accelerated to flap retract speed, and so on through the climb, general handling, aeros, formation, I. F. and circuit work. An effete little rocker switch on the throttle popped the airbrakes in and out.

'Make no mistake. I had a lot of time for the Jet Provost. I flew a total, eventually, of 1,300 hours on Mk 3s and 4s as pupil, student instructor and QFI. It was a super little aircraft to instruct on and for the pupil faced him with all systems to master while not being too much of a handful. The Meteor, though, was something else! We were made conscious from the outset that we had two engines not one. We were taught to handle it on both engines or on either (or on neither!) throughout the flight envelope. The engines needed smooth handling. The inertia of the compressors and the fuel supply could get out of phase if we were heavy handed. If we erred in our handling, we were made to live with our sins. From safety considerations, the days of flamed-out single-engined flying below 1,000 ft were past. Our asymmetric below that height was done with one engine throttled right back and 1/3 flap to counter the idling thrust. After take-off the aircraft needed to be held down while it accelerated to safety speed, that speed at which the average pilot with full power on one engine at sea level, could hold direction with the other engine flamed-out. We learned to snap the gear up as soon as we were airborne to dispose of its drag. Safety speed differed between those aircraft with "big breathers"; 165 kt, and those with the earlier "small breathers"; 160 kt. Big breathers had nacelle intake diameters which were about five inches greater than the "small breathers", to give greater mass air flow and which consequently produced more drag.

'Critical speed was established for each pilot. This was the minimum speed at which an individual pilot could hold direction at sea level with full power on the "live" engine, the other flamed-out and full rudder trim against the "live". It was a function of strength and the aircraft's geometry. I am a little over 6 ft 1 in, and, in those days I was fifteen stone with no fat, played rugby twice a week in season and kept fit. I could hold direction in this configuration at 1,000 ft with my leg locked and the rudder hard over, down to 130 kt, which was the aerodynamic limitation of the aircraft. Below this speed no further rudder assistance was available and the aircraft would yaw toward the dead engine and yaw would be followed by roll. It was necessary to reduce power to reduce asymmetric thrust in order to keep straight, and the only way to restore or increase speed was to sacrifice height by diving. Above critical speed, with careful handling, the aircraft would accelerate slowly. Once the initial problems had been overcome and the aircraft cleaned up and trimmed out, it handled nicely, even if it was hard work.

'On take-off there were three situations in which one could lose an engine. Before unstick and with runway remaining; the second engine had to be chopped and the aircraft braked.

Airborne, above safety speed, or at worst above critical speed, control could be maintained and the Meteor would accelerate although loads on the "live" leg could be murderous. Because of the adverse effect of drag the gear was always selected "up" immediately after take-off. Although the gap between unstick speed and critical speed was relatively narrow, it needed to be transitioned as rapidly as possible. Loss of an engine (and half the thrust) during this third situation could not readily be countered either by lowering the nose or by reducing power. For these reasons, the Meteor was held down until critical speed, and indeed, safety speed was achieved. The technique also avoided the danger of exceeding the gear limiting speed of 180 kt as speed built up rapidly on full power on both. At safety speed the aircraft was pulled up into a climb and flaps retracted from 1/3 down used for take-off. Although a valve in the flap circuit allowed them to bleed up when limiting speed was reached, airmanship dictated that the aircraft was not allowed to get to this situation. Poor airmanship met with censure.

'Take-off was thus exhilarating. With acceleration sustained after take-off, the aircraft could be held down and then hauled up spectacularly into the climbing attitude, with speed building up satisfyingly until it stabilized at the recommended uphill speed of 300 kt, by which time it was retreating rapidly and well on its way.

'If remaining in the circuit, one rolled smoothly into a 35° one-eighty climbing turn, aiming to roll out on the downwind heading at exactly 1,000 ft above ground level, with power coming back to the circuit setting exactly as the speed hit 170 kt. After the JP things happened rather fast, but the feel of power, the crispness of the controls, the higher speeds and the solid inertia of the aircraft gave it a lot more punch. Flying it with precision gave a sense of achievement.

'Under the premise that reactions are born of conditioning and repetition, our instructors made sure that we learned the hard way. They were liable to try and chop an engine at any time. I say "liable to try" because the message got across and I would hang onto the throttles with a tight grip and rigid forearm. This meant that the most vulnerable time was when one had to release the throttles and reach for the undercarriage lever. If one was slow, there was liable to be one throttle! As this was the most critical stage of flight, the aircraft would be starting to yaw urgently, and the rudder load would have triggered one's reflexes to counter the swing. The drill was crucial. "CATES" is the mnemonic we used — Check yaw, Adjust power, Trim, Examine for cause, Systems remaining.

'I don't believe anyone ever had any problem identifying which Derwent had failed. As part of the drill a conscious statement of which engine had gone was necessary to preclude any confusion. The truism 'Dead leg-Dead engine' was infallible.

'Checking yaw was the initial reaction to correct the swing and get the ball in the middle. An out of balance yawing aircraft presents frontal area and drag is increased. "Adjust power" included, by implication, reducing drag which meant ensuring the gear was up or selecting it up and getting the airbrakes in if appropriate. Depending on the stage of flight, it might be necessary to increase power or reduce power. "Trim" was necessary always to reduce effort needed to fly the aircraft and at low speed essential to reduce rudder load. One of my instructors flew a full aerobatic sequence, with one engine flamed-out, early on in the course to underline the statement in Pilots' Notes that the aircraft handled well when trimmed out, on one. "Examine for cause" meant just that and was essential to support any decision to relight. "Systems Available" was a necessary analysis, as with the port engine out the pneumatic compressor would not be available (wheelbrakes), and, with the starboard out, the hydraulic pump would not be operating (flaps, undercarriage, airbrakes). Each engine carried a vacuum pump for instrument suction and a generator to operate electrics. The output of either engine was adequate to provide suction or power to run all relevant systems.

'Decision height on a single engined approach was 600 ft above ground level. The minimum permissible speed on finals was 140 kt. From decision height at this speed, the aircraft could be overshot safely without losing too much height. If the dead engine was the starboard, the gear had to be left down (no hydraulic pump) during overshoot and the subsequent circuit. During asymmetric circuit training, the hydraulic pump would in fact be running, because of the ban on flaming-out below 1,000 ft, and the gear would come up if selected. The penalty for selecting gear up on an asymmetric overshoot on the port engine was to select down, climb above 1,000 ft, flame the starboard out, and then cycle the undercarriage up and down with the hand-pump. Foot loads during overshoot with the gear down were heavy. The effort of this penance reinforced the drill and I admit that I didn't make this mistake after the first two oversights. I can recall staggering away from the aircraft after such a session with a trembling aching leg. (It gets you in the muscles above the knee!)

'The Pilots' Notes gave the limiting speed for the T 7 as 510 kt/M.78. On an early solo flight, starting from 30,000 ft above Denver Sluice at the north end of the twin canals, I decided to check out these limits. I rolled into a steep dive, levelling the wings to run down the line of the canals toward Ely. Speed built up rapidly. I had to push hard and trim forward. I stayed within Mach and then IAS limits and kept trimming to about 450 kt. The controls were heavy and the altimeter was unwinding faster than I'd ever seen any gauge unwind. I had both hands on the control grip as I approached 500 in a very steep attitude. I released forward pressure slowly — no need to trim — and as the nose came I started to pull back, leaving the throttles open, and kept the nose coming up until I was near vertical. I was trimming back fast as the speed decayed. Apart from finding out what it was like to fly at max book speed, I learned how fast Derwents could gobble fuel at full power in thick air.

'Normal descents were steep enough, with 1,100 rpm, brakes out and holding 250 kt to give around 5,000 ft/min down (the RCDI only indicated 4,000 ft/min either way). Maximum rate descent, with throttles closed, holding 350 kt was hair-raising. The Meatbox stood on its head and went down like a brick. I'm sure that if one could have thrown a brick out at the start of a maximum descent it would have been possible to formate on it! I think the book quoted the rate of descent in this configuration at about 20,000 ft/min.

'As part of the high level handling exercises we regularly flew to M.78, the limiting Mach number in a so called high speed run. The object of the exercise was to teach the techniques. The Meteor had a tendency to snake a high Mach number. This was a side-to-side weaving of the nose. In some of the Meteors on the Flight this was more pronounced than in others. This was explained as being because the closed dive brakes did not fit quite flush and that this affected the Mach waves and pressure distribution over the aerofoil. Compared to Dutch rolling, where roll predominated over yaw, snaking occurs when yaw predominates.

'The disposition of most of the Instructors was that anything with wings was "fair game", and we bounced just about anything we came across. Other Meteors and Vampires came in for their share. The USAF RB-66s inbound from Europe let down across Norfolk en-route to Alconbury. On their steady tracks, the Destroyers made tempting targets. I place on record that a Meteor at full chat cannot catch an RB-66 on a cruise descent. I have memories of an IF training sortie being cut short as my instructor took control and gleefully bounced a vic of seven Javelins from Waterbeach. By the time I had my IF hood off, we were rushing down towards the formation and passed through the vic between the limbs of the "V" going in the same direction. We passed under the leader before pulling up into a vertical climb. There were no repercussions. I guess if Fighter Command got bounced, without seeing it coming, they were not inclined to shout about it. In fairness they had been concentrating on their formation. They were practising for their AOC's inspection. We didn't hang around to see how long it took them to close up again. The same instructor took us through the Thor site at Mepal on one occasion, so I reckon that things without wings were also "fair game"!

'Instrument training was flown from the rear seat under the hood. I found the "single seat" instrument layout preferable to that of the Jet Provost where a central IF panel served both pilots. As can be expected, we endured our share of single-engined flying under the hood, from the trauma of having an engine chopped after take-off and having to fly a single-engined ACR7 pattern to having one flamed-out at high level in the GF area, having to orient, nominate a diversion and recover via a strange letdown and radar pattern. These exercises helped put asymmetric flight in perspective and build proficiency in handling all contingencies. Part of the task on a recovery from high level (and later in low level situations) was to carry out the relight while on instruments to meet the stipulation of having both engines running below 1,000 ft. Workloads are set to provide a challenge and build determination. The dexterity required of a pilot to fly the dials, do the RT, go through relight drills, including the contortions needed to reach the HP fuel cock with its relight-tit and stay orientated certainly fostered determination and concentration and generated a lot of sweat.

'Aerobatics in the Meteor were stimulating, took up a lot of sky and required hard work to ensure precision. I think the physical effort of flying aeros exuberantly was a big ingredient of the satisfaction derived from a well flown sequence. In addition to normal formation flying and the inevitable tailchases which followed the formal part of the sortie, we did a fair amount of illicit formation aerobatting. This was hard work to start with, limited to loops, wingovers and barrel rolls in three-ship vic and line astern, but added a further dimension to our growing experience.

'We were expressly forbidden to attempt Zurakowski cartwheels, it being pointed out that the Mk 8 tail had a stronger sternpost than our T 7s and that Zurakowski had rockets under the wings to increase gyroscopic inertia. Pupils were known from time to time to fall out of asymmetric stall turns.

'There were six aircraft on strength, as follows: *WL465* — "*67*", *WL344* — "*68*", *WL345* — "*69*", *WH208* — "*70*", *WL456* — "*71*" and *WH186* — "*72*". "68" was a late-comer to fill the gap left by its predecessor. This had been lost earlier in the year, before our arrival. The crew had passed out from hypoxia and came-to low down, totally disorientated and spinning. They had bailed out at the last moment before the aircraft slammed into the deck. The new "68" was collected during October 1961, and repainted to conform with the FTC Daglo "Blaze Orange" scheme in place of the overall silver doped finish and yellow "T" bands it had worn while with Fighter Command. All aircraft were fitted with 175 gallon ventral tanks. "68" arrived with underwing overload tanks as well, but these were removed and returned.

'"71" was a bit of a rogue. It would flick without warning in aeros or tight turns, particularly during tailchases where control movements were reactive. It could be hairy at low speed in flapless configuration in the circuit. I got into an awkward situation at our relief landing ground, Gravely, on one occasion. I had just started the finals turn for a flapless approach. (We used to fly a constant banked 180° turn descending to 300 ft above ground level straight in.) The ball was not central and I applied a little rudder pressure to centre it. The ball went full travel and the aircraft started to yaw in the opposite direction. The yaw continued despite my frantic footwork, and the aircraft started to roll smoothly in the same direction as the yaw, away from the finals turn. There was no feel to the rudder pedals. I got the message and stuffed the nose down and heeled the throttles up to full power. I was able to level out again about 150 ft above ground level at right angles to the runway datum having passed through the centreline in the process. I flew a sedate upwind leg as I climbed back to height, with an equally sedate pair of circuits and roller landings to follow — with flap this time. The opinion of this aircraft was not mine alone, and was generally shared by all the other pilots who flew it.

'I had the dubious distinction of breaking "67" on 17 January 1962 after a double flame-out at 28,000 ft. I had climbed through solid cloud to do high-level general handling, and when I popped out of the tops, started a gentle clearing turn to assess the extent of the cloud cover and see what things looked like generally. I had throttled back slightly as I levelled out above the clag. The revs on both engines kept on decreasing and did not respond when I tried to open up again. They just quit. The JPT's were tailing off and confirmed the fires had gone out.

'I put out a Mayday on 121.5, and as I released the transmit button, the ATC co-ordination centre came up loud and clear and gave me a heading to steer to overhead Stradishall. They guided me with their autotriangulation facility to overhead Stradishall and I started the standard 170 kt, 4,000 ft/min rate-one spiral descent, calling out my headings as I approached the quadrantals. I broke cloud below 9,000 ft in a high downwind position, a good high key, and perfectly placed for a flameout pattern and touch-down one third of the way down the runway. If I had set myself up in clear skies with power, I could not have aimed for better positioning. This is known as counting one's chickens! At this point things started to go wrong. "67" was the only aircraft on the Flight which had all its gyros electrically driven. I had been on batteries for six or seven minutes by then, I had caned them with several attempts to relight before settling down to fly the recovery pattern. They chose this point to quit. At least they had powered my emergency radio and instruments while I was in cloud on the descent. I entered cloud again, hanging onto the indications of the dying gyro instruments to gauge my turn. When I emerged, low down on finals, I was badly placed having crossed through the centreline and totally overshot my turn. I hauled the aircraft back towards the runway, crossed the side beyond the threshold, rolled back to parallel the runway and tried to kick off drift at the same time. I touched down with sideways inertia. The port gear fractured and folded; the starboard wheel ripped off at the hub. I slid dead straight down the runway on nosewheel, nacelles and tail. The aircraft's back was a trifle bent. An ambulance and fire tender, which had been standing by at the threshold since my

Top right *The RAE at Llanbedr still operate T 7* WA662 *on check-out, monitoring and drone duties. This and two U 16s are the last three Meteors still carrying out important tasks for the RAF. Its finish is grey and white with a blue trim. The badge is the 1981 IAT 'ZAP'.*
Right and below right *Then and now — the Vintage Pair's Meteor T 7,* WA669, *as it was when the RAF Handling Squadron at Boscombe Down (centre right) and at the 1983 Greenham Common Air Show (bottom right).* (R. Deacon and R. Ward.)

Below *The T 7 in which Pilot Officer Spring had his double flame-out.* (I. Spring.)

WA669

WA669

emergency had been declared, formated on me neatly in shallow vic. Fuel from the crushed ventral caught fire from the friction of the slide. I had the canopy open during the latter part of the slide, and unstrapped and leaped out as soon as the aircraft stopped. I was unhurt, but damn near broke my neck because I had not unplugged my oxygen tube or Mictel connection. Their restraint jerked me back against the fuselage, from where I landed heavily on my butt when the connections did separate.

'I was whisked off to the sick quarters to await the arrival of my Flight Commander who was en-route to Stradishall in the Standard Vanguard to collect me. His initial intention of flying across in another Meteor to pick me up was thwarted because the runway was blocked! The instructors and my fellow students had been playing cards (I believe the polite name is "Find the Lady") when word had been passed of my emergency. One of the instructors had said, "No hurry. From 28 thou, he's got at least seven minutes", and another had said, "No point in doing anything until we hear he's on the ground. If he gets the chop, we will have only wasted fuel!"

'I had been given a packet of twenty cigarettes by the doctor, in the two hours it took for George to drive across and collect me, I managed to finish twenty out of twenty. I received my "wings" on 26 January, and joined the Bomber Command OCU at Gaydon on 1 February, where I converted on to the Vickers Valiant.

'I was exonerated from any blame for the crash by the board of enquiry. I was initially criticized for trying to relight above 23,000 ft, which was the limiting altitude for the Derwent. I was fairly vociferous in putting across my point of view that I wanted to get

The two T 7s of the Vintage Pair are popular performers at Air Shows. Based at RAF Scampton, the flight is under the command of Squadron Leader Bruce MacDonald. The pilots and servicing crews are all volunteers who give their free time to keep these historic aircraft in pristine condition and to display them throughout Europe during the Air Show season. (S. Howe.)

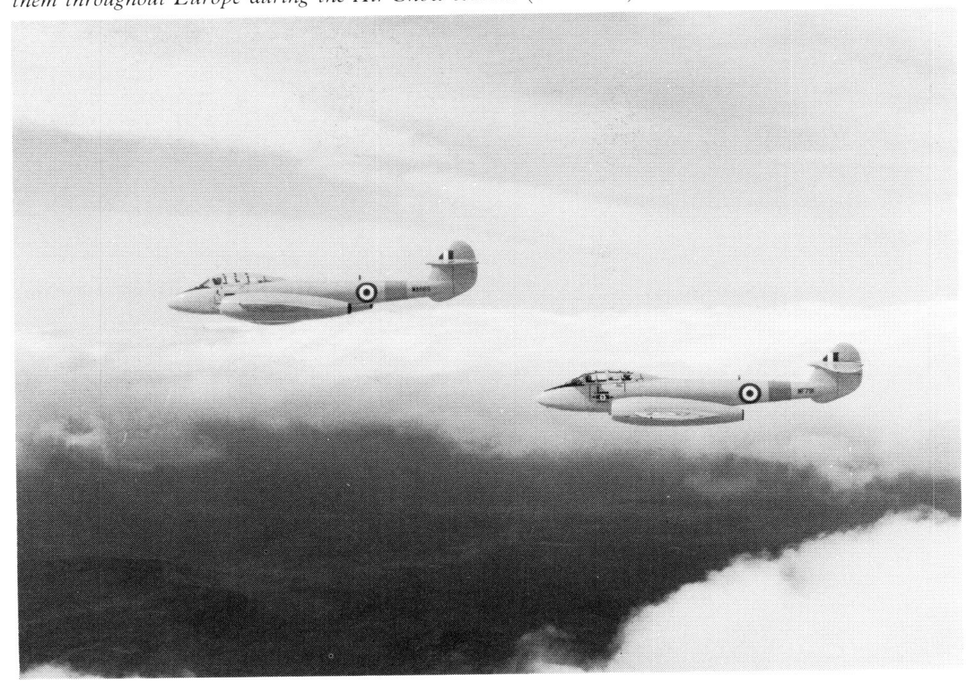

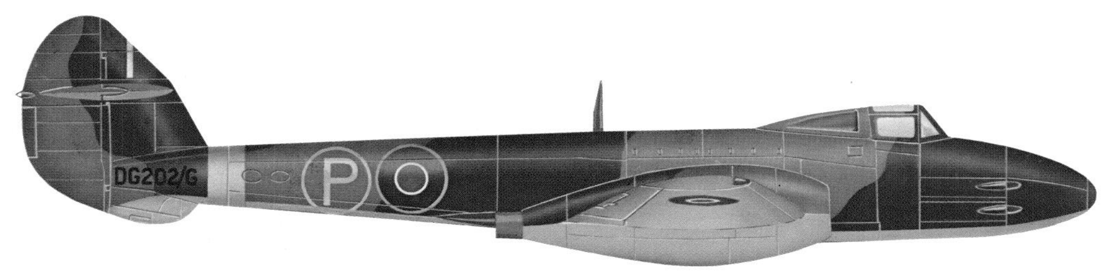

Above Gloster F.9/40, first prototype (*DG202/G*) as it appeared in July 1943. Powered by Rover W.2B engines, it lacked the fin 'acorn' bullet and glazed rear canopy, both of which were fitted later in its career. Uppersurfaces in matt dark green and ocean grey, yellow undersides.

Below Gloster Meteor F 1, *EE229:YQ–W*, of No 616 Squadron, RAF, based at Lübeck, Germany, May 1945. Standard day fighter camouflage of matt dark green and ocean grey uppersurfaces, medium sea grey undersurfaces. Rear fuselage band and code letters in sky.

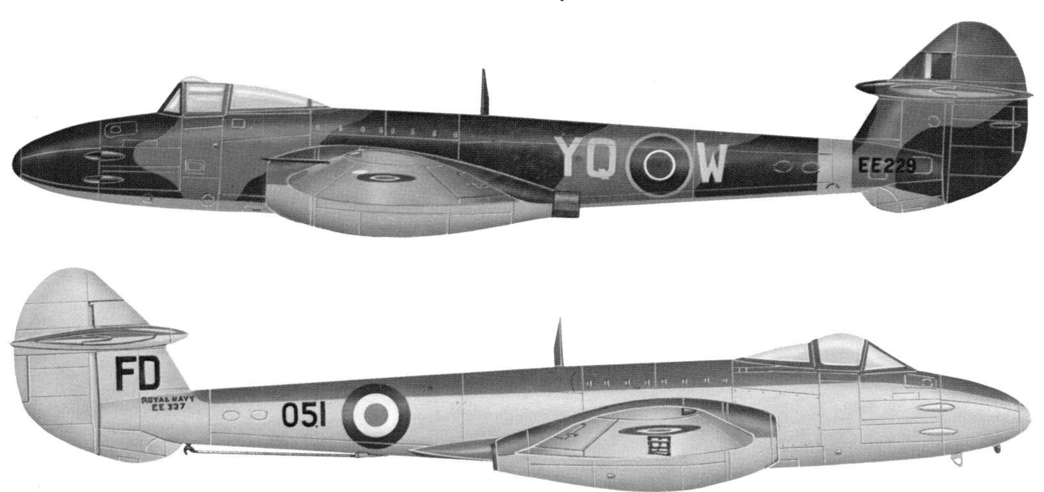

Above Gloster Meteor F 3, *EE337: 051/FD*, of No 703 Naval Air Squadron at RNAS Ford, 1950. Previously in silver overall finish, this aircraft had served with No 739 NAS before this unit was absorbed into 703 NAS. *EE337* is shown here in its later standard naval finish of gloss extra dark sea grey upper surfaces and sky under surfaces. Note the 'A' frame arrestor hook and nose lugs for its role in carrier deck trials.

Below Gloster Meteor F 4, *EF44:SV–A*, of No 4 Smaldeel (Squadron), 1 Wing, Belgian Air Force, based at Bevekom, 1950. Overall finish is aluminium silver, the badge of 1 Wing appearing on the forward engine nacelles.

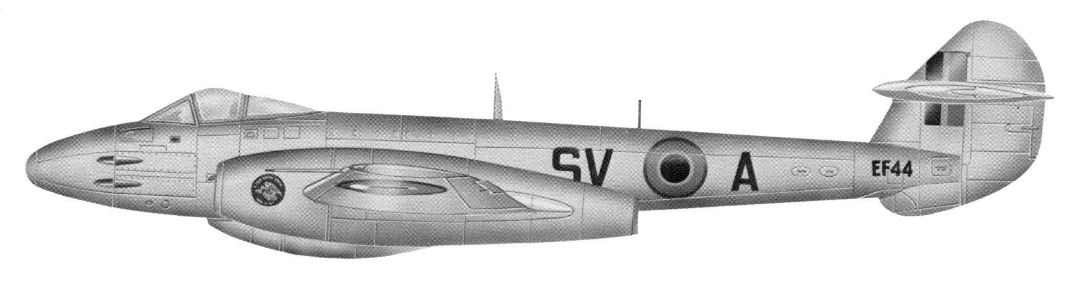

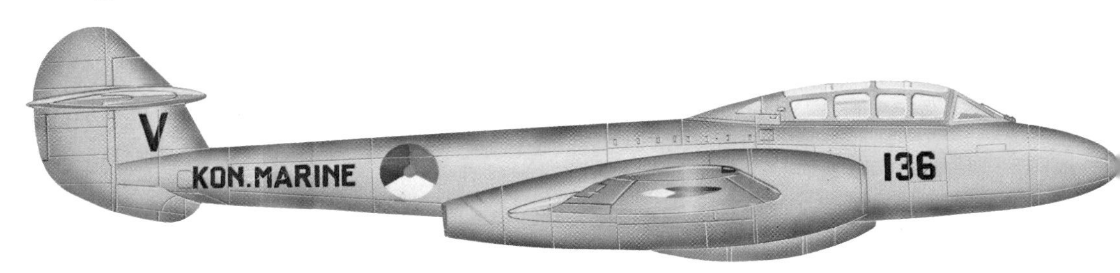

Above Gloster Meteor T 7, *136*, of No 3 Squadron, Marine Luchtvaart Dienst (Dutch Naval Air Service), based at Valkenburg circa 1959. Aluminium silver overall finish with yellow trainer bands on the wings and rear fuselage.

Below Gloster Meteor F 8, *WA776:S*, of No 610 (County of Chester) Squadron, Royal Auxiliary Air Force, based at RAF Hooton Park, Wirral, 1957. Finished in standard day fighter camouflage scheme of gloss dark green and dark sea grey upper surfaces, and aluminium silver undersides. Unit markings on fuselage and wing tips are black and white, a small squadron badge on a black panel appearing under the port windscreen panel.

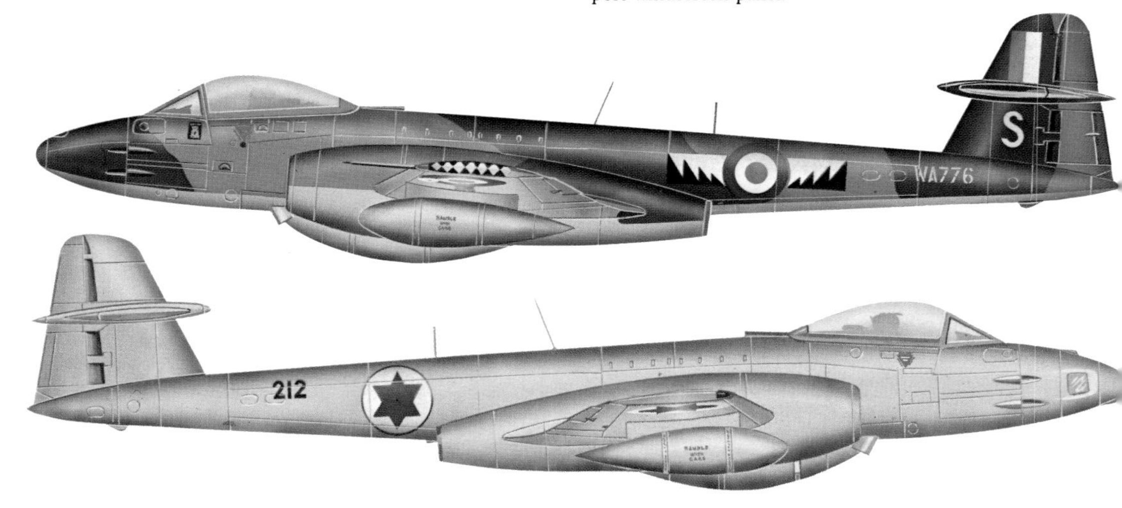

Above Gloster Meteor FR 9, *212*, of the Israeli Air Force, 1954, as it appeared at the time of delivery — in service serial numbers were usually changed. Finish is overall aluminium silver.

Below Gloster Meteor PR 10, *VS987*, of No 81 Squadron, RAF Far East Air Force, Tengah, Singapore, 1960. Finish is overall aluminium silver, with the squadron badge carried on the port armament panel, and the ace of spades playing card emblem in yellow and black each side of the nose.

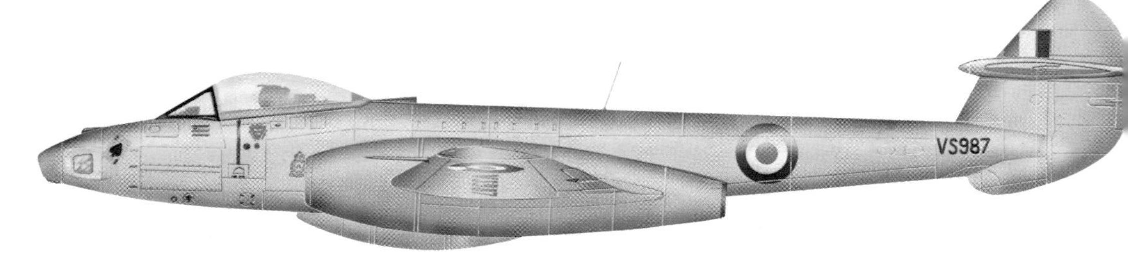

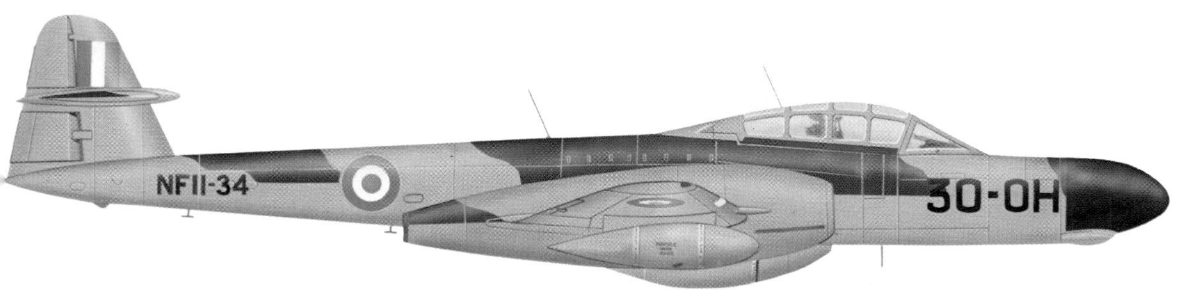

Above Armstrong Whitworth Meteor NF 11, *34:30–0H*, of EMICN 1/30 'Loire' (30th Escadre de Chasse), based at Tours, Armée de l'Air (French Air Force), circa 1955. Camouflage finish was overall gloss medium sea grey with dark green disruptive patterning on the upper surfaces.

Below Armstrong Whitworth Meteor NF 12, *WS605:D*, of No 64 Squadron, RAF, based at Duxford, 1958. The pre-war style unit emblem, a scarabee on a white arrowhead, appears on the fin, and the traditional red and blue trellis design on the fuselage. Camouflage finish is similar to that of the NF 11, although some NF 12s received the three-tone scheme typical of NF 14s.

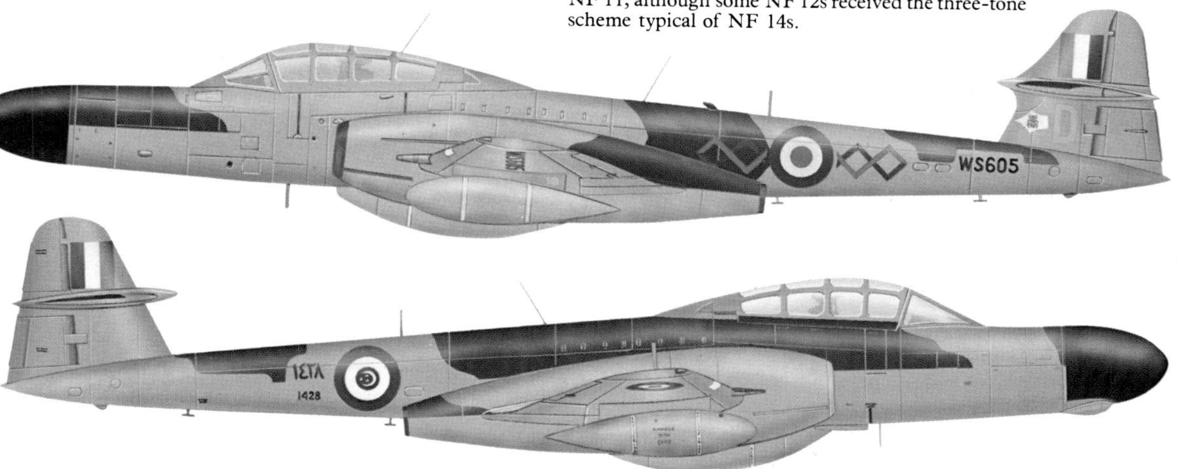

Above Armstrong Whitworth Meteor NF 13, *1428*, shown in the scheme in which it was delivered to the Egyptian Air Force in 1955. This particular aircraft was *WM326* in its previous RAF service. Camouflage colours were as shown for the NF 11.

Below Armstrong Whitworth Meteor NF 14, *WS827*, of No 264 Squadron, RAF, based at Middleton St George, circa 1956. The aircraft is in the scheme typical for the NF 14, comprising gloss dark green and dark sea grey upper surfaces, and medium sea grey under surfaces. The squadron badge appeared on both sides of the nose, the unit's emblem on the fuselage consisting of dull yellow bars with black top and bottom stripes and a narrower centre stripe. *WS827* was a flight commander's aircraft, and the yellow/black bars are repeated on the lower fin.

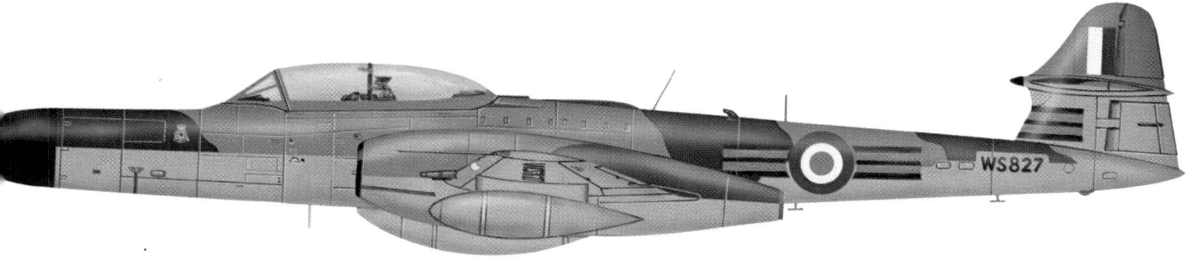

Armstrong Whitworth (Gloster) Meteor NF Mk 12 Cutaway Drawing Key.

1 Radome
2 Radar antenna dish
3 Waveguide
4 Antenna tracking mechanism
5 Radar power unit
6 Radome latches
7 Radar equipment mounting bulkhead
8 Nosewheel leg door
9 Landing/taxying lamps
10 Nosewheel undercarriage shock absorber
11 Nosewheel forks
12 Nosewheel
13 Mudguard
14 Nose undercarriage pivot mounting
15 Equipment access door
16 Radar modulator
17 Nose electronic equipment bay
18 Ballast weights
19 Nose undercarriage hydraulic retraction jack
20 Nosewheel mounting sub-frame
21 Venturi
22 Nosewheel doors
23 Front pressure bulkhead
24 Rudder pedals
25 Ballast weight
26 Control column
27 Instrument panel
28 Instrument panel access door
29 Retractable gyro gunsight
30 Windscreen panel
31 Starboard engine air intake
32 Direct vision opening side window panel
33 Throttle levers
34 Gyro sight dimer and selector switch
35 Chart case
36 Cabin pressure control valve
37 Cockpit floor level
38 Ground power socket
39 Lower IFF aerial
40 Ground/flight switch access panel
41 Fuselage lower longeron
42 'Kick-in' step
43 Trim control handwheels
44 Fuel cocks
45 Cockpit section fuselage framing
46 Pilot's seat
47 Cockpit canopy cover, hinged to starboard
48 Canopy framing
49 Starboard engine intake duct framing
50 First aid kit
51 Radar equipment racks
52 Gee navigating system equipment
53 Rectifier
54 'Kick-in' steps
55 Navigator/radar operator's footrests
56 Oxygen bottles (three)
57 Ventral fuel tank, capacity 175 Imp gal (796 l)
58 Pull-out boarding steps
59 Cockpit rear pressure bulkhead
60 Radar visor stowage
61 Navigator/radar operator's seat
62 Cockpit pressure seal
63 Whip aerial
64 Starboard engine bay
65 Engine mounting ring frame
66 Main engine mounting
67 Starboard wing cannon bay
68 Jettisonable external fuel tank, capacity 100 Imp gal (455 l)
69 Cannon muzzles
70 Aileron operating rod
71 Ammunition tanks
72 Starboard outer wing panel
73 Starboard navigation light
74 Wing tip fairing
75 Starboard aileron
76 Aileron hinge control
77 Balance tab
78 Trim tab
79 Fixed portion of trailing-edge
80 Rear spar ring frame
81 Starboard airbrake, open
82 Canopy aft fairing
83 Hydraulic equipment access panel
84 Hydraulic equipment bay 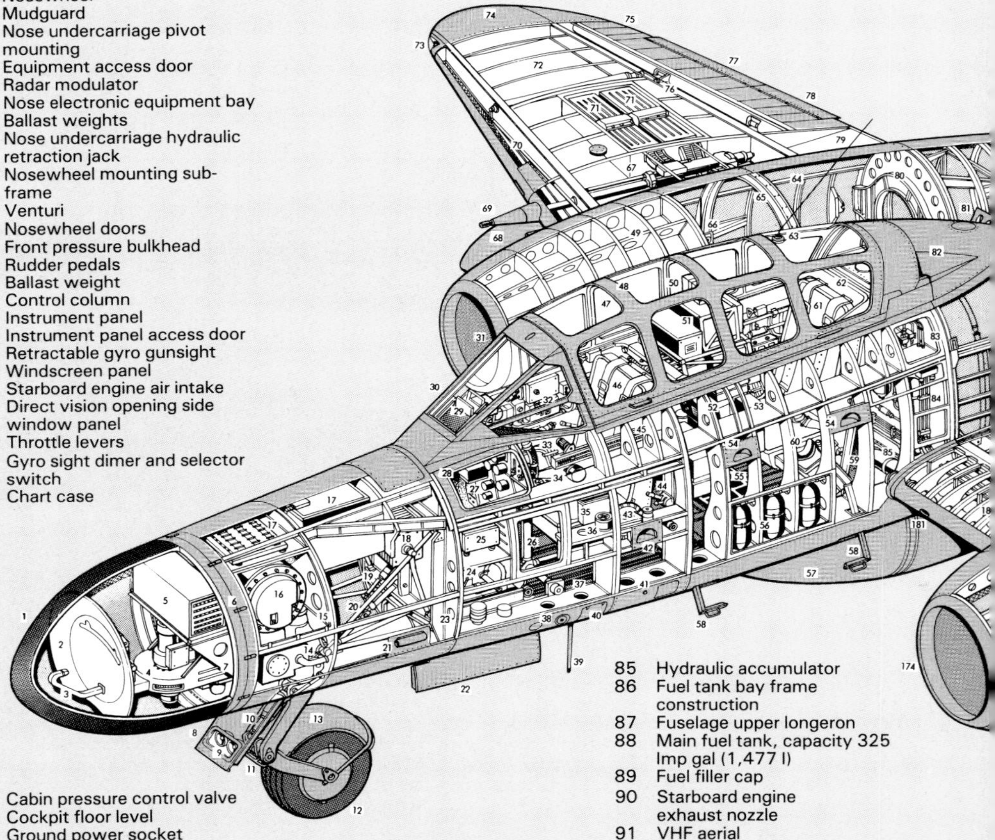
85 Hydraulic accumulator
86 Fuel tank bay frame construction
87 Fuselage upper longeron
88 Main fuel tank, capacity 325 Imp gal (1,477 l)
89 Fuel filler cap
90 Starboard engine exhaust nozzle
91 VHF aerial
92 Fire extinguisher bottle
93 Radio and electronics equipment bay
94 Electrical system inverters
95 Cooling air scoop
96 Upper IFF aerial
97 Elevator control cables
98 Fuselage skin panelling
99 Rear fuselage frame and stringer construction
100 Tailfin construction
101 Fin/tailplane bullet fairing
102 Fin area-increasing fairings

103 Starboard tailplane
104 Starboard elevator
105 Upper fin segment attachment joint
106 Fin/tailplane attachment joints
107 Upper fin segment construction
108 Rudder construction
109 Upper and lower rudder segment interconnecting torque shaft
110 Tail navigation light
111 Lower rudder segment trim tab
112 Elevator trim tab
113 Port elevator construction
114 Tailplane construction
115 Rudder lower segment
116 Tailcone
117 Rudder hinge control
118 Tail bumper
128 Wing root fillet
129 Split trailing-edge flap
130 Flap hydraulic jack
131 Port airbrake, open (upper and lower surfaces)
132 Airbrake hydraulic jack
143 Aileron trim tab
144 Balance tab
145 Port aileron construction
146 Rear spar

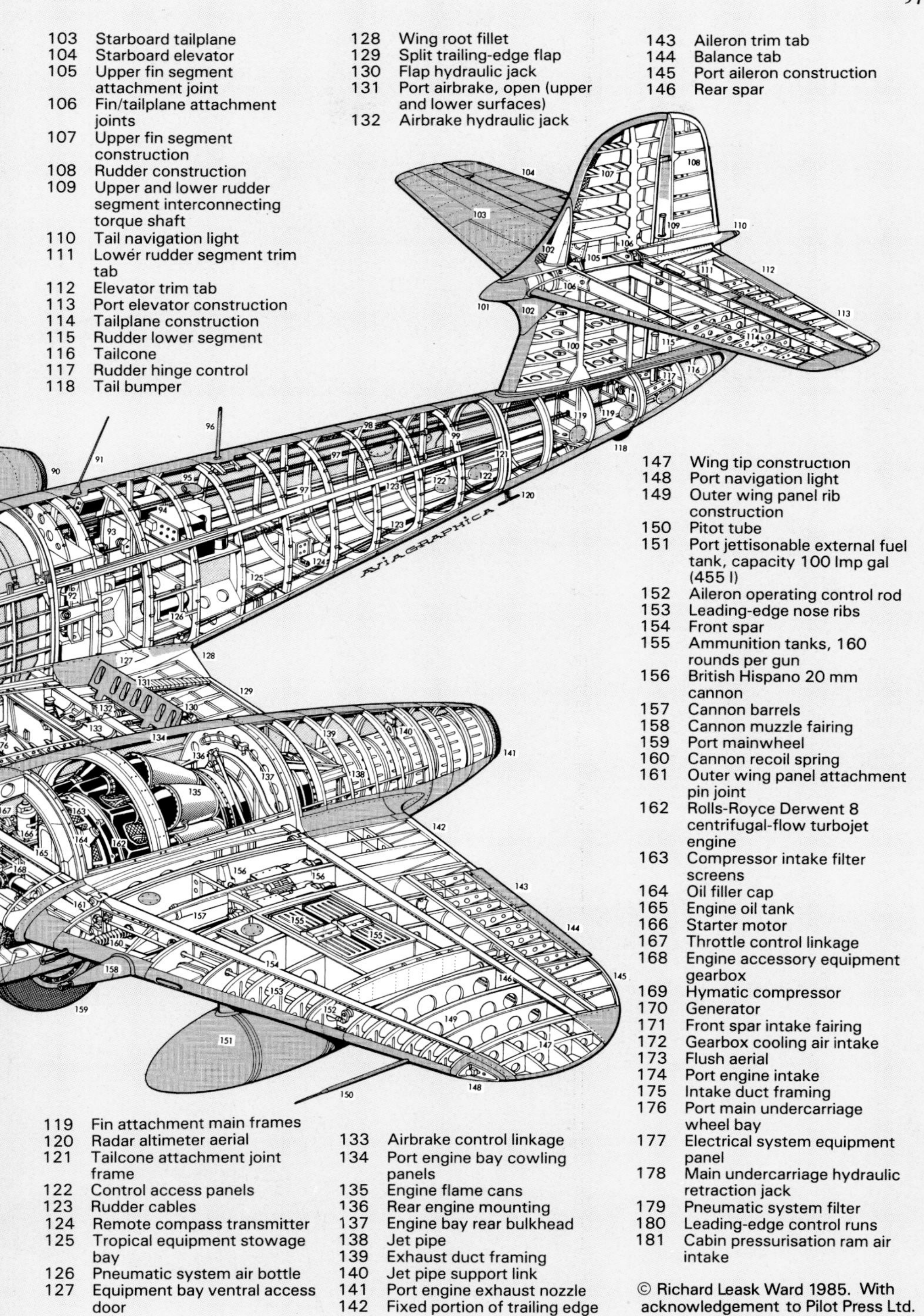

147 Wing tip construction
148 Port navigation light
149 Outer wing panel rib construction
150 Pitot tube
151 Port jettisonable external fuel tank, capacity 100 Imp gal (455 l)
152 Aileron operating control rod
153 Leading-edge nose ribs
154 Front spar
155 Ammunition tanks, 160 rounds per gun
156 British Hispano 20 mm cannon
157 Cannon barrels
158 Cannon muzzle fairing
159 Port mainwheel
160 Cannon recoil spring
161 Outer wing panel attachment pin joint
162 Rolls-Royce Derwent 8 centrifugal-flow turbojet engine
163 Compressor intake filter screens
164 Oil filler cap
165 Engine oil tank
166 Starter motor
167 Throttle control linkage
168 Engine accessory equipment gearbox
169 Hymatic compressor
170 Generator
171 Front spar intake fairing
172 Gearbox cooling air intake
173 Flush aerial
174 Port engine intake
175 Intake duct framing
176 Port main undercarriage wheel bay
177 Electrical system equipment panel
178 Main undercarriage hydraulic retraction jack
179 Pneumatic system filter
180 Leading-edge control runs
181 Cabin pressurisation ram air intake

119 Fin attachment main frames
120 Radar altimeter aerial
121 Tailcone attachment joint frame
122 Control access panels
123 Rudder cables
124 Remote compass transmitter
125 Tropical equipment stowage bay
126 Pneumatic system air bottle
127 Equipment bay ventral access door
133 Airbrake control linkage
134 Port engine bay cowling panels
135 Engine flame cans
136 Rear engine mounting
137 Engine bay rear bulkhead
138 Jet pipe
139 Exhaust duct framing
140 Jet pipe support link
141 Port engine exhaust nozzle
142 Fixed portion of trailing edge

 With acknowledgement to Pilot Press Ltd.

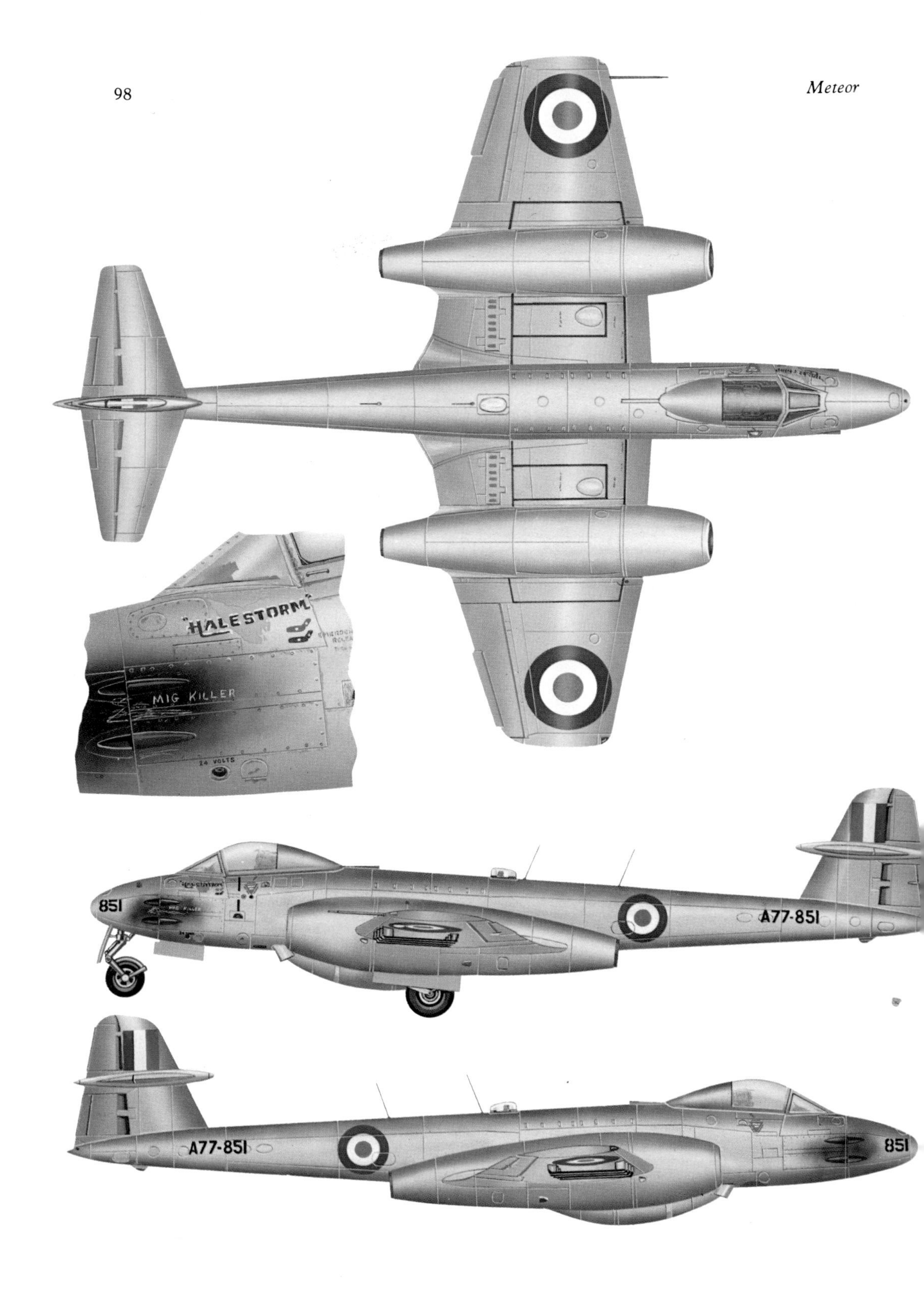
"HALESTORM"
MIG KILLER
24 VOLTS
851
A77-851
A77-851
851

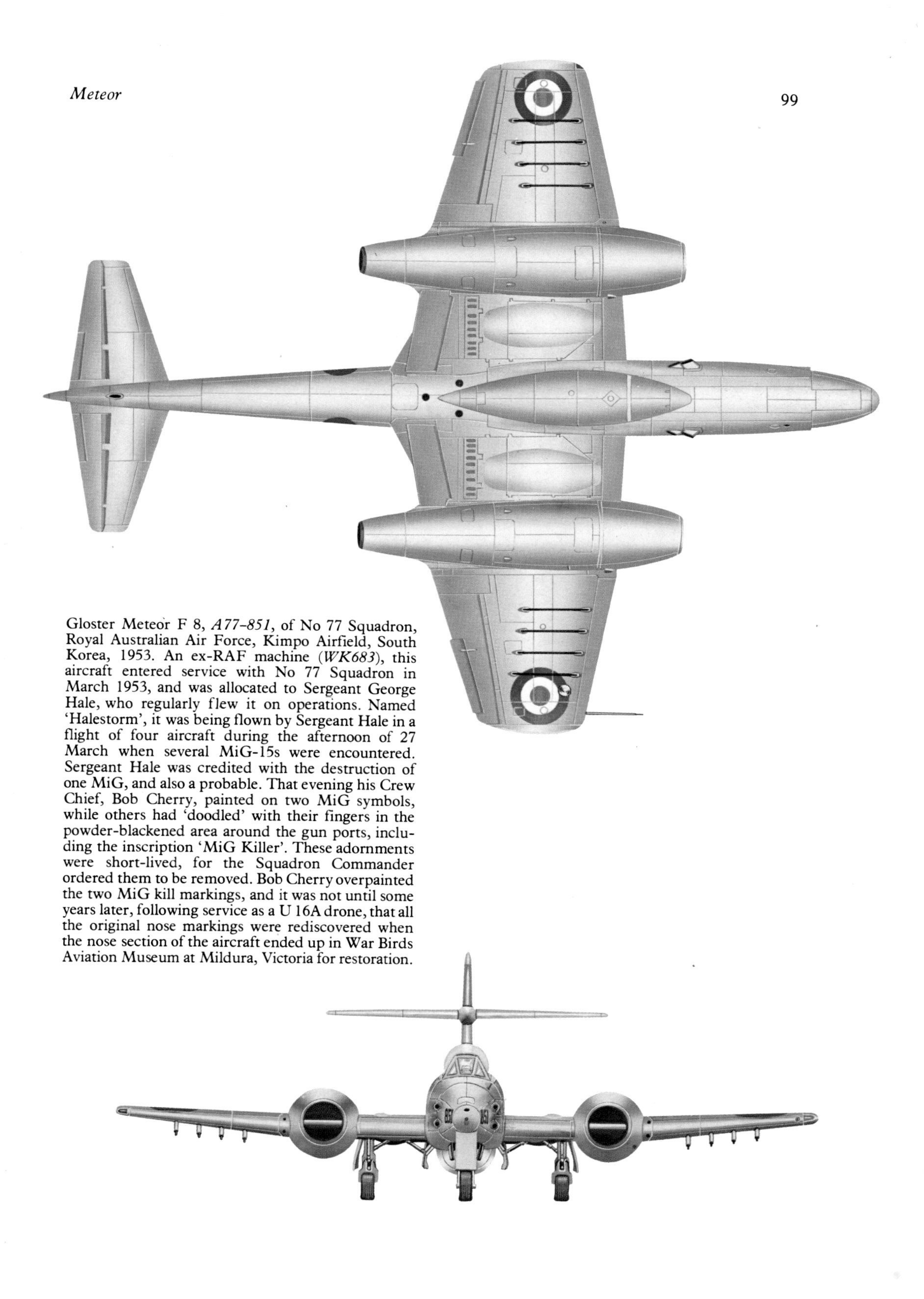

Gloster Meteor F 8, *A77–851*, of No 77 Squadron, Royal Australian Air Force, Kimpo Airfield, South Korea, 1953. An ex-RAF machine (*WK683*), this aircraft entered service with No 77 Squadron in March 1953, and was allocated to Sergeant George Hale, who regularly flew it on operations. Named 'Halestorm', it was being flown by Sergeant Hale in a flight of four aircraft during the afternoon of 27 March when several MiG-15s were encountered. Sergeant Hale was credited with the destruction of one MiG, and also a probable. That evening his Crew Chief, Bob Cherry, painted on two MiG symbols, while others had 'doodled' with their fingers in the powder-blackened area around the gun ports, including the inscription 'MiG Killer'. These adornments were short-lived, for the Squadron Commander ordered them to be removed. Bob Cherry overpainted the two MiG kill markings, and it was not until some years later, following service as a U 16A drone, that all the original nose markings were rediscovered when the nose section of the aircraft ended up in War Birds Aviation Museum at Mildura, Victoria for restoration.

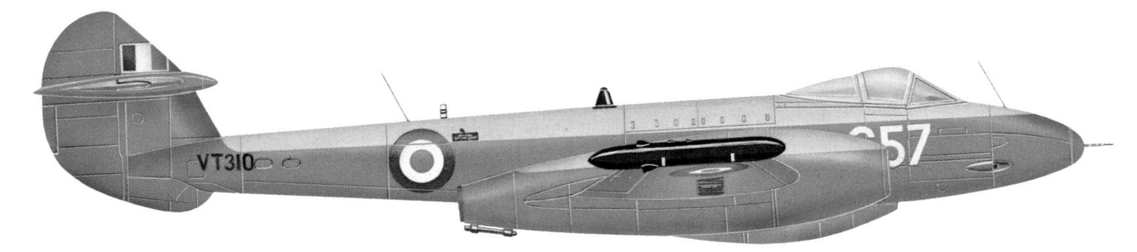

Above Gloster Meteor U 15, *VT310: 657* of No 728B Naval Air Squadron, based at Hal Far, Malta, in 1960. Converted from F 4 airframes, the U 15s used in the UK and Malta were finished in a striking scheme of gloss red and yellow, several of those used in Australia being in a red and white scheme similar to that shown for the U 21.

Below Gloster Meteor U 16, *WH286*, also in the typical red and yellow scheme applied to target drones. Originally built as a F 8 by Armstrong Whitworth, *WH286* served at one time with No 1 Squadron RAF; it was also the last Meteor drone conversion by Flight Refuelling Ltd at Tarrant Rushton, and prior to delivery it received the red-outlined white rectangles of No 1 Squadron to commemorate its original service.

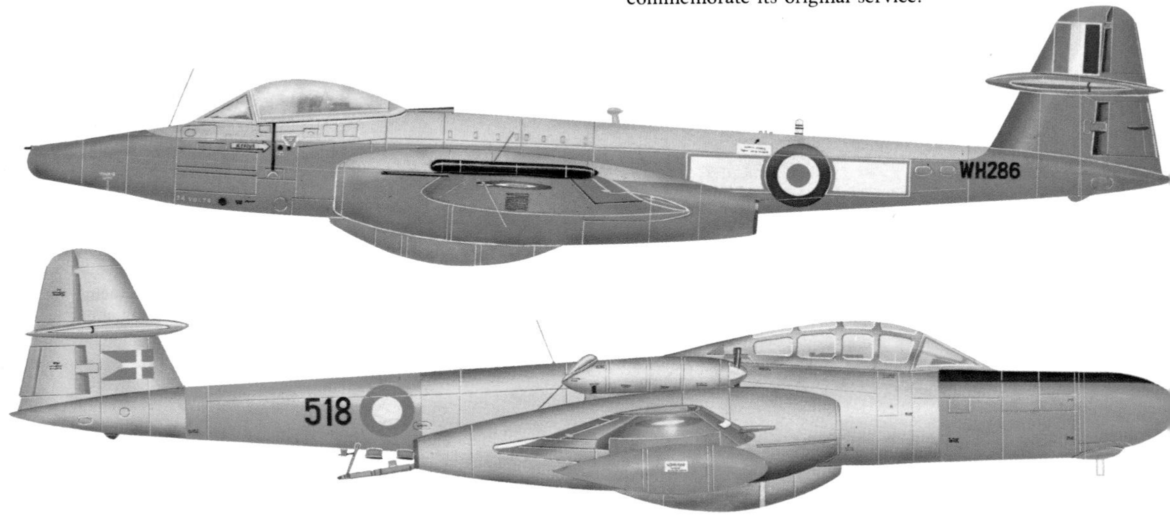

Above Armstrong Whitworth Meteor TT 20, *518*, of the Royal Danish Air Force, circa 1960. This was one of six NF 11s originally serving with No 723 Squadron, RDAF, that were returned to Armstrong Whitworth for conversion to TT 20 standard. Colour scheme was aluminium silver with dayglo orange fuselage and wing panels, with a matt black anti-glare panel on the nose.

Below Gloster Meteor U 21A, *A77–157*, one of several ex-RAAF F 8s converted by Fairey Aviation Company of Australasia Pty Ltd to drone configuration for use by the Weapons Research Establishment at Woomera. *A77–157* was the final machine to be converted to U 21A standard in 1963, and was eventually destroyed by a missile test in 1969. The colour scheme of gloss red and white was typical of drone aircraft used in Australia.

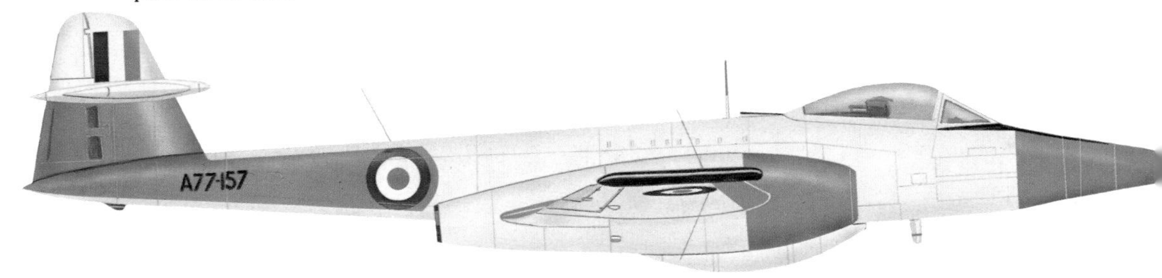

my engines going as soon as possible and that I knew I had limited battery life, especially because of the amount of radio time I was using and because of the depth of cloud I had to descend through. In fact one relight fuse was shown to have been unserviceable, and I blew the other in my attemps to relight. I have a copy of a nice little caricature of a pilot with his head sticking out of a Meteor, with a "thinks" bubble containing the words: "... it can't happen to me! Not BOTH engines ...". This came from the article in *Air Clues* in which "Wing Commander Spry" had a go at me. The generally accepted conclusion was that I had suffered fuel vent icing, which caused the fuel flow to be disrupted when I throttled back.

'I recall one other hairy experience, during a solo night flying sortie. I had been briefed to recover to Marham on a practice diversion after a period of upper air work. I had levelled out at 2,500 ft for a GCA positioning, when I was suddenly turned to avoid a Javelin which had popped up on radar after an overshoot. The controller turned me towards the Javelin, I saw a dark mass rush past, went through the jet wake, turned on my back, and lost a lot of height before recovering. C'est la vie! The last Meteor I was to fly was *WH166*, a T 7 on the Standards Flight at Little Rissington, used for categorizing those few units still operating one or other type of Meteor. These comprised the CAACU with NF 11s (TT 20s), 2 ANS with NF 14s, and the flight of the College of Air Warfare at Strubby which had T 7, F 8, and FR 9 aircraft which they used for refresher training. I flew *WH166*, which had fleet number "27", during April 1965, while I was training as a QFI on Jet Provosts at the Central Flying School.

'I loved the Meteor. As a first generation jet, it spelled raw power to a sprog like me. It was a handful to start with, the forces on one's legs during asymmetric could be murderous, but it was a man's aeroplane, and a pleasure to fly. To suck it off the deck after a low run, and aim it at the sky, was a fulfilling experience which I think today's aircraft with their computerized, hi-tech systems cannot offer. It was a case of "All my own work", and it was manual work at that, I am only sorry that I joined too late to fly other marks, or to fly the Meteor on an operational squadron.'

As will be appreciated from the stories of instructors and students, the T 7 played a vital role not only in training pilots but in setting the standards from which all future jet training was evolved. Long after it was phased out of pilot training it still carried on with vital work as a communications aircraft with Station Flights, as a means of checking pilots' instrument flying, radar calibration and a hundred and one other tasks. At the time of writing, some 45 years after the first Meteor flew, a T 7 is still used at RAE Llanbedr to give check flights to pilots flying the radio controlled drones derived from the F 8 and to familiarize themselves with the local flying area. There are also two T 7s with the RAF's Historic Flight where in company with a T 11 Vampire they carry out displays at air shows, using the appropriate title "The Vintage Pair". The two-seat night fighter versions of the Meteor, which introduced this type of jet fighter to the ranks of the RAF, were derived from the T 7, and it is their story that will be unfolded in the next chapter.

Chapter 5

The nocturnal Meteors

With plans to equip all day fighter squadrons with jet aircraft well underway, it was not surprising that the Air Ministry should turn their attention to the night fighter force, which at the end of the war was mainly equipped with the Mosquito. The introduction of jet day fighters and bombers meant that piston-engined night fighters would be quickly outdated, so Specification F.44/66 which called for a two-seat, twin-engined, all-weather fighter, was issued in January 1947. This was a far reaching specification for the period, and none of the design proposals submitted met the RAF's requirements, mainly due to the lack of acrued knowledge of such things as high speed flight, radar installations, armament and other factors desirable for a high performance two crew jet fighter. Later the specification was met by the Javelin and the ill-fated DH 110, but in the meantime a decision was taken to look at the single-seat Meteor which was then beginning to flow off the production lines. Whether or not this aircraft was much of an improvement over the World War 2 machines it replaced, is open to some considerable doubt for, as will be told later, it had the utmost difficulty in intercepting the last generation of piston-engined bombers flying with Bomber Command and was certainly no match for the Canberra bomber which it followed into squadron service.

Gloster had carried out radar installation tests on F 3 and F 4 aircraft and tested these in conjunction with the Telecommunications Research Establishment, which went a long way to proving that the versatile airframe of the Meteor could be adapted to the night fighter role, at least as an interim measure. Subsequently, Specification F.24/48 was issued and this was written around the Gloster aircraft.

The development of radar and night fighting techniques at this time more or less dictated that the aircraft would have to be a two-seater, so it was natural that the T 7 would be looked at as the basis from which to start. The increasing world-wide interest in the Meteor placed a heavy demand on the Gloster facilities, and in 1949 one of the member companies of the Group, Armstrong Whitworth Aircraft, was subcontracted to build 45 complete F 4 aircraft. The company had been involved with the aircraft, in the production of major assemblies, since 1946. In fact AWA went on to produce 429 F 8s as well as all the production night fighters. It seemed logical therefore to transfer all development and production of Meteor night fighters to the Baginton based company. The problems facing the conversion of a single-seat airframe to accommodate radar, two crew-members and additional power sources for the increased electrics, whilst keeping the weight within acceptable limits, were not quite as easy as they might appear to the layman.

They were outlined to the author in May 1984 by Mr H. R. Watson who assumed responsibility for the night fighter's design. Although he retired in 1962 and is now 85 years of age he has a very active brain and was able to recall his very first thoughts on the target he had been set. In his words, these were:

'The following is a brief outline of the major changes needed to produce a night fighter based on the original Gloster design. The radar scanner is the major feature from which most of the other changes arise. For a relatively small fighter aircraft the positioning of the scanner in the fuselage nose is practically "Hobson's choice". Housing the equipment means lengthening the fuselage, and of course fitting a dielectric/fibreglass nose forward of the scanner. Operating the equipment required a second crew member, and here extensive use was made of the Meteor trainer, with its long canopy using a fore and aft hinge along the starboard side. This arrangement is satisfactory for a trainer but not for a fighter with ejection seats. [Author's note: this is an interesting comment since none of the night fighters were ever fitted with such seats, although plans and drawings were produced to include them.] The guns and ammunition for the day fighter were fitted into the fuselage, and they had to be transferred to the wings. This is not an easy task and I will explain why. The ammunition boxes must go between the spars and the doors form part of the upper wing surfaces, the requirements for these are therefore; they must be quickly detachable for rearming, capable of carrying aerodynamic loads without appreciable deformation, and joined along all four edges by some shear carrying device to maintain the torsional rigidity of the wing.

'I mentioned earlier that a canopy designed for the trainer was used on the early night fighters, but on the NF 14 a sliding one was introduced. Because of the slightly humped backed shape of the fuselage, it was found impossible to continue the guide rails sufficiently far aft unless they stood "proud" of the top of the fuselage just aft of the rear crew member where the fuel tank prevented them from being sunk into the fuselage. So a curved metal rail was used and a four wheeled trolley provided a straight line motion with no projections. This is mentioned because it was something of a mechanical curiosity, to have a curved rail producing a straight line motion. The overall effect of these changes on the flying characteristics of the aircraft was surprisingly small. For example the long nose had a destabilizing effect, but the centre of gravity moved forward and provided some compensation.'

Apart from the last paragraph referring to the 'blown' canopy of the NF 14, the notes written by Mr Watson outline his thoughts as they were recorded when he became involved with the night fighter design.

The T 7 was ideal for a starting point so the fourth production aircraft, *VW413*, was allocated to the programme for conversion to an aerodynamic prototype. The first step was to fit the longer span F 3 wings and flight tests with these fitted were commenced on 23 December 1948, the objective being to provide data for the designers on the effect of the forward movement of the centre of gravity. A mock-up of the longer nose and the installation of a dummy 28 in diameter disc with ballast simulating the weight of the equipment was then fitted at Bitteswell and on 28 January 1949 the AWA test pilot Bill Else made the maiden flight of the long-nosed T 7.

During this and subsequent flights, the handling of the aircraft was checked most carefully to ascertain the effect of the longer nose, and although the aircraft performed satisfactorily, a gentle oscillation was encountered during a shallow dive, but there was no increase in this as speed was increased. It was felt that excessive slack in the rudder and rudder trim tab control runs could be the source of the problem, and after Else had experienced similar occurrences during several phases of flight, an inspection was carried out after the ninth flight when it was discovered that there was indeed slack in the rudder circuit bearing housing. This was changed and oscillation was then only recorded when turbulent air was encountered. In mid March 1949 work was put in hand at Bitteswell to replace the T 7's original tail unit with that of the angular unit of the E.1/44 adopted for the F 8. On 8 April 1949 AWA's chief test pilot, Eric Franklin, flew *VW413* in its latest form and reported that although there was virtually no difference in the rudder control, the elevators proved to be considerably lighter than the originals, which had tended to emphasize the heaviness of the ailerons and had put the aileron and elevator controls out of harmony.

The airborne interception radar installation presented several problems, not the least of which was the need to protrude the bottom bearing for the scanner below the smooth line of the under-fuselage. A blister fairing designed to house the bearing was designed and fitted to the hybrid T 7 and flight tests were carried out to check the effect of this, especially at high Mach numbers. Several minor changes were carried out before a suitable fairing was selected and although it was found that a certain amount of roughness and vibration occurred at around M.72 and reached a peak at M.74, it was not considered excessive and there was no need to reduce the limiting Mach number. In late 1949 the original nose housing the Mk 10 radar was replaced by a longer one to take the Mk 9c installation and in 1950 this was increased again making the final nose length 114.5 in compared with the 43 in of the standard day fighter. Both extensions had no appreciable effect on the handling of the aircraft, which in July 1950 was delivered to Boscombe Down where the establishment's pilots carried out six handling flights. *VW413* continued flying until 17 March 1952 when it was handed over to the RAE at Farnborough.

With the design proved on the T 7 airframe it was time to consider production of the night fighter, which in order to minimize cost was really something of a hybrid as AWA's design team was obliged to make use of as much of the existing Meteor design as possible. A design brochure dated 18 April 1950 outlined the NF 11 as it was then seen, the general description being as follows:

The first NF 11 started life as the fourth production T 7, VW413. *It was converted to NF 11 configuration and is seen here just after completion.* (AWA.)

'The Meteor 11 is a twin-engined, jet-propelled, two-seater night fighter. It is a low-wing monoplane of all metal construction and has a tricycle alighting gear. In appearance the Meteor 11 is very similar to the Meteor 7 trainer, with the exception of the longer nose, the forward portion of which is of dielectric materials and contains the radar scanner, improved tail unit as fitted to the Meteor F 8, and guns fitted outboard of the engine nacelles instead of at the side of the fuselage as on the other marks of Meteor.

'The metal portions of the fuselage are of semi-monocoque construction. The pilot occupies the front and radar operator the rear cockpit, both cockpits being enclosed by a single hood which is hinged for access. In case of emergency the hood can be jettisoned by either occupant. All the structure between the nosewheel bulkhead and front spar bulkhead is sealed to form a pressure cabin. The main fuel tank is in the centre section fuselage and in addition three drop tanks are provided, one under each outer wing and one under the fuselage. The mainplane is a two-spar, stressed skin structure. Each engine nacelle is built on two main frames, attached at the outer end of the centre section spars. The undercarriage bays, upper and lower airbrakes, and the flaps are all between the nacelles and the centre fuselage. The internally massed balanced ailerons are of all-metal construction with automatic balance tabs. The rudder is in two parts. Trimming tabs are fitted to the lower portion of the rudder and to each elevator. The tail unit is of all-metal stressed skin construction.

'The alighting gear consists of two independent undercarriage units, each retracting inboard, and a nosewheel unit retracting rearwards. These units are operated hydraulically and radar systems is supplied by two 28 volt 6 kW engine driven generators, charging two 12 volt accumulators.

'Flaps, airbrakes and alighting gear are operated by an engine driven hydraulic pump. The brakes on the main undercarriage wheels are operated from the pneumatic system. Pressurizing and cabin heating is obtained from a tapping of the engine compressor and a further tapping provides heating for the gun bays on the outer wings. Power for the electrical and radar systems is supplied by two 28 volt 6 kw engine driven generators, charging two 12 volt accumulators.

'The remote controlled two-way radio, intercommunication and various navigational aids are grouped mainly in the rear cockpit and rear fuselage. Mounted in the main outer wings, immediately outboard of the engines, are four 20 mm Mk 5 Hispano guns, belt fed through a Martin-Baker flat feed from ammunition tanks also housed in the outer wing. The access doors are of a patented construction designed to resist shear loads and distortions, thus preserving the torsional strength and stiffness of the outer wings. The guns are fired electrically. Synchronized with the guns is a cine camera situated in the starboard mainplane, inboard of the engine. The electrical gyro gun-sight is mounted on a retractable mounting in the front cockpit.

'Other equipment includes, cabin heating, oxygen, electrically heated windscreen, windscreen de-icing and de-misting.'

The brochure goes on to give a breakdown of the weight of all major components and this is reproduced in the appendices. A summary of the weights shows that 5,740 lb was accounted for by the structure, 2,865 lb by the Derwent 8 engines and 2,704 lb by the fixed equipment. Removable equipment, armament, the fuel supply unit, power services and the crew accounted for an additional 3,230 lb giving a basic operational weight of 13,909 lb. The main fuel tank in the fuselage carried 325 gallons and the ventral tank carried 180 gallons giving a total weight of 4,091 lb whilst the two wing tanks, carrying 100 gallons each, added 1,790 lb, producing a maximum take-off weight of 19,790 lb. This compared with the 12,990 lb weight of the DH 113 Vampire NF 10, which was also produced as an interim design night fighter. A comparison in performance of the two aircraft shows that there was not a great deal between the aircraft as far as rates of climb were concerned but the Vampire could get 500 ft higher although it was marginally slower in level flight.

With wing and ventral tanks the Meteor had a rate of climb from sea level of 4,800 ft/min compared to the Vampire's 3,800 ft/min. At 30,000 ft, however, the margin had decreased to 100 ft/min, the Vampire achieving 1,400 ft against the Meteor's 1,500 ft and at 40,000 ft the Vampire had the edge with 570 ft/min against 500 ft/min.

In level flight the following table outlines the speed performance of the two aircraft:

Aircraft condition:	**No external tanks fitted**			
	Meteor		**Vampire**	
	Kt	*Mach No*	*Kt*	*Mach No*
Maximum level speed at				
Sea level	435	0.66	471	0.715
10,000 ft	504	0.79	476	0.745
20,000 ft	490	0.80	478	0.78
30,000 ft	470	0.80	469	0.80
40,000 ft	459	0.80	453	0.79

The later DH 112 Venom night fighter had a better performance being able to reach 523 kt (M.79) at sea level, and 473 kt (M.85) at 40,000 ft.

The two engines of the Meteor gave an additional safety factor as well as a useful single-engined performance where this was needed. Night fighter crews no doubt appreciated the insurance of the extra engine, since to loose an engine at night would almost certainly mean a descent by parachute from a single-engined aircraft, whereas with a twin like the Meteor, there was always a chance of getting home and making a safe landing.

The single-engined performance of the NF 11 with the working Derwent at 14,600 rpm and the idle one windmilling was:

Aircraft condition:	**All external tanks**	**Ventral tank only**
Rate of climb at sea level	1,130 ft/min	1,489 ft/min
Rate of climb at 20,000 ft	—	270 ft/min
Service ceiling (100 ft/min)	18,000 ft	23,000 ft
Maximum level speed at:		
Sea level	300 kt	325 kt
20,000 ft	—	295 kt

At altitudes below 20,000 ft the range with one engine windmilling was at least as great as under normal conditions, although at a somewhat lower speed than the optimum range speed. The performance envelope of the aircraft based on figures obtained from *VW413* is shown in the following table:

Aircraft condition:	**With wing & ventral tanks**		**With ventral tank only**	
Range and endurance at	30,000 ft	40,000 ft	30,000 ft	40,000 ft
Fuel for take-off	40 gallons	40 gallons	40 gallons	40 gallons
Fuel for climb from sea level	120 gallons	178 gallons	95 gallons	134 gallons
Fuel for 15 mins combat at height	112 gallons	76 gallons	112 gallons	76 gallons
Fuel for cruise at height, with no allowance for descent	433 gallons	411 gallons	258 gallons	255 gallons
Cruise endurance at height				
(at 1.1 × minimum drag speed)	122 min	109 min	82 min	75 min
(at optimum range speed)	113 min	99 min	74 min	69 min

Aircraft condition:	With wing & ventral tanks		With ventral tank only	
Minimum drag speed (IAS)	158 kt	158 kt	158 kt	158 kt
Optimum range speed (IAS)	195 kt	150 kt	200 kt	195 kt
Still air range (at optimum speed)				
(a) With fuel as above: distance in climb and cruise only	670 nm	760 nm	455 nm	535 nm
(b) As (a) but with combat fuel used for extra range	830 nm	875nm	630 nm	690 nm
Total distance for climb, cruise & descent	755 nm	815 nm	555 nm	595 nm
Fuel for descent and landing	72 gallons	77 gallons	72 gallons	77 gallons
Radius of action at optimum range cruising speed, fuel allowance as (a); distance in climb and cruise	335 nm	380 nm	227 nm	268 nm

The guns fitted as mentioned in the specification were 20 mm Hispano cannons with 160 rounds per weapon, but later on serious consideration was given to the installation of 30 mm cannons, with 80 rpg in which the barrel of the outer cannon protruded a long way in front of that of the inner one. It is worthwhile considering that when the Meteor NF 11 entered service in 1951 its fire power was less than that of the Me 262 night fighter which served in small quantities with the Luftwaffe towards the end of the war, and if the 30mm installation had been proceeded with this would only have brought the calibre of weapon up to that of the German jet.

The ever faithful Derwent 8s with large diameter intakes proved as reliable as they had in other marks of the aircraft, and the tapping of the compressors for the cockpit pressurization gave a differential of 3 lb per square inch which provided an equivalent cabin altitude of 24,000 ft at a true height of 40,000 ft. The AI Mk X became the standard radar installation for the NF 11 which resulted in an overall fuselage length of 48 ft 6 in, an increase of 47 in over the F 8. The long-span wings which had EC1240 sections from the root to the nacelle and a combination of EC1240 and EC0940 from there to the tip, limited the manoeuvreability of the aircraft when compared with the short-span day fighters, but it was inherently much more stable and in many aspects could outwit the single seater, as many an F 8 pilot found when he attempted to 'take on' a well flown night fighter.

Whilst experimental work and flying was being carried out on *VW413*, work on the first proper NF 11 prototype was proceeding at AWA and it made its maiden flight on 31 May 1950 with Eric Franklin at the controls. Serialled *WA546*, the aircraft was taken into the air three times on that day, the last flight being undertaken by Bill Else. For all the early flights the aircraft was fitted with a ventral tank, although this was not used, and the cabin pressurization equipment and the radar were inoperative. During the first flights a speed limit of 305 kt was placed on the aircraft and during this period it was taken to RAF West Raynham, the home of the Central Fighter Establishment which incorporated an All Weather Wing, for a convention. This was the RAF's first sight of the aircraft that was to take their night fighter force into the jet era. Six years later, whilst the author was serving at West Raynham, another Gloster aircraft, the Javelin, repeated the Meteor's visit and gave an impressive demonstration of the second generation night fighter to the AWW pilots who by that time had received the NF 14.

On 29 June 1950 J. O. Lancaster, who achieved fame by being the first pilot to save his life with a Martin-Baker ejection seat when he escaped from the AW 52, took the NF 11 prototype to its designed maximum speed of 435 kt and confirmed that the earlier problems

The true prototype of the NF 11 was WA546 *which made its maiden flight on 31 May 1950 in the hands of Eric Franklin.* (AWA.)

with control flutter had satisfactorily been resolved. It was decided to demonstrate the aircraft at the July 1950 RAF Display so there were some delays in fitting instrumentation whilst it accumulated the required number of flying hours to allow this participation.

Following its successful debut at Farnborough, the aircraft was prepared for a full flight test programme which involved it being flown to the Telecommunications Research Establishment at Defford in October, where the aerial installation for the IFF located forward of the fin was changed for a whip aerial. Flights to test the radar and new aerial installation were carried out in October and in November the aircraft was returned to Bitteswell where its test programme, combined with handling trials at A & AEE Boscombe Down, continued. This aircraft was still in use by AWA in September 1957.

The second prototype, *WA547*, was flown by Bill Else on 11 August 1950 and differed from the first only in having the AL Mk 9c radar fitted. It was instrumented for armament trials but before these began J. O. Lancaster undertook a short but intensive flying programme to qualify the aircraft for appearance at the 1950 SBAC Display at RAE Farnborough. Eventually the trials began in late September when a series of flights to test the effectiveness of the gun heating at high altitude were carried out. Weapon firing trials started in October after the aircraft had been delivered to Boscombe Down and although these proved that the Meteor was a stable gun platform, some problems were encountered with the ejection of ammunition links and cases which caused damage to the nacelles and wing trailing edges. Although it is reported that the gun trials were satisfactory and the aircraft compared favourably with contemporary jet fighters, many pilots on night fighter squadrons would argue against this, claiming that the disposition of the guns and a certain amount of wing flexing made it far less effective than the Meteor F 8, which had its weapons installed in the nose and was therefore a much better gun platform.

The third prototype NF 11, *WB543*, made its maiden flight on 23 September 1950 from Baginton with Eric Franklin at the controls. This was the first aircraft to be fitted with the strengthened wings that were to be used on all production aircraft, and was therefore chosen to be the test vehicle for the underwing drop tanks. Unfortunately it had a rather short life, for on 1 December it was involved in a landing accident at Baginton in which it suffered damage that was not repaired until February 1951, by which time *WA456* had been used for the tank trials, albeit with imposed limitations caused by the original wing structure.

With the three prototype aircraft built and undergoing flight testing, although in the case of the third, this was somewhat limited, concentration could be placed on production of the aircraft, but behind the scenes at AWA there was a certain amount of unrest in relation to costing.

On 6 April 1950 a paper was produced outlining the estimates of total design time for the prototypes and how this could be related to production aircraft. As a basis for their investigations AWA chose to use the Apollo to produce an acceptable formula, but it was pointed out in the document that 'The Apollo which was a new type involved more extensive development than the Meteor which is a conversion from an existing type moreover, we have also had considerable flight experience on *VW413*'. After much discussion it was estimated that the total design time for the NF 11 prototype would be 5,277 man weeks, plus another 923 after the maiden flight.

The total of 6,200 man/weeks was extended to 6,950 to include additional work that might be required for the second and third aircraft, but it was pointed out that this did not include wind tunnel work, analysis of the flight testing of the three aircraft, laboratory work, weight analysis, preparation of handbooks and the labour of tracers. Using the commonly accepted practice of calculating the man/hours per lb of structure weight and a figure of 19 man/hours per lb for first time work, it was estimated that 56,300 man/hours would be needed for the first aircraft, 45,128 for the second and 61,906 for the third, the increase on the third aircraft being attributed to new structure manufactured in its entirity by AWA. On the same day as this paper was prepared the company also advised the Department of Aircraft Production of their plans for production aircraft which commenced in January 1951 with one aircraft but by July would reach ten per month, a figure that would be increased in September, October and November to thirteen per month. At this time it was envisaged that the first production order for 200 aircraft would be completed by August 1952.

The paper of 6 April was submitted to the Technical Costs Department who on 11 May produced their estimates of actual monetary costs. The final paragraph of this memorandum is interesting as it highlights a misbelief that many have had in relation to the NF 11. It states: 'It is felt that too much stress has been laid on the similarity of the Mk 11 to other types of Meteors and the belief that we are dealing with a known machine — this is not the case and we shall undoubtedly run into many troubles peculiar to night fighters plus many standard Meteor snags which we shall be expected to rectify'.

This is a quite significant statement, for it underlines the fact that the NF 11 was not simply a long-nosed T 7 with a new tail and wings plus radar. Earlier on the same memorandum expressed considerable alarm at having to produce a fixed price for the prototypes pointing out the following traps for the unwary:

'Our experience with the Apollo indicates that on fixed price prototypes the Ministry are not prepared to accept financial liability for any alterations etc, other than those expressly requested by themselves and it is already evident that several alterations will have to be made to the Mk 11 before it is acceptable to the RAF.

'For instance, we are already in quite serious trouble with the cockpit hood sealing — a new design has got to be got out — all the existing parts are scrap or redundant and the new items will be expensive — we could not claim payment for this after a price has been fixed because it is definitely a design error.

'The gun installation has proved satisfactory on the ground but we have no knowledge as to how this will behave in the air, and we may well run into serious trouble on somewhat similar lines to GAC which may involve us in the redesign of the wing drop tanks. [Author's note: tests at Boscombe proved this statement to be correct.]

'The question of "float" is still with us and it is highly probable that additional landing flaps will be required . . . This might be regarded as an official mod; but on the other hand the Ministry may well take the usual line that the aircraft is unsatisfactory in its present form and as the designing firm it is our responsibility to rectify it.

'The lateral control is a similar case — we may have to redesign the ailerons and/or fit spring tabs.'

These and several other points were taken into account in producing the final figure of £117,150.00 for the production of the three aircraft, the direct labour cost being £44,208.00, the balance being attributed to overheads. Production aircraft were estimated at £17,500 each for the first fifty machines and £15,500 each for the following fifty; these later being modified to the higher figure for the first 25 aircraft, and the lower one for the subsequent 75.

To look at just one of the points mentioned in the document which warned about possible redesign work, it is worth recording that there were in fact difficulties with ailerons, not an uncommon occurrence with any Meteor. One of the basic problems encountered with the aircraft had been very heavy aileron controls. This had been improved by replacing the original geared-tab ailerons with ones fitted with spring tabs. Initially the night fighter prototypes and the first five production aircraft had geared-tab ailerons and Jo Lancaster reported that during low-level flying stick forces in excess of 100 lb had been required. The hybrid Mk 11, *VW413*, was fitted with spring-tab ailerons in June 1950 and these were a significant improvement, reducing the stick force and increasing the rate of roll. Pilots considered the aircraft to be more lively and pleasant to fly with a greatly increased harmony in the controls. Subsequently all production aircraft, starting with *WD590*, were fitted with spring-tab ailerons.

The installation of underwing tanks was essential to give the aircraft a useful operational profile in the night fighting role, but for some time it was felt that wing tip tanks might be better than those fitted under the outer planes. Streamlined wing tip tanks were designed by AWA in early 1951 and fitted to the tenth production airframe, *WD604*, which began flight trials with them on 20 July 1951. The tanks were of the same capacity as those fitted under the wings, but were mounted at the extreme tips as were those of the Venom and F 80. Some three weeks into the trials Bill Else carried out a dive from 20,000 ft and after pulling out, noticed that part of the port tank had 'dished' causing the forward section to turn through 90^0 and face inboard. The trouble was traced to a venting valve which had failed, causing a differential pressure between the inside of the tank and the atmosphere. The problem was resolved by modifying the valve and subsequent tests indicated that the installation was far superior to the conventional underwing arrangement, but to include the tanks as a standard fitting was another matter. The wing structure had to be modified to accept the mounting and the loading had to be increased from 4 g to at least 4.5 g. This in itself presented few problems since the change was quite straightforward, but by the time it could be incorporated into production it was estimated that at least 300 aircraft would have been completed and delivered so the project was abandoned, although it featured in many of the design studies carried out on the night fighter as well as being included in the private venture Reaper, a ground attack version of the F 8.

During flight testing another problem encountered was that of the inability of the pilot to obtain adequate vision in rain, as well as misting of the cockpit interior. It was decided to incorporate a direct vision (DV) panel into the windscreen port quarter panel and an electrically heated air spray for demisting. Improvements were also outlined for the cabin heating system and the GEE whip aerial was moved to the cockpit roof. These changes could not be introduced immediately onto the production line and AWA stated that they would start with the 61st aircraft, although those already produced would be retrospectively modified, which it was estimated would be completed by April 1952.

Previous problems with the Meteor's undercarriage — which will be dealt with in a later chapter — also saw the night fighters equipped with the Dowty liquid spring strut replacing the oleo-pneumatic strut which tended to 'bottom-out' even when the air pressure was increased to as much as 3,000 lb per square inch. When everything is taken into account, it must be stated that AWA did an overall worthwhile job in converting an existing design into

No 141 gave up its Mosquito NF 36s for Meteor NF 11s in September 1951. The squadron poses with its new aircraft at Coltishall soon after re-equipping. The markings are black and white. (Chaz Bowyer.)

an interim night fighter, although it had its shortcomings and was by no means the answer to the RAF's requirement for a first-line all-weather fighter.

In January 1951 the first production NF 11, *WD585*, was delivered to No 29 (F) Squadron at Tangmere to replace its ageing Mosquito NF 36s, and to this squadron fell the task of introducing the jet fighter to the night fighting role and proving the tactics and operational uses as devised by the planners at Air Ministry and CFE. By August the unit was fully re-equipped and the following month saw Nos 141 and 85 Squadrons also enter the jet age. It is interesting to note that No 29 operated the NF 11 until 1957 when they received Javelins, whereas most other units were progressively re-equipped with later marks of the aircraft as they became available.

By the end of the year No 264 Squadron at Linton-on-Ouse had already received NF 11s, thus completing the home defence requirement of night fighter squadrons. Crews had to change their thinking to become accustomed to the Meteor's shorter duration and increased speed envelope, whilst ground controllers had to learn how to vector the faster jets onto their targets and recover them faster than they had the Mosquitoes. The radar equipment was basically that fitted to the piston-engined fighters, so navigators were already used to it and only had to adjust to its installation in a faster aircraft.

The Mosquito NF 36 and the Vampire NF10, as well as the Meteor NF 11, were all equipped with the old wartime AI Mk 10 radar. This was originally an American equipment known as SCR 720. It was splendid in 1943-44, but by 1950 was well out of date and rapidly falling off in performance. Against a target such as a Vampire, the Meteor navigator was lucky if he got 5-8 miles maximum range at altitude. Against a B 29 or Lincoln perhaps 10 miles was possible, which was pretty miserable considering that the Meteor was supposed to carry the brunt of night interception of enemy bombers. One of the roles of No 141 Squadron in 1953 was to intercept mine laying aircraft and one navigator comments that trying to get a contact on a Lincoln at 1,000 ft over the sea was a terrifying experience and picking up at 5 miles maximum range was the order of the day. American crews on exchange postings with both Vampire and Meteor night fighter squadrons were horrified to find that their aircraft were carrying on with obsolete radar, since at that time the Lockheed F-94 had a more modern radar with much better maximum range, plus facilities for collision course interceptions.

The complete failure of the British AI Mk 9 radar, developed towards the end of the war by TRE at Malvern, accounts in no small way for the shortcomings of the equipment fitted to the Meteor, so it is surprising that an earlier decision was not taken to buy the American Westinghouse equipment which was fitted to later marks of the Meteor. This would at least have increased the aircraft's chances of success, although by the time it reached the squadrons it was really far too late to create any real threat to potential enemy bombers.

The IFF (Identification Friend or Foe) transponders were also very unreliable, so crews were always forced into the 90⁰ crossing attack with, they hoped, a good turn-in behind the target aircraft to give themselves a short tail-chase for visual identification. The American AYF radar altimeter fitted to the NF 11 was also a fairly unreliable piece of equipment so, all in all, crews, especially navigators, did not have a great deal of faith in their new mounts. On the credit side, the aircraft was fitted with GEE Mk 3, which was a radar navigation system developed during the war and which relied on ground stations sending out pulsed signals. The equipment in the aircraft picked out the signals and the navigator was able to determine the time difference between received signals, this essentially giving him two position lines. By using a special map with the time difference hyperbolae printed on it, he could get a fix on his position in something like ten seconds.

In early January 1952, Nos 68 and 87 Squadrons in Germany were equipped with the NF 11 as part of the 2nd Tactical Air Force, and a navigator who served with No 87 Squadron has this to say about the aircraft:

'The Meteor was the first so called all-weather aircraft which gave us a day and night role.

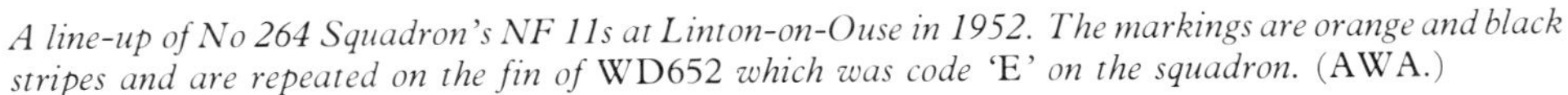

A line-up of No 264 Squadron's NF 11s at Linton-on-Ouse in 1952. The markings are orange and black stripes and are repeated on the fin of WD652 *which was code* 'E' *on the squadron.* (AWA.)

The night role was mainly in high-level defence, but we practised a lot for low-level defence, but with the rudimentary radar it was not highly successful. We would be used in airfield defence by day which was a bit of a nugatory experience because F-84s and most of the other nations' aeroplanes could catch us and shoot us down. One of the roles peculiar, I think, to the night fighter Wings — we had two Wings, one at Ahlhorn and one at Wahn — was a night intruder role.

'This was either night attacks on airfields, and troop or armour concentrations, but more specifically dawn and dusk attacks on other airfields. For example, in conflict with the Americans who were flying A-26s, we would often pick them up and try to follow them, but they were mostly ex-Korean War veterans with a lot of night optics, and we lost several aeroplanes chasing them up valleys and into mountain ranges; our chaps hit the mountains and the A-26s didn't.

'The basic day for a night fighter crew during the period from 1951-56, consisted most weekdays of sleeping after night flying, a lunch-time or early afternoon night flying test when the radar was set up, particularly to a minimum range for the set in the aircraft concerned, and then probably two or three trips at night; perhaps a low-level practice set of interceptions, followed by a medium and a high-level. Some crews managed five flights on a night flying programme, the best I ever managed was seven in one day. These were fairly short duration, because without wing tanks the duration of a clean aeroplane was about 20 minutes, with a ventral tank — bearing in mind the safety criteria — it was about 40 minutes. With wing tanks you could certainly get 1 hour 10 minutes or 1 hour 30 minutes. We did try duration flights to see who could stay up longest and I think we got to about 2 hours 30 minutes, but that created a lot of discussion as to whether or not it was a single-engine job, or if both engines had been running. Anyway, the net result was about 2½ hours at 43,000 ft.

Aerobatic teams with night fighters are rare, but No 68 Squadron managed a trio of NF 11s when they were part of 2nd TAF at Whan. The markings are dark blue diamonds outlined in yellow on a light blue rectangle. (R. Lawrence.)

'Turning briefly again to the night intruder role, for army co-operation of so called attacks against enemy forces, they produced for us some aircraft to drop flares. We were incapable of doing this from the Meteor and they brought out some Athena and Balliol aircraft, unfortunately their ability at night was terribly limited and we lost at least three of them, two of one type and one of the other, so they were promptly returned to the UK. So far as night intruder against armour was concerned, unless you had the service of a Lincoln to drop flares, it was a pretty limited exercise.

'On a night intruder mission, you would take off in the dark, fly without lights in a fairly loose formation hoping to keep radar separation between aircraft. There were usually six of us and we would orbit the airfield hoping to catch the aircraft operating in the circuit, or failing that, wait until dawn to carry out a strike.

'As far as the AI equipment was concerned, on a large target at a reasonable altitude, say 15,000 ft, certainly on an average set, a range of ten miles or perhaps twelve to fifteen on a Lincoln or B 29 could be obtained. On smaller targets such as the Canberra or BEA Vikings and Dakotas, a reasonable set would give about four miles, but on another fighter maximum range was certainly below three miles, and at low-level, a very good set would only give about 2½ miles pick-up range. However, the inadequacies of the maximum range were certainly not reflected in the minimum range, which on a good set carefully adjusted and maintained, would give a minimum down to 150 yd.

'The performance of the aircraft and its systems against a Canberra was a non-event. The Canberra could certainly exceed us in all abilities, we would get into the bomber stream, watch the height differential be taken out, watch the range slowly close, and then with three miles to go, the Canberra would become aware of our presence and we would watch it go up the range scale away from us, and straight off the height indicator as it climbed away. At that time the Canberras were flying at 48,000 ft which was a height we couldn't hope to attain. The saying on the squadron was that the only time you ever caught a Canberra was when it was flying on one engine, and many crews were embarrassed by suddenly being bathed in brilliant light as the Canberra turned the tables and splashed the fighter that had been sent to intercept it. In fact in one recorded case, one crew was shot down three times in the same sortie by the Canberra they were attempting to intercept. The Lincoln was a viable target for a Meteor, but the B 29 was something of an enigma. At certain altitudes and within certain temperature bands, the Meteor was a match for it, but at other temperatures and different height levels, the fighter again stood no chance. As previously mentioned the American A-26s which were based at Rheims and operated over Germany, were our particular opponents, and although they had no AI their night optics were so good that we rarely caught them. In fact after we lost three crews in the Eiffel Mountains, it was expressly forbidden to pursue them at night in low-level situations. We did try to get our own back by going to their airfields and trying to catch them in the circuit, sometimes by employing the old World War 2 tactic of going round the circuit in the opposite direction, but it was a hairy experience and much more satisfying to stand off for a dawn attack.

'The AI equipment on the Meteor possessed two or three weaknesses, it was extremely poor at ECCM countering. The ECM in those days was fairly rudimentary consisting mostly of the thin metallic strips known as "window". A target emitting "window" at close range was no problem, but at long range through a sea of "window" echoes it was virtually impossible with the AI Mk 10. It was very easy to get into a weaving situation whereby the stationary target would be assumed to be evading the Meteor, and a massive endeavour and a lot of tight turns and 'g', would result in a nil return. Another fault of the equipment was that in the heat of the chase it was easy to develop a phenomenon known as "cross-tilts". The AI aerial alignment in altitude was controlled by two switches known as tilts, one upper and one lower. The designer had built in a fault in that the lower extremity of the upper tilt crossed the upper extremity of the lower tilt, this resulted in a blue flash, a cloud of smoke, a dead set, and an early return to base.'

Despite its obvious short-comings as a night fighter the NF 11 was used in many experimental roles some of which were to be of invaluable help to the service in operating techniques and it is felt worthwhile to recall three of these through the eyes of a navigator who was seconded to the units involved.

Ted Hooton trained on Ansons and Wellingtons in 1949-50 and then to his great joy was posted to No 23 Squadron operating Mosquitoes from RAF Coltishall. The unit was re-equipped with Vampire NF 10s but the sister squadron at Coltishall was No 141 which operated NF 11s and Ted managed to make a few sorties with them in their aircraft. In March 1953 he was seconded for a three month period, which extended to nine, to de Havilland Propellers Ltd at Hatfield where development of the 'Blue Jay', later to be called Firestreak missile, was being carried out. The infra-red homing head was mounted in a very much modified Mosquito B 35 and, later, a modified Canberra. De Havilland Propellers wanted a more modern target aircraft to check infra-red emissions from jet engines as well as one that could maintain position with the Canberra on a climb through cloud.

The NF 11 was ideal, for with its AI it could keep position in trail behind the Canberra, until the operating altitude was reached, when it would go in front. Meteor *WM232* was assigned to the company and painted a smooth finish matt black overall, although the stencil markings were left in boxes of the original colour. Black was chosen to cut down stray light reflections caused by the sun on the aircraft's surface during daylight tests. As DH had no trained radar/navigator, Ted Hooton was sent to carry out the job during which he claims to have flown in more DH aircraft than he did the Meteor. Chief test pilot for the project was Desmond de Villiers, a very skilled and flamboyant pilot well suited to the task as illustrated by a series of trials he carried out. Scientists mounted an infra-red head by the side of the runway at Hatfield and required the Meteor to fly over it on a series of tests, first at 15 ft above the ground, then at 70 ft.

On these particular tests there was no specific need for a navigator, but being addicted to low flying Ted went along for the ride. The scientists were quite insistent that the aircraft had to be at the right altitude and the pilot judged it perfectly with a first run of 15 ft at an IAS of 390 kt. By the time a couple of runs had been completed things were becoming a trifle fraught. In trying to keep to a very close circuit the pilot was pulling the aircraft round in very high 'g' turns after each run and these, combined with the hot August day, soon made both men feel rather uncomfortable. There was also a school at the end of the runway and de Villiers felt that too much 'buzzing' would be disturbing the pupils. Without warning the navigator what was coming next, he finished the next 15 ft run then pulled the Meteor into a low-level 'g' loop followed by a roll of the top. A few seconds later, with the navigator wondering what on earth was coming next, he rolled the aircraft then did a 'pull-through' — the other side of the loop. Although used to aerobatics, the navigator admits to being a little apprehensive about the manoeuvres being carried out at this height. The handling of the aircraft, however, was safe in the hands of a master and with no change in 'g' whatsoever, and the ground getting closer, he finally wound up at 15 ft above the runway for the next run. It was quicker, less noisy for the local populace, and less discomforting for the crew. A second sortie in the afternoon completed the 70 ft runs and everyone went off quite happy so, although the Meteor's antics were perhaps beyond the ability of a squadron pilot, it did show just what the aircraft was capable of in the way of high-speed, low-level flying.

On completion of his period at Hatfield, Ted Hooton was posted to Martlesham Heath which was an out-station of RAE Farnborough and housed the Bomb Ballistics Unit, the

Left *The navigator's cockpit of a No 68 Squadron NF 11.* (R. Lawrence.)

Right *The all black NF 11,* WM232, *of the de Havilland 'BLEU' Flight, used in guided weapons trials. Navigator Ted Hooton poses in a flying suit to match the aircraft. Note the intake guards.* (Ted Hooton.)

Blind Landing Experimental Unit and the Rapid Landing Flight. A high level decision had been taken to see if it was possible to recover fighter aircraft at very close time intervals in bad weather — the assumption being that a massed air attack on the UK might require the recovery of large numbers of fighters in a very short space of time. So the RLF was set up with three Mosquito NF 36 aircraft, RAF crews and civilian scientists to test the possible methods of meeting the requirement for consistent 30 second intervals at the runway threshold in all weather conditions.

In December 1953 the RLF was re-equipped with three NF 11 aircraft; *WD765*, *WD769* and *WD782*. These were slightly modified internally having early ILS equipment added to the standard fit AI Mk 10 and GEE Mk 3. In addition, the aircraft were also fitted with the first Flight Director instrument for flying the ILS centreline and glide path; this was the Sperry 'Zero Reader', which was mounted on the pilot's instrument panel. Later on the three Meteors were fitted with special instruments to allow very accurate 180° turns to be made, the turn-rate being fed into the 'Zero Reader'. Special radar transponders were also fitted to give a more positive return on the ground radar, an essential part of the rapid landing system. That radar was a highly modified SCR 584 gun-laying type. The work was very rewarding and enabled Ted Hooton to learn a lot about research flying, statistical analysis and all sorts of other interesting subjects. The unit was very successful and achieved the results that had been aimed for. Eventually they persuaded CFE to carry out a series of trials at West Raynham, a location where there was no ILS or special ground radar so standard GCA equipment was used.

Without the special equipment, a 60 second interval between landings of the CFE NF 11s was tried, these were very successful and everyone at the establishment was well pleased. However, as is so often the case when initiative is used, the upper echelons of the RAE were upset about the tests because it had been shown that it could be done at other locations without the special equipment, and pointed out that it was not intended to be a 'circus trick', which no one had suggested anyway! Soon after this the unit was disbanded

and was completely folded up in late 1955, presumably having proved that quick recovery was possible.

The Blind Landing Experimental Unit (BLEU) then took over our intrepid navigator and he became involved in experiments involving pilot vision during the landing manoeuvre. This required the mounting of a Pye Industrial TV camera in the nose of a T 7. The back-seat pilot then flew and landed the aircraft from inside his 'blacked-out' cockpit, using the TV screen mounted in front of him to land the aircraft — the nose located camera giving an outside view of the world. The aircraft was the original 'hack' used by BLEU, and it was eventually returned to Gloster for refurbishment and was returned fitted with a F 8 tail and servo-tab ailerons, serial was *VW414* and it was eventually fitted with a PR 10 nose for completion of the trials.

From the foregoing it will be appreciated that, in addition to the standard squadron work, some navigators became involved with the Meteor in a variety of other tasks, which it is perhaps fair to say it accomplished with more success than its original intended design role. Like all marks the night fighters were used in a variety of tests and experiments and a complete book could be written about these, space precludes mention of them in detail, but some are illustrated in the accompanying photographs and the captions briefly outline their tasks.

An interesting aside is that many crewmen flying in the back seats of night fighter Meteors were not in fact fully trained navigators. The need for training to full navigation standard was not really necessary since many aspects of the science were not required in a fighter aircraft where a great deal of the navigation could be carried out by the pilot using VHF and such aids as CRDF. So in 1956 an aircrew category known as Radar Observer was reintroduced, this first having been employed during the latter days of World War 2, such men could be NCO or officer aircrew and wore a brevet carrying the letter RO.

Like many other marks, the night fighter was subjected to a variety of design studies which included the fitting of more powerful Nene and Sapphire engines. The installation of the Nene is covered by an AWA design brochure in which it is stated that changes from the Derwent 8 powered version were to be kept to a minimum and all components apart from the wing centre section would be interchangeable. The Nene was to be mounted higher and further inboard than the smaller engine, the inboard wing rib being moved inwards to suit the increased engine diameter. Maximum take-off weight was increased by 1,300 lb, most of this being accounted for by the heavier engines and the addition of an extra 40 gallon fuel tank in the fuselage. This quantity of fuel was considered sufficient to give full specification endurance with the extra engine power. In spite of the increased weight, the performance of the aircraft showed a striking improvement both in climb and manoeuvrability. The time to 30,000 ft was reduced from 11.2 minutes with the Derwents to 4.7 minutes with the Nenes. The level radius of turn at 30,000 ft and 350 kt TAS was reduced from 6,500 ft to 4,500 ft; the power limitation being only slightly above the stall limitation.

The maximum speed of the aircraft at altitude was only increased by about 10 kt since the Meteor already had sufficient power with the Derwents to reach the speed range where drag rises sharply due to compressibility. The maximum level speed and limiting Mach number is shown below and makes interesting comparison with the table on page 106:

Altitude	Speed	Mach No
10,000 ft	521 kt	0.815
20,000 ft	504 kt	0.82
30,000 ft	483 kt	0.82
40,000 ft	468 kt	0.82

Aircraft not fitted with wing tanks.

A comparison of weights and performance for the two versions is shown in the appendices.

The GA drawing of the aircraft shows that it would have been fitted with wing-tip tanks which also featured on the proposed Sapphire powered night fighter in which some considerable design changes were necessary. In April 1950 when the original NF 11 design brochure was produced, Mr H. R. Watson already had many ideas for improving the night fighter and felt that some of them could also be incorporated on the F 8 and T 7. Some of these were discussed initially at a meeting held at Witcombe on 21 March 1950 between Mr James and Mr Walker of Gloster Aircraft Company during which the following points were among the topics discussed:

'Meteor development

'The following general points, with regard to possible development of the Meteor were discussed, and in the main agreed.

'(1) The very extensive modification required to introduce a thin wing is probably not worth while unless some engine of increased power can be obtained.

'(2) Extra power with the present thickness/chord ratio is of limited value. It would give considerable increase in rate of climb, acceleration and manoeuvrability, but very little increase of top speed as the present power is sufficient to reach the limiting Mach number.

'(3) Reheat. AWA not being successful in developing an attractive project, and they need a larger engine. The difficulties are a reduction of endurance or alternatively the increased weight of fuel to retain the same endurance. The extra weight is mainly at the tail end and has to be compensated by nose ballast. The reheat engine is thus an expensive way of improving performance both as regards aircraft and fuel weights. Mr Walker stated that the

MoS have declared that they are not interested as the time for development is thought to be too great.

'(4) Larger air intake. This is to be incorporated by Gloster and AWA, but the performance improvement is small.

'(5) Thin wings with increased power. This is a very extensive modification which would give very good results, ie improvement in climb, acceleration, manoeuvrability and top speed. The intention is to increase the chord of the wing and leave the absolute thickness the same. This would of course, increase the wing area and reduce the aspect ratio. There will be difficulties in obtaining suitable engines, the Rolls-Royce Avon would be ideal in size, but none are available. The Armstrong Siddeley Sapphire engine would be a reasonable alternative and our brochure will be based on this engine.

'Gloster developments

'All the various combinations of thin wings, Avon engines, Sapphire engines, reheated Derwents have been considered and submitted in brochures by Gloster during the last two or three years. In general the reason given by the MoS for turning them down was the time required to develop them. Gloster are on the point of submitting three new proposals, these are:

(1) Eight gun fighter.
(2) Armed trainer.
(3) Ground attack aircraft.

'The first two would make use of our outer wings, the third would probably have clipped wing and six guns, two of which would be installed in the ventral tank position.

'AWA developments

'In addition to the thin wing which is about to be submitted, the following smaller developments are actually in hand with MoS agreement:

Wing tip tanks.
New landing flaps outboard the engine nacelles.
Air-to-air rockets.
Spring tabs on the ailerons.

'It was agreed that AWA intended to develop the night fighter leaving the other development fields clear for Gloster. Mr Walker was in general agreement with this policy. He considered that the thin wing aircraft with Sapphire engines as proposed by AWA could be a successful aircraft, but that the MoS were most unlikely to be interested as the time required for design and manufacture would be too long. In this connection it may be noted that the real time available for any interim night fighter depends on the success obtained by the Gloster and de Havilland F.4/48.

'It was pointed out to Mr Walker that the very high weights now current for the Mk 11 would make use of increased wing area and power far more advantageous than they would be for lighter marks of the Meteor.'

Five days later at Bentham Mr Watson of AWA met with both Mr Walker and Mr James to correlate plans at AWA for Meteor 11 development and at Gloster for the T 7 and F 8. One particular aspect of the meeting mentioned early in a very long document was the desire to obtain agreement on the value of providing thin wings for any version of the Meteor. The paper is far too long to quote in its entirety but it does throw some very interesting aspects on the situation facing both companies as they endeavoured to introduce items that would have made the Meteor into a much finer aeroplane than it was. The second paragraph is of particular interest and is quoted as written:

'Gloster proposals for improving the performance of the Meteor submitted and rejected in turn by the MoS over the past two years were reviewed, namely:

'November 1947 (Stage 1) Thin wings, increased area and sweep back.

'August 1948 (Stage 2) Thin wings, increased area, no sweep back.

'June 1949 Thin wings, increased area, no sweep back, Avon engines.

'August 1949 Normal or full span wings (not thinned), Derwent 5 engines with reheat.'

At this time AWA had been investigating a scheme for thinning the wings of the NF 11 which it was felt would benefit more than the F 8 because of its greater weight and larger wing area. The increased wing envisaged was obtained by retaining the NF 11 span and thinning the wings by extending the wing chord fore and aft. The Sapphire or Avon engines were to be mounted above the front and rear spars, and the tailplane area increased by extending the leading edge forward. Conclusions arrived at at this meeting were that thinning the wings and increasing the area without increasing the power available would not have been a worthwhile proposition, since the small increase in performance would not justify the design and tooling costs involved. Keeping the existing wings and increasing the power would have only limited value in the rate of climb, acceleration and manoeuvrability, but this would be at the expense of range and endurance. AWA had also been experimenting with reheat for the Derwent in the NF 11 but it was felt that this would produce the same set of circumstances as the more powerful engines in the thin winged version. This was supported by Gloster's experience with the F 8, which in 1949 had also been the subject of a document presented to the MoS in which reheat had been proposed but had been rejected by them on the grounds that the loss of endurance would outweigh the advantages in climb and acceleration as well as the problems of length of development which would delay the aircraft's entry into service.

At the same meeting AWA's proposal for a day fighter version of the NF 11 which involved the fitting of ejection seats and Mk 9c radar was also abandoned as the extensive redesign of the front fuselage was not considered worthwhile. Gloster's policy to extend the use of the Meteor by developing an eight gun fighter with AWA wings, an armed T 7 with AWA wings and a ground attack version with clipped wings, all three projects bringing together the resources of the two companies, were also tabled and it was resolved that these would be put to the MoS and brochures describing them, in which it was claimed that they could be in production within two years, were handed to the AWA designer Mr Watson. In the event only the ground attack version, which was a modified F 8 known as the Reaper, came to fruition. It is clear from the minutes of this meeting that both AWA and Gloster were anxious to push certain lines of development which without doubt would have made the Meteor a much more acceptable aircraft, but in most cases there was little interest from the MoS, no doubt because of the time of development required and the fact that plans were already in hand for aircraft such as the Hunter and Swift which would take the RAF into the second generation of jet fighters. Some of the issues under investigation and worthy of brief mention were:

Wing-tip tanks AWA felt this worthy of following up but the MoS had already advised Gloster that they had no interest as far as the single-seat fighters were concerned.

Rocket projectiles This was a reverse of the wing-tip tank situation as there was no MoS requirement for the night fighters but they were interested for the F 8.

Bombs Again no MoS requirement for the AWA aircraft but interest in the F 8.

Air-to-air rockets A project considered worthy of further work both for the night fighters and the Gloster single-seat aircraft.

30 mm guns No MoS requirement for the NF 11, but AWA decided to develop a design for the wing installation of these, whilst Gloster considered them for installation in the fuselage and underslung in a pack for the F 8.

RATOG and arrestor gear No MoS need for the night fighters, but a definite interest for the day fighters.

Extra fuel AWA were to investigate an additional 60 gallon fuel tank for the NF 11 installed in the lower fuselage where radar equipment could not be fitted due to inaccessibility, this being of particular interest to the MoS to increase the aircraft's range. There was no interest for the F 8 as it was pointed out that the aircraft already carried 95 gallons more than the F 4.

Extended flaps There was an expected contract for the NF 11 but no MoS requirement for the F 8. In fact on 16 August 1950 a report on *VW413*, which had by then been fitted with flaps of increased area, was filed. This confirmed that there was an improvement with no effect from the so called 'float' area, but a definite improvement in the general approach and a shortening of the landing run. It was also recorded, however, that when fully down the flaps produced an irregular twitching of the ailerons which it was felt might be unacceptable.

The proposals for greater power and aerodynamic improvements for the night fighters were outlined by Mr Watson in a letter to the MoS during April 1950, in which he quite rightly pointed out that overall the changes would not take long to engineer as they used a large number of existing components, and felt that a prototype could be flying within twenty months and production underway within two years. Watson also stated that the resulting aircraft would be subject to the minimum of uncertainties and would provide an insurance against possible development difficulties and delays with less conventional swept-wing fighters. After pointing out that the work would keep his design team employed when they were facing a period of decreasing loads and uncertainty due to the cancellation of the transonic aircraft contract they had been involved in, he completed his letter with the following statement, 'I do feel that we could make a genuine contribution in an improved night fighter which might well be lighter, and cheaper than some new types and would be little inferior in performance.'

With perfect hindsight, a faculty we all possess, his comments were quite right and there can be little doubt that if some of the proposals put forward by both AWA and Gloster had been adopted, not only would the day fighter have been better, but the night fighter would not have been outdated before it entered squadron service.

A year later, in April 1951, AWA were still looking into the question of Sapphire engines and they were forceful in wasting no chance to point out the advantages, albeit in a larger airframe. But by this time several events had overtaken them and as Mr Watson says the prospects for a Sapphire Meteor at that time were not as good as they had been in 1950 when the first proposals had been submitted. Two factors had not turned out as expected, these were the hope to save nose weight by moving the wing and the installation of tip-tanks which would have increased the effective aspect ratio as well as improving range and endurance. The first had come about because the need to install American radar had added so much forward weight that even a standard aircraft would need no nose ballast, and the second because tests had indicated that the expected improvement with the tanks had not been realized. An additional factor was of course that the Sapphires were really too large for the aircraft and weighed twice as much as the Derwent 8 engines. The net result was that by increasing the take-off weight by 25 per cent and the wing area by 20 per cent only a 12.5 per cent increase in military load could be achieved. The alternative of increased wing area with the installation of Nenes would probably have given the extra load carrying capacity required, and it was decided to investigate this combination further.

As mentioned earlier the radar in the NF 11 was a legacy from World War 2 and with delays continually occurring with the improved British sets the Air Staff turned their attention to the American market. On 5 October 1950 AWA produced a paper investigating the installation of American APQ/35 radar, both with and without gunnery elements and

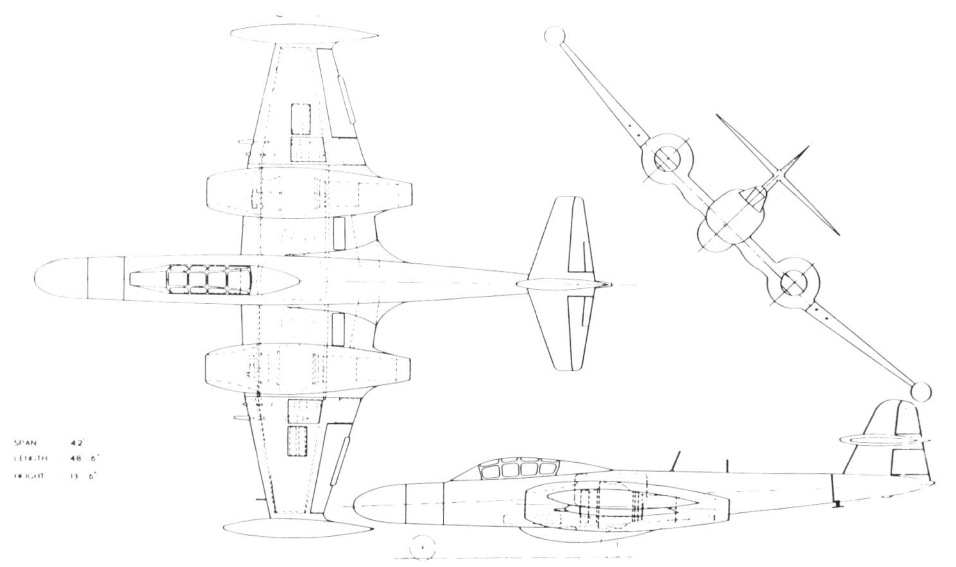

The proposed Nene-engined NF 11.

with the tail warning facility removed. It was pointed out that the equipment could not be installed unless the nose was lengthened but it could be test flown in the existing 105 in nose aircraft with suitable internal modifications but a 112 in nose was desirable. Changes in variety of support equipment meant that several internal alterations were necessary in the rear fuselage and cockpit areas although the radar operator's cockpit required the minimum and presented no problems. These initial investigations eventually led to the installation of American APS/21 radar in the NF 12 and 14, both of which had the addition of fairings at the fin/tailplane junction to improve stability and balance the longer protuberance free nose, which increased overall length to one inch short of 50 ft.

During the quest for increased performance by the use of more powerful engines there was also a design project being carried out in which it was proposed to fit the DH Goblin engines, this being a little known project for the Swedish Air Force.

Sometime in September 1950 representatives of the Swedish Air Force, which was then equipped with Vampires, approached AWA and spoke about the possibility of using the NF 11 fitted with Goblin engines. Mr C. S. Emery of AWA spoke with Mr H. Buckingham of DH Engines Ltd about the possibility of obtaining these from DH and on 25 October Buckingham confirmed the telephone conversation with a letter to Emery. In this he advised AWA that he knew Sweden would only be interested in the Meteor if it could be fitted with ejection seats, and mentioned that he was pleased that the possibility of such an installation had been confirmed by AWA. The letter goes on to state that General Jacobsson had discussed the question of fitting reheat to the Goblin and was very interested to learn the performance of such a modification. Buckingham wrote that he believed the best course of action was for AWA to submit a brochure to Sweden as soon as possible, offering ejector [sic] seats and a buried-in-the-wing Goblin engine installation, with and without reheat, and promised to let AWA have performance information on Goblin reheat with the variable propelling nozzle by the first week of November. The final three paragraphs in the letter are worth quoting in full:

'In the meantime, just in case a decision were made in another direction, it might be worth your while letting General Jacobsson know now of your intentions.

'With both reheat and a variable size propelling nozzle, the Meteor night fighter should have today a supreme performance which might be of real interest to the Royal Air Force and, of course, other of your possible overseas customers. Perhaps we could discuss this further when you have got out the full performance specification.

'Finally, I would like to say that, if you do go ahead with this project, you can rest assured of our whole-hearted co-operation in the development of this machine.'

The file copy of the letter is covered with annotations by AWA staff including the designer Mr Watson, highlighting various aspects and confirming that General Jacobsson had indeed been advised of the company's intentions. The other direction mentioned in the first paragraph refers to the Venom in which Sweden was also interested.

AWA wasted no time, and on 30 October Mr Emery wrote to General Jacobsson in Stockholm enclosing a brochure, drawings of the installation of SAAB-designed ejection seats and a covering letter from Mr Watson in which he expressed some doubt about the use of Goblins with reheat due to the high fuel consumption. His reservations in this respect were confined to the engine with fixed nozzles and he pointed out that the variable nozzle then undergoing development might well be more favourable. The letter claims that a prototype could be flying within four to six months from the go-ahead. Estimated costs were £55,000 for a prototype without radar, and production machines coming out at £33,000 in the same configuration or £35,000 with radar installed. It was strongly stressed that these were working guides only and should be treated purely as tentative. The brochure submitted to Sweden is a four page document and after outlining the basic design of the aircraft, pointing out that it is based on the T 7, goes on to say that there would be no great increase in performance with the standard Goblin since its greater thrust would be offset by the additional weight.

Two alternative engine mountings are outlined, and it is pointed out that the bifurcated

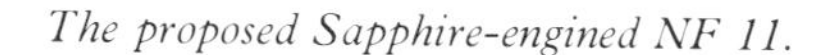

The proposed Sapphire-engined NF 11.

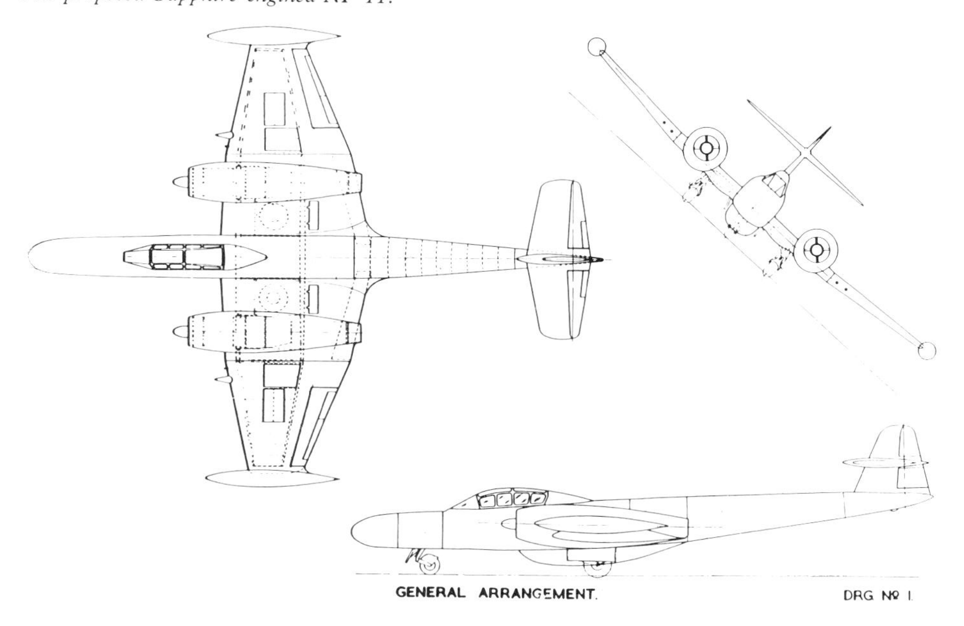

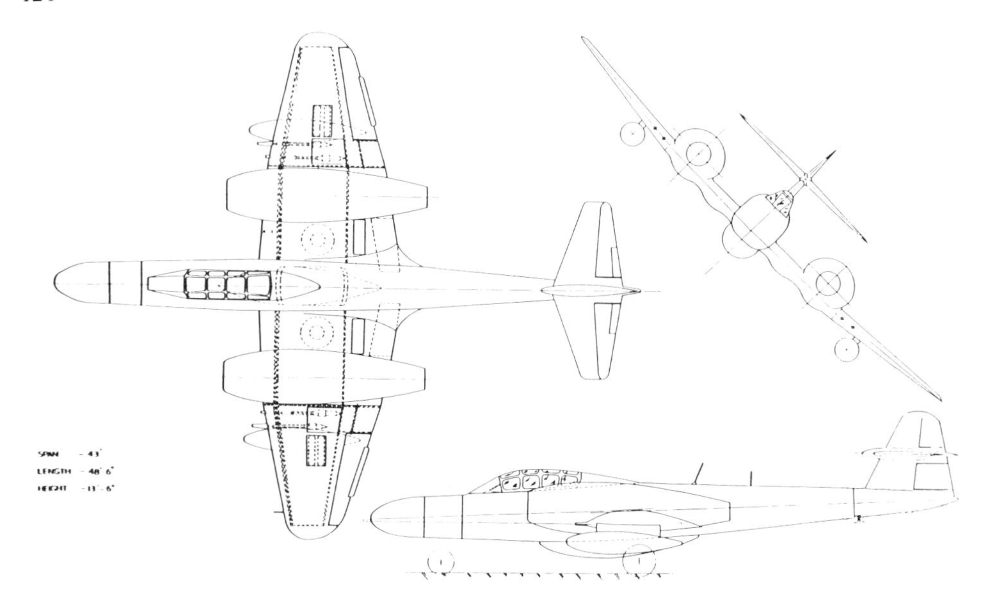

The proposed Swedish NF 11 with Goblin engines.

intake used on the Goblin makes it impossible to devise a scheme whereby this engine is readily interchangeable with the Derwent. The first layout suggests that the engines be mounted high on the wing with the rear spar slightly cranked to pass under the exhaust cone. This had many advantages, some of which were access to the engine and the ease of removal, a high thrust line in relation to the centre of gravity giving improved power-on stability and a slight decrease in aircraft weight which would offset the increase in engine weight. The disadvantages were the development work needed on the wing nacelle junction to obtain a satisfactory flow at high Mach numbers and a reduction in the lift coefficient which could be countered by increasing the flap area.

The second alternative was for the wing to pass through the centre of the engine nacelle, the rear spar passing around the exhaust cone by means of a banjo, in other words very similar to that on the Derwent installation. It was stated that this method would require modification to the engine as the bifurcated intake must be rotated into a vertical plane so that one branch passes above the front spar and the other below it. The auxiliary gearbox would also have to be provided with an additional joint in the exhaust cone shield just forward of the rear spar banjo to permit engine removal. The final conclusion was that to get the aircraft into early production the high nacelle was the best option.

The fitting of ejection seats is also covered in some detail and this involved a complete redesign of the forward fuselage which included a 20 in extension to ensure that in the event of ejection both crew members' legs cleared the equipment located in front of them. It is of interest that in the brochure comment is made about previous consideration having been given to the installation of British ejection seats and this confirms the comment made by Mr Watson in the letter quoted in the early part of this chapter. Later on Mr Watson advised the Swedes that, after discussion with DH Engines, the modifications needed to turn the Goblin into the vertical plane were not as formidable as was first thought and therefore suggested that the high nacelle wing be disregarded. The same letter which contained a modified brochure also suggested alternative ejection seat installation in which the pilot was

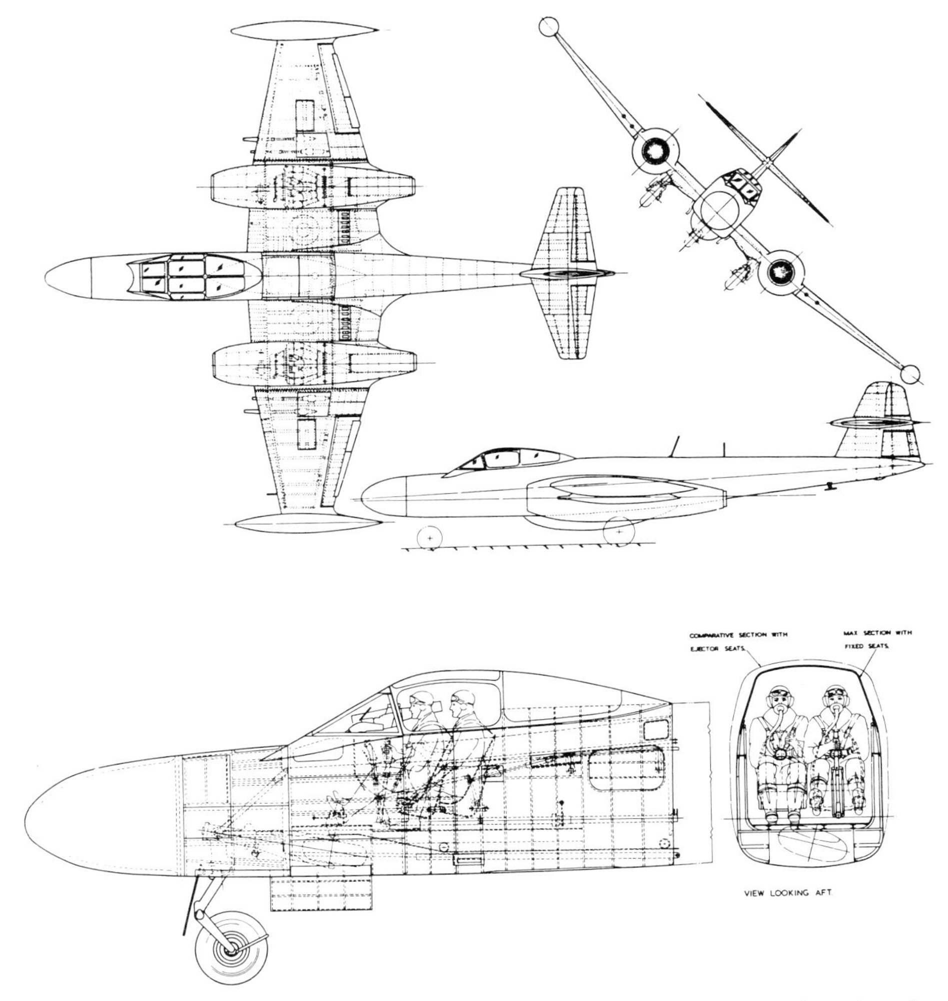

The drawing for a Meteor night fighter with staggered seating. This was a design project only and was never actually manufactured.

ejected in a sloping attitude and the navigator vertically, this cutting the proposed extension by 7½ in.

On 16 November 1950 Mr Watson again wrote to General Jacobsson and by this time there was an air of confidence showing. Work on the variable nozzle reheat by DH had made rapid progress and this was now offered as a viable alternative. It was pointed out that the penalty with reheat inoperative was small as the thrust was reduced by only 3 per cent at the same fuel consumption for all conditions and altitude and forward speed. The gain in rate of climb was considerable and the rate of fuel usage was not very much higher as consumption is offset by the shorter climb time. It was assumed that reheat would not be used in combat as the top speed of the aircraft was already in the area where drag increased rapidly with Mach number but it was pointed out that the facility could be used for short periods during combat to reduce the minimum radius of turn. The final

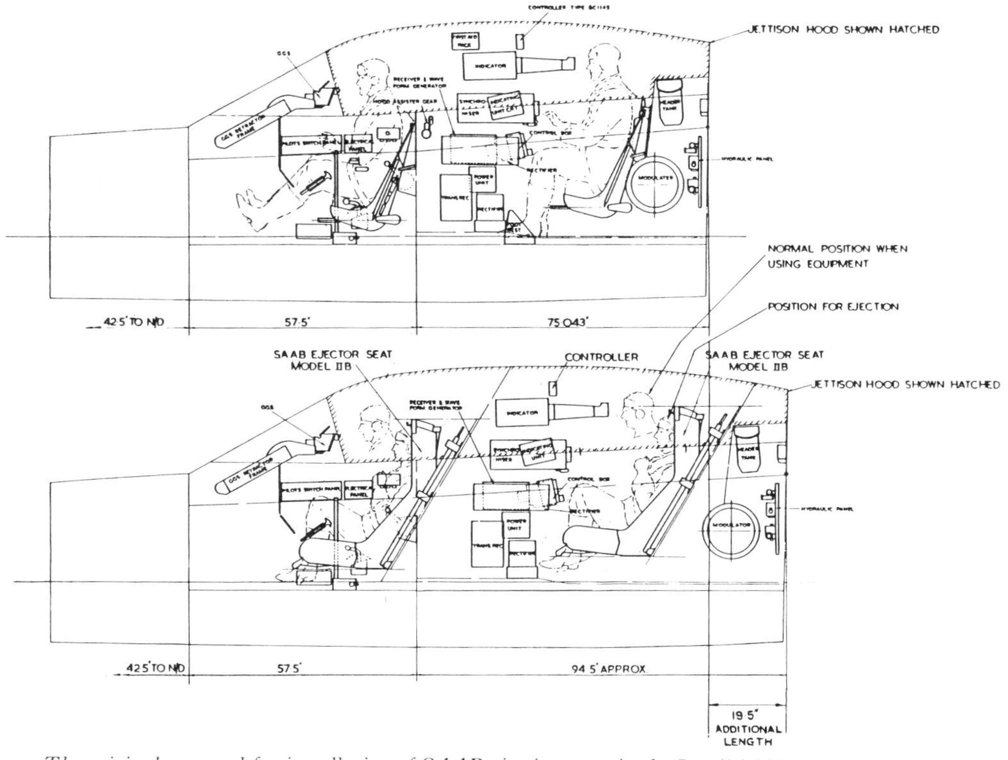

The original proposal for installation of SAAB ejection seats in the Swedish NF 11 (above) and a later modified proposal (right).

paragraph seems to indicate that the Swedes were now very seriously interested in the Meteor, for it states that although the quoted figures were based on the Goblin 3, 'it now appears that the Goblin 35 will be used' (sic).

By 2 December, Claude Emery was preparing for a visit to Sweden and in an unsigned letter he was supplied with information comparing the advantages of the Meteor 11 against the Venom, as well as some of the disadvantages that might be pointed out to him. The unknown author goes to great pains to advise Emery that the views expressed in his letter are those of air force personnel and not necessarily official, and he passes them on without comment.

The basis of the argument presented is that the Meteor has two engines, against the Venom's one, is fitted with ejection seats and is an existing design. The advantages of the Venom as pointed out by the Swedes, included a better rate of climb, shorter take-off, many interchangeable parts with the Vampire, side by side seating considered better for the night fighting role, and a better delivery. Emery was advised to present counter-arguments which would contradict some of these claims and was also advised that the new Air Attache was keen to help AWA sell the Meteor. One of the major weapons in the AWA armoury at this time seems to have been the support of General Jacobsson and Colonel Thunberg, since the letter states the following:

'Both [the men mentioned] are extremely dissatisfied with de Havilland, I believe in two ways, both the very bad service they have given the Swedish Air Force and also the extremely bad conditions in which the Vampires have arrived in Sweden lately. For instance the de Havilland Company, although they have sold so many aeroplanes to Sweden, never permanently have had any service engineers here at all, and their representative, Mr Blomberg, has not given any technical assistance at all. This is a matter, by the way, regarding which I would like to discuss with you upon your arrival.

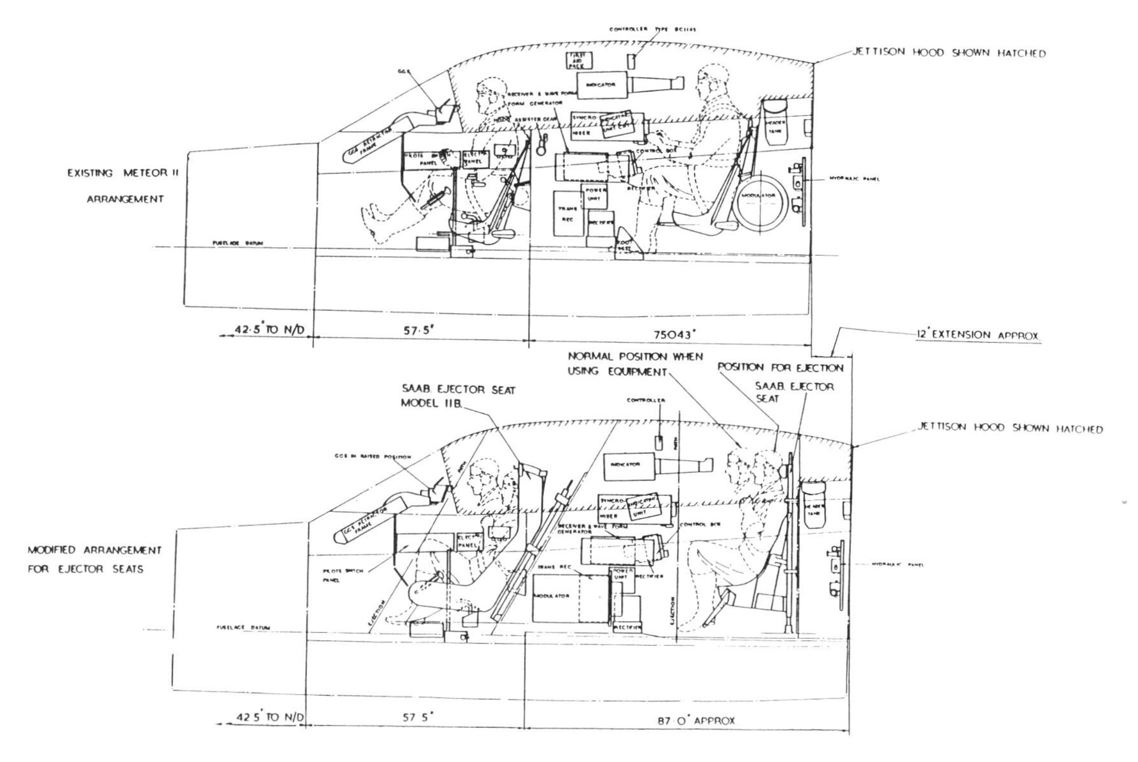

However, General Nordenskiöld has strongly pointed out to Jacobsson and Thunberg that no personal dissatisfaction should affect such a purchase which by the way for the moment only is concerning thirty aeroplanes.

'At last there is one thing I would like to say, and that is that the Air Force are also dissatisfied with de Havilland having quoted the Air Force the airframes at a higher price than you have quoted yours. As mentioned above, this is the opinion as expressed by the Air Force and has nothing to do with my personal one. I would however, appreciate receiving your comments as soon as possible.'

This letter, which clearly originated in Sweden, strongly indicates that all was not well in the relationship between the Swedish Air Force and de Havilland, but all research into this has been unsuccessful. Most of the principal characters are now dead, and files containing correspondence are incomplete.

However, there can be no doubt whatsoever that the Swedish Air Force was very keen to obtain Meteor night fighters and AWA were equally keen to supply them. A tremendous amount of work was carried out and the author has in his possession very detailed assessments, performance graphs, costings and drawings of the project. Searches in Sweden have not produced any conclusions as to why the proposals were not followed through, but it has been suggested that although the Air Force may well have been unhappy with the Vampire, they had a surplus of Goblin engines and saw in the Meteor a way of using these in an aircraft they thought might be better. In the end the Venom was selected because it had a better overall performance and many parts of its Ghost engine were interchangeable with the licence-built Swedish version, manufactured by Volvo Flygmotor, which was used to power the J 29. Using the same engine makes for easier maintenance and overhaul.

The de Havilland Engine Company did of course have an association with Gloster, for it was an early version of their engine which powered the first Meteor to fly, so their co-operation is not surprising. In any case they could not lose out either way, since both aircraft under consideration employed their product, although in the case of the Meteor, sales would no doubt have been double that required for the Venom!

It is an intriguing story and a great pity that so many questions have to remain unanswered, perhaps for ever. The reference to side by side seating in the Swedish letter highlights a school of thought that this type of crew accommodation was better for a night fighter. AWA had not overlooked this and carried out a design study of what they termed 'staggered seating'. The aircraft was basically a NF 11 with tip-tanks and a wider fuselage, the drawings for this showing alternative cockpit sections for aircraft with and without ejection seats.

In addition to the installation of 30 mm cannons to improve the night fighter's fire-power, work was also carried out to investigate the fitting of 'Blue Sky' missiles. Fairey Aviation had a T 7 at their disposal for use in weapon development and on 29 August 1950 a meeting was held between Mr Appleton of Fairey's Armament Divison, and Messrs Watson and Keen of AWA. The minutes of this meeting record that Fairey were endeavouring to obtain the radar required for the guidance of the weapon with the purpose of ascertaining whether the standard AI Mk 17 or Mk 10 radar could be adapted for use with it.

It was also agreed that the company would approach Sir Alec Coryton with a view to getting his agreement to supply three aircraft for experimental work in connection with firing the missiles. AWA agreed to carry out the installation of the radar equipment in the NF 11s but suggested that the longer nosed version might be better suited for this. The layout of the missile installation was finally broken into three alternatives; under wing, under fuselage and at the wing-tips, this featuring two weapons per wing, mounted in pairs one above and one below the tips. The under wing installation would have required the deletion of the drop tanks, in which case it might well have been necessary to fit wing-tip tanks although with two missiles per wing plus the wing tip tanks, a weight penalty might have crept in. The fitting of four weapons per aircraft was thought to be the ideal for operational use, although initial firing and guidance tests were to be carried out with two. Fairey eventually used seven NF 11s for 'Blue Sky' development, although the weapon, which was later called Fireflash, was never fitted as an operational option for the Meteor.

As development work such as that outlined continued, production and improvement of the NF 11 was very much to the forefront. To meet the RAF's requirement for a tropicalized version to serve in the Middle East, the NF 13 was produced. This differed from the NF 11 only by the introduction of a cold air unit and a radio compass with its associated loop aerial beneath the canopy behind the navigator. Forty NF 11s were converted to the NF 13 configuration and the first of these, *WM308*, made its maiden flight with Jo Lancaster at the controls on 21 December 1952.

In addition to the two cold air intakes just forward of the ventral tank position, the aircraft also had DME aerials on the wings and some of the later production machines had extra flap area outboard of the nacelles. The NF 13, which was 450 lb heavier than the NF 11, served with No 39 Squadron at Fayid and No 219 Squadron at Kabrit. No 39 started to replace its Mosquito NF 36s with the Meteor NF 13 in March 1953, while No 219 Squadron took on charge its first NF 13 a month later. With the repeal of the treaty with Egypt, one of the first moves in the evacuation of the Canal Zone was the disbandment of No 219 Squadron on 1 September 1954 and the subsequent return of its aircraft to the United Kingdom, followed in January 1955 by the move of No 39 Squadron to Luqa (Malta).

Twenty of the surplus Mk 13s were refurbished by AWA and exported, six going to Syria, Egypt and Israel, and two to France. During Operation Musketeer in November 1956, No 39 Squadron moved from Luqa to Cyprus where they carried out defence

The increased fin area identifies WS697 *as being an NF 12. The unit is No 25 Squadron based at West Malling and the markings are black bars on a silver background.* (AWA.)

patrols, their aircraft carrying the familiar black and yellow 'Suez' bands on their wings and fuselage. During this campaign the Egyptian Air Force lost three of its NF 13s, but there is no evidence to hand to suggest that either RAF or Israeli Meteors fought air-to-air combat with their opposite numbers from Egypt.

Although carrying an earlier type number, the Meteor NF 12 actually flew after the NF 13. This aircraft was fitted with American-built APS/21 radar which was housed in a longer, smoother nose. The prototype was a progressive development of the NF 11 and *WD687* was used as the basis from which it evolved. Making its maiden flight in the hands of Eric Franklin on 21 April 1953, the production prototype *WS950* was the first of one hundred NF 12s produced for the RAF.

A second NF 11, *WD670*, was also modified as an aerodynamic test-bed and this, like the prototype, retained the Derwent 8 engines although the more powerful Derwent 9 had been chosen for production aircraft. Handling trials with this aircraft at Boscombe Down in June 1952 revealed a potentially dangerous situation relating to fin stalling, which made it unsuitable for service use. The aircraft was returned to AWA where small fillets were added above and below the tailplane bullet fairing, increasing the area by about one square foot. With this modification added, *WD687* was returned to Boscombe where further trials proved satisfactory and the aircraft was cleared for service use. The additional thrust from the Derwent 9s pushed the NF 12's maximum speed to M.81 and parts of the structure, mainly the wings, had to be strengthened to accommodate the additional stresses resulting from the increased performance. The first NF 12s were

Above *The prototype NF 14 pictured on 29 July 1953 before final painting. The aircraft was a converted NF 11.* (AWA.)

Below *There are many who consider the NF 14 to be the most aesthetically pleasing of all Meteors. Its elegance can be appreciated in this view of an 85 Squadron machine.* (AWA.)

delivered to No 15 MU at Wroughton in May 1953 and from there were issued initially to No 238 OCU which became the first RAF unit to receive the aircraft. No 85 Squadron replaced their NF 11s with the new model in early 1954 and No 25 Squadron surrendered their Vampire NF 10s for the Meteor at about the same time.

The last Meteor was the NF 14 which was considered by many pilots to be the best of the line. The prototype was again a modified NF 11, *WM261*, and it was flown for the first time by Bill Else on 23 October 1953. This version retained the American radar which was now housed in an even longer nose (51 ft 4 in) and had a clear blown canopy made in two sections, joined by a metal hoop. The canopy slid backwards on rails as already described, and could be jettisoned by a mechanism which opened the main rails and turned the canopy through a pivot on its rear trolley. Derwent 9s were used and the aircraft was fitted with large area intakes, spring-tab ailerons and an auto-stabilizer to improve directional stability.

In addition to the most distinctive canopy change, the windscreen was also modified and this is often overlooked, although once pointed out the steeper angle is very apparent. Following criticism of the direct view panel installed on the modified NF 11 which served as the aerodynamic test-bed, the original windscreen arch was modified to a one piece type with small quarter lights at the base, although these were later removed giving way to a curved side screen with a flat front panel. The first production NF 14 was *WS772* and deliveries of the aircraft began on 6 November 1953 through A. V. Roe and Co Ltd at Langar where minor modifications were carried out before the aircraft went to their squadrons. The last NF 14 left the AWA production line in May 1955 and this aircraft, *WS848*, went to Rolls-Royce at Hucknall where it was used for surge investigation of the Derwent 9. Rolls-Royce already operated a former 238 OCU aircraft, *WS829*, which they painted overall pale blue with light and dark blue cheat lines and white civil registration letters *G-ASLW*.

In 1956 the RAF had nine squadrons with NF 12s or 14s, but by then the Javelin had already flown, been through handling trials and evaluation at CFE, and was ready to replace its ageing stable mate. No 46 Squadron was the first to replace its Meteors with the 'flying builder's trowel' and throughout 1957-58 the delta-winged fighter became more and more familiar until in June 1959 No 72 Squadron became the last home defence unit to replace their Meteors with it. Abroad, however, the NF 14 was given a new lease of life when it replaced day fighters in the Far East as No 60 Squadron took on a new all-weather role in the air defence of Singapore. The aircraft were used during the Malayan Emergency and to No 60 Squadron fell the honour of flying the last operational sortie of a Meteor in front-line service when *WS787* made its final patrol on the night of 17 August 1961. This machine became the gate guardian at Tengah where a commemorative plate to mark the occasion was mounted beside the aircraft.

Although this was the last operational flight, the Meteor continued to give the RAF legion service in many roles, including communications and training, the later being carried out at Thorney Island in modified NF 14s which had their radar removed and replaced by UHF radio. In this guise it was known as the NF(T) 14 and remained in use by No 1 and No 2 Air Navigation Schools at Stradishall where it was replaced by the DH Dominie in 1965.

Although AWA stopped producing the night fighters in 1955 they remained involved with the aircraft, mainly in the development of the target towing version of the NF 11 for the Royal Navy. In 1956 a design study was carried out to convert the night fighter for this role and as later marks entered RAF service the NF 11s which were withdrawn made ideal vehicles to replace the Navy's ageing Fireflys. The conversion involved fitting an ML aviation G type wind driven winch above the starboard wing between the engine nacelle and fuselage and a tail guard to prevent the 6,100 ft of cable from fouling the rear control surfaces.

All radar equipment and armament was removed and the VHF radio was replaced by a UHF set. The rear crew member assumed responsibility for the targets, winch and cable cutter which jettisoned the target. The latter could also be operated from the front cockpit. The removal of radar and armament was compensated for by the weight of the towing equipment and winch, so the overall weight of the TT 20 was about the same as the NF 11 which gave it a comparable performance. The first aircraft to be modified was *WD767* and it made its maiden flight as a TT 20 on 5 December 1956, after which it undertook trials at Bitteswell and A & AEE.

A contract was placed with AWA to convert eighteen more aircraft and the first of these, *WM127*, was delivered to Boscombe Down on 30 December 1957. Four aircraft were retained for development work and the rest of the batch was despatched to the Royal Navy Air Station at Lossiemouth during 1958. Thirty more NF 11s were converted at the Royal Navy Air Yard at Sydenham, Belfast and the first unit to be equipped with the aircraft was No 728 Squadron which was reformed at RNAS Stretton but did not receive its aircraft until it deployed to Hal Far in Malta. This unit used its Meteors for target towing both for ship and shore batteries throughout the Mediterranean, but the main operator in the United Kingdom was the Fleet Requirements Unit (FRU) operated from Hurn by Airwork Services, who carried out tasks for the Navy with the Meteor until it was replaced in 1970 by the Canberra TT Mk 18.

The targets towed by the Meteors were either 3 ft in diameter and 15 ft long or 4 ft by 20 ft. They were radar or non-radar responsive and stowed in the rear fuselage. They were launched when the aircraft was in flight and jettisoned before landing. They were fitted with SAAB near-miss recording equipment which enabled the proximity to the target of the weapons fired to be assessed.

Left *Flying Officers L. Fitch and M. Vaughan of No 85 Squadron and their NF 14. Close-up detail of stencilling, foot step and windscreen framing should be useful for model makers.* (No 85 Squadron.)

Above right *The NF 14 entered service with No 85 Squadron in May 1954, soon after this quartet posed for the camera. The hexagon is a legacy from the unit's markings in World War 1 and is white on a red background.* (MoD.)

Right *An all weather environment for an all weather fighter!* WS743 *of No 85 Squadron in wintery conditions at Church Fenton.* (No 85 Squadron.)

WS782

36
VS
F

ROYAL NAVY
841

The RAF and Army's requirements were also met by the TT 20 which in such cases were operated by 3 CAACU at Exeter. This was a civilian staffed unit formed in 1951 for Army co-operation and target towing work and initially used Beaufighters and Spitfires, which were followed by Mosquito and Vampire aircraft. The first Meteors arrived in 1961 and the complement of aircraft was completed in 1963 by which time all Mosquitos had been retired from this work. In addition to the TT 20, the unit also had two T 7s, *WF834* and *WL367*, for pilot conversion work. The former aircraft was unserviceable for long periods and was replaced by *VW478* which was equipped with more modern radio equipment. In January 1963 TT 20 *WM293* came to grief following an aborted take-off and was recovered by No 71 MU from Bicester. In August 1968 *WD679* lost an argument with the airfield boundary fence and was written off, being replaced by *WD706*. During 1968 and 1969 a detachment of the unit's Meteors went to Cyprus for target towing duties, the supporting ground crews being ferried out by an RAF Andover. It had been hoped that the Meteors and remaining Vampire T 11s operated by 3 CAACU would be replaced by Canberras, but this was not to be. In 1970 the unit was closed down and responsibility for providing target facilities passed to No 7 Squadron based at St Mawgan.

Overseas the TT 20 was operated by No 1574 Target Facility Flight at Selatar and Changi from November 1959 to December 1970 when it too lost its aircraft. Most of the TT 20s were broken up but *WM292* was acquired by the Fleet Air Arm Museum at Yeovilton. Two other aircraft, *WM167* and *WD592*, passed into private ownership, the first with Doug Arnold's collection then located at Blackbushe in Hampshire and the second to Al Letcher in California where it received the American civil registration *N9479*. Six of the stored TT 20s were sold to the French in 1974 and prepared for the transit flight to France by No 5 MU at Kemble, but these aircraft were cannibalized for spares after their arrival.

AWA also converted six of the NF 11s supplied to Denmark to the TT 20 configuration and these were delivered in the first two months of 1959. Subsequently four of them appeared on the Swedish civil register (*SE-DCF*, *SE-DCG*, *SE-DCI* and *SE-DCH*) and operated for the RDAF by Svensk Flygtjanst AB. In March 1969 *SE-DCF* and *SE-DCH* were sold to Kjeld Mortenson and used by them to provide target towing facilities in the German Federal Republic.

At the time of writing, the Hurn based company Gloss-Air have just refurbished a NF 11 and intend to use it at Air Displays, so together with the RAF's Vintage Pair, the Meteor is likely to remain a familiar sight in British skies.

Top left *After retirement from front-line service some NF 14s became NF(T) 14s and were used by Nos 1 and 2 ANS to train navigators and radar observers.* WS739 *was one such example and is seen here with Vampires and a T 7 at Thorney Island.* (R. Deacon.)

Centre left *The Navy's Fleet Requirements Unit used the TT 20 in England and Malta. This aircraft,* WM292, *is preserved at the FAA Museum, Yeovilton. It is interesting because some records show it as having been* F-UIMF *in France, where it was destroyed in June 1955 — clearly this is not so!*

Left *The NF 11* WD767 *used as the prototype TT 20. The ML Type G wind driven generator can be seen above the starboard wing.* (AWA.)

Chapter 6

Flying the Meteor

Many accounts of experiences by service and test pilots have been woven into the preceding chapters to illustrate particular points about the handling of the Meteor under certain conditions. The following has been contributed by former test pilot and now Deputy Director of the Society of British Aerospace Companies Ltd, Duncan Simpson, and illustrates how he first encountered the aircraft and his thoughts about flying it.

'In the late 1940s, pilots under training in the RAF had a clear choice if they wished to fly fighter aircraft; it was either the Meteor or the Vampire. Having spent some four years with the de Havilland Company, I had worked on the Vampire both in the experimental shops and aerodynamics department, I had always longed to fly one.

'However, before completing flying training at No 6 FTS Tern Hill, we flew Harvards up to Leuchars on detachment for two weeks. RAF Leuchars was the only airfield in Scotland which housed resident regular fighter squadrons, No 222 (Natal) and No 43(F) equipped with Meteor F4 aircraft. There were three RAuxAF Squadrons in Scotland, No 602 (Glasgow), No 603 (Edinburgh) and No 612 (Aberdeen), all of which were equipped with Vampire Mk 5 aircraft. When I flew back to Tern Hill with my instructor my mind was made up. During the days at Leuchars I had spent my spare time watching, with considerable envy, the squadrons fly their Meteors.

'I visited their hangars and was shown over their aeroplanes; I even managed to speak to one or two of the pilots in the Mess.

'My mind was made up; the Vampire would have to wait, I was going to fly Meteors and I was going to join the Leuchars Wing. In the meantime, I had to convince the RAF of several things. First that I could pass my flying course, second that the RAF had a need of fighter pilots, third that I could fly a Meteor and hit the target, and lastly having done all this, that the Leuchars Wing had a vacancy.

'So it all began to happen, my posting came through — to No 205 Advanced Flying School, Middleton St George, to join course Number One! I arrived at Middleton in early October 1950 and found that the newly formed AFS was barely ready to accept the first eager pupils. There was a shortage of aircraft and instructors, and we settled down to a short groundschool to prepare us for the Meteor. At last, on 18 October, I had my first flight in Meteor Mk 7, *WA707*, with Flight Lieutenant R. Emett as my instructor. Five days of agony and frustration went by until I flew again, a really magnificent flight with Roger Emett again as my instructor in the rear seat. Roger was an artist with the Meteor and I frantically tried to take in all he showed me during 50 minutes of high and low speed handling, single-engined flying, critical speeds, aerobatics and finishing with an instrument let-down and approach, circuits and landings. Two days later and three more flights and I was all set to go solo, but the aircraft went unserviceable and I had to wait until the following day. Solo in a Meteor 7 at lunchtime and then in a single seat Mk 4

Meteor later in the afternoon. "Now we are getting somewhere", I wrote in my diary and went off to see a film appropriately called *The Happiest Days of Your Life.*'

Learning to fly the Meteor

'There is no doubt that pilots who graduated from the Harvard to the Meteor experienced few difficulties in handling the latter. From students' and instructors' point of view the two-seat Meteor Mk 7 was a superb vehicle. View from the front cockpit was good, particularly forward, and from the instructor's rear seat it was adequate, despite the amount of metalwork in the massive hood, which opened sideways. Both cockpits were spacious and reasonably well laid out. Pilot comfort largely depended on the type of parachute cushion or dinghy pack fitted — some could be very hard indeed. The Meteor 7 was not pressurized and, since the aircraft was capable of reaching over 40,000 ft with high rates of ascent and descent, this served to remind the student pilot of the hostile environment in which he was now flying. Compared to the Harvard, the Meteor environment was spectacularly different, the sheer increase in performance, the vast distances which could be covered without sight of the ground, flying to fuel limits and reserves which required constant attention to the fuel gauges, deteriorating weather conditions and possible diversions. Although the Meteor 7 could cope with ice it had some severe shortcomings in the cockpit. Depending on the modification standard some aircraft had electrical panels to demist the windscreen and quarter panels, but canopies sometimes became completely opaque with ice and misting. On long cross-countries pilots were provided with a glycol soaked rag, and this had to be used frequently to maintain a clear view of the flight instruments which gradually frosted over. A long descent through 30,000 ft of cloud in a frozen aeroplane, usually with a fairly chilled pilot, could be a very busy and mind-stretching experience.

'Graduation to the Meteor Mk 4 for solo flying brought the luxury of a pressurized cockpit, although the problems of cockpit icing remained.

'The course at Middleton St George consisted of some 30 hours, equally divided between dual in the Meteor 7 and solo in the Mk 4. I was extremely lucky to have had Flight Lieutenant Emett and Flight Sergeant Howard, two of the most experienced Meteor pilots in the RAF, as my instructors. Their efforts stood me in good stead later on.

'The training flights normally lasted between 30-50 minutes and the aircraft were normally fitted with a 175 gallon ventral fuel tank underneath the fuselage. Take-offs, full throttle climbs, high and low speed handling, aerobatics, instrument flying, formation flying, simulated emergencies, single-engined flying and instrument failures — a combination of both — single-engined recoveries with circuit and single-engined overshoots from minimum speeds. All this was part of the daily routine. Although the Meteor was a joy to fly, the emergency routines could provide inexperienced — and indeed experienced — pilots with a real challenge. Who does not remember the sheer physical and mental effort of a long descent and GCA approach "under the hood" with "failed" artificial horizon using a drifting direction indicator and a "turn and slip" — on one engine — then a single-engined overshoot keeping the aircraft straight using maximum strength to hold the uncomfortably high foot-loads on the Meteor 7. The relief, when a voice came from the rear cockpit "OK you can now relight — I have control!"

'In retrospect one may feel that the Royal Air Force training on the Meteor at this time was unnecessarily severe, particularly with regard to asymmetric flying with one engine flamed-out — but it certainly prepared the pilot for anything he might encounter in his operational flying career. It also found out those who were not to make it as a squadron pilot. Tragically, the training programme on Meteors in those days took its toll in human life; many friends were lost, but that is the price that has to be paid in realistic operational training.

Above *A T 7 airborne from No 205 AFS Middleton St George. Flight Sergeant Ray Davis is the instructor and Pilot Officer Alan Graig the pupil.* (B. Ashley.)

Below *The rear occupant's view of the pilot in a T 7.* (I. Spring.)

A neat finger four by No 66 Squadron, airborne from Duxford in October 1949. The nearest and furthest F 4s (VT139 *and* VT131) *were destined to become U 15 drones.* (Chaz Bowyer.)

'Having graduated from Advanced Flying School, an immediate posting followed to the Operational Conversion Unit — in my case to No 15 Course at 226 OCU at Stradishall. Here was a different challenge! Having learned to fly the Meteor, we now had to learn how to find and hit the target — we were, after all, learning to be fighter pilots. But before the shooting started we were given a thorough work out on formation flying, tactical and close, air combat and interceptions, with an instrument flying check for good measure. Most of the formation sorties ended up with a tailchase, led by one of the OCU instructors. This was not only highly exhilarating, but good training in air combat. The Meteor Mk 4 was an ideal aeroplane to learn the art of formation and air combat; it was strong and had plenty of performance, it was forgiving to the inexperienced and would recover from unusual attitudes with dignity and the minimum of fright to the pilot. It was, of course, quite a large aeroplane in comparison with, say, the Vampire.

'The next phase of training at the OCU followed without a break, pilots moving from No 2 Squadron (Tactical) to No 1 Squadron (Gunnery). This latter phase was approached with a certain apprehension; it was the culmination of all the previous training, and if the required standard in gunnery in both air-to-air and air-to-ground firing was not achieved, that was the end of a career. Some sharp reminders of this were delivered from time to time by staff.

'Prior to firing the guns on the Meteor Mk 4, a series of exercises were made using the cine-camera on both Mk 4 and Mk 7 aircraft. The first sorties were made solo and consisted of simple ranging, line and deflection exercises at different ranges and heights. Then a couple of dual sorties in the Mk 7 to demonstrate different types of attack, with particular reference to positioning. Then, at last, our first view of the drogue target, towed by the Miles Martinet. Two dual trips against the drogue and then two dummy runs in a Meteor 4 before going "live". It is difficult not to dwell on one's personal frustrations during the intensely interesting live firing sorties, three against the drogue and two at ground targets. Between each flight long sessions were held in the analysis rooms looking at the cine films — why did I miss? Was it line, range or deflection? At last all members of the course hit the targets and the squadron postings came through. I was on my way north to Leuchars!'

The Meteor in Fighter Command

'There is no doubt that the two regular fighter squadrons of the Leuchars Wing provided some of the most varied and spectacular flying in Fighter Command in the 1950s. The whole of Scotland, the Hebrides and the Orkneys — as well as the north of England — this was our operational flying area. The weather factor at Leuchars was good, but flying conditions around Scotland — both in winter and summer — had to be respected. Diversion airfields such as Turnhouse, Kinloss and Lossiemouth were some distance away, with some hostile country in between.

'The Leuchars Wing at that time was led by Wing Commander R. M. Mackenzie, DSO, DFC, AFC and consisted of the two regular squadrons No 43(F) (Squadron Leader H. R. Allen, DFC) and No 222 (Natal) (Squadron Leader J. W. Frost, DFC). Both squadrons had recently been re-equipped with the Meteor F 8 aircraft which replaced their F 4s and earlier Mk 3s.

'On arrival at Leuchars I learned of my posting to No 222 Squadron and reported in the following day. The new Meteor 8s were drawn up on the flight-line in their silver finish with the Squadron's wartime letters on the side of the fuselage. Pre-war fighter squadrons had reverted to their chequer-board markings, but Treble Two were determined to retain their "ZD".

'The Meteor Mk 8 was a tremendous improvement on the Mk 4. First, of course, they were new aircraft and bore little superficial resemblance to the well-worn and slightly battered appearance of a typical Mk 4 on the AFS or OCU.

'The major changes to the Mk 8, which were readily apparent, were the new cockpit canopy and a completely redesigned tail unit. Another major change, though less apparent, was a slight lengthening of the forward fuselage to accommodate an extra fuel tank of 95 gallons capacity.

'On my first day on the squadron, it just so happened that no Mk 7 aircraft was available, and after a few moments of anxiety during which my Flight Commander examined my Log Book, he sent me off in a Mk 8. I could not believe it. A beautifully clear Scottish day — all alone in a new Meteor Mk 8 — and all it said in the authorization book was — FAMIL. I went about my task with method and great care, as if my whole career had led up to this particular flight, and my future depended on it.

'The external checks on the Meteor 8 were similar to the Mk 4, except that the tail unit was more difficult to inspect, being much higher and out of reach. But on entering the cockpit, things were very different. First, the Martin-Baker ejection seat — the Mk 2 E version which had a back-type parachute and a seat-type dinghy. The emergency oxygen bottle was also in the seat pan forward of the dinghy. The cockpit instruments were a significant improvement over the Meteor Mk 4 with the introduction of a Mk 4F gyro magnetic compass, an electrical turn and slip indicator and artificial horizon — all with alternate sources of power supply. Cockpit heating, canopy and windscreen de-icing and demisting arrangements had all been much improved and there was the luxury of an electrically operated hood. The beautiful, smooth, reliable Rolls-Royce Derwent 8 engines were similar to those previously flown. I entered the cockpit and strapped in with great care and, after a few double-checks, asked for the seat safety pin to be removed and stowed. A novel experience, and somewhat thought provoking!

'I started up, taxied out and took off; for the next forty minutes I went through the exercises and manoeuvres that I had been taught on the Meteors 7 and 4. The Mk 8 was simply much better all round. The cockpit was so much more comfortable, or should I say so much less uncomfortable. The redesigned tail unit had transformed the high Mach number compressibility effects and the aircraft could be flown with confidence up to about M.82 when aileron snatching was a prelude for either wing to drop. Care was still required in flying the Mk 8 up to high Mach numbers and use of the elevator trim had to be avoided above M.8 to cater for the large longitudinal trim changes on deceleration. The other significant improvement from the new fin and rudder was the substantial reduction in foot-loads when overshooting on one engine, a very welcome change from the physically demanding exercise on the Mk 7 and Mk 4.

'Before returning to Leuchars I had time to look around the local area, the firths of Tay and Forth, Edinburgh, Perth, Dundee — back to a very familiar part of Scotland where I spent my school days!'

Squadron training — tactical and gunnery

'Each squadron in Fighter Command was allocated a flying task each month, and was expected to maintain operational status within a certain number of flying hours. Each pilot on a Meteor squadron normally flew about 25-30 hours per month. Much emphasis was laid on the primary task of interception of target aircraft approaching the coast at both high and low levels. It was rare indeed for a pilot to be allocated a Meteor for individual continuation training. Normally aircraft would take off in pairs, either as an individual pair or as part of larger formations. There was much emphasis on simulated air-to-air attacks using the cine camera, both with Meteor against Meteor, and when the chance presented itself with Meteor against a variety of targets — Lincolns, Lancasters, B 29s. The Meteor 8 was particularly good to fly in formation and the pilots spent much time practising flying in close formation — most recoveries to base were made as a pair, frequently through 30,000 ft of

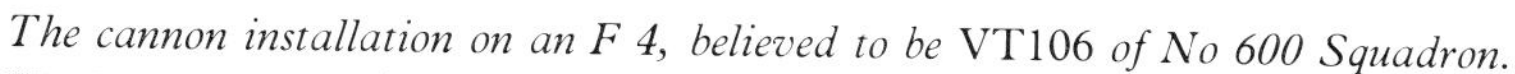

The cannon installation on an F 4, believed to be VT106 *of No 600 Squadron.*

cloud ending up with a GCA approach and landing as a pair. Larger formations were flown, up to twelve aircraft from the squadron, and on occasions the two squadrons flew as a Wing with up to 24 aircraft. Leading the large formations could be quite a handful and the positioning of the flights of four required much practice and not a little ability. The Meteor was relatively easy to formate up to 30,000 ft but above this altitude it became progressively more demanding. Only rarely did we operate four aircraft much above 40,000 ft and this demanded skill and concentration.

'At the end of most formation flights there was the tailchase before reforming and return to base. Some of the tailchases were distinctly exciting; when one found oneself as a new pilot — inevitably at the end of eight aircraft or even twelve in line astern — it was a tough apprenticeship. It was a precarious feeling when one saw seven aircraft pulling up into a loop ahead of you — all with decaying airspeed and closing up on each other at the top — eyes had to be very sharp to avoid collisions and to keep the aircraft flying under control. The unforgivable sin was to lose the chap in front and find that you were on your own in the wide blue sky!

'The Meteor 8 was a fine, steady gun platform. Live firing was carried out each month — normally on the air-to-ground ranges near to Leuchars, or at a banner target towed by one of the squadron aircraft.

'Two of the four 20 mm cannons were normally used, but occasionally the squadron was asked to do demonstration shoots with all four guns. The guns in the Meteor were all in the nose of the aircraft. The ammunition tanks were behind the ejection seat, the breaches were behind the pilot with the four barrels running down each side of the cockpit. The noise and smell of the cordite when all four guns were fired was satisfying.

'At regular intervals the squadrons flew down to the Armament Practice Camp at Acklington in Northumberland where pilots had the opportunity to carry out live firing at the drogues towed by the Martinets and the metal gliders towed by the Hawker Tempests. The glider target gave quite a realistic shoot at up to 25,000 ft but the chances of recovering your glider to inspect the damage were somewhat slim. If the glider did not part company with the tow rope on the climb, survived the shooting of two Meteors, and survived the landing — you could consider yourself lucky.'

Instrument flying training

'Every so often pilots were obliged to practise instrument flying "under the hood". Each squadron had its own Meteor Mk 7 for this purpose, and the squadron normally had two Instrument Rating Examiners who were graduates of the Fighter Command Instrument Training School. The Meteor 7 was also used for dual checks on new pilots or for whatever dual instruction was necessary.

'The Meteor was easy to fly on instruments, but the Instrument Rating Test for the squadron pilot was demanding. The blind take-off was straightforward, followed by a climb to 8,000 ft at the correct climbing speeds with one or two turns. Then followed a climbing starboard turn to 14,000 ft and a port turn to 20,000 ft. These had to be timed to strict limits both in terms of height and heading, at the same time maintaining correct speeds. It was a difficult exercise in mental and flying co-ordination and needed concentration and practice. Then followed flying at high Mach number, maximum deceleration right down to the stall with recovery from the stall with minimum height loss. The artificial horizon was then toppled or otherwise made invisible and the examiner would thoroughly disorientate the candidate in the rear seat by rolling and pulling "g" — then leaving the aircraft pointing skywards and upside down — and quietly saying "You have control". The pilot under the hood then had to sort a suitable recovery to straight and level flight. This exercise was repeated in a variety of unusual attitudes and was usually followed by a return to base on primary flight instruments (no horizon) — perhaps on one engine — to feed in to a GCA approach and overshoot. A demanding flight test, but satisfying if flown within limits!

'It may be in order at this juncture to raise my one serious complaint about Royal Air Force fighter aircraft equipment. We were flying aircraft like the Meteor which could be flown literally in any type of weather but they had no navigation aids — none! How this was rectified in later years is a long story, but suffice it to say that to find oneself above 30,000 ft of solid cloud over Scotland with radio failure — say due to defective headset — was a most lonely and frightening experience, unless of course you were with another aircraft. There were many pilots in Fighter Command who had to resort to what we called "The North Sea let-down" which meant that we flew out east from our estimated position, carried out our own outbound and inbound descent over the sea and flew inland until we found the coast. In a Meteor you could be several miles adrift with this method and a quick and correct visual fix on seeing the coast was essential for the right course for base — fuel was usually low by this time, and to turn the wrong way on finding the coast could be disastrous.'

Special exercises

'Apart from routine training the Leuchars Wing took part in many and varied exercises during the year. These were usually held north of the border, combined exercises with the Army, Navy, the three Scottish Auxiliary Squadrons, and the Royal Observer Corps. Sometimes convoy patrols were made some 150-200 miles out over a very hostile North Sea in winter — all at low level. We were thankful for two thoroughly reliable Rolls-Royce engines.

'Many of the Fighter Command exercises took the Wing down to the south of England and occasionally over to Germany and Belgium — these trips were full of interest and gave us the chance to meet our opposite numbers from fighter stations in the south and in Europe. It also gave us the chance to match our skills at air combat against other Air Forces and various types of aircraft. For long-range ferry flights the aircraft would be fitted with two 100 gallon tanks on the outboard wing stations, bringing the total fuel carried up to 795 gallons. This provided a range of between 800-900 nautical miles in good conditions.'

The Meteor and contemporaries

'So far I have written of the Meteor in the Training Establishments and Operational Squadrons in the late 1940s and early 1950s. It will be remembered that early versions of the Meteor served with No 616 Squadron and operated from Manston in an attempt to counter the V1 threat. They achieved only limited success in this role compared to the Hawker Tempest which was well established in service. Both the Meteor Mk 3 and the Meteor Mk 4 held the World Air Speed Record at 606 mph and 616 mph respectively. But how did it really perform as a fighter?

'The Meteor was a relatively large aeroplane, and for a fighter not particularly agile. Even in its fully developed form, with spring-tab ailerons and uprated engines with large intakes, it would not hold its own in air combat with a Vampire unless the pilot made full use of his superior acceleration, climb and speed. Against a well flown Venom the Meteor stood no chance. There is no doubt that the Meteor was never extended in terms of weapons — although the four 20 mm cannon were reliable and flexible. The underwing stores carriage usually consisted of the antique 3 in rocket — affectionately known as "the three inch drainpipe". However, the Meteor gave good service in Korea with the Royal Australian Air Force, being used for a variety of tasks on operations.

'Although there were detail structural weaknesses on the Meteor, the basic airframe was rugged and stood much punishment even in peacetime service. The Meteor was also developed as a night fighter, and was well liked by its crews in this role. There is no doubt

F 8s of No 77 Squadron, RAAF during war service in Korea. (H. Holmes.)

that on a dark night, over a hostile country, or out over the cold sea in winter, few pilots would have exchanged their Meteors for any of its contemporaries!'

Duncan Simpson's graphic account of his experiences on the various Meteors that fighter pilots would have been familiar with conveys how most pilots felt about the aircraft, but it must be stated that despite its strength and popularity it really was outclassed by its contemporaries being operated by other air forces. Its strength was a major asset and this was the saviour of Duncan in February 1953 when he was leading four aircraft at low-level just south of Aberdeen. His Meteor collided with a large herring gull and suffered extensive damage to the canopy, windscreen, both engine nacelles, and the top of the fin. The explosion on impact was such that for a split second he thought he had been ejected, so his relief when he found that this was not the case and that the aircraft was still flying satisfactorily, can be imagined. The collision happened at about 200 ft at an IAS of 320 kt, and was followed by a long, cold and extremely rough passage back to Leuchars escorted by the three other aircraft.

It is clear from earlier accounts that another pilot who had a great affection for the Meteor was Wing Commander Brian Ashley, one of the main loves of his life was the PR 10 which he flew in Germany and the Far East. On 7 July 1961 he and Flight Lieutenant Dickie Littlejohn carried out the last flight from Tengah passing in salute over the Canberras which had replaced them, before taking the aircraft to their graveyard at Seletar. Brian Ashley flew *WB159* on that occasion and chose the 'long' route so that he was last to land. He admits that he felt somewhat dejected as he walked away from an old friend for the last time. His account of the aircraft follows:

'We usually flew the PR 10 with a 175 gallon ventral tank and two 100 gallon wing tanks, giving a normal load of 795 gallons. The original Meteor fighters flew with 325 gallons and you can easily imagine that life with the PR 10 was rather more interesting. A take-off at 18,800 lb all up weight in Singapore at midday on the old 2,000 yd Tengah runway with mangrove swamps at one end, and rocks at the other, was always interesting. The aircraft was initially slow to accelerate but by mid runway the tempo began to liven up. A heavy pull on the stick could persuade the nose to come up at about 95 kt. The far end of the runway would be rapidly approaching and the wheels spinning at a rate the designer never intended, the aircraft could be persuaded to fly at about 130 kt with the end of the runway too close for comfort, and the overshoot area being crossed at a height of a few feet. If an engine failed between about 90 and 150 kt on such a runway, you were in deep trouble. At the lower speeds the aircraft could not be stopped on the runway but when airborne could be controlled with full power on the remaining engine at about 145 kt, but this was so far below the minimum drag speed for the weight, that height could not be held or speed increased to climb away. Pilots debated at great length the wisdom of jettisoning the external tanks, and many were apprehensive that, by Murphy's Law, the wing tank on the side of the failed

Right and below *The result of a herring gull strike on a Meteor F 8 flown by Duncan Simpson from Leuchars.* (MoD.)

engine might not jettison and thereby exacerbate the problem. The situation was not improved by the fact that the Mk 2E ejection seat's minimum height was 200 ft.

'In the air the PR 10 was a splendid aircraft. The controls were heavy, but if one was prepared to use a strong right arm it was probably the most manoeuvrable of all the Meteors. At lighter weights it could happily see off F-86 Sabres or Hunters unless they chose to use their superior speed to run away. Its low speed handling was a delight. It was very steady on the approach, and 30° banked turns could be made down to about 125 kt. In the PR role it was operated at high level using the vertical cameras, or at low level using the forward or side facing oblique camera. In the high level role, it had an absolute range of about 1,000 nm, but to exploit this, very competent navigation was essential. The only navigational aid available was, eventually, two ten channel VHF boxes. In spite of this limitation the three squadrons operated to the limits of the aircraft without any major incidents caused by navigational errors. Before upper airspace was strictly controlled, we used to climb straight up to 43,000 ft, set up a cruise at about 190 kt IAS, and then allow the aircraft to climb as fuel weight reduced. In major exercises such as the UK defence exercises, we would frequently climb away from the target, then reverse our track to gain maximum height over the target. We could achieve heights of 46,000 to 47,000 ft, at which the early Hunters had great difficulty in intercepting us, and even with a small angle of bank, a turn could be held which was sufficient to outmanoeuvre a high performance fighter of those days.

'Many hair-raising claims were made about heights reached in the PR 10, some being as high as 52,000 ft, but I never reached more than 47,500 ft on a navigation sortie. On 13 April 1954 I air tested a good PR 10, *WB156*, before taking it on detachment from No 541 Squadron to No 13 Squadron in the Canal Zone. A height climb was required and I decided to leave that part until later in the test when the fuel load was reduced. The last few thousand feet of the climb was rather tricky, as the best climbing speed had to be sensed very carefully. If the speed was reduced, buffet was encountered and height was lost; if it was increased by 10 kt, the climb stopped. Eventually, I reached 49,700 ft by milking every bit of height out of the aircraft, but then it settled down into stable flight at 49,500 ft. Of course I had to

A new PR 10 just off the production line at Brockworth in 1950. This aircraft was used by No 541 Squadron and struck off charge on 10 September 1957. (MoS.)

announce this to the ever expectant world down below and I therefore called Gütersloh Approach for a controlled descent. The controller on duty was Flight Lieutenant "Digger" Foxlee, who was well known for his part as an air gunner in Micky Martin's crew on the famous Dambusters Raid. He asked me for my flight level, and when I breathlessly revealed it as 49.5, he immediately replied, "Roger, Blue, make it 50.5. I've already got one there!"

'One big disadvantage of the long-range high altitude sorties was extreme cold. Originally the Meteor was designed as a forty minute duration interceptor, and the heating system was adequate for the task, however for a high-level sortie of over two hours duration, it was continually losing the battle and temperatures would reduce to well below freezing.

'We had the usual problems of deciding what to wear, such as how many pairs of socks inside our sheepskin lined flying boots, but the worst problem was caused by the emergency water bottle in the survival pack. In the Mk 2E ejection seat, the pack was fitted in the seat-pan, with the water bottle forming a comfortable but incompressible cushion. On the very long flights the water would freeze and then troubles began. After a while cramp would develop and as one was tightly strapped in, it was not possible to wriggle around to ease the pain. On several occasions I looked longingly down at a tempting airfield when I still had several hundred miles to go to base, and considered diverting to relieve the agony. But I don't recall anyone ever aborting a sortie because of this; we all brought our broken backsides home for thawing out.

'A similar problem was the extreme cold's effect on the aircraft. At the end of a long high-altitude flight, the airframe had experienced a severe cold soak, and when a descent was made into the warm moist air below, rime ice would form on the airframe and, most importantly, the canopy. The heating system was not very effective, and as fuel reserves were invariably low, we had little time available to fly round waiting for the canopy to clear. It was not unusual when returning to an airfield such as Buckeburg on the North German plain, after a long sortie in midwinter, to open the canopy and land with one's head peering around the side of the iced-up windscreen.

'I have already mentioned the lack of any navigational aids other than VHF radio sets. When setting off on a long series of flights, the crystals already fitted into the sets would obviously be insufficient, and many of us would carry extra crystals. When we reached a suitable intermediate airfield, we would remove the unrequired crystals, insert the new ones, and tune the set with a small bulb fitted into a spare aerial connector. PR pilots were a pretty resourceful lot.

'Many of the high-level flights were flown over continuous cloud, but the only navigational error I recall was made by a No 541 Squadron pilot who had flown a sortie to the southern part of Germany and was returning to Gütersloh. His last turning point was in the Frankfurt area and instead of setting his course to steer for the top of the descent, he accidentally misread his kneepad and set distance to go on the compass. This gave him an ENE heading and when he eventually broke cloud he found himself in East Germany. However, all was not lost, the usual impeccable navigation was resumed, and after a longer than usual flight, a very light PR 10 landed at RAF Celle near the German border.

'We often discussed means of achieving the greatest range and endurance, and an unresolved question was the maximum single engined performance. On 29 September 1955, I flew *VS984* from Laarbruch on a single-engined high-level cross-country exercise. I climbed to 25,000 ft and settled down at the best range speed which I believe was about 220 kt IAS, and then I flamed out one engine and set maximum continuous rpm on the other. The speed slowly reduced to just below 200 kt, but the aircraft was easy to trim.

'I tried to use about 10° of bank towards the live engine to reduce the drag resulting from the rudder side forces, but this was very difficult as one is so conditioned to flying with wings level. As fuel was used, I maintained height and slowly allowed the speed to increase towards the best range speed. Towards the end of the sortie, the speed had increased to above 200 kt, but it never reached the best range speed. About every 45 minutes I relit the dead engine, and flamed out the live one, to ensure the task was evenly shared. The flight was uneventful and I eventually landed back at Laarbruch after an airborne time of 3 hours 15 minutes. The total distance covered was about 900 nm, but it is difficult to be certain, because on the last leg I over flew base for about 100 nm before turning back to begin the descent. This was prudent, because we had no single-engine range data, and it was preferable to underestimate the maximum range than overestimate it. I landed with about 60 gallons of fuel remaining, which was not unusual for the long range sorties. As far as I know, this is the longest duration flight in a Meteor un-refuelled in flight, but looking through my log book, I see several flights of 2 hours 20 or 2 hours 30 minutes.

'The oxygen cock in the PR 10 could select either economiser or pressure breathing, we were provided with early models of pressure waistcoats, but there was always some doubt about their use. We were unsure about the maximum height permitted, I had heard somewhere that this was 43,000 ft, but we chose not to ask too many questions, and flew as high as we could on major defence exercises. Some pilots used pressure breathing, but others continued to use the economiser. Such was life in those days.

'We also spent a lot of time on low-level sorties and the PR 10 was very good in this role, but the maximum permitted speed with wing tanks fitted was 345 kt. This was rather restrictive but if we could detect an interceptor moving in to attack, we could use the excellent manoeuvrability to defend ourselves. Like most pilots in those days we had to keep a keen look out with the ever faithful mark one eyeball.

'The only major snag with the PR 10 in the low-level role was the lack of cooling in tropical climates. Both No 13 and 81 Squadrons were based in high temperature zones, and many low-level sorties were flown. The hot sun produced a "greenhouse" effect in the cockpit, and the only air conditioning was an external vent which was labelled "Cold". In Egypt or Malaya it was more like hot. Many pilots had this problem, but the PR 10 was flying longer sorties, often over 1 hour 40 minutes. With the high work load the sweat loss was considerable. We usually finished a sortie with our flying kit, parachute, and survival pack soaked in sweat and it was standard procedure for an airman to meet the aircraft with a bottle of cold drink which disappeared in a cloud of steam.

'A final word on the importance of keeping a weather eye on the fuel gauges. Jets were (and still are) notoriously thirsty, so pilots coming on to them from piston-engined aircraft always had drummed into them. In the late 1950s at Strubby, the most scatter-brained pilot I ever knew flew a sortie to act as a target for fighter practice interceptions. His task was to fly over the North Sea and fly north and south at 250 kt until he had about 150 gallons of fuel remaining, then return to base. After take-off he thought he was having to use more rpm than usual to maintain 250 kt, but he pressed on remorselessly. He was somewhat surprised to find that after about 30 minutes his fuel was down to 80 gallons, the amount he should have had in the circuit. He set course for Strubby hoping he had enough fuel to make it, but as he approached the Lincolnshire coast, one engine flamed out. As he crossed the coast he had the welcome sight of Strubby's runway in view, but his day was still to be more interesting. While several miles short of touch-down point, the other engine quit. Ah well! He had been taught how to make a forced landing, so now was the time to practise it. He selected a likely looking landing area, set up the approach for it, and at the right moment selected undercarriage down. Flaps went down in copybook style and he made an impeccable wheels-up landing. He had flown the whole sortie with the undercarriage down and selected it up for landing.'

Chapter 7

The Meteor in combat

It has often been claimed that the Meteor made a major contribution to victory in World War 2 by countering the V1 menace. Nothing could be further from the truth, and the legend has probably grown from over enthusiastic publicity given at the time and immediately after the cessation of hostilities. Although from the very beginning the aircraft was seen as a high speed interceptor, delays in engine development and other areas outlined in previous chapters, meant that by the time a handful of aircraft had reached operational status, Allied air superiority was such that victory was practically certain, and it must be stated that the Meteor's contribution was purely of academic interest although it no doubt gave a start into the insight of operating jet fighters.

Comparisons are often made with the Me 262, which without doubt made a much greater contribution to the Luftwaffe's dying throes than the Meteor did to the Allied victory, but such comparisons are also often taken totally out of context. There can be little doubt that the German jet had a better performance than the British one, but it was not nearly as robust, and certainly created many operational problems for the Luftwaffe. It too was delayed by engine problems and when it did become operational these had a life expectancy of ten hours. It is interesting to reflect however, that a night fighter version armed with 30 mm cannons was in service with the Luftwaffe defending Berlin, some six years before a less heavily armed Meteor designed for this type of role became front-line equipment with the RAF.

The Luftwaffe Quartermaster General's returns show that some 1,294 Me 262s of all types were taken onto strength but how many of these reached operational status is not accurately known. The aircraft's speed and immense fire-power should have made it an awesome handful for the British fighters and American daylight bombers, but the final kill-rate achieved was something less than parity. This was due to many factors not the least of which was pilot training and adoption of the right tactics. Many Me 262 pilots failed to take advantage of their mount's speed and in order to achieve accurate gunnery they slowed down, whereupon they were back on equal terms with their piston-engined colleagues. Over 240 Me 262s were lost in training accidents which can be accounted for by the gravely inexperienced pilots that were being pushed into combat training without adequate experience.

The first unit to take the Me 262 into combat was Hauptmann Thierfelder's EKdo 262 which received its aircraft in April 1944, just three months before the first Meteors were delivered to No 616 Squadron in England. The Germans had some initial success including the destruction of a Lockheed F 5 in June, followed by a Mosquito and another F 5 the following month. It was on 25 July 1944 that the RAF had stories of operational jets confirmed when Flight Lieutenant Wall and his Observer, flying at 29,000 ft near Munich, had some difficulty in extracting their Mosquito from the attentions of one of

EKdo's Me 262s.This was just two days before the first 'Diver', anti flying bomb patrols, were carried out over Kent by pilots of the RAF's first jet fighter squadron. So in essence, the RAF and Luftwaffe started operating jet fighters at about the same time, although by the end of the war the German jet had accounted for about a hundred Allied aircraft in air-to-air combat whereas the Meteor had not bloodied its teeth in such situations.

A quantity of twenty Meteor F 1s was ordered with a view to getting the aircraft into military service as quickly as possible, this was to be followed by the better F 3 version. Of the initial batch of F 1s, sixteen went to the RAF and the other four to various experimental units, the squadron chosen to become the first to use the aircraft was No 616 which was one of the younger Auxiliary Air Force units. Formed at Doncaster in November 1938, No 616 was initially intended to be a Bomber Squadron, but in 1940 it was equipped with Spitfires and took a very active part in the Battle of Britain. It was also in this conflict that a young sergeant pilot, Andrew McDowall, joined No 602 Squadron on 1 July 1940. On 24 July he opened his account with a He 111 and by 30 October had accounted for a further eleven enemy aircraft. Later commissioned, he was to become the commanding officer of the RAF's first jet fighter squadron.

In the early months of 1944 No 616 was operating high-altitude Spitfire VIIs from its base at Manston. During the spring rumours were rife that the unit was to be the first to receive the Griffon-engined Mk XIV, and these seemed to be confirmed when two such aircraft arrived at Manston. But Wing Commander McDowall and five other pilots were sent on a course to Farnborough where they discovered they were to convert to the Meteor and No 616 was to become operational with it. The five other pilots were Flying Officers Roger, McKenzie, Clark and Dean and Warrant Officer Wilkes. These were to be joined later at Manston by Wing Commander H. J. Wilson to act as McDowall's second in command. Squadron Leader L. W. Watts, the man from whom McDowall took over, remained with No 616 as a Flight commander, and included in his Flight were Flying Officers Clerc and Mullenders, respectively a Free French and a Belgian pilot.

Conversion to the Meteor proved to be no great problem once the lack of torque from the Wellands, the slower initial acceleration and the tricycle undercarriage had been mastered. Two of the squadron's first aircraft, *EE213* and *EE214*, were unarmed versions to give handling experience but the first five aircraft complete with their nose mounted 20 mm cannons arrived on 23 July 1944 and four days later the unit was ready to mount its first sortie against the V1 flying bomb. On this memorable occasion Flying Officer T. D. ('Dixie') Dean sighted one of the robot bombs during an afternoon patrol but before he could get within cannon range, the missile had entered a restricted zone which was reserved exclusively for the barrage balloon defence and he had to break off the action. Squadron Leader Watts also attempted to engage a V1 but his guns jammed as he caught up with his quarry near Ashford and he had to break off the action. At this time the Allies were advancing rapidly on the main launching sites in the Pas de Calais, so the Germans were launching weapons at frequent intervals and Manston, being located in the south-east of Kent, was right on track in what might be termed 'bomb alley'.

The Meteors operated in pairs and flew seven sorties on the first day of action without any positive results. Gun jamming, later to be found being caused by updraught in the under fuselage case ejector slots, was an embarrassment to the Meteor pilots who were anxious to prove their new aircraft's effectiveness.

The short duration of the Meteor was also something that had to be adjusted to, and with flight times averaging about forty minutes, it was decided to move to a satellite airfield near Ashford to carry out patrols, returning to the parent airfield at Manston at the end of the day's flying. This moved the aircraft more into line with the usual track followed by the bombs and shortened interception times. Pilots flying Tempest aircraft on 'Diver' patrols found that if they had used all their ammunition the missile could be downed by either flying in front and using their slipstream to topple the bomb's gyro controlled guidance system, or by flying alongside and disturbing the boundary layer under the wing tip with the same result.

It was in fact the latter method that brought 616's first victory on 4 August. On this occasion Flying Officer Dean, flying at 4,000 ft spotted a V1 some 1,000 ft below him, he put the Meteor into a dive and at 450 mph made a head-on attack but his cannons jammed. Determined to destroy the flying bomb, he pulled the Meteor into a turn and quickly caught up with the robot aircraft, positioning his wing under that of the V1. Dean gently rocked his aircraft until the disturbed air caused the flying bomb to tilt into a bank which toppled its gyro and caused it to plunge into the countryside near Tonbridge. Thus Dean became the first British pilot to record an aerial victory in a jet fighter, but he only just made it for at 16:41, just 25 minutes after this action, Flying Officer J. K. Roger intercepted another V1 near Tenterden and destroyed it with his cannons; to him must go the honour of being the first RAF pilot to actually shoot down an enemy aircraft from a jet fighter.

The following day two new Meteors arrived which brought the squadron strength up to ten aircraft including the two unarmed machines. Two days later Dean found another V1 near Robertsbridge and this time his cannons dealt with the intruder. On 10 August he completed his 'hat trick' with another cannon victory over Ashford during a late evening patrol. The last of 616's Spitfires left Manston on 15 August so the squadron became totally equipped with Meteors although the same day they suffered their first fatality. This happened when Flight Sergeant D. Gregg became lost during a 'Diver' patrol and, on attempting to land at Great Chart airfield near Ashford, crashed on the approach and was killed.

The Fiesler Fi 103 was a diminutive aircraft with a wingspan of just under 19 ft and a length of 26 ft, so it represented a small target for intercepting fighters, and therefore an adjustment of gunnery techniques. Opening fire at too great a range was wasteful, but on the other hand closing in to 200 yd or so could be exceptionally dangerous, for although the V1 could not fire back its load of about one ton of high explosives was a real threat to those who were too close when it exploded. Many Tempest pilots found they were caught in the fireball and on several occasions fabric covered control surfaces were, at the best badly charred, and at the worst, burned completely off. The Meteor's nose mounted cannons gave a more concentrated cone of fire but caution was still very necessary. At the heights at which the V1 flew, between 3,000 to 4,000 ft, there was not a lot of room for recovery if the explosion tossed the interceptor into a difficult control situation.

Approaching from above, the dark green upper surfaces of the flying bomb camouflaged it well against the landscape but its glowing pulse-jet often made acquisition slightly less demanding. But it must be remembered that its airspeed was quite high, and the intercepting pilot had to get into position quickly, range his guns, and be sure to open fire at the right time, all this whilst remaining aware of the area covered by barrage balloons and anti-aircraft batteries, whose gunners were not too particular as to who might also be in the vicinity. So intercepting and shooting down the unmanned robots was not as easy as some writers have indicated.

As techniques in gunnery improved and the annoying habit of the cannons jamming began to be resolved, victories for the Meteor mounted. On 16 August a Canadian pilot, Flying Officer W. McKenzie toppled the gyro of an intruder with the wing tip technique and the same day the Belgian pilot, Flying Officer Mullenders used his cannon to good effect near Ashford. The CO was also in action on the 16th but after attacking two V1s without success was forced to break off as he approached the restricted area.

The following day Flying Officer Ritch, Warrant Officer Woodacre and Flight Sergeant Assy put their names on the score sheet with one each. Two days later Flight Sergeant Watts opened his account, whilst Flying Officer Hobson shared a victory with a Tempest pilot. Just over a week later, on 28 August, Hobson shared a success with Flight Sergeant Epps and the following day Flying Officer Miller recorded what was to be 616's thirteenth and final victory. By this time the advancing Allied land forces had captured most of the launching sites on the continent, and for the time being there was to be a respite from the forerunner of today's land-launched cruise missile, which at the time of writing is causing just as much unrest in certain political circles.

Wing Commander McDowall was the victim of an engine failure on the day his squadron recorded their last success, but he managed to carry out a crash landing without injury to himself although his Meteor was a total write-off. Although patrols continued into September, it was clear the menace was over, so attention was turned to training, as well as showing the flag with a formation flypast by six aircraft over Margate on 17 September for Battle of Britain Day. The squadron also took its aircraft on local tours to familiarize members of the Observer Corps, and other service units with the Meteor, and they also had visits from other units to enable their personnel to become used to seeing the new jet in the air. During the period of activity in Kent, the AOC Fighter Command, Air Marshal Sir Roderic Hill, visited 616 and flew a Meteor. He commented that perhaps the aircraft had been introduced too soon, but balanced this by agreeing that the experience gained would no doubt help in the development.

Among the people particularly interested in the Meteor were the crews of the USAAF's long range B-17 and B-24 day bombers. Since the middle of July 1944, they had been encountering the rocket-powered Me 163 as well as the Me 262 jet fighter, and realized that new combat techniques would need to be developed to counter this type of interceptor. During the week 10–17 October four Meteors were detached to Debden where they undertook a series of tactical trials in simulating attacks on the familiar box formations of USAAF bombers and their P-51 and P-47 escorts. This series of trials helped the American crews to work out a revised defensive ploy which involved the escorts flying at some 5,000 ft above the bombers and then rolling into a vertical dive to intercept the jets. Timing needed to be precise for at 450 mph the Meteors were making hit-and-run passes at the bombers which carried them well out of the fighters' range in a very short space of time. The USAAF crews benefited greatly from the experience as did the RAF pilots and the Meteor ground crews who, operating away from their main bases, had to learn quickly how to make field improvisations to keep their charges in front-line condition.

By December 1944 the Mk 3 Meteor was ready to enter service and No 616 Squadron received their first two aircraft on the 18th of the month, followed by three more on Christmas Eve. The new machines were welcome Christmas presents but would have been even more popular if they had been fitted with the more powerful Derwents, but these were not available until the sixteenth production airframe.

On January 20 1945 control of No 616 Squadron passed to No 84 Group of the 2nd Tactical Air Force and eight days later the unit started its move from Colerne, where it had been located since 17 January, to the continent. Four pilots and the groundcrews were flown to Belgium in Dakotas and on 4 February three F 3s and a F 1 followed.

Whilst the vanguard of the squadron moved to Belgium with high hopes of meeting the German jets in combat, the remainder were temporarily diverted to the US airfield base near Braintree, Essex, known as Andrews Field. This particular airfield was the first built in England by the US Pioneer Corps and had been used by B-17s of the 96th BG. It became the home of the Meteors when a new threat from V1s launched off the coast by

He 111s, became apparent. Arriving at Andrews Field on 28 February, the Meteors made their first patrol on 3 March, ironically this also proved to be their last as the threat from the air-launched missiles petered out.

Meanwhile, at Melsbroeck, the newly arrived Meteor pilots were briefed not to fly over enemy territory as quite understandably the powers-that-be did not want to risk an aircraft falling into enemy hands. At this time the Meteors were painted white as an identification aid for Allied anti-aircraft gunners, who tended to shoot first and ask questions afterwards, especially when it came to unfamiliar aircraft.

On 19 March the squadron had its first encounter with German jets, but it was not in air-to-air combat as they hoped. Two Arado Ar 234 bombers sneaked through the early warning system and dropped fragmentation bombs on the airfield, one Meteor was damaged when one of the bombs exploded outside No 616's hangar. Pride was no doubt a little dented but the opportunity to gain revenge never came as the Luftwaffe kept a low profile and this incident proved to be the closest the British jet ever came to its opposite number.

All the signs were that the war in Europe was drawing to its close, and with it there came a relaxation in restrictions covering Meteor operations. On 26 March the unit moved to Gilze-Rijen in Holland, where it was joined by the rest of the squadron, and on 3 April excitement was rife when Meteors were scrambled for the first time in Europe to intercept hostile aircraft. Unfortunately this came to nothing and the aircraft returned to base with full ammunition tanks. Ten days later came another move, this time to Kluis near Nijmegan, and by this time all aircraft had been repainted in standard day fighter camouflage preparatory to their involvement in daylight strafing attacks on enemy ground transport, airfields and other installations.

The first 'Rhubarb' sortie was flown on 16 April but poor visibility hampered this and it was not until the following day that the first success was recorded when Flight Lieutenant M. Cooper attacked and destroyed a German truck near Ijmuiden. Similar successes followed before the squadron was once again on its travels, this time to Quackenbruch located 45 miles to the south-east of Bremen. British jets had arrived on German soil for the first time. Four days later the airfield at Nordholz near Cruxhaven was strafed and a Ju 88 destroyed on the ground; some consolation for the earlier attention received from the marauding Arados. By now the Meteors were well integrated into the overall pattern of air operations being carried out by the 2nd Tactical Air Force, and they came under the control of No 83 Group's 122 Wing which was equipped with the Tempest V operating out of Fassberg.

Soon after this expansion of Meteor operations, the squadron suffered the tragic loss of two pilots when the long-serving Squadron Leader W. Watts and his wingman, Flight Sergeant B. Cartmel, collided during a reconnaissance flight on 29 April. The aircraft collided in cloud and exploded giving neither man chance to escape, so the only two Meteors lost on operations took with them two very popular and experienced jet pilots. Squadron Leader Watts' replacement was an Australian, Squadron Leader F. A. O. Gaze, who had been serving with No 41 Squadron and had twelve and a half victories to his credit. He arrived on 2 May with Wing Commander W. E. Schrader, a Tempest pilot from No 486 Squadron, who was to take over from Wing Commander McDowall as CO.

During the closing days of the war the Meteors undertook a lot of sorties, some of which were in defending a bridge erected over the Elbe by the 2nd Army. The day after the two new senior officers arrived the squadron moved on to Luneberg, and during the course of the day the new Wing Commander accompanied by Flight Lieutenant G. Jennings mounted an attack against Schonberg airfield destroying two Ju 87s, two He 11s and a Bf 109 on the ground. It was during this operation that Flight Lieutenant Jennings nearly earned the distinction of the first aerial victory, when he found a Fiesler Storch communications aircraft. The German crew spotted the descending Meteor and rather wisely landed their aircraft, whose sole protection was a single 7.9 mm MG15 machine gun in the rear cockpit. The STOL characteristics of the Storch proved their worth and the crew evacuated their machine before Jennings destroyed it with cannon fire.

Two days later the war in Europe ended and with it went the chance of aerial combat with other jets, but this was to be rectified some five years later on the other side of the globe albeit at that time the Meteor was well outclassed for the interceptor role.

During the exciting months of March, April and May, when 616's pilots had acquitted their aircraft well, another Auxiliary squadron was busily exchanging its Spitfires for Meteors. This was No 504 (County of Nottingham) Squadron, which under its commander, Wing Commander M. Kellet, had taken 616's place at Colerne, Wiltshire in April. On the 10th of the month it received eight of the new Derwent-engined Meteor 3s and by the end of the month had its full complement of sixteen aircraft. But the war ended before their proposed move to the Continent and their only taste of what might have been came when they carried out an exercise on 29 May with Bomber Command Lancasters. The Meteors attacked a large formation of Lancasters escorted by Mustangs over Berkshire, and the final analysis indicated that the jets had been far too nimble for the piston-engined escorts, although one Meteor pilot was gracious enough to confirm that he had been caught in a turning combat with a Mustang and would probably have been shot down if it had been for real. Assessment of this exercise indicated that the Lancaster formation had lost six of their number, the Mustangs three, whilst several of both types had been damaged, all this for the loss of the single Meteor flown by a magnanimous pilot.

With the war over more and more squadrons of the RAF started to be equipped with the Meteor and Vampire, which was just too late to see action, and overseas governments started to look towards Gloster and de Havilland with a view to putting their own air forces into the jet age.

Among these countries was Australia whose air force was to gain more combat experience with the Meteor than any other. But long before this happened a Mk F 3, *EE427*, had captured the imagination of the Australian public when it flew over Melbourne at nearly 500 mph during trials carried out in Australia. This aircraft was exported on 7 June 1946 and carried out trials at Laverton and Darwin during which it carried both its original serial and the RAAF allocation of *A77-1*. This particular Meteor was damaged in a heavy landing at Darwin on 14 February 1947, and the remains were finally burned on 11 May 1947. The prime purpose of the aircraft was to carry out hot-weather trials, but no doubt it was hoped that the Australian Government might be tempted to place an order for their own air force.

At this time three RAAF fighter squadrons, Nos 76, 77, and 82 were part of the Australian contribution to the British Commonwealth Occupation Force formed in Japan after World War 2. All three units were flying the P-51 Mustang from Iwakuni, but by November 1948 only No 77 Squadron was still in residence and in June 1950 had completed its task and was about to return to the Australian mainland when North Korea invaded the Republic of South Korea. On 30 June it was announced in Canberra that No 77 was to stay on in Japan as part of the United Nations forces and would come under the control of the United States 5th Air Force. Operations began on 2 July when the Mustangs were used to escort Invaders of the 3rd BG attacking bridges over the Han River near Seoul. In October the Squadron moved from Iwakuni to Pohang, where it was integrated with the 5th Air Force's 35th Fighter-Bomber Group to operate in the bomber escort and ground attack roles.

The Mustang was clearly outclassed by the Chinese Air Force MiG 15s and, although some success was achieved, pilots were delighted to hear rumours in the closing months of 1950 that their piston-engined fighters were soon to be replaced by jets. Hopes were high that these would be the North American F-86 Sabre, but lack of US dollar finance and priority given to deliveries of the Sabre to the USAF, forced the Australians to look elsewhere. At this time the first generation of British swept-wing fighters was in the early design stage, and it looked as though it might be possible for an early production batch of Hawker Hunters to be diverted to the RAAF so that they could be evaluated under combat conditions. However problems with development, despite urgent priority being given, prevented this, so there was little choice other than the fighter which then formed the mainstay of RAF Fighter Command, the Meteor F 8. Consequently in December 1950 Australian Premier Mr Robert Menzies announced his government's decision to modernize the RAAF's fighter squadrons, with these words, 'The Meteor is regarded as the most modern type of jet fighter now available and will give a striking power, speed and manoeuvrability of a kind to add enormously to our air strength'. The first squadron earmarked to receive the aircraft was No 77.

Although Robert Menzies' words were perhaps greeted by wry smiles by those who were aware of the potential of the Sabre and the Russian built MiG 15, analysis of them is interesting. Since the Sabre was not available, the Meteor *was* the most modern jet fighter on offer to the Australians; compared with their existing equipment it *did* offer the attributes mentioned, but comparing it with the two aircraft mentioned was another matter.

The first batch of fifteen F 8s and two T 7s arrived off Iwakuni on board the aircraft carrier HMS *Warrior* on 24 February 1951. They had made the journey from England as deck cargo where they could be clearly seen by any interested party as the carrier routed through the Mediterranean, so the veil of secrecy surrounding their shipment to the Far East was somewhat negated. The aircraft were unloaded and taken ashore by lighter where they were towed to the airfield to have their RAF serials replaced by Australian nomenclature. All serials were prefixed by *A77*, the Australian type code for the Meteor, and the digits which followed were applied at random for security reasons. Additional batches of aircraft were flown direct from the United Kingdom, and these were accompanied by groundcrew to assemble and check the machines and four RAF pilots, Flight Lieutenants Blyth, Easley and Scannell and Flight Sergeant Lamb. Their task was to convert the Australian pilots to their new aircraft. The first Australian to check out on the Meteor was No 77's CO, Squadron Leader Richard Creswell, who had already taken a conversion course to jets on the Lockheed F 80 Shooting Star.

Creswell and Flight Lieutenant Murphy were two 77 pilots who had been detached to the 8th Fighter-Bomber Group at Itazuke to fly F 80s for operational experience, prior to the total conversion of the unit to the Meteor. Similarly two of the RAF pilots, Blyth and Easley, travelled to Pusan on the Korean mainland, officially to lecture No 77 Squadron personnel on the Meteor, but whilst there gained operational experience by flying Mustangs. They were later joined by Scannell and Lamb who also flew on operations with the Australians. On Friday 4 May No 77 Squadron returned from Pusan to Iwakuni with their Mustangs, which were handed over to the Republic of Korea Air Force. Work now started in earnest to convert all pilots and start operational training.

Three days later the first Meteor was lost when Sergeant Bessel in *A77-735* ditched just south of Iwakuni after becoming lost during a single-engined exercise. The pilot was unhurt and the aircraft was recovered from shallow water and subsequently used for spares. This was the first Meteor to be lost in Australian hands, although *WA935* went missing on 31 March during its delivery flight, and had therefore not been taken on charge by the RAAF. The second Meteor accident occurred a month later (14 June) when Sergeant Stoney, flying *WA944* which had not yet had its Australian serial *A77-231* applied, was accidently ejected. The sergeant made a safe descent with his aircraft circling him, at one time it was only 20 ft away, and was unable to explain his untimely exit. He had apparently been leaning forward in the cockpit with his left hand on the throttle when the seat fired.

These were the only two aircraft lost during the work-up period, which also saw General Robertson, the Officer Commanding British Commonwealth Forces in Japan, place a ban on publicity on the Meteor as well as banning its use in Korea until a radio compass was fitted. During May there was an interesting demonstration at Iwakuni when Flight Lieutenant Daniels, an RAF pilot on exchange with the USAF, flew comparative tests in a Sabre against a Meteor in the capable hands of Flight Lieutenant Scannell. This proved that the F-86 was superior both in level flight and a steep dive, but that the Meteor could more than hold its own in turning, zooming and sustained climbs. No 77 Squadron was keen to use the aircraft on operations in the interceptor role which it had been designed for, and in this they were supported by Flight Lieutenant Scannell. Both Creswell and Scannell appreciated that at high altitude it had a lower limiting Mach number than the MiG and was not as manoeuvrable. Visibility from the canopy was restricted at the rear by the metal portion of the canopy and it could not hope to catch the Russian fighter in a dive. But they felt that operating in conjunction with Sabres, tactics could be devised that would give them a chance to show their mettle. Discussions with senior RAAF officers and 5th Air Force headquarters, resulted in an agreement that the Australians would be given the chance to prove their point, by using the aircraft in the interceptor role.

By the end of June most of the Meteors had been fitted with ARN-6 radio compasses which were installed with their aerials under a perspex blister on the top surface of the fuselage well aft of the canopy. Towards the end of June several sorties were flown to Kimpo with radio specialists occupying the rear seats of the T 7s to set up a Ground Controlled

A77-17 *was* WA694 *and served in Korea with No 77 Squadron from 17 July 1951. It returned to Australia in 1954.* (H. Holmes.)

Approach (GCA) system. On the 30th of the month C-119 Packets and C-54 Skymasters started moving equipment and Dakotas of No 86 Squadron RAAF personnel to the Korean airfield, so there could be no doubt left in anyone's mind as to No 77's imminent arrival in the battle area.

June is the rainy season in Korea, and the heavy transport aircraft had churned the mud of Kimpo into deep ruts, but the Australians' enthusiasm was not dampened. Although most of July was spent in familiarization of the local area, GCA practice and integration with the Americans under the command of Colonel Tipton, the move to operational flying moved closer on the 27th when the restriction covering the radio compass was eased. This meant that No 77 was now cleared for operations providing that at least one aircraft in each flight was equipped with the necessary compass, and the cloud base was a minimum of 1,500 ft. Three days later the long-awaited day arrived when sixteen Meteors accompanied by 28 Sabres, were briefed to carry out a fighter sweep between Songchon and Chongju. Two sections of four Meteors flew at 35,000 ft and the other two at 30,000 ft, the Sabres also flew in two sections spaced at 25,000 and 20,000 ft. On this occasion the enemy was not encountered, but the Australian pilots had the satisfaction of arming their guns and testing their radios when they crossed the bomb-line, this being standard practice laid down by the USAF.

The Chinese MiG 15s were based in Manchuria where they were safe from attack by the UNO forces, and they frequently took off from their bases, climbed to altitude in friendly airspace, then used the advantage of height to dive across the border to mount their attacks on UN fighters. Quite often the Sabre and Meteor pilots would watch the enemy aircraft take off, and then stay on their side of the border where they were safe from

F 8s of No 77 Squadron, RAAF during war service in Korea.

attack. The space between the Yalu River at Antung, south-east to the Chongchon river, was over the main communist supply routes to the army and became known as 'MiG Alley'. It was here that most of the jet versus jet air-to-air combat took place. But for most of August such action did not involve the Australians or their Meteors. On the 18th of the month the popular Squadron Leader Creswell was replaced by Wing Commander Gordon Steege as CO of No 77 and four days later the unit suffered its first fatalities in Meteors when Sergeant Mitchell flying *A77-128* collided with the RAF pilot Flight Sergeant Lamb in *A77-354*. The two men were part of four aircraft forming 'Charlie' section, and as they returned from a sweep and changed from battle formation to line astern, their aircraft touched and disintegrated, the wreckage falling north of the Han River. The deaths of two popular members of the squadron and the disappointment experienced by the pilots in the lack of aerial opposition, even when they had been escorting B-29s on missions close to the border, which should really have enticed the communists into action, were a severe test for the new commander.

Hopes were revived, however, on 25th when Flight Lieutenant Scannell, another RAF pilot, chased and fired at two MiGs without success. At least the enemy had been engaged, and surely it would only be a matter of time before the pendulum swung in their favour. In fact it was just four days.

On 29 August eight Meteors took off from Kimpo to escort bombers, and another eight to carry out a sweep north of Sinanju. The latter aircraft were split into two sections; Squadron Leader Richard Wilson flying *A77-616* leading 'Anzac Item' section and Flight Lieutenant Geoff Thornton leading 'Anzac Dog'. The aircraft were briefed to patrol between 35,000 and 40,000 ft, and to their delight the leader spotted a section of six MiGs in the patrol area at 37,000 ft. These six turned out to be decoys and soon the Meteor pilots found themselves pounced on by another thirty or so enemy aircraft as they tried to manoeuvre to intercept two of the original six. Squadron Leader Wilson and his number two dived onto the two original aircraft, but unknown to the leader, the second pilot encountered severe compressibility, lost control of his aircraft, and did not recover until he had descended to 5,000 ft. In the meantime Wilson, now flying at Mach .84, was making little progress at closing the distance on the MiGs, when he felt his aircraft shudder as it started taking hits from another MiG which had closed on him from behind, the absent wing man being unable to warn his leader. Fortunately for Wilson two other Meteors had spotted the danger and closed with the MiG which turned away.

In the meantime the number three in the section had his hands full with four MiGs and the number four was attempting to upset the communist pilots' aim and flying by firing at them as they closed on his companion's tail. As is often the case in aerial combat, the sky suddenly cleared of fighters and the three Meteors found themselves alone. Wilson's aircraft had a hole in the port wing, one aileron missing, and a damaged fuel tank. He limped back to Kimpo and landed safely although his approach speed was well above that recommended. The Australians now knew that their aircraft were able to absorb tremendous damage, even if it still had to be proved that they could hand it out.

The other section under Thornton fared little better. He saw the MiGs diving from the sun and called 'Anzac Dog' section to break as the enemy aircraft opened fire. Flying in the number four position, Warrant Officer Ron Guthrie, a veteran of fourteen previous Meteor sorties, took the full brunt of the MiG attack. Red tracer flashed by the Meteor as he broke to port at the same time calling a warning to his colleagues, but as he pressed the transmit button cannon shells thudded into the Meteor aft of the cockpit destroying the radio equipment, so his message went unheeded.

Two of the attacking MiGs passed in front of him and he turned after them, firing his four cannons as one filled his sights. Before he could see whether or not his fire had inflicted any damage, the Meteor shook as more cannon shells found their mark. The Meteor flicked onto its back, and as Guthrie tried to regain control he realized that his elevators had been shot away. By now the Meteor was in a rolling dive and as it passed through 38,000 ft with the Mach meter showing .84, the pilot ejected. The Martin-Baker seat worked perfectly and the relieved Warrant Officer found himself sitting upright in his seat descending through the stratosphere, with the noise of combat rapidly receding.

During the ejection his oxygen mask had been torn from his face, but it was still attached to the emergency supply and he found when he managed to put it back on, that oxygen was flowing. At this height the air temperature was down to –50°C, and wearing only a light-weight flying suit, there was a real danger of frostbite. The seat was, of course, one of the early types in which the pilot had to carry out manual separation after ejecting. The pilot thought that if he stayed attached to it until he reached a lower level, he might well land in enemy territory, whereas if he carried out the separation drill he could control his parachute and possibly make a landing in the sea where he stood a good chance of being recovered by friendly forces. Preferring a soaking to confinement as a PoW, he undid his harness and kicked the seat away. By now he was at 35,000 ft and the cold was intense as he swung beneath his canopy. From that height he could see the curvature of the earth and the whole panorama of Korea spread out below him. The air grew warmer as the descent continued but he realized that a westerly wind was blowing him inland. Despite his efforts to drift the 'chute to sea, he soon accepted that this was not going to work.

As the ground approached he was aware of bullets fired by North Korean troops zinging past him. Fortunately they all missed and he dropped gently into a paddy field some 28 minutes after firing his ejection seat. Guthrie was immediately surrounded by enemy troops and taken into custody where he stayed until his release in 1953. This was the fifth use of a Martin-Baker seat in an emergency ejection, but it was the first in combat, and at that time was also the highest on record and the longest descent time.

Unaware of their colleague's fate, the three other Meteors returned to Kimpo where stock was taken of the situation. The Australians had lost one aircraft and another seriously damaged, without inflicting any losses on the enemy, but in view of the fact that they had been grossly outnumbered and caught at an altitude where the Meteor was known to be outclassed by the MiG, the general feeling was that they had got off lightly. American Sabre pilots reported that they had seen a Meteor crashing in the area and a parachute descending, so even before confirmation came of Guthrie's capture, hopes of his survival were high.

At this time the squadron had flown 354 sorties in the combat area since their arrival on operations and lost only one aircraft due to enemy action. The Meteors shared Kimpo with F-80s and F-84s both of which occasionally had problems in getting airborne, this could lead to excitement if a take-off was aborted since soon after making such a decision the pilot would jettison both wing tanks and any underwing bombs. The Meteors never encountered such problems, and frequently sixteen aircraft would be scrambled in 65 seconds, a feat often watched with admiration by the American ground crews.

On 5 September the squadron was again in action against MiGs when six aircraft escorting two USAF RF-80s were bounced at 20,000 ft. In the ensuing tussle Warrant Officer Mitchell in *A77-726* was attacked by three MiGs and had to call on all his skill before escaping their attentions. His aircraft was severely damaged in the area of the port wing root, the tailplane, and the starboard aileron, and although he got it safely back to base it had to be shipped to Iwakuni for repair. The fact that the Meteor was outclassed in the interceptor role was becoming obvious and supported by the evidence of the action on 5 September when only three pilots reported that they were at any time in a position to fire at their antagonists.

Four days later a prelude of a role that the aircraft was able to fulfil was shown when eight aircraft that were airborne were advised to look for targets of opportunity when the original escort mission was cancelled. Squadron Leader Wilson, leading one section in *A77-15*, found a convoy which he attacked with cannon fire with satisfying results. During a second pass the Squadron Leader was hit by ground fire and all the Meteors broke off the engagement to return to Kimpo with their injured leader.

A further action on 26 September saw twelve Meteors tangle with thirty MiGs. On this occasion Flight Lieutenant Dawson managed to record several strikes on an enemy fighter and although pieces were seen to come off the aircraft, its crash was not witnessed so it could only be counted as a probable. Flight Lieutenant Thomas also chased a MiG to well south of Pyongyan before it escaped from his attention and popular belief was that the pilot would not have had enough fuel left to regain his base across the Yalu. On the debit side, Sergeant Ernest Armitt in *A77-949*, flying as No 4 in his section, was bounced in the same way as Warrant Officer Guthrie had been, but although his aircraft was hit and damaged it continued to handle correctly and he completed the patrol and returned with the rest.

During the following night Meteor *A77-510* was damaged by a fragmentation bomb which was dropped from a PO-2 biplane during one of the nuisance raids mounted by the North Koreans against the Allied bases. The aircraft, which was parked alongside some Sabres which had now replaced the F-80s and F-84s at Kimpo, was only slightly damaged and was soon back on the flight line ready for action. The action of the type the Australians were looking for, however, was not forthcoming. Now that its limitations had been exposed, the Meteor was limited in its tasks as well as its radius of activity; fighter sweeps looking for trouble were out, combat air patrols at limited altitudes and escorting B-29s were very much the order of the day. At the end of October losses forced the Americans to withdraw the B-29 from daylight bombing raids and this released the Meteors to patrol an area south of Chongchon, an order prohibiting them operating to the north of the Chongchon River having been issued earlier in the month.

There were various skirmishes during October with the Meteors coming off worse again on the 24th when they intervened in a dogfight between Sabres and MiGs. Flying Officer Hamilton-Foster in *A77-316* tangled with several enemy aircraft and his Meteor was extensively damaged, eventually landing back at base on one engine. On this occasion one of the B-29s was hit and crashed when a section of MiGs penetrated the Sabre and Meteor screen. Three days later Flying Officer Reading managed to get the better of a MiG and caused severe damage, other pilots from the squadron also joined in against the unfortunate MiG pilot but the evidence of the supporting cine film was not conclusive and the 5th Air Force were unable to confirm a victory.

On 2 November Flight Lieutenant Joe Blythe also claimed a MiG damaged, and the following day another Australian managed to outfly two enemy aircraft after damaging a third. This action also saw Sergeant Armitt in trouble again, but he was in good company as Sergeant Robertson's aircraft was so badly damaged that it had to be broken up for spares after its return to base. On 11 November, Sergeant Robertson was in trouble again when he collided with Flying Officer Blight at 24,000 ft about 80 miles north of the bomb-line. Robertson immediately used his ejection seat, but despite losing a large portion of his port wing, Blight managed to nurse his aircraft back to Kimpo, but had to eject when he found that he could not control his machine below 180 kt. The aircraft concerned in this incident were *A77-587* flown by Sergeant Robertson and *A77-959* flown by Flying Officer Blight.

After four months of continuous action, No 77 Squadron at last succeeded in downing their first two MiGs. The date was 1 December and the action took place over Sunchon. Twelve Meteors on a sweep at 19,000 ft were bounced by fifty plus MiGs but this time 'Charlie' section broke successfully. Although the No 4 was hit he was able to continue to give cover to his leader, however the No 2 was less lucky and was unable to take further action so he returned to base. Meanwhile Sergeant Thomson, Baker 2, became lost in the melee and decided to head for home alone, but he never arrived. He was heard asking for a check steer after the other aircraft landed but he never made it back to Kimpo and was assumed to have run out of fuel.

The honour of the first aerial victory went to Flying Officer Bruce Gorgerly, a pilot who had combat experience on P-40s in the Pacific. On this occasion he was flying as No 2 to Flight Lieutenant Thornton in 'Able' section, the No 3 being Sergeant John Myers. As the MiGs descended onto the Meteors Flight Lieutenant Scannell leading 'Baker' section and Flight Lieutenant Caden leading 'Charlie' section broke, and left the way clear for Thornton's 'Able' section to turn in behind the MiGs. During the break Sergeants Drummond and Armitt were hit and as the former struggled to control his damaged aircraft, from which fuel was streaming, Gorgerly and Myers cut inside the turning MiGs and Gorgerly brought his guns to bear on one of them.

A five second burst from the 20 mm cannons brought hits along the MiG's fuselage and wing root. Myers was now in a position to fire which he did, but his burst was not needed as the enemy aircraft rolled over and fell, streaming fuel. The two pilots reefed their aircraft round to meet another attack, but other members of the squadron saw Gorgerly's MiG explode and fall in flames so the victory, which was also confirmed by his camera, had this time been witnessed. Gorgerly, Scannell, and Caden all had tight encounters with several MiGs before managing to escape, but in the melee another enemy aircraft was seen to crash and since it was impossible to decide which pilot had hit this one it was credited to the whole squadron. For about ten minutes the fight had been fast and furious, but once the MiGs had lost the initial advantage of height, they did not stay long and soon made their way back to the safety of Manchuria.

Immediately after the combat Thornton, who was leading the squadron, called all pilots to check in and received answers from each one. Vance Drummond had reported his aircraft to be badly damaged in the fuel tanks and electrical system, nonetheless he responded to the check call. It was therefore something of a surprise when the squadron landed at Kimpo to find that he, Ernest Armitt and Bruce Thomson were missing. It was known that Drummond (*A77-251*), Thomson (*A77-29*) and Armitt (*A77-949*), were all trying to limp home, but when they did not arrive and the time for their fuel to be exhausted past, the squadron realized that their victories had been won at a high cost.

It was eventually discovered that both Drummond and Thomson, who was a new pilot to the squadron, had been 'picked off' by marauding MiGs as they struggled to get home, Thomson having got to within 80 miles of base, but of Armitt there was no news. Drummond and Thomson both turned up in PoW Camps but Ernest Armitt's luck had finally deserted him and the veteran who had flown on the very first Meteor operation in Korea was dead. Vance Drummond survived several unpleasant experiences and made attempts to escape from captivity before his eventual release in September 1953. He went on to serve with the RAAF flying Sabres, leading the Black Diamonds aerobatic team, attending Staff College, taking a navigators course and flying as a Forward Air Controller in a Cessna 0-1 Bird Dog in Vietnam. He flew 381 combat missions in Vietnam and was awarded the Cross of Gallantry with Silver Star by the Republic of Vietnam, before returning to Australia where on 2 February 1968 he took over command of No 3 Squadron. Three months later, on 17 May, Wing Commander Vance Drummond, leading a section of four Mirages, disappeared after entering cloud at 22,000 ft. No trace of the man or his aircraft was ever found. Bruce Thomson who shared his fate as a PoW was also killed in the peace time RAAF when he crashed in a Sabre on 9 June 1955 near Werribee, Victoria.

The combat on 1 December, although successful in the destruction of a pair of MiGs, hastened the end of the Meteor's use from fighter sweeps, and for a period the aircraft was confined to airfield defence. The ability to get into the air quickly made the Meteor an ideal aircraft for this role, and it was felt that if MiGs started to strafe the airfields at Kimpo and Suwon, it stood a good chance of fighting on more equal terms.

At the end of December, however, Wing Commander Ronald Susans took over from Wing Commander Steege, and he had very different ideas. Accepting that the Meteor was unsuitable for the interceptor role, he persuaded Major General Everest, the CO of the 5th Air Force, that its proven ruggedness made it ideal for use as a ground attack aircraft. Despite the fact that the Meteor had never been cleared for this type of operation, modifications were soon put in hand, and on 8 January 1952 four Meteors armed with eight underwing rockets each, plus their full complement of 20 mm cannon ammunition, were led by Susans on a successful attack against a water-tower at Chongdan. This success guaranteed the aircraft a continuing role in the Korean war, and although perhaps not as exciting as air-to-air combat it proved to be equally dangerous. By the end of January No 77 had flown 769 sorties and in February this rose to 1005, but so too did the loss of aircraft and by early May nine Meteors had failed to return.

This month also saw a return to a different form of fighter escort, this time they were to provide low level cover for fighter-bombers. On 4 May, whilst carrying out such a task they ran into MiGs about five miles from Pyongyang. Led by Flight Lieutenant Eric Ramsey, the Meteors were more at home at low-level and the MiG pilots soon realized they had a fight on their hands. Pilot Officer Surman got into a good position on the tail of an enemy fighter and saw his cannon shells striking home, the MiG took no evasive action and was last seen going down in a steep dive. Unfortunately it was not seen to crash so could only be classed as a probable. Four days later Pilot Officer Bill Simmonds, operating in the same area, had his victory confirmed when the enemy pilot was seen to abandon his aircraft.

In July Susans was replaced by Wing Commander J. Kinnimont and he led the Squadron on one of the biggest strikes of the war when a total of 420 fighter-bombers attacked Pyongyang, and succeeded in destroying a wide range of targets. Kinnimont was replaced by Squadron Leader J. Hubble in March 1953 and two months later it became the turn of Squadron Leader A. Hodges to take over the mantle of Commanding Officer.

On March 27 what was to be the last aerial victory by No 77 Squadron was recorded by Sergeant John Hale flying Meteor *A77-851* which he had named 'Halestorm'. John Hale had arrived at No 77 Squadron in December 1952 with less than 250 hours in his log book. By the end of February 1953 he had flown 64 combat missions and was flying as a section leader. Although he had seen MiGs in the air, his main activity had been in the ground attack role and he had never encountered an enemy fighter in combat. On the morning of March 27 Hale flew a strafing mission during which he attacked enemy installations along the Pyongyang–Singosan road.

In the afternoon four aircraft were detailed for another sortie, these being led by Squadron Leader Hubble, with Flight Lieutenant Rees as his No 2, Sergeant Hale as No 3 and Sergeant Irlam as his wingman. On reaching the road junction at Namch'onjom, Hubble and Rees flew north whilst the other two turned south. Descending to 10,000 ft in line astern they spotted two RF-80s heading south-easterly, and then behind these the familiar squat noses and high tails of two MiGs. Hale alerted Irlam and both pilots pulled their aircraft into an intercepting turn jettisoning their ventral tanks as they did so. Hale remembered that he was still carrying two rockets so fired these and saw them pass between the two MiGs which immediately broke left and right. Hale set off in pursuit of the aircraft which had headed north and as Irlam tried to follow his leader he felt strikes on his aircraft. Hearing his No 2's call, Hale turned and saw that two more enemy aircraft had struck from out of the sun. He advised Irlam to head for cloud cover then turned to face the MiG which had set its sights on him. The MiG pilot had extended his airbrakes to reduce speed and so fall in behind the Australian, but he overshot and as he did so Hale put out his brakes which proved far more effective than the MiG's and dropped into an ideal position on the enemy's tail. The blast from the Meteor's cannons hit the MiG behind the cockpit and metal strips fell from it as it rolled over and fell towards the earth belching black smoke.

Hale was about to follow the falling MiG when he spotted two more diving towards him. He turned inside the enemy and as they sped past he pulled the Meteor onto their tails and fired, but they were accelerating away from the Australian and his shots did not find their mark. Almost immediately another two MiGs appeared on the Meteor's tail, and again Hale turned to meet them, then quickly rolled his aircraft behind. This time his shots did find their target and the left-hand aircraft started to give off white smoke, which may have been fuel, before it formated again with its colleague and climbed away to safety. By now Hale had used all his ammunition and pushed his aircraft into a dive and headed back to base at low-level. Hubble and Rees had heard the radio calls of Hale and Irlam and sped to the area. As they approached two MiGs — possibly the second pair which attacked Hale — were hurriedly departing, the four aircraft met head-on and the two Australian pilots fired their cannons as the closing speed of close on 1,000 mph closed the range dramatically. Rees thought that he had hit one of the enemy aircraft but made no claim as there was no conclusive evidence. The four Meteors returned safely to Kimpo where it was found that Sergeant Irlam's aircraft had collected 112 holes in the combat.

Later that day Crew Chief Bob Cherry painted two MiG silhouettes just below the name 'Halestorm' which was painted beneath the cockpit sill but as this was contrary to regulations Squadron Leader Hubble ordered that they should be painted over. Oddly enough, it was these two silhouettes which helped Pierce Dunn, the curator of the War Birds Aviation Museum at Mildura, Victoria to positively identify a Meteor cockpit section displayed in the Museum. Dunn had found the relic in a shed at Woomera and transported it to the museum to be cleaned up and put on display. During the restoration the two MiG markings came to light and investigation by Dunn revealed that the remains he had rescued were from *A77-851*, the last Australian Meteor to claim a MiG kill in the Korean conflict. Incidentally, the former RAF serial of this aircraft was *WK683* and after its exploits in Korea it had been converted to a U 21 drone.

On 7 April 1953, Hale and 'Halestorm' could have come to a nasty end. They had been part of a formation making a rocket strike against Chinnampo and one of Hale's rockets refused to leave its rail. On this occasion the rockets in use carried napalm heads, a modification developed by Flight Lieutenant J. Smith the squadron's armament officer. Hale elected to return to Kimpo with the projectile 'hung-up', although he fully appreciated the danger if it shook loose on landing and touched its head on the ground. In the event the landing was accomplished quite safely and both man and machine survived to fly Hale's hundredth combat mission the next day.

On 4 May four Meteors were called in to attack a Russian built T 34 tank near Chung Bong mountain, which had been spotted by an American RF-80. The American pilot led the Meteors to the target and in the first pass Hale's rockets found their mark and caused the tank to explode. The 28th of the month saw a squadron-strength attack on a factory at Haeji. Hale led the third section and as he mounted his attack his wingman Jack McCarthy kept his cine camera running and recorded for posterity the Meteor's eight rockets finding their target.

To celebrate the coronation of Queen Elizabeth II on 2 June, officers and men of No 77 Squadron took part in a Commonwealth Forces parade at Kure and the honour of leading the flypast went to George Hale in 'Halestorm', which he had used to lead the squadron back to Iwakuni for the occasion the previous day. On 11 June Hale flew 'Halestorm' on its last combat mission in Korea on a strike against the marshalling yards at Sarawon, during which he destroyed one locomotive and damaged another. The other side of some of the necessary operations which fell to the Meteor occurred during the afternoon of the same day, when Hale led a helicopter to the position of a Meteor which had crashed on a training flight. Three days later George Hale returned to Australia with 131 combat missions to his credit, forty of them having been in 'Halestorm', which had survived practically unscathed throughout its operational career, the most serious mishap being when Hale bent its pitot head as he taxied into his dispersal.

On his return, George Hale continued to serve with the RAAF, flying Neptunes with No 11 Squadron before becoming an instructor at Point Cook. After leaving the Service he joined Quantas in March 1958, and eventually became a Senior Check Captain on Boeing 747s.

The last Meteor loss in Korea happened on 16 July when *A77-860* crashed soon after take-off and was reduced to scrap for spares in September. The cease-fire came on 27 July at which time No 77 Squadron had been in Korea for 37 months. During that time they had flown 4,836 missions in 18,872 sorties and had lost 42 pilots, 32 of them in Meteors. On the credit side they had destroyed 3,700 buildings, 1,500 vehicles and sixteen bridges. In the air the Meteors had accounted for three MiG 15s and the Mustangs for a similar number of propeller-driven aircraft. The squadron is justly proud of its record.

The Meteor was far from successful in its design role, but it must be remembered that by the time it was asked to carry this out it was very much outclassed. Nonetheless in the ground-attack role its ability to absorb punishment, its rugged structure and the security of two reliable engines proved worthwhile and made it a popular and respected aircraft.

The Australian Government had ordered one hundred Meteor F 8s of which 94 were eventually taken on charge. In addition to these a total of 13 T 7s also served with the RAAF and one NF 11 *WM262* (*A77-3*) was supplied for evaluation, this being scrapped on 22 February 1956. No 77 Squadron returned to Australia on 3 December 1954 having served for eleven consecutive years overseas. They took with them 41 Meteor F 8s which were used, together with Vampires, to form 78 Wing based at Williamtown. The Meteor was gradually phased out of front-line service in favour of the Australian built Sabre, but some were used by the squadrons of the Citizen Air Force.

Many of the surplus F 8s were converted to target drones designated U 21s, these being the Australian versions of the U 16 developed by Flight Refuelling Ltd, the work being carried out in Australia by Fairey Aviation Company of Australasia Pty Ltd from kits of components supplied by Flight Refuelling Ltd. One of the converted Meteors *A77-876* (*WK800*) was damaged in an accident and subsequently returned to Tarrant Rushton in England where Flight Refuelling converted it to U 16 configuration and delivered it to RAE Llanbedr in July 1971 where it was still serving in 1984.

The Australian Meteors were not the last to be used in anger, for in 1955 Argentinian aircraft were operational during the revolution against the Peron regime. Argentina was the first overseas customer for Meteors, placing an order for one hundred F 4s in May 1947, these being delivered between the middle of 1947 and September 1948. On 16 September 1955 rebel forces captured the base at Cordoba and found a quantity of Meteors in the government workshops, these were pressed into action the following day when they strafed government forces attempting to recapture the base. As there was no jet fuel available, the rebels used petrol to fly the Meteors. Unless this is mixed with a large quantity of lubricating oil and operations restricted to below 15,000 ft, damage to the Derwents would occur very quickly — this lesson was soon illustrated on 19 September when one engine of an F 4 exploded killing its pilot, Lieutenant Morandini.

Government supporters also used the aircraft in the ground attack role against the naval base at Rio Santiago on the River Plate, mounting waves of successful sorties throughout 16 September. During these operations one Meteor was shot down by anti-aircraft fire and the following day another Meteor was lost during an attack on boats being used by the rebels to evacuate the base.

Just over a year later Meteors of the Egyptian and Israeli Air Forces clashed during the Suez Campaign. The Egyptian Air Force lost two Meteors in air operations during this campaign, but conclusive reports of the actions concerned are not available. Similarly, the Israeli Air Force and other sources declined to answer the author's questions about their operations so it is not possible to include accurate details. It is thought that some Israeli Meteors were lost at Suez as well as in the Sinai Campaign where they were used to provide top cover for Mysteres which replaced them as front-line interceptors.

Chapter 8

Tests and trials

Much of the work surrounding the development of the F.9/40 and the Meteor was naturally based on lessons learned in the field of high speed piston-engined aircraft. Consequently much of its design had to be based on known aerodynamic and aircraft construction techniques and methods. However, being the forerunner of the first generation of jet fighters, it was obvious that in addition to providing the RAF, and many foreign air forces, with their first experience of jet operations, it should also be the test-bed for many projects, not only in the development of future jet aircraft, but also in improving the basic design.

Some of the lessons learned have been touched on to various degrees in the story so far but there were a host of other interesting experiments, all of which contributed to the future of jet aviation. It would be quite impossible, in the space available, to describe all of these in great detail. In fact a whole book could be devoted to such contributions made by the Meteor, and the following examples are by no means definitive. They are simply quoted to give the reader some idea of the work that was undertaken, and although they have been selected at random, they do have one common denominator, that is that in most cases they were all mentioned by those involved with the aircraft both in its military service and its development by Gloster and AWA, during the author's research.

One of the most frequently made comments was about the aircraft's undercarriage, which caused more than a little concern from the very early days. The undercarriage of the Meteor was extremely strong and capable of absorbing the tremendous loads that were placed on it during landing. But one of the early problems, which was not finally resolved until the early 1950s, was initially caused by what might be termed over-enthusiasm on the part of pilots. To get airborne quickly it was a fairly common practice to reach flying speed during the take-off and then select 'undercarriage up'. Occasionally the aircraft would then momentarily settle back onto the oleos putting its full weight on the gear after the locks had been broken by the selection process. The wheels would retract, but at a later time in the flight drop down again, causing no end of difficulties. It is possible that this may have caused some of the unexplained crashes which occurred as the Meteor began to go into service in quantity and a wide range of pilots with varying abilities flew it.

In 1951–52, Gloster used Mk 4 *EE545* to investigate a series of crashes which had occurred following rapid pull-ups. It was initially thought that these were due to failure of the transport joint in front of the tail assembly, and for a short time it was feared that another Typhoon saga was in the making. Examination of wreckage from crashes gave no indication of such a failure, and this was supported by stress tests which indicated this to be unlikely. Tests were also carried out on the tailplane fin joint, but again there was no evidence of undue stress or resonance. Further investigation indicated that the undercarriage door was tearing off and coming back to hit the tail, causing its failure. The doors on some aircraft were not shutting properly as the operating jack to which they were attached was being bent. This bending was caused by a 'water hammer' effect when the port and starboard main wheels came onto the locks at the same time. The cure was to restrict the pressure in the hydraulic pipe to the port undercarriage retraction jack, so that the wheels came up with a slight delay between them. This overcame the problem and was subsequently adopted on all Meteors.

Although there were many who readily accepted this as being the cause of most of the unexplained crashes, there were those who had serious doubts, among them was Chief Stressman John Cuss who had joined Gloster in 1935, having six years earlier entered the aircraft industry following an apprenticeship with the Great Western Railway. For some time he had been concerned about the in-flight structural failures during high speed manoeuvres which usually proved fatal for the pilot. The failures appeared to be occurring at 'g' levels well within the permitted specification for the aircraft, so he initially set out to find how some of these had been arrived at.

One of the structural failures had not proved to be fatal and it was discovered that on this occasion the pilot, a tough Australian, had recorded 9.3g on his 'g' recorder. This figure was erroneously included by the RAE in their pattern of Meteor flying, which they had produced to indicate normal use for the aircraft. Having just been appointed Chief Stressman, Cuss had access to all accident reports and photographs of failures. In his opinion the 9.3g was an incipient failure and the machine was saved by the quick action of the pilot.

On the aircraft concerned, the vertical riveted join of the fuselage side skins was torn at the bottom few rivets. If the tearing had continued through the whole depth of the fuselage side skins, nearly all the rigidity of the wing incidence relative to the tail plane became lost. The wing then suffered a sudden increase in incidence and it broke in bending. In one examination the paint marks of the roundels on the upper surfaces of the wings, one on top of the other, indicated they had 'clapped' together above the fuselage. During the war it had not been possible to get 22 swg sheets that were long enough to clad the fuselage between the front and rear frames, which picked up the front and rear wing spars, so the central vertical riveted joint with countersunk rivets was used between two panels of the right length.

For some months the accident section of the RAE had been involved in examination of the wreckage of the first few cases of Meteor structural failures, and had issued a report in which the break-ups were attributed to inadvertent undercarriage lowering or door dropping. These reports resulted in some of the work on improving the undercarriage being carried out, as well as much burning of the midnight oil by Gloster design staff. Sometime later there was a further Meteor break-up in flight, again with fatal results. By this time the theory put forward by John Cuss had been passed to the Accident Investigation Department at RAE, which invited him to view the wreckage.

This invitation was accepted and John Cuss spent some time with a member of the staff being taken around the wreck which had been laid out in a hangar in roughly the correct layout of the original aircraft. He found exactly the same buckled skin and ripped row of rivets which he expected to, and after a morning and afternoon examining the wreckage he was invited to meet the head of the department and his staff.

Looking forward to receiving a general recognition of the confirmation of his analysis as to the cause of the structural failures, John Cuss was shattered to find that not only the head of the department but all his staff laughed him out of court. Having hitherto firmly believed in the integrity of technical people in the face of obvious evidence of the truth, the reception he received was doubly difficult to accept. Many of his colleagues at Gloster were as surprised as he was at the obduracy of the Accident Investigations Department. Among the supporters of his theory at GAC was Fred Turiton the head of the Service

Department, who at Cuss's request had kept a close watch on the suspect row of rivets and had reported that from a grey smudge downstream of the rivet head it was possible to confirm that they were working loose and had kept a tally of the cases seen.

Some months later John Cuss attended a conference at the RAE on Optical and Electrical Transparencies, and during a break he bumped into an old friend who held a senior post at the RAE. To this man he unburdened himself on the subject of Meteor structural failures, as well as his opinion of the Accident Investigations Department! Within a few days he received an invitation from the Structure Department at RAE to visit them and explain his theories. This meeting resulted in his explanation being immediately accepted as likely to be the true reason for the spate of failures, and that the fact that in many cases the undercarriage doors were open and gear extended was probably a consequence of the wing failure resulting from the sudden and uncontrolled increase in wing incidence, and not the prime cause of some of the crashes.

To avoid the loss of constraint caused by the failure of the centre fuselage side skins John Cuss proposed the introduction of a staggered row of 'pop' rivets adjacent to the existing row of countersunk rivets. This was very much a 'first aid' interim measure but it was agreed to by the RAF and given a high priority. The necessary modifications were carried out with some urgency and after only a few months Fred Turiton was able to report that the statistics had changed from one fatal accident every 15,000 flying hours, to one every 80,000 hours.

Later, at the major overhaul stage, a further improvement was made to all Meteors. Post-war conditions enabled longer sheets of aluminium alloy to be produced and reskinning of the side panels of the centre fuselage, which eliminated the suspect rivet joint altogether, was undertaken. At the same time the thickness of the sheet was increased from 22 swg (·028 in) to 18 swg (·048 in), giving a much more rigid and trouble free area than the original design.

So having found to his satisfaction what he considered to be a major fault, John Cuss did not give up when faced with disbelief and ridicule from higher sources but persisted until he found the right ear to speak into and in so doing no doubt saved many lives. When the Gloster design team folded John Cuss's world almost followed suit, but his resolution after 35 years in the industry was such that he plunged heavily into his own pocket and set up a small company offering his and his colleagues' skills in design, stressing and technical publications. Among the items later to emerge from his drawing board was a design for British Rail's Advanced Passenger Train, and components for Concorde.

In 1951 Meteor *RA417* was used to evaluate the then new disc brakes that Dunlop were trying to produce for the aircraft. The tests consisted of a take-off, a circuit with gear down to cool the brakes, followed by a landing with full braking to a complete stop. The distance from the brakes on position to stop, as well as deceleration and brake pressure was measured. The first flights were made on 12, 18 and 19 October 1951, and continued into 1952. The aircraft was landed at an all up weight of 18,000 lb and the brakes applied at a *ground* speed of 120 mph. The ground speed was measured by a one pulse per revolution of the main wheels, the simple device used being a microswitch on a cam fitted to both port and starboard wheels, this allowed for skidding of either wheel. The growth of the tyre with speed also had to be measured and this was done by the aircraft running over a strip of wet paint, then measuring the distance between the paint 'foot prints'. This called for very accurate flying and one pilot who flew a number of these tests was Jan Zurakowski, famous for the cartwheel aerobatics at the SBAC Farnborough displays.

The distance from the point where the brakes were applied to where the aircraft stopped was measured by using a spring gun in the wheel bays. The one in the port bay fired a chalk marker when the brake pressure exceeded 500 lb per square inch and the one in the starboard bay operated when the oleos contracted at touch down although the latter gun was not used after the first few landings. The chalk cartridge was made from powder housed in a balsa wood tube with wooden end caps and was initiated when a Vickers bomb release attached to the wheel bay wall released a spring which punctured the cap. A spring loaded door over the end of the base of the tube then allowed the chalk to escape. Obtaining the distance was achieved by simply measuring from the chalk mark on the runway to the point where the aircraft came to rest.

It was a warm autumn and Mr Bright of Dunlop and Bob Roberts of Gloster spent an enjoyable time by the runway monitoring the flights as well as watching a variety of other aircraft such as the prototype Wyvern, Brigands, Spitfires, Lancasters and even an odd Fulmar operating from Rotol's installation on the same airfield.

One of the few weaknesses with all types of Meteors was the lack of adequate wheel brakes. The drum brakes overheated very quickly under hard braking and just when they were needed most they tended to fade. On short runways the most important thing was to reduce the threshold speed as much as possible — within safety limits — lower the nosewheel onto the runway immediately after touch-down, and begin full braking at once. Some instructors recommended to their pupils that they should release and reapply the brakes at intervals to introduce cooler air into the brake sacks, but it was more of a problem of overheating drums than falling pressure. It could be very disconcerting to land into the wind on a 900 yd runway, not an unusual occurrence, apply full brakes and watch the end of the runway rapidly approaching and wondering if the aircraft would stop before the grass area was reached! Good disc brakes would have greatly improved the landing performance.

The undercarriage fitted was a Dowty levered suspension type with oleo-pneumatic shock absorbers and pneumatically operated Dunlop brakes on the main wheels only. The nosewheel was fitted with a castoring system as well as anti-shimmy and self centering mechanisms. As early as 1946 moves were afoot for Dowty to redesign the shock absorbers to the oil compression type known as liquid spring wherein the oil replaced air to enable a greater shock to be absorbed. On 13 November 1946 a meeting was held at Bentham to discuss the design of a stronger landing gear for the proposed Mk 6 Meteor. It was stated at this meeting that the Mk 6 was a development of the Mk 4 and that it was desirable to introduce as few design changes as possible. There is no mention of this aircraft being a swept-wing version as is often claimed. It was agreed that stressing and energy absorption of the undercarriage should be based on a landing weight of 15,300 lb as opposed to the 14,000 lb of the Mk 4. The minutes of the meeting also refer to the use of the oil compression type shock absorbers. It was felt that these would produce the improvement needed without having to substantially redesign the undercarriage which Gloster believed was adequate as they claimed that energy was absorbed by flexure of the centre section and that the strength of the gear was not a cause for pessimism as it appeared to some.

With a view to determining the actual strength of the undercarriage and centre section as a unit, it was decided at the meeting to carry out a drop test on a Meteor 4. The rig was to be constructed so that it was suitable for dropping the aircraft should the necessity arise, the decision relating to this to be taken after the aircraft had been subjected to all tests. The rig and tests were devised by Geoff Langford who, together with Eric Absalom, carried out much of the work. The findings are very highly detailed in report No S.376 from which the following are extracts:

'The test covers Case 1, Chapter 304 of A.P. 970; attitude "B" being with the thrust line horizontal, and attitude "A" being with the thrust line rotated through 11½° to a tail down position. The aircraft is dropped on to compound loading platforms to simulate

The 'Jet Deflection' Meteor, RA490, *which was also used to flight test Beryl axial flow engines and for undercarriage tests. It is a much modified F 4.* (GAC.)

vertical drag and side loads. In order to minimize the effect of friction, the top plate of the platform was mounted on rollers that are free to move in a sideways direction. In the drag direction, the undercarriage wheel itself was free to revolve. To avoid the necessity for heavy side restraint, the platforms are arranged to give either both side loads inwards or both side loads outwards. Release was affected by two RAF type "F" bomb releases that had been tested to ensure simultaneous operation. The aircraft is guided during the drop by two guide rollers per side running in vertical guides, these rollers taking the drag loads and preventing the aircraft from pitching. The pitching movement was reduced by moving ballast from the nose of the aircraft to the tail. The C of G moved to about 6 in forward of the main wheels instead of the normal 16 in. Side rollers were also provided to take care of any side loads that might occur due to unevenness of loading on each wheel.

'A novel feature of the test was the provision for simulation of an airborne landing, which was accomplished by dropping the aircraft on to four air jacks, two each side, that gave practically a constant upthrust equal to the weight of the aircraft over the whole range of their stroke. The maximum drop height available was 36 in which was equivalent to a velocity of 14 ft per second. The drop height was taken to be the distance the C of G moved before the aircraft made contact with the air jacks. The Meteor was lifted into position for these tests by two Dowty telescopic jacks operated by a live line hydraulic pump.'

Measurements were taken of every part of the aircraft and rig likely to be affected by the tests and much of the equipment used was designed and fabricated in the Gloster workshops. Results of the tests were recorded on a 16 mm cine camera, shooting in slow motion, as well as dynamic recording equipment using two channels, the first recording the port and starboard vertical drag, side ground reaction and the strain gauges and accelerometer and the second the port and starboard drag, side stay loads, the aircraft's position and port and starboard oleo closure. All traces were taken on a CRT, which itself

RA490 *undergoing undercarriage tests at Gloster in November 1947, before it was modified to take part in a variety of engine trials.* (E. Absalom.)

was monitored by a back-up unit.

This was the first test of its kind to be attempted in the United Kingdom and was considered to be far more advanced than anything attempted in the USA at that time, a view supported by extracts taken from a US Navy drop test report which stated: 'The aircraft is dropped from a crane without restraint, on to greased flat plates, which were inclined for drag tests. Side loads and unsymmetrical loads are tested statically only. Wing lift is taken off by reducing weight in USAAF tests, but ignored by the Navy. Measurement of loads is most difficult.'

The thoroughness of these tests, and the lengths taken to ensure accurate measuring of results, speaks highly of the work then being carried out by Gloster which would not only benefit the Meteor but also future developments. They compare much more favourably than the apparent hit and miss methods being used across the Atlantic where it must be remembered aircraft of higher performance were then in a very advanced stage of development. The Gloster tests proved that the Meteor was able to be cleared to a landing weight of 16,100 lb which was over 1,000 lb higher than the design at that time called for.

The Meteor used on the test rig referred to was *RA490* which also formed the basis of another interesting series of experiments relating to vectored thrust when it became known as the 'Jet Deflection' Meteor. The idea of using engine power directly to provide the lift required to sustain flight recurred frequently from the very beginning of aviation history. Most of the original proposals were related to some form of helicopter, although a few did consider changing the normal thrust line to assist in landing and take-off. Such schemes were hampered by the weight of power plants available, but with the advent of the jet engine the idea was revived and stood a better chance of success. As is well known it was eventually achieved through various experiments which evolved into the P 1172 and the Harrier.

In early 1952 the need to prevent approach speeds rising with the increases in maximum speeds saw attention once again focused on methods of deflecting thrust from the engines to produce an upthrust which would reduce the load to be supported by the wings, particularly during the landing. This was of particular interest as far as naval aviation was concerned, as in carrier operations it was particularly desirable to reduce the approach speed without sacrificing ultimate performance.

When the practical problems raised by the use of jet deflection came to be considered, it was felt that many were of sufficient novelty to warrant their investigation on research aircraft and accordingly it was agreed that a suitable aircraft should be modified to enable the principle to be thoroughly investigated in flight. The main purpose of such an experiment was to study problems of stability and control at speeds below normal stalling speeds, but it was also felt desirable to demonstrate that appreciable reductions in approach speed could be successfully obtained.

Several aircraft types were considered for the conversion and the Meteor was finally selected as most suitable. Even so extensive modifications to the airframe were necessary to adapt it for jet deflection and these were undertaken by Westland Aircraft Ltd at Yeovil. Responsibility for the design, construction and development of the jet deflectors rested with the National Gas Turbine Establishment (NGTE), while the detailed flight testing was to be carried out by the Royal Aircraft Establishment.

Much of the work carried out on this project was the responsibility of P. F. Ashwood of the NGTE and D. Lean of RAE, both of whom had been involved in research into lift augmentation and VTOL, as well as general low speed handling problems of high speed aircraft. Preliminary calculations with the Meteor indicated that for the approach speed to be significantly reduced the deflected thrust/weight ratio had to be at least 0.4 and preferably in excess of 0.6. To meet this requirement and to ensure that the deflected

The unusual prone Meteor WK935 *built by Armstrong Whitworth. A lot of useful information was gathered for the Institute of Aviation Medicine.* (AWA.)

thrust line was correctly located, it was necessary to modify the aircraft by moving the power plant forward and replacing the normal Derwents by Nenes. The Meteor was balanced by removing the armament, armour and ballast from the nose and adding some ballast to the tail. To improve the lateral control and to cater for an engine failure with the jets deflected, wings of longer span were fitted. In fact, there were many other modifications necessary and Mr R. K. Page, then Future Projects Designer at Westlands, has emphasized to the author that meeting all the requirements was greatly helped by being able to select the most suitable of those available from various other Meteors. He commented that if a mark number had been given to this particular project the most appropriate would have been 57!

The test aircraft (*RA490*) started life as one of a small batch of Mk 3 Meteors which had specially modified centre sections to enable them to be adapted as flying test-beds for axial flow jet engines. This aircraft had flown in September 1947 with Metropolitan-Vickers F.24 Beryl engines but had crashed on its second flight in the hands of Bill Waterton after a hydraulic failure had prevented the undercarriage from lowering. The modified centre section made it ideal for the drop tests already mentioned, after which it went to Yeovil for modification for its new task.

At the ends of the centre section main spars, the normal mounting rings for the Derwents had been replaced by heavily reinforced arches, allowing test engines to be underslung and increasing the span by about 1 ft. The existing front fuselage and centre section was retained, the arched spars being used to accommodate the jet pipes of the Nenes, which had to be mounted ahead of the front spar to allow the deflected thrust line to pass close to the centre of gravity. This resulted in a pair of very long nacelles which extended some 8 ft ahead of the wing leading edges. To balance the lateral component of the intake momentum drag on these nacelles, and to a lesser extent the effect of their increased side area, some additional fin area was required. This was achieved by fitting small extra finlets on the tailplane as had been done with the Trent Meteor. The rear fuselage and tail assembly was from a Mk 8 and as lateral control in the event of an engine failure whilst it was deflected would be critical the longer span outer panels from a PR 10 were fitted. The nose and main undercarriage units were from an NF 11 and F 4 respectively, while the ventral tank was from an NF 12.

The two Nenes were mounted in box-section rings supported at the forward ends of beams which extended from brackets in the front spar arch. Shortened exhaust cones connected the engines via flexible joints to the deflector units which were mounted between the main spars. The deflectors were rigidly attached to the front spar rings and to the nacelle structure so that the engine mountings did not carry any of the deflected thrust. The straight-through jet pipe extended aft from the deflector unit through the rear spar arch to the rear of the nacelle. The deflected jet pipes were very short and extended only just clear of the undersides of the nacelles. Even so, with the tyres and oleos fully compressed, the forward edges of the pipes were only an inch or so clear of the ground.

The pilot's control of the deflector mechanism consisted of a small lever, moving vertically, on the port side of the cockpit above the throttles. Because of the limitations to the allowable torque on the deflector mechanism it was necessary to restrict the operation of the deflector to engine speeds below 10,500 rpm, corresponding to one half static thrust at sea level. This was achieved by a cut-out switch on the throttle quadrant. However, since the deflection operation took only one second, it was possible to close the throttles to the 'arming' position, operate the deflector, and open up again before much change in thrust occurred. This practice was discouraged, except in an emergency situation, but no harm was ever caused to the mechanism by its use.

A variety of experiments with models of the jet deflectors, as well as a static rig using a Nene engine, were commenced in 1953, and the modified aircraft made its maiden flight in the hands of Westland's chief test pilot, Squadron Leader Leo de Vigne, in February 1954. Several other proving and calibration flights were carried out before *RA490* was handed over to the RAE at Farnborough in August 1954. By the time the aircraft arrived enough flying had been carried out to show that the handling qualities were generally acceptable and the deflection mechanism could be operated in flight.

Tests at the RAE were divided into two equally important programmes, respectively qualitative and quantitative. The former involved a general assessment of the handling of the aircraft at low speeds with jets straight and deflected, with particular attention being paid to the effect on trim of operating the deflectors and the effectiveness of the controls at low speed. The latter were concerned mainly with the measurement in flight of the forces produced by the deflected jets.

Initial tests were carried out until the aircraft was safely being operated at full deflected power at speeds some 25–30 kt below the normal (power-off) stalling speed. It then became necessary to establish the envelope of conditions within which safe operations could continue. These included the combinations of height and air speed with jets deflected from which an overshoot could be made and the minimum control speed in the event of one engine failure with the jet deflected. Such tests were carried out at a safe altitude and the results extrapolated to ground level. From these a 'forbidden zone' for approaches with jets deflected was established at between 1,000 and 200 ft. The maintenance of a steady airspeed was found to be somewhat more difficult to achieve than on a conventional aircraft and at very low speeds, with jets deflected, response to the controls was sluggish. With a large proportion of the weight supported by engine thrust, the magnitude of the changes in aerodynamic lift and drag forces which could be produced by changes in incidence were relatively smaller than for an aircraft in which the wing lift roughly equalled the weight. If much turbulence was present it was almost impossible to hold a steady airspeed.

When flown as a conventional aircraft, the low speed and stalling behaviour was similar to that of a normal Meteor. In the landing configuration, with gear and flaps down and a weight of 15,800 lb, mild buffet started at 120 kt and increased slightly as speed was reduced. At 98 kt a slight pitching oscillation started and mild dropping of either wing occurred. The nose dropped gently with the stick almost fully back, but use of ailerons helped to reduce the wing drop. The minimum comfortable power on approach speed was considered to be 110 kt. With jets deflected, the lower speeds that could be obtained obviously depended on the amount of thrust available to be deflected. At a given engine speed, increase in altitude and/or ambient temperature caused a noticeable deterioration in performance. The lowest indicated air speed ever achieved was 65 kt with full power, but the average was 75 kt at 2,000 ft in normal winter conditions. A general airframe buffet started at 105 kt, remaining moderately intense down to the minimum speed. The aircraft showed a tendency to roll and yaw to port below 100 kt, the effect becoming quite strong at 80 kt. The minimum speed of 75 kt consistently achieved, corresponded to a lift coefficient of 2.3 which indicated that over 40 per cent of the weight of the aircraft was being supported by the jet thrust.

The flight tests carried out showed that the stability and control of the Meteor was adequate for test flying at speeds down to 70 per cent of the normal (power-off) stalling speed. The main piloting problem occurred on the landing approach. No longer was it possible for the pilot to separate out the actions of throttles and elevator as means of controlling speed and glide angle. A new technique of using the throttle had to be mastered, since this control affected both the longitudinal and normal forces on the aircraft at the same time.

It was relatively easy to gain height or speed since application of power always led to an increased feeling of security. Conversely however, any correction involving a reduction of power worried the pilot in case it was overdone. Pilots found it difficult not to think of the increase in stalling *speed* when power was reduced as a real increase in the danger of exceeding the stalling incidence. Further, since approaches were possible at speeds below that for minimum glide angle, the usual difficulties in flying below the minimum drag speed were present and to a more marked extent than usual.

Although the experiments were successful and provided a great deal of useful information, no further development at that time was encouraged, but in summing up the whole development of the jet deflection Meteor and its flight testing, Mr Lean went on record in 1958 as saying, 'The experiment has provided valuable experience in the control and handling of a class of aircraft which we may encounter more frequently in the future'. Subsequent events have proved him quite right and although the development of blown flaps and other high lift devices was followed for reducing approach speeds and landing runs, the theory of deflecting thrust to create lift was to produce a most successful aircraft for both the Royal Navy and RAF, as well as foreign air forces.

Another Meteor involved in experiments using thrust to produce lift was FR 9 *VZ608*. This was one of only four of the 126 of this version used for experimental works and soon after its maiden flight in 1951 it went to the Rolls-Royce works at Hucknall for tests on its Derwent 8 engines.

The first of these involved the fitting of small reheat units to the tail pipes and, after 98 hours' flight time, it was used in ground experiments concerning reverse thrust. These tests were completed in July 1954 after which the airframe was modified to accept a single Rolls-Royce RB.108 engine for the investigation of jet lift. The engine was fitted into the area occupied by the main fuel tank bay aft of the cockpit and could be tilted fore and aft. The air supply was via an intake with the same capacity as the Short SC 1 and it exhausted in the area under the fuselage normally used by the ventral tank. The twin Derwents, which remained on the wings, and the fuselage mounted RB.108 were all fed from the wing tanks which limited flight duration to 30 minutes. Weight was saved by the removal of all armament and the ammunition bay fixtures.

This aircraft was modified during 1955 by Miles Aircraft at Shoreham to have the RB.108 mounted vertically and to be fed by an exact replica of the SC 1 intake mounted on top of the fuselage, the original intake being in the form of a flush grill. The lift engine was started after take-off and when running at full throttle was found to be adequate to keep the Meteor at its correct altitude. The RB.108 could be run during take-off and landing, but at full throttle it was found that disturbances of air around the tail made it hard to handle. The pilot who carried out a lot of these tests was Squadron Leader Brian Hegworth, the younger brother of Rolls-Royce chief test pilot Wing Commander Harvey Hegworth, whose stunning vertical climbs in the Avon-powered Meteor were always a thrilling sight at Farnborough. *VZ608* was used to carry out the first tests on ground erosion and handling at low forward speeds in connection with the Harrier programme. So one of today's most formidable fighter aircraft can trace some of its early development to two aircraft from the first generation of jet fighters.

Although much of the research work carried out using Meteors as test vehicles was subsequently proved useful in the development of the basic aircraft as well as in later developments of jet fighters, there were some that either did not come up to expectations or proved a point which has never been progressed with. One of the most interesting of these was the Prone Pilot Meteor, which at 52 ft 5 in was the longest Meteor produced — its only claim to fame in some people's opinion. On completion of the work it carried out in the hands of the Institute of Aviation Medicine they concluded that the prone piloting position was feasible if aerodynamic considerations made it necessary.

The aircraft modified for these tests was the last F 8 to come off the AWA production lines, *WK935*, and they started work on the modifications in 1952. By September of that year a mock-up of the prone pilot installation had been made and the following month the design was approved and work commenced. The main reasons behind the requirement for such an aircraft was the belief that future interceptors would need the ability to climb very rapidly to high altitude where it was felt the main threat of enemy intrusion of friendly airspace would occur. The powerful engines needed to accomplish this, as well as the sharp turns required during interception, would place very high 'g' forces on the pilot which might lead to blacking out or loss of efficiency. To counter this it was felt that the prone position offered major advantages both as far as the pilot was concerned and also by allowing a smaller cross-sectional area fuselage to be designed, thus reducing drag.

In 1951 Bristol Aircraft Ltd had submitted a design for a rocket-powered, delta-winged interceptor with a prone pilot and experience gained with the Meteor would obviously be of tremendous help in the final design of this project. Experiments with such a piloting position were not new, for in 1948 the RAE had carried out work in this field using a modified Reid and Sigrist twin-engined monoplane known as the Desford Prototype, but the Meteor was the first jet to be modified and subsequently successfully flown with a prone pilot.

The major modification carried out by AWA was the fitting of the new piloting position. They achieved this by building an extended nose from the nosewheel bulkhead forward which housed a couch on which the pilot lay and a clear view bubble canopy from which he viewed the world. The normal cockpit was retained, complete with ejection seat, and provided a safety pilot with all the normal controls. To compensate for the increased fuselage length, the aircraft was fitted with the increased area fin/rudder of the NF 12. The couch provided for the prone pilot was a leather covered foam bed built on to a tubular steel frame and had a 'V' shaped chin rest at the front. Four electrically operated screw-jacks enabled adjustments to the eye level, the thigh length and the rudder pedal reach to be made. To improve comfort arm rests were also provided. The pilot was not in fact laying completely horizontal to the centre line of the fuselage. The couch sloped at about 30° from the chest to the knees with a further slight incline at the hips. At the knee position the couch tilted upwards again to engage the two rudder pedals.

If you imagine a swimmer at the point where he has pushed off from the edge of the pool to dive into the water, but has not yet turned his arms and head down prior to entry, you will form a fairly good picture of the position adopted. Various problems had to be overcome in the installation of the controls which resulted in a short stick offset to the right and rudder pedals hanging behind the pilot's feet. The cramped space limited the amount of leverage that could be achieved in the prone position so all controls were power assisted, although manual reversion from the 'normal' cockpit was possible. All engine starting and relighting, as well as fuel control, was carried out from the conventional cockpit from which of course the aircraft could be flown throughout its flight envelope. Instrumentation was carried on a panel in front of the pilot as well as two side consoles.

In the event of an emergency the pilot in the prone position escaped by operating a lever on the starboard side of the cockpit which released the thigh support to its lowest position and allowed the leg support to drop onto the escape hatch and the rudder pedals to disengage and move away from the pilot's feet. A second lever operated a pneumatic system which ensured the nosewheel was retracted, the ventral tank jettisoned and the couch locked into position above the opened escape hatch. The pilot then operated his harness release and fell away from the aircraft, his normal seat-type parachute being opened by a ten foot long static line. As the aircraft was very much experimental, the pilot in the conventional cockpit had to make every effort to recover it, but if this was not possible he escaped using the standard Martin-Baker ejection seat.

The modified aircraft was flown for the first time from Baginton on 10 February 1954 by Eric Franklin and landed at AWA's flight test airfield at Bitteswell. All the initial flights were carried out from the conventional cockpit and during these the necessary control adjustments were carried out. During the programme at Bitteswell most of the flying from the prone position was carried out by Bill Else and after 16 hours flight time the aircraft was delivered to RAE Farnborough where it joined the Institute of Aviation Medicine's flight section on 31 August 1954.

During the following twelve months pilots from the IAM, as well as selected service pilots, flew *WK935* for a total of 55 hours. The first RAF doctor pilot to fly the aircraft was Wing Commander Allen Crawford who made his debut with it when it was still with AWA. The flights proved that the prone pilot could absorb more 'g' than his seated colleague who wore a pressure suit to make his ride more comfortable when the prone pilot was pushing the aircraft to its limits. By the way, the maximum limit for the prone Meteor was 7g. In a report published at the time, the Wing Commander commented: 'The most noticeable sensation is the feeling of not being anchored to anything in particular. One has to do without normal sight of wings and engine intakes ... the view consists only of the ground, the runway and the short nose. The ground below looks close. Actually it is about 6 ft below eye-level. Speed at take-off and landing, though only 120–140 mph, appears to be much greater as the runway races under one's nose.

'The aircraft represents no difficulty to any experienced pilot. However, the first time I took it off, I found that I started to bank just after the wheels came up.

'I had misjudged the centring of the stick, but spring loading and experience soon overcame this small problem. As it stands, the aircraft could be flown by any experienced RAF pilot without too much preamble.'

The most disliked feature of the aircraft was the chin rest and restricted vision, for although a clear view panel was let into the floor, the jet pilot's habit of continually turning the head and searching all round the aircraft was not possible with any degree of comfort. Although monitoring of both pilots' reactions to given situations, indicated that the one in the normal position moved faster, the gap soon closed once the prone pilot had become used to the unusual position.

The aircraft made its last flight in the test programme on 31 July 1955 and was then stored by 12 MU before being released to the historic aircraft collection at Colerne, from where it moved to the aerospace museum at RAF Cosford. Although it was proved that in the prone position the pilot could take more 'g', the original aerodynamic considerations tended to be cancelled out by the need to use the fuselage for fuel and equipment. In theory a fuselage could be streamlined to a diameter of some 30 in, but the need to use this component to carry fuel for thirsty engines, as well as electrics, electronics, radar and other equipment, means that the increased design diameter is quite capable of accommodating a pilot in the conventional position. However, the wheel has to some degree turned a full circle, for in an effort to improve aerodynamic performance sailplane designers reduced frontal area by placing the pilot in a supine position.

As it is a proven fact that the human body can take more 'g' in a laying position, it naturally followed that by reclining the pilot's seat in high performance jets the objective would be achieved. The F-16 seat is inclined at 30^0 so the pilot reclines in it and is able to withstand up to 9g. It will no doubt be recalled that part of the original specification for the Meteor included a reclining seat for the pilot, but was shelved by George Carter, until more experience had been obtained.

In terms of aircrew safety one of the most important tasks played by the Meteor was in the development of the Martin-Baker ejection seat. Following completion of trials with the seat installed and successfully operated from a modified Defiant aircraft, it became necessary to conduct tests at speeds higher than the 300 mph capability of the Defiant. Consequently the Ministry of Aircraft Production allocated a Mk 3 Meteor, *EE416* to the Martin-Baker Aircraft Company Ltd.

The aircraft was delivered to Oakley Airfield near Thame on 6 November 1945 where the front fuselage was modified to accept the ejection seat. Installation was in the area behind the cockpit formerly used as the ammunition bay. The original seat bulkhead was removed and replaced by a new sloping one further aft; the rear decking at longeron level at the front spar bulkhead was replaced by an arched member and the floor beams were specially strengthened to withstand the loads imposed by the ejection gun. On completion of this work (all done with the blessing of the stress department at Gloster) *EE416* began its new life at Chalgrove on 8 June 1946 with a static ejection into a catch net.

On 24 June 1946 the first dummy ejection was made from the Meteor in flight at an IAS of 415 mph and an altitude of 2,000 ft. This was followed by eleven more airborne tests before, on 24 July, the first 'live' ejection was carried out. On this particular day two dummy firings were undertaken at 4,500 ft at an IAS of 350 mph, before a Martin-Baker experimental fitter, Bernard Lynch, was ejected at a height of 8,000 ft and a speed of 320 mph. The test was highly successful and was undoubtedly a landmark in the development of aircrew escape systems. Lynch went on to make over thirty ejections from Meteors and was awarded the BEM for his work.

Subsequently over 400 airborne tests in the development of ejection seats were carried out from *EE416* which was then pensioned off. Its nose section and the first seat used by Lynch, as well as the seat used on 30 May 1949 by test pilot Jo Lancaster in the first emergency ejection, are now on display in the Science Museum, London.

Several other Meteors were associated with Martin-Baker at this time. Delivered at the same time as *EE416* was its immediate forerunner *EE415*, this aircraft was modified to carry a camera to photograph aerial ejection seat tests but it was not successful as the rapid deceleration of the seat allowed only a very short part of the sequence to be filmed.

Another Mk 3, *EE338*, was similarly modified by the RAE at Farnborough but for the same reasons was not extensively used. Next on the list was *EE479* which was received at Oakley on 28 February 1946 for use as a cockpit installation example but work was never completed and the aircraft eventually returned to service with No 206 AFS.

On 4 October 1950 one of the first batch of Mk 4s was flown to Chalgrove for use by Martin-Baker, but in April the following year it was flown back to Gloster by Peter Twiss, not having been used for anything significant by the company. It is of interest that this particular Meteor, *EE519*, was used for bomb and rocket projectile installation tests as well as the F 8 wing tank pylon mountings, before being scrapped at Farnborough. The next Meteor to be allocated to Martin-Baker was T 7 *WA634* which was built in November 1949 and arrived at Chalgrove on 30 January 1952. With a maximum sea level speed approaching 600 mph it was to prove invaluable in the further development of ejection seats in higher speed ranges. The T 7 was modified in the same way as *EE416* had been but this time having the added advantage of already being a two-seater. The rear cockpit controls were removed, the floor strengthened, and the bulkhead between the original tandem seats was modified, then it was returned to Gloster on 18 June 1952 to have the E1/44 high speed rear fuselage and tail unit fitted. This work was completed by 24 July and by 31 August it was ready to start the first of its many ejection seat trials.

Some of the most notable ejections in the history of Martin-Baker have taken place from this aircraft, with pride of place perhaps going to the first live runway ejection. This took place on 3 September 1955 when Squadron Leader John Fifield ejected as the aircraft was travelling along the runway. Six seconds after initiating the firing of the seat the Squadron Leader was safely back on the ground having accomplished what many people believed to be impossible. The following month he again ejected from the aircraft but this time at the other end of the scale, from a height of 40,000 ft. Three years later the aircraft went to the Hanover Air Show where a demonstration of low-level ejection was carried out by Rolf Bullwinkel.

With trials starting on the rocket assisted ejection seat, it was necessary to determine what effect the rocket blast would have in a confined cockpit space. For this purpose the company obtained the shell of Meteor *WA686* which had originally served with No 203 AFS. This aircraft was a combination of T 7 rear fuselage and F 8 front fuselage and cockpit but had no wings, tail unit or engines fitted. After a number of static shots with the rocket seat the effects were determined and work again started on modifying *WA634*. Completion of this work was accomplished by September 1961 and consisted of the reinforcement of the outside and inside of the rear tank cover, reinforcing the inside of the front tank cover with glassfibre and stiffeners, strengthening the rear cockpit with a box structure and stiffeners and the longerons and false longerons tied by triangular structures carried down to the skin. Front longeron joints to centre section joints were reinforced on the outside with stainless steel strips to carry the ejection loads and the cockpit floors were also strengthened.

When these modifications were completed *WA634* embarked on the rocket seat test series and was the aircraft used for the first live airborne test of this type of seat on 13 March 1962. This was carried out by Squadron Leader Peter Howard of the Institute of Aviation Medicine who ejected at a speed of 250 kt and an altitude of 250 ft. The rocket pack carried Howard well clear of the aircraft before separation occurred and he made a safe descent, after which he commented that the ride was very smooth.

In April 1962 *WA634* reached the end of its life with Martin-Baker at which time it had been involved in 670 test ejections including over fifty with the rocket assisted seat. It was replaced in the test programme by *WA638* which had been delivered to Chalgrove on 30 July 1958 and was modified in the same way as *WA634*. This aircraft had been previously

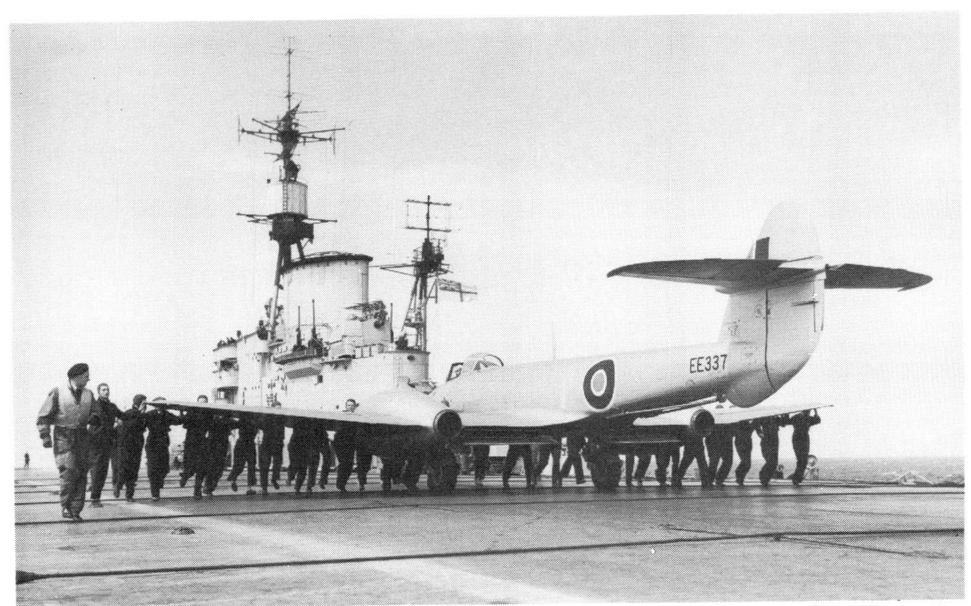

EE337 *was the first Meteor to be fitted with deck landing gear, the hook was an 'A' frame from a Sea Hornet. The aircraft made several take-offs and landings from HMS* Implacable *in 1948. It was later finished in FAA camouflage and used at Ford by No 778 Squadron.* (Charles E. Brown.)

used by the ETPS at Farnborough and carried out 365 test ejections before it too was confined to storage at Chalgrove in 1963. In March 1965 one of its Derwents was used on its replacement *WL419*, which arrived from West Raynham on 30 May 1963. This aircraft was modified with the F 8 tail in the same way as the others and was initially fitted with a 4H(M) seat. In March 1985 it was still flying with Martin-Baker and had a rocket assisted Mk 10L(M) seat installed. This aircraft was due to have a major inspection in July 1985 and subject to passing this, is likely to continue with the company for another five years. It therefore stands a good chance of being the last Meteor flying. Up to February 1985 *WL419* had been involved in one hundred test ejections and is carrying on the vital work necessary to prove one of the most important pilot safety measures ever devised. The Martin-Baker designed ejection seat has saved over 5,000 aircrew lives and the Meteor has played a very important role in its development.

Successful trials with *DG202* on HMS *Pretoria Castle* between 11 and 26 August 1945 proved there were no problems in handling jet aircraft aboard an aircraft carrier. It was natural, therefore, that with their appetite whetted the Royal Navy should look to the future as far as operational jet fighters were concerned. Throughout its history the Fleet Air Arm had, to a certain extent, always been the poor relation having to make do with modified land-based fighters or obsolescent designs. Now the RAF was moving into the jet age there seemed to be no reason why they should not keep apace. Consequently two Mk 3 Meteors *EE337* and *EE387* were modified to enable them to carry out deck landings and take-offs from carriers at sea. Prior to this *EE317* had carried out approaches and touch-and-go landings and trials to assess its handling from the point of view of naval requirements. The two modified aircraft were fitted with 'A' frame arrestor hooks from Sea Hornets, a strengthened undercarriage for a 11 ft 6 in per second rate of sink, Derwent 5 engines retaining the original short nacelles and twin air bags on the braking system.

HMS Illustrious *as she was during the time of the Meteor's sea trials.* (FAA Museum.)

During the landing trials the aircraft were flown without their main undercarriage doors as it was felt these might prove troublesome when the oleos compressed at the higher arrival impact than sustained during a normal dry-land landing. Maximum permitted gross weight was 12,000 lb and the maximum speed limited to 235 kt. Several trial landings using deck techniques were carried out at Boscombe Down before a series of 32 actual tests were carried out on HMS *Implacable.*

Preliminary landing trials had been carried out on HMS *Illustrious* and among the navy pilots involved was Captain Eric (Winkle) Brown who also became very much involved in similar trials with the Vampire, some of which included landing on an air cushion with the undercarriage retracted. HMS *Illustrious* also featured when the first RAF pilot to land a Meteor on a carrier put *EE387* on to its deck on 14 June 1951. The pilot concerned was Squadron Leader Bill Aston who had flown Vampires and Meteors in 1947, having converted to them from Spitfires and Mosquitoes without any prior ground school or training of any sort. He was flying Meteor 4s at Tangmere in 1948 and from there went to the A & AEE at Boscombe where he became involved with the Meteor 3 carrier programme. On 14 June he made three successful landings and take-offs from *Illustrious* and was presented with a letter from the Commander (Air) marking the occasion. This, by the way, was the first time that the Squadron Leader had ever been aboard a carrier. Two further landings were made on 11 July, but the following day back at Boscombe Bill Aston returned to more mundane work when he flew an Anson to Moreton Valence. Squadron Leader Aston went on to carry out a lot of test flying on Canberras, Shackletons and the B-29 as well as *EE387.* After his retirement he moved into the aircraft industry, flying with Vickers before moving to Canada where he still flies and currently has over 20,000 hours in his log books.

The success of the sea trials of the two Meteor 3s convinced the Navy that carrier operations were possible and subsequently a Mk 4 Meteor, *EE531,* was modified by Heston Aircraft for folding wing trials. In the end the Meteor was never used by the Navy

Above *This rare photograph shows* EE387 *when it was with the Royal Naval Test Squadron, after making what is believed to be the first deck landing of a Meteor by an RAF pilot, on 14 June 1951. This pilot was Squadron Leader Bill Aston, the carrier HMS* Illustrious. (B. Aston.)

Below *F 3* EE387 *was the second Meteor to have arrestor gear. It is seen during trials on HMS* Illustrious *on 11 July 1951.* (FAA Museum.)

Above EE387 *taking off from HMS* Eagle. (FAA Museum.)

Below *A poor quality but very rare picture of* EE336 *just after arrival in Khartoum in 1945 for tropical trials.* (K. S. Russell.)

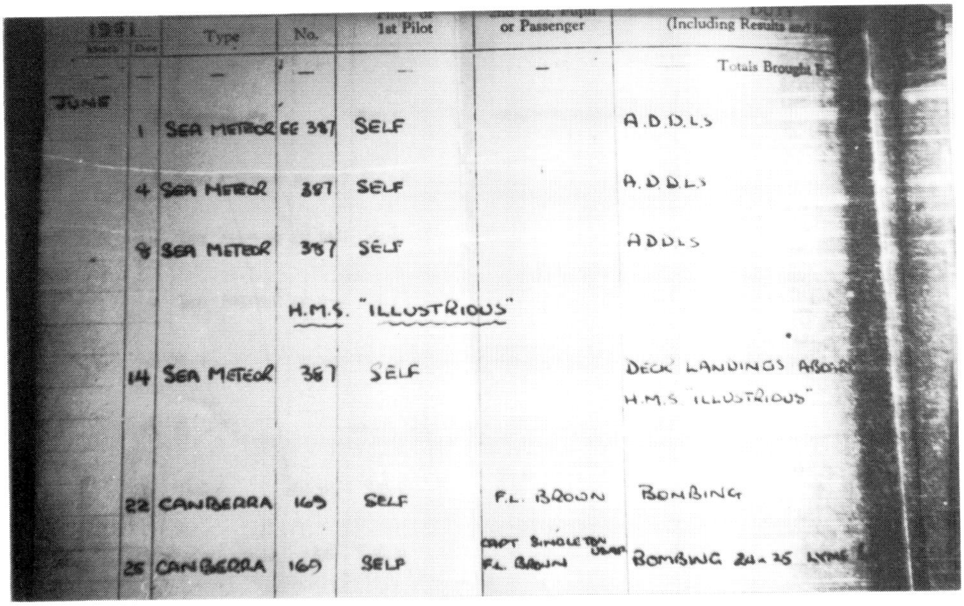

1951		Type	No.	1st Pilot	or Passenger	(Including Results and
—	—	—	—	—	—	Totals Brought F
JUNE	1	SEA METEOR	EE 387	SELF		A.D.D.L.S
	4	SEA METEOR	387	SELF		A.D.D.L.S
	8	SEA METEOR	387	SELF		ADDLS
			H.M.S. "ILLUSTRIOUS"			
	14	SEA METEOR	387	SELF		DECK LANDINGS ABOARD H.M.S. "ILLUSTRIOUS"
	22	CANBERRA	169	SELF	F.L. BROWN	BOMBING
	25	CANBERRA	169	SELF	CAPT SINGLETON USAF F.L. BROWN	BOMBING 24 - 25

in its design role as a single-seat interceptor since the Supermarine Attacker was adopted for this duty, however, the Meteor T 7 did go into service with the Fleet Air Arm, seventeen being built specially for them and eleven being ex RAF machines. The T 7 was shore-based and not fitted with arrestor gear, the squadrons receiving them being Nos 759 and 728 based at Hal Far, Malta. The aircraft was finally retired in 1967 having given nearly twenty years of useful service.

The Navy also took the TT 20 on charge in 1958. Full details will be found in Chapter 5 on Meteor night fighters. At least six FAA squadrons used or had T 7s attached to them for training and communication duties, and the service also operated several U 15 and U 16 drones, mainly in the Mediterranean.

Operation in overseas environments was also important and the first of many trials to evaluate the Meteor under a variety of conditions, was carried out at Khartoum. The aircraft was *EE336* and it was shipped to Port Sudan in September 1945 where Sergeant K. S. Russell was among the party responsible for assembling it under the guidance of the Gloster representative Mr Clarke. He recalls that the aircraft arrived in several crates and the centre section was assembled on the dockside first so that the aircraft could be moved on its main gear to a more sheltered area for the work to be completed.

The aircraft, minus its outer main planes, was towed by tractor under guard provided by the Sudan Defence Force, to the local air strip for engine running and its maiden flight to Khartoum. During these trials the Rolls-Royce representative Mr Foster was overcome by the heat and confined to the local hospital. This left the party without a man experienced in jet engines, so much time was spent at Mr Foster's bedside discussing problems with him.

The engineering officer in charge of the task was Flight Lieutenant Thorogood and among the problems he had to overcome were those connected with fuelling. The local Shell depot supplied a rotary hand pump, which after its initial use had to be flown with several barrels of kerosene and two fitters to Atbara where the Meteor was due to land on its transit flight to Khartoum.

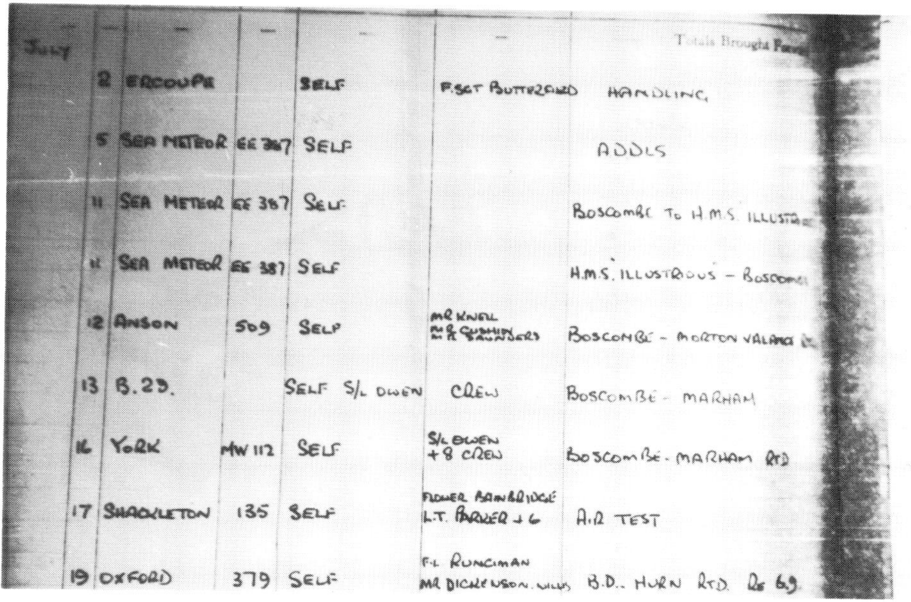

JULY					Totals Brought Forward
2	ERCOUPE		SELF	F.SGT BUTTERFIELD	HANDLING
5	SEA METEOR	EE 387	SELF		ADDLS
11	SEA METEOR	EE 387	SELF		BOSCOMBE TO H.M.S. ILLUSTRIOUS
11	SEA METEOR	EE 387	SELF		H.M.S. ILLUSTRIOUS – BOSCOMBE
12	ANSON	509	SELF	MR KNELL MR CUSHION MR SAUNDERS	BOSCOMBE – MORTON VALANCE
13	B.29.		SELF S/L OWEN	CREW	BOSCOMBE – MARHAM
16	YORK	MW 112	SELF	S/L OWEN +8 CREW	BOSCOMBE – MARHAM RTD
17	SHACKLETON	135	SELF	FLOWER BAINBRIDGE LT. PARKER + 6	AIR TEST
19	OXFORD	379	SELF	F/L RUNCIMAN MR DICKENSON. WILLS	B.D. – HURN RTD.

Left and above *The entries in Squadron Leader Aston's log-book.* (B. Aston.)

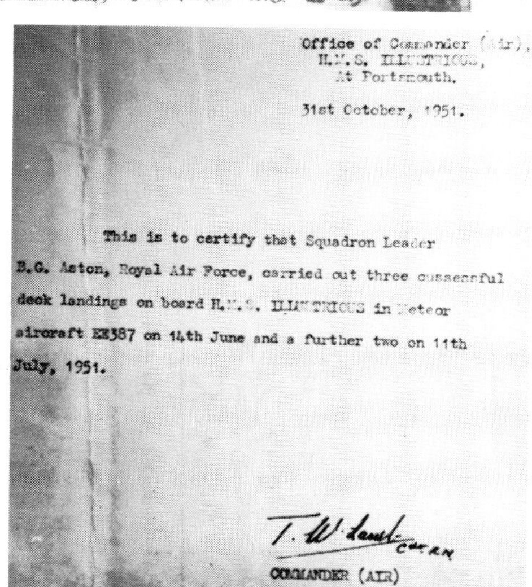

Office of Commander (Air),
H.M.S. ILLUSTRIOUS,
At Portsmouth.

31st October, 1951.

This is to certify that Squadron Leader B.G. Aston, Royal Air Force, carried out three successful deck landings on board H.M.S. ILLUSTRIOUS in Meteor aircraft EE387 on 14th June and a further two on 11th July, 1951.

T. W. [signature] CDR RN
COMMANDER (AIR)

Right *A letter from Commander (Air) HMS* Illustrious *confirming his landings on the carrier.* (B. Aston.)

Trials in the Middle East were completed without major incident, the only real problem being the heat generated in the cockpit when the aircraft was left on the hard standing. This was something that was never satisfactorily overcome and many Meteor pilots delight in relating just how hot their cockpits became and the remedies, which ranged from improvized sun shelters to umbrellas and strategically placed ice packs.

Ground temperatures averaged 77° F, and with artificial sandstorms blowing sand into the engine air intakes it was expected that mechanical failures would result. The effect on the engines was however, so slight that it was not considered worth worrying about and the aircraft was cleared for operational use in this type of environment.

At the other end of the temperature scale, winter trials were carried out by the RCAF on Meteor *EE311* at their centre in Edmonton. This aircraft was shipped to Canada on 28 September 1945 and after arrival it was subjected to tests in which ground temperatures averaged -31° F. Apart from some leakage of hydraulic fluid past synthetic rubber sealing glands which had become brittle due to the intense cold, the Meteor functioned very efficiently and was cleared for use in sub-arctic conditions. Both the tropical and winterization trials were carried out by service personnel with assistance from Gloster and Rolls-Royce. The aircraft sent to Canada was lost on 29 June 1946 when it crashed into Helen Bay Lake after running out of fuel. Although it was recovered some six weeks later it was beyond economical repair and was subsequently scrapped.

The early problems encountered with jet engines in their uncompromising thirst for fuel placed severe restrictions on the operational use of the Meteor. Although on entering service it was the fastest fighter in the RAF's inventory, its duration and range were very limited. This was, and to a certain extent still is, an ongoing problem with jet fighters and the second generation which followed the Meteor into service, the Hunter and short-lived Swift, faced similar difficulties in their service lives. The answer was to refuel in flight. This enabled a fighter to take off with a minimum fuel load but a maximum weapon load and then take on fuel from an airborne tanker aircraft to enable it to carry out its work. Today very few fighter aircraft are designed without in-flight refuelling capacity and this part of modern aviation has become a vital necessity in all modern air forces. It is now established to such an extent that, at the time of writing, the first international meeting of tanker aircraft is planned to take place at RAF Fairford in July 1985. In the mid 1940s, however, it was still very much in the development stage as far as refuelling jet aircraft in the air was concerned.

Sir Alan Cobham pioneered flight refuelling in England in 1931 and in 1936 he formed Flight Refuelling Ltd to develop systems of carrying this out. The final result was the probe and drogue method favoured by the RAF, wherein the tanker streams a fuel line with a drogue receptacle at the end and the receiving aircraft is fitted with a probe which the pilot guides into the drogue. The Americans tend to prefer what they call the solid boom system, in which the delivery aircraft lowers a solid boom into which the receiver slots a probe.

The Meteor presented an ideal test vehicle for the company to investigate the fuelling of jet aircraft from tankers and in 1949 Meteor 3 *EE397* was allocated to Flight Refuelling for conversion to the IFR configuration. The refuelling probe was fitted to the nose of the aircraft and after initial flight trials it became the first Meteor to make probe-drogue contact when Pat Horridge made three connections with a Lancaster flown by Tom Marks on 24 April 1949. Four months later the same team set up an endurance record for the Meteor of 12 hours 3 minutes, proving that flight refuelling was possible and could achieve the desired increase in endurance.

The main difficulty envisaged was in keeping the Meteor in formation with the Lancaster which had already experienced problems in holding the correct speed. Further tests confirmed that the World War 2 bomber was not the ideal tanker for the Meteor 4 which was then the current front-line fighter and would be required to be able to formate successfully in the hands of pilots of varying skills. A second aircraft, this time an F 4, *VZ389*, was converted and a Lincoln was used as the tanker. This combination proved to

Top right *Flight Refuelling's Lincoln quenches the thirst of an F 4 during early proving tests of the probe and drogue system for jet fighters.* (Flight Refuelling.)

Right *Two F 8s and an F 4 of No 245 Squadron refuelling from a B-29. This squadron was the only one to use the Meteor for IFR.* (Flight Refuelling.)

RA657

USAF

be successful and at the 1950 SBAC Display at Farnborough the combination demonstrated the probe and drogue method in flight. On 15 November 1950 Flight Refuelling was contracted to convert Meteor F 8s for in-flight refuelling capability and a total of twenty were modified. The first of these was *WA830* and this was cleared for service use on 26 January 1951.

Sixteen of the converted aircraft were delivered to No 245 Squadron at Horsham St Faith from where they were used with B-29 aircraft of the USAF using a three point fuelling system, this being demonstrated at the 1951 SBAC Display. Meteor F 8 *WE934* was one of the twenty aircraft converted that was not issued to No 245 but was used in May 1953 by Flight Refuelling for tests with a Canberra tanker. The other three converted Meteors were also used for experimental work and not issued to RAF squadrons. Although the Meteor trials were a great success, the introduction of increased

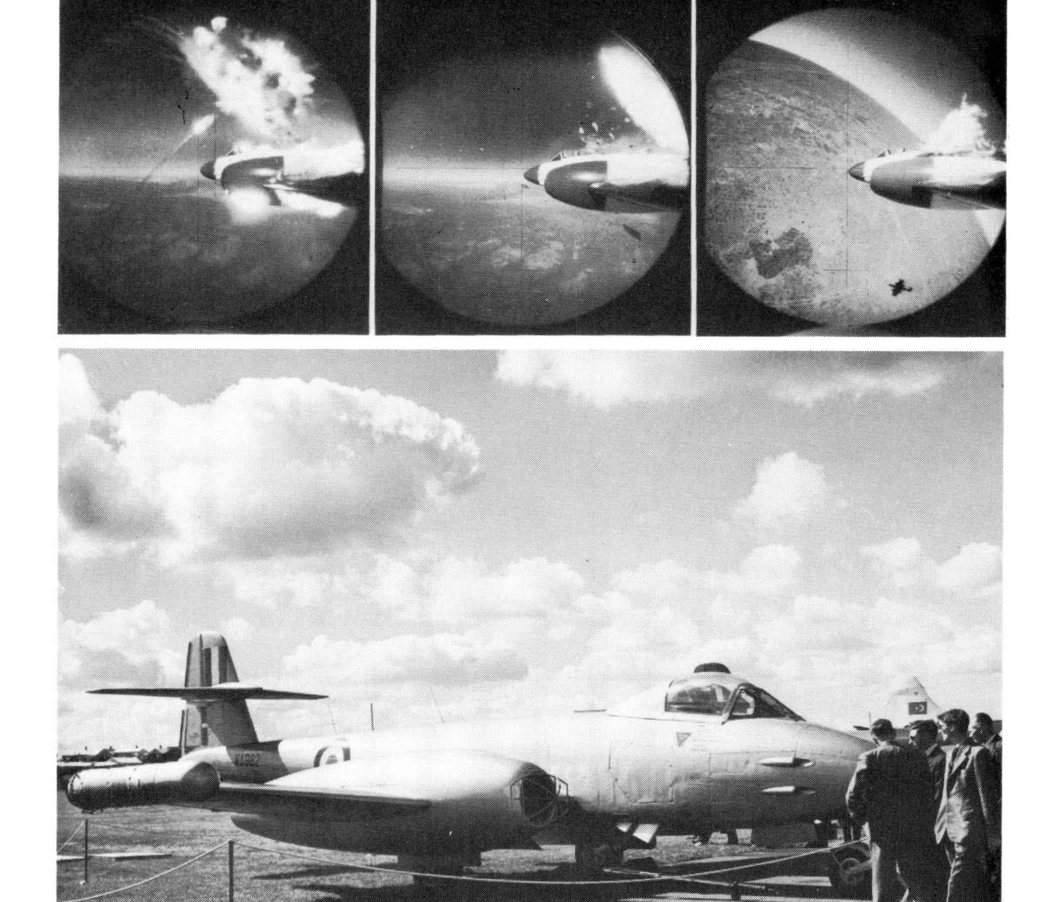

tankage and the limited service life left for the aircraft by the time the trials were completed left No 245 as the only squadron to operate the Meteor with flight refuelling capacity and further work on the aircraft was not proceeded with. Once again invaluable information had been obtained from the Meteor that was put to good use in future aircraft designs.

This was not Flight Refuelling's only connection with the aircraft, for they became involved in modifying both F 4s and F 8s with improved windscreen wipers, rocket launchers and underwing stores dispensers as well as development of drag parachutes. In 1954 they became Gloster's main sub-contractor for refurbishing Meteors prior to their resale to foreign air forces or reissue to RAF squadrons, a total of 650 aircraft of all marks passing through their hands.

In addition to this important work the company became very much involved in developing the Meteor as a high speed pilotless drone. With the advent of missiles it became increasingly important that a high speed target should be available. A large quantity of surplus F 4s were available and it was decided to convert these for this purpose. On 2 September 1954 a T 7, *VW413*, was flown on preliminary trials by Flight Lieutenant E.F. Pennie of the RAE Farnborough to test the throttle control unit which

Left *Still serving in a useful role — a Meteor U 15 is destroyed by a Sea Slug missile during tests at Woomera.* (AWA.)

Below left *Fitted with Rolls-Royce Soar lightweight turbojets at each wing tip,* WA982 *has the distinction of being a four-engined Meteor. The aircraft is seen at the 1954 SBAC Display. It was later converted to a U 16 drone.* (GAC.)

Below WA820 *was fitted with a pair of A-S Sapphire Turbojets and was the most powerful of all Meteors. Note the huge nacelles and extended tail bumper.* (AWA.)

A Meteor 4, RA491, *with Rolls-Royce Avons. This aircraft was flown by Bill Waterton at the 1949 SBAC Display, Farnborough. It was eventually used by the French to test Atar 101 engines.* (GAC.)

had been developed by Ultra Ltd. Following this the same aircraft, again with Pennie acting as the check and back-up manual pilot, made the first pilotless take-off under automatic remote control on 17 January 1955. Flight Lieutenant Pennie is now a ground controller at RAE Llanbedr where he still controls the U 16s (converted F 8s) which were developed from those early trials. Gloster's commitment to production of late mark Meteors and the new Javelin, meant that Flight Refuelling assumed responsibility for the conversion of the F 4s to drones and the first of these, now designated U 15, *RA421*, made its maiden flight from their airfield at Tarrant Rushton on 11 March 1955.

In April the aircraft was successfully landed by remote control, thus completing the whole flight cycle. In addition to the remote radio control equipment, the aircraft was fitted with automatic pilots, special instrumentation, infra-red homing flares and pods mounted at the wingtips to carry cameras which recorded the missile's flight path. These pods were jettisonable and were fitted with parachutes and bouyancy bags to aid recovery. Over a period of six years over 130 Meteors were converted to U 15 standards. Many of these found their way to the Weapons Research establishment at Woomera in Australia but a quantity were also used by the RAE at Llanbedr.

As the F 4s were used up attention was turned to redundant F 8s, which also enabled a higher performance drone to be produced. This conversion became known as the U 16 and can be flown as a pilotless target, a radio controlled aircraft carrying a pilot to check the systems, and in the conventional role with the automatic remote controls overriden. Over 130 aircraft were modified and the equipment fitted was much the same as that for the earlier version. The most noticeable difference was the housing of the electronic equipment in the nose which is 30 in longer than the standard F 8 and much more streamlined. The majority of these aircraft went to Llanbedr. In 1985 two of these, *WK800* and *WH453*, are still in use together with T 7 *WA662* which provides check facilities for the Airwork pilots who fly the Meteors on contract to the MoD.

To meet special requirements of the Australian Government, a further variant of the U 16 was produced, this being designated U 21. Flight Refuelling also undertook this work as well as supplying kits to enable aircraft in Australia to be converted on site. Between 1962 and 1970 they handled a total of 170 U 16/U 21s, and supplied 25 conversion kits. From 1965 drones recovered were refurbished by the company which was also involved in TT 20 conversions, five aircraft being completed with DELMAR systems and six modifications kits being provided.

It is interesting to note that the F 8 restored by the Wessex Aviation Society between 1978–81 was basically a composite of *VZ530* and *WA984* purchased from Flight Refuelling, who also made spares available from their extensive stocks. Some of these components came from aircraft used in the drone programme, including the former RAAF aircraft *A77–851* which started life as *WK683* with the RAF. The restored Meteor has been repainted to represent *WA829* 'A' of No 245 Squadron, thus commemorating the first RAF squadron to use the Meteor for air-to-air refuelling.

Gloster were always searching for new tasks for the Meteor and, knowing the devastating effect that aircraft could have on troop concentrations and other ground targets, developed a special ground-attack version of the F 8 as a private venture. In a brochure titled *A Tactical Ground Attack Aircraft* the company stated: 'Under true service conditions the modern fighter must be readily adaptable for undertaking either or both high altitude interception or low-level close support and ground attack duties. The initial specification of the Meteor 4 therefore included provision for the carrying of either bombs or rocket projectiles. The standard main planes as fitted to both the Meteor 4 and the Meteor 8 have therefore always included the necessary internal strengthening members and attachment fittings for an external armament load of up to 2 × 1,000 lb.'

The complex problems of external mountings necessitated considerable experimental and test flying. For instance, in the case of the 1,000 lb bomb underwing mountings a variety of fairing designs and attachment fittings was devised and tested in order to provide the best possible combination of aerodynamic refinement, strength and practicability. The final solution resulted in a pylon type mounting of exceptionally clean aerodynamic shape offering the minimum of drag penalty and at the same time ensuring freedom of interference to the aerofoil or aileron air flow, so that handling characteristics and manoeuvrability were, in general, unimpaired. Full aerobatic flying with bombs in position was fully explored and take-off, handling and landing with assymetric loads proved completely satisfactory.

With provision for carrying up to 24 × 96 lb rockets under wings and fuselage or four 1,000 lb bombs, the ground attack fighter, or GAF as it was known, was a very formidable weapon. In order to give the aircraft a wide radius of action, two 100 gallon fuel tanks were carried on the wing tips. Finished in the familiar carmine with the white registration letters (*G-AMCJ*) used on all PV Meteors, the GAF was first flown by Jim Cooksey from Moreton Valence on 4 September 1950. A few days later it made its public debut in the static park at the SBAC Display Farnborough.

In the following twelve months it was flown a great deal on development tests and in July 1951 was repainted silver with the Air Ministry Class B civil registration *G-7-1* in red. In this guise, with red rocket projectiles and tip tanks, it was flown on 9 August 1951 by Jan Zurakowski in preparation for his memorable display at the following month's

VT196 *was used in a variety of experiments including reheat and cold weather trials.* (H. Holmes.)

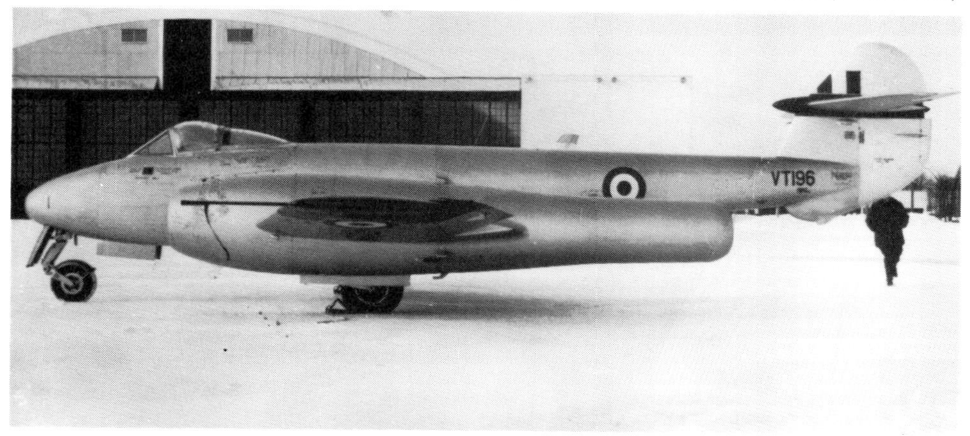

The F 8, VZ439, *fitted with a metal canopy for high altitude pressure tests.* (GAC.)

Farnborough Display. Few people who saw this display will ever forget it, for every day Zurakowski demonstrated the now famous 'cartwheel' manoeuvre. This consisted of one and a half vertical cartwheels carried out at the top of a zoom climb, the aircraft being rotated about its neutral axis by the pilot cutting back one engine at the top of the climb, so that the other one — running at full throttle — spun the Reaper, as it was unofficially called, round and round like a catherine wheel. It would have been a daring manoeuvre in a clean condition but for an aircraft with a full load of 24 rockets and tip tanks it was a brilliant example of precision and control.

This particular aircraft was also designed to be used with Rocket Assisted Take-Off (RATO), but although it carried out successful trials in 1952 at Boscombe Down, orders were not forthcoming and two years later the single seat cockpit was replaced with a T 7 nose after which it was painted larkspur blue and re-registered *G-ANSO*. It was eventually sold to Svensk Flygtänst in 1958 and delivered in 1959. It was registered *SE-DCC* and was painted yellow with white registration letters.

The Meteor was involved in many tests and trials during its long career, only a few of which have been mentioned but it is hoped that these have helped to illustrate not only the versatility of the aircraft, but also its enormous contribution to progress in the development of jet aircraft technology.

Chapter 9

Record breaking

On 26 April 1939 a German pilot, Fritz Wendel, flying a much modified Bf 109R had captured the World Air Speed Record for Germany at 469 mph (755.138 km/hr). The outbreak of war in September of that year brought to an end British plans to recapture the record with the high speed Spitfire, but on the cessation of hostilities moves were soon afoot to recapture this Blue Riband of the air for Great Britain.

Gloster, who had experience of breaking records with their Mars 1 fighter and for a short time had held the record with the Gloster IV racing seaplane in 1929 — Flight Lieutenant G. H. Stainforth having flown at 336 mph at Calshot on 9 September of that year — were naturally to the forefront. Their General Manager Mr F. McKenna, supported by George Carter, was instrumental in originating the idea for an attempt on the record and was confident that the Meteor was capable of achieving this as development had shown that even in standard form the aircraft was capable of raising the German record by a considerable margin.

An approach was made to Air Marshal Sir Ralph Sorley, who was the Controller of Research and Development at the MAP who immediately agreed with the project and gave instructions for preparations to proceed. His successor, Air Marshal Sir William Croyton, was equally keen and gave his whole-hearted co-operation in seeing the project through its final stages.

During 1944 tests by the Aerodynamic Section of the RAE had been carried out at Farnborough to establish whether or not the high speed characteristics of the Meteor could be improved. These resulted in various modifications being suggested, among which was the increase of engine nacelle length to change the airflow pattern around the centre section. These, and the availability of the greatly improved Derwent engines, formed the basis of the Mk 4 and were incorporated in the two production F 3 airframes, *EE454* and *EE455*, that were taken from the assembly line to be used for the record attempt. Armament and radio equipment, including the fuselage mounted aerial, was removed and the gun troughs in the nose were faired over. One aircraft, *EE454*, was finished in standard RAF day fighter camouflage of the period and the other was painted yellow overall which led to its unofficial nickname of the 'Yellow Peril'. Pilots selected to fly the aircraft were Group Captain H. J. Wilson, the commanding officer of the Empire Test Pilots' School, and Gloster test pilot Mr Eric Greenwood who carried out most of the development flights of the aircraft. A third Meteor, *EE360*, was made available as a practice machine and general 'hack' for the period leading up to the record attempt. This aircraft was subsequently delivered to Rolls-Royce in December 1945 and used for development flying of the Derwent 5, becoming the prototype for the F 4.

During the weeks leading up to the record breaking attempt, both Meteors were carefully prepared by Gloster with special attention being paid to the trim. The FAI laid down stringent rules which had to be observed, among these was that the aircraft must not exceed a height of 75 m (246 ft) during the timed runs or during the preceding 500 m, and during the whole flight the height must not exceed 400 m (1,312 ft). It was also expressly forbidden to make use of a dive which might increase the speed. Four runs had to be made over the course, two in each direction, and the speed of each of these runs was calculated, with the average of the four counting as the record. The final achieved figure had to exceed the previous record by at least 5 mph. One of the problems encountered with the Meteor was in longitudinal trim at high Mach numbers where the nose tended to rise and the elevators were unable to correct it. This nose-up compressibility effect tended to occur at around 570 mph and fortunately was in the right direction, for a nose-down situation could have been disastrous at the heights being flown. The aircraft were made deliberately tail-heavy to help the situation, and in trials when the effect became pronounced it was further helped by an increase in tail-plane incidence.

The course to be flown was a figure of eight lying more or less east and west with the loops around the North Foreland in the east and the Isle of Sheppey in the west, the timed section being over Herne Bay. Balloons tethered at a height of 230 ft marked the beginning and end of the timed section as well as giving the pilots a height indication.

During the weeks of October weather conditions appeared to be ideal and many wondered why the attempt had not been made. The reason was that although visibility was in the order of twenty miles (ten being considered the minimum) and winds were light, the wind direction was wrong. These had been blowing off the land producing rough air which, while tolerable at 400–500 mph, would have created so much turbulence at higher speeds that they would have been dangerous. It was not just over the high speed measured part of the course that the air had to be smooth, but also over the areas where turns had to be made, and in this 1945 attempt some of these were over land, where bumpy conditions were at their worst. On the timed runs bumpless conditions were essential since at over 600 mph the effect of rough air could cause overstressing of the aircraft and premature combressibility effect.

On 7 November 1945 conditions were just about right, for although it was cold and overcast and visibility varied between seven and twelve miles, the wind component was

Gloster's Chief Test Pilot Eric Greenwood with EE454, *the record breaking F 3.* (H. Holmes.)

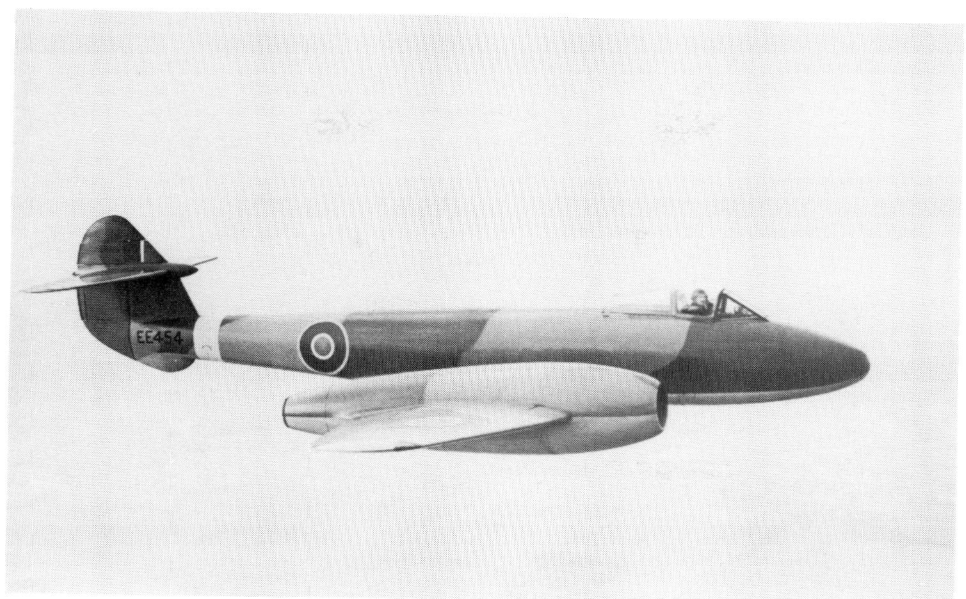

This is the aircraft flown by Group Captain H. S. Wilson, christened 'Britannia', which captured the world air speed record for Great Britain at 606 mph on 7 November 1945. Note the high gloss finish, with no guns or radio mast. (H. Holmes.)

about 12 mph from the direction of East Anglia. Ideally a wind from the north-east, which would have travelled over the North Sea and would consequently have been very smooth, would have been perfect, but time was against waiting for such a situation. Group Captain Wilson in *EE454* made his runs first and recorded 604, 608, 602 and 611 mph, giving an average of 606 mph. Later in the day, flying *EE455*, Eric Greenwood recorded 599, 608, 598 and 607 mph, an average of 603 mph. The target aimed for had been 610 mph and the slightly lower speeds were mainly as a result of the prevailing north-westerly wind.

To obtain the longest possible straight runs the pilots turned approximately 40° off the timed track to the right after each run before making gentle left hand 180° turns to bring the aircraft back on to the speed line some eight miles from the timing points. With an 8–12 mph wind from the north-west each turn had to be distorted in order to return accurately to the straight. That over the North Foreland could be slightly eased, while the one over Sheppey had to be proportionately tightened. The result was that both pilots had some difficulty in lining up when arriving from the west. On more than one occasion the slight smoke trail which the Meteor generated could be seen to develop a slight 'kink' as the pilot found it necessary to make slight 'S' turns to get on course. At the speed they were flying, with trim tabs sealed, turns could not be made quickly and if speed was not to be lost during these manoeuvres the rate of turn had to be kept below 3g.

With reduced visibility at the western end of the course and the tightening of the turn to allow for drift, it was quite difficult when taking up the west-east run, and on one occasion Wilson nearly had to abandon one of his runs as the aircraft was not properly lined up. The average drift of 8 mph or so made the straight runs something of a problem and each pilot tended to apply some bank as soon as he had left the measured part of the course whilst flying west in order to avoid the inner marker balloon located on the pier at

Herne Bay. The slower times were for the east-west runs where there was a head wind component, and the figures show that by the time Eric Greenwood made his runs this had slightly increased as the wind backed, the head wind component in each case being 3.2 mph and 4.5 mph respectively.

At the suggestion of George Carter, the thrust limits on the Derwents had been reduced by about 400 lb before the record attempt, since he was concerned about the structure and control effect above 610 mph. This was probably a wise move for after the record had been gained one of the aircraft was found to have a slight defect in one of the nacelle fairings.

Throughout the build-up period and the actual record runs, the aircraft behaved impeccably and only a starter accumulator fault, which prevented Eric Greenwood from taking off immediately after Wilson landed, blotted the copybook of the team. But for this minor problem it is quite likely that both aircraft would have recorded identical times, it being only the increase in wind speed which occurred during the enforced delay that affected the second set of runs.

Although Gloster rejoiced in the achievement of their aircraft there was some disappointment that the record had not fallen to their own test pilot. This was especially so as the first unofficial timings indicated that Greenwood had averaged a higher speed than Wilson. But these times had been recorded by stop watches and when the radar and photographic timing devices produced their figures, the positions were reversed. Nonetheless, the record had been established for Great Britain in a Gloster aeroplane, and for the first time had been pushed over the 'magic' 10 miles a minute mark. So just six months after the end of a devastating war against Germany, the British public had their morale boosted when they opened their newspapers on the morning of 8 November, to read that a British 'wonder plane' had put their country in the forefront of post-war aviation.

The new record established a target that at that time only the Americans were capable of challenging, and it was not long before news leaked through that it was their intention to try with a specially prepared Lockheed F-80 Shooting Star. To beat Wilson's figure

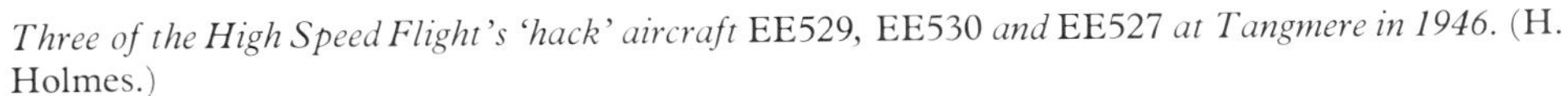

Three of the High Speed Flight's 'hack' aircraft EE529, EE530 *and* EE527 *at Tangmere in 1946.* (H. Holmes.)

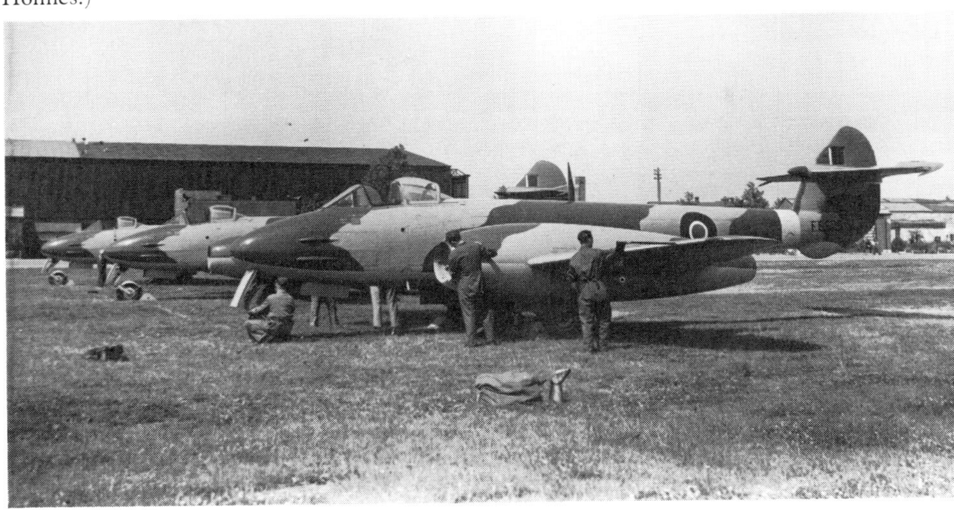

they needed to raise it by at least 1 per cent which represented an average of 612 mph for the four runs. Gloster were confident that the Meteor could go faster than it had at Herne Bay, so after discussions with MAP it was decided to form what was initially called the Fighter Command High Speed Flight. This was to be part of the RAF's Fighter Command which was then under the control of Air Marshal Sir James Robb and it was on his specific orders that the name was changed to the High Speed Flight.

This unit came into being at Tangmere in June 1946 and was initially equipped with five Meteor F 4s. Two of these were earmarked for the new record attempt and called 'Star' Meteors and the others were standard machines to be used as 'hacks'. The two special aircraft were *EE549* and *EE550*. It was important that the impression was created that these were standard Fighter Command aircraft, and to a certain extent this was true for it was possible to return them to combat configuration within a very short space of time. During its existence the Flight did in fact use seven other Meteors, these being *EE522, EE523, EE527, EE528, EE529, EE530* and *EE548*. Of these *EE523* was sold to France where it was delivered with the civil registration *F-WEPQ* on 23 July 1948. Documents show that the sale back to Gloster was made on 5 March 1948 but this is not so, the actual date being 29 July 1948 which interestingly was six days after its delivery to the French, so whilst it was being prepared for export it was still officially on charge to the RAF. Soon after arrival it was re-registered *F-BEPQ*, and with *RA491* formed the duo of F 4s used by France. Incidentally the cost of each aircraft was £12,500. Of the others, *EE527* and *EE548* were also exported forming part of the export contract of one hundred aircraft with Argentina.

The two 'Star' Meteors had the following modifications:

(a) Specially rated Derwent 5 engines producing 4,200 lb thrust as opposed to 3,500 lb from the normal engines. The special engines were fitted on 12-13 August 1946.
(b) A specially made duralumin hood with perspex port-holes, as it was thought that a conventional canopy might distort when subjected to high heat skin friction.
(c) Ballast weights and two 15-gallon fuel tanks replaced the four 20 mm guns removed from the front fuselage and a 43-gallon tank in the ammunition bay was fitted in place of the four ammunition boxes.
(d) Nacelle air intake grills removed.
(e) VHF radio mast removed.
(f) Air brakes secured in closed position.
(g) Geared aileron tabs fitted.
(h) Rudder tabs locked.
(i) Gun ports faired over.
(j) Machmeter and accelerometer fitted.
(k) Finish — Plate edges and rivet dimples filled with plastic stopping, the surface smoothed and a high-speed finish applied overall.

Among the 33 ground crew assigned to the Flight was Flight Sergeant Dennis Terry who recalls 'All ranks were very keen, and the finish on the aircraft was maintained in exceptional condition. The "Star" aircraft were repeatedly polished to reduce skin friction. Gloster reps on site produced Simoniz type wax polish (a rarity in those immediate post-war days) and we all had some which we applied with soft cloths, every man having a symbolic polish of the aircraft just before the record attempt.'

The Flight's three pilots were Group Captain E. M. Donaldson, Squadron Leader W. A. Waterton and Flight Lieutenant N. Duke. Donaldson chose to fly *EE549* and Waterton *EE550*, with Duke acting as reserve pilot.

On 8 July 1946 Mr John Wilmot of the MoS informed a number of Press correspondents that an attempt was to be made on the record, but made the astounding assumption that preparations could be completed in secret. His inability to appreciate that such an announcement was hardly likely to be kept on ice, resulted in the national and aviation press becoming aware immediately of what was happening at Tangmere, consequently the public was well informed and a great deal of interest was activated. First news of the attempt was released by the *News Chronicle* on 11 July, after which the MoS officially announced what Mr Wilmot had naïvely 'leaked' three days earlier.

Whilst carrying out a practice run during the build-up to the attempt Squadron Leader Waterton felt his aircraft drag to port and lose power. After landing it was found that the port engine had been badly damaged. First thoughts were that a bird had been ingressed, but this was found not to be so and for a short while the problem remained a mystery. Then Neville Duke had a similar experience and from this it was found that during construction some of the heads of rivets which during pop-rivetting had become detached (a normal procedure in this type of work) had found their way into the engine compartment and been sucked into the compressor. Rectification was achieved simply by applying a sealing fabric inside the engine areas and this was adopted on all Meteor production. So although the prime purpose of the Flight was to raise the speed record, a valuable lesson was learned during its work thus supporting the argument that any form of experimental or investigative work is always worthwhile.

Some problems with skin buckling and distortion were encountered with the Meteors, which resulted in them having to be returned to Moreton Valence for remedial work. It was during this time that another incident occurred which reflected the poor public relations surrounding the attempt. It had been announced that an attempt on the record would be made on Saturday 24 August, and all those connected with it were told to report to Tangmere on Friday 23 August for an evening conference.

At this conference Sir James Robb reaffirmed his intention to go for the record on the following day and the weather reports confirmed that conditions would be ideal, with temperatures of 20°–24°C during the afternoon. The following day all newspapers came out with the announcement that the record was to be attempted and the BBC made a similar announcement during their news broadcasts. Consequently many thousands of people took up positions along the coast to watch this history making event and hopes were high when official observers took their places and the course markers were raised during the morning. It was not until lunch time that it was announced that no flights would be made as both aircraft were back at Gloster.

When the Press discovered that the Chief Technical Officer of the Flight, Squadron Leader Porter, had discovered faults on the aircraft on the Friday evening and ordered their immediate return to the manufacturer's works, all hell was let loose. There was a great deal of criticism by the media on the grounds that they had been caused by official statements to mislead the public and this does seem to be true since when the Friday evening conference was held Sir James Robb was perfectly aware that both machines were not even at Tangmere. Perhaps it was thought that the problems could easily be rectified and they would be back, but no official reason behind this unfortunate episode has ever been forthcoming. The problem encountered by Porter was skin buckling in the fuselage just aft of the wings and when a panel was removed it was discovered that this may have been caused by faults in the structure.

The whole unhappy incident was adequately summed up by the magazine *Aeronautics* which in its edition of October 1946 had this to say:

'No one in their senses would expect these remarkable speeds to be achieved without difficulty and danger. There was nothing discreditable in finding that parts of the aircraft were showing the effects of stresses to which they were being subjected. On the contrary the whole event was to the everlasting credit of the manufacturers and designers. They

Above EE549 *which was flown by Group Captain E. M. Donaldson to a world air speed record of 616 mph on 7 September 1946. Note the metal framed canopy. The photo was taken at Tangmere just before the record breaking run.* (D. Terry.)

Below *One of the High Speed Flight's 'hack' Meteors,* EE528 *trying the course for the second world air speed record attempt in September 1946. The balloons are height markers, the aircraft had to stay below their level for the run.* (Charles E. Brown.)

were doing pioneer work from which many others would later reap benefits. So it would, in our view, have been much more sensible to reveal frankly to the Press on the night of Friday what had happened and to postpone the runs once more. Moreover there was always the risk of a reporter stumbling on to the story and if that had happened on Friday night it might have had serious consequences owing to the reactions of the world to an incomplete picture of what was actually happening. The delay in releasing information also made it seem that there was an impression that there was something discreditable in the defects and that they ought to be hushed up — a most undesirable and false impression to create.'

The waiting continued and on Sunday 1 September, having completed several runs in a 'hack' Meteor, Donaldson decided to go for the record. The day was windy with a rough sea and massive cumulus clouds, but the course was prepared and officials stood by until early evening when it was decided to make another postponement.

The course for this attempt was set out along the south coast from Bognor to Shoreham, with the 3 km timed section along the front by Littlehampton. Once again it took the shape of a figure of eight, but this time as it was all over the sea there would be no problem with ground turbulence. Marking and timing was the same as the previous year's runs but this time, wisely, it was decided that no times would be released until they were confirmed by the sophisticated equipment used to measure them accurately.

The delays resulted in numerous rumours being originated, one of the most interesting of these being that the real attempt was to be made by a Meteor fitted with the Metropolitan-Vickers axial-flow engine. This completely overlooked the fact that the Derwents already produced as much thrust as the Meteor's airframe, at that time, could use and although the slimmer nacelles of the axial engines may have delayed the compressibility effect thus perhaps raising the actual speed achieved in ratio to the Mach number, such an improvement would have been so small that it was not worth considering.

Saturday 7 September was named as the next occasion when the record would be tried for. The day was cloudy and rainy and it was not until well into the afternoon that Donaldson decided that a stretch of better weather forecast for the early evening made an attempt possible. At 17:58 Donaldson took off in *EE549*. There was ten-tenths cloud broken only by a very small patch of blue sky well inland, temperature was 14^0 C, and the wind component was 10 mph from the south-west, which therefore slightly favoured the west-east runs.

Donaldson made his four runs, spending seventeen minutes in the air. As soon as he landed, Waterton took off in *EE550*. On his first run he encountered a particularly bumpy patch of air over the mouth of the Arun river which threw him off course and caused a recurrence of a problem met during practice, when the aircraft flew left wing low due to a slightly misaligned aileron. He passed the timing points much closer to the shore than Donaldson had and observers were not surprised when he elected to make a fifth run, therefore disregarding the first. Waterton landed after 21 minutes flight time and back at Tangmere both pilots confirmed that they had experienced bumpy rides during which the 'g' had varied from 4 to –2. Some of the course markers had been blown from their position but both men knew the course so well that this gave no cause for concern. Donaldson said at Tangmere, 'This is the fastest a Meteor can go in these conditions of temperature and bumps. At 30^0 C 16 mph could be added to the speed.'

At 02:00 hours on the morning of Sunday 8 September the two average figures of 616 and 614 mph for the two aircraft's runs were announced. At a press conference at Tangmere at 12:30 the same day, Sir James Robb released full details of all the runs, these were:

Donaldson *EE549*; 622, 610, 622 and 609 mph. Average 616 mph.
Waterton *EE550*; 606, 621, 607 and 620 mph. Average 614 mph.

After announcing the figures Sir James stated that unless there was a marked improvement in the weather, with higher temperatures and more stable conditions within a week, a claim to an official World Air Speed Record would be lodged.

The emphasis on temperature throughout both attempts is because the speed of sound decreases as temperature increases, so the ratio between air speed and Mach number is better in higher temperatures. During Wilson's record runs the previous year the temperature had been 11° C, during Donaldson's it was 14° C, if it had been at the 30° C level he wanted he would have achieved a mean speed of about 621 mph. In fact on 14 August *EE549* had recorded a true air speed of 626 mph for a period of three minutes, albeit at 3,000 ft. During the record breaking runs Donaldson had reached Mach 0.84 and Waterton Mach 0.807. The Air Ministry decided that no further attempts were to be made so the new record was claimed giving the Americans an even higher target to aim for.

In November *EE549* was displayed at the 17th International Exposition of Aeronautics in Paris alongside a standard F 4 which on its return to England set up a new Paris-London record at 520 mph. This lasted until January when Waterton flew *EE549* from Le Bourget to overhead Croydon at 618.4 mph, this being timed from the aircraft passing over Le Bourget — having taken off from Buc — to passing overhead Croydon.

The aircraft was returned to Gloster on 17 January for return to service configuration and on 29 May it was issued to Fighter Command Communications Flight at Bovingdon. It served there until 24 March 1948 when it went to the CFE at West Raynham where it stayed until 9 February 1950 before returning to Bovingdon. Two years later it was back at West Raynham for two months and then to the RAF College Museum at Cranwell. It served as an instructional airframe until June 1958 when it was placed in store at Fulbeck. Between 1961 and 1967 it was displayed in the open at RAF Innsworth, but was removed to 19 MU at St Athan where it was refurbished to its 1946 appearance. In 1971 it was taken on charge by the RAF Museum at Hendon. The other 'Star' Meteor, *EE550*, served with No 615 Squadron RAuxAF and carried the codes *V6 R*.

Members of the RAF High Speed Flight at Tangmere after the record breaking run. (D. Terry.)

The imagination of the world had been captured by the Meteor and six days after the record had been broken Flight Lieutenant Duke took *EE528* from Tangmere to a flying display at Prague Airport. The support crew flew in Lincoln *RE289* and as the party staged through Brussels, Wiesbaden, Nurenberg and finally to Prague, they were greeted with considerable enthusiasm. The display given by Duke was superlative and when he landed the crowds thronged around the Meteor preventing him from leaving the aircraft. Duke himself gives a graphic account of this trip in his book *Test Pilot* which was published in 1953 by Allan Wingate Ltd. The Meteor was fast becoming a star performer in the field of aviation and some fantastic demonstrations and records were achieved both by Gloster and the RAF.

On 6 February 1948, following an abortive attempt two days earlier, Waterton flying Meteor *VT103* captured the 100 km closed-circuit record for Gloster at 542 mph, but this was short lived as Vickers took it with their Attacker a few weeks later, setting a new record of 560 mph. Three months later on 22 May the same pilot, during a tour with the T 7 *G-AKPK*, flew from Chichester to Marseilles, a distance of 610 miles, in 80 minutes and then the 390 miles to Rome in 53 minutes. This underlined the shrinking distances between European capitals which had been started in April 1947 when, during a demonstration tour by Cotes-Preedy in F 4 *G-AIDC*, he had captured the capital-to-capital record between Brussels and Copenhagen at 630 mph, albeit helped by a strong tail wind. A similar speed was also recorded by Squadron Leader John Lomas in *RA476* when he covered the 313 miles between Turnhouse in Scotland and Bovingdon, Hertfordshire at an average of 627 mph.

To help promote the concept of the helicopter as a viable passenger carrying aircraft in linking city centres with outlying airports, a scheme was devised whereby two helicopters and a Meteor would convey a message from the Lord Mayor of London to the President of the Municipality of Paris, in the shortest possible time. On the last day of September 1948 a Bristol Sycamore piloted by Mr E. A. Swiss took off from a cleared bomb site near St Paul's Cathedral at 12:33 and headed towards Biggin Hill. Landing at the RAF station 9 minutes 35 seconds later, the message from Sir Fredrick Wells it was carrying was handed to Eric Greenwood in the back seat of the Private Venture T 7 *G-AKPK*, which with Waterton at the controls took off at 12:44.

The Meteor landed at Orly at 13:12, where the message was transferred to a Dragonfly piloted by Alan Bristow who left immediately and arrived at the Place des Invalides at 13:20. The total time from city centre to city centre was 46 minutes 29 seconds, a record that stood until 1959 when a Hawker Hunter replaced the Meteor in the jet link and helped to win the *Daily Mail* sponsored Marble Arch to Arc de Triomphe race.

Two years later it was the turn of Jan Zurakowski to enter the record books when he established three records in Meteor F 8 *VZ468*. He covered the distance from London to Copenhagen at 541 mph, the reverse journey at 500.37 mph and the London-Copenhagen-London trip at just over 480 mph. This achievement was accomplished on 4 April 1950. On 12 May the same year John Cooksey took F 8 *VZ496* around a 1,000 km closed-circuit course at 510 mph to add another scalp to the growing tally.

On 31 August 1951 an Armstrong-Siddeley test pilot, Flight Lieutenant R. B. Prickett, claimed four time-to-height records with the Sapphire-engined Meteor *WA820* when he took the aircraft to 39,373 feet (12,000 m) in 3 minutes 9.5 seconds. The four records during this epic flight were; 1 minute 1 second to 3,000 m, 1 minute 50 seconds to 6,000 m, 2 minutes 25 seconds to 9,000 m and 3 minutes 9.5 seconds to 12,000 m.

With endurance, speed and height records to its credit, it is not surprising that the Meteor continued to make headlines throughout the world, all of which helped to establish its reputation and support the overseas sales campaign mounted by Gloster.

Chapter 10

Foreign sales

The success achieved by Gloster in promoting and selling the Meteor abroad is an object lesson to post-war free enterprise, and to a degree indicates what the British aviation industry might well have been able to achieve if it had not been gradually stifled and strangled by successive governments since the mid-1950s.

The company already had a reputation for producing sound aeroplanes for overseas air forces, so it is not surprising that when the war ended they set out to sell the Meteor to countries looking to enter the jet age. There were of course some disappointments, and other aircraft were chosen in preference to the Meteor, but that is free enterprise and healthy competition without which very little is achieved.

Sweden tried the Meteor but opted for the Vampire, although as related in Chapter 5 there appears to have been some reservation about this decision. Evidence also suggests that at one time Norway was very interested in the aircraft and sent several airmen to England to learn about it and its equipment. One of these was Svein Tonning who was trained at Kirkham in 1953 as an armament fitter. Corporal Tonning carried out most of his work on Meteors, learning the intricacies of the 20 mm cannon and the Martin-Baker ejection seat, and established a very high regard for the aircraft. Some thirty years later he is still perplexed and posed the question to the author: 'I still cannot understand why we [the Norwegians] purchased the Thunderjet, which in my opinion was a mousetrap of an aircraft. We were sent to England where we received excellent training on first-rate equipment, but when we returned no one would listen to our arguments and we were working on aircraft that had far inferior equipment. The British had enormous skill in making aircraft, like the Hurricane, Spitfire, Mosquito, Lancaster, Meteor, Canberra Swift, and Hunter, I still cannot understand why my government chose the Thunderjet and Sabre.'

After the war the Air Ministry offered Australia, Canada and New Zealand the loan of Meteor aircraft, primarily for indoctrination into this new field, but also no doubt hoping that first-hand experience would persuade them to equip their air forces with the Gloster aeroplane. The three aircraft concerned were *EE427* to Australia, *EE311* to Canada and *EE395* to New Zealand. The Australian aircraft was shipped in June 1946 and on arrival was given the serial *A77-1*. Nine months later on 14 February 1947, it was written off after a heavy landing, but as already related the Australians subsequently purchased F 8s. They also purchased nine T 7s serialled *A77-2, A77-4* and *A77-701* to *707*, as well as four NF 11s, one of which was allocated *A77-3*, the others retaining their RAF serials, and they also used a number of U 15s, U 16s and U 21/21As. Of the three Commonwealth countries Australia was the only one to opt for the Meteor, the other two choosing the de Havilland Vampire. The Canadian Meteor was used for winter trials but was also soon written off, arriving in Canada in September 1945 and crashing on 29 June 1946.

New Zealand had a little more luck with *EE395*. It was shipped from England in November 1945 on board the New Zealand Shipping Company vessel *Paparoa* and arrived in Auckland on 23 December. On Thursday 27 December it was collected and taken to Hobsonville where on 23 January 1946 work commenced on uncrating and assembling it. This was supervised by Squadron Leader George Woodward who, together with his team, had spent some time in England gaining experience of jet aircraft. The rest of the team was Flying Officer R. Smith, Warrant Officer H. Flanagan and Flight Sergeant H. W. Chadwick, who were later joined by Pilot Officer R. J. W. Lindsay, Warrant Officer M. M. Bentley and Flight Sergeant F. Corne.

The pilot chosen to fly the aircraft was Squadron Leader R. M. McKay who had served on the staff of the Empire Central Flying School at RAF Hullavington in 1945. He made his first flight on the Meteor on 1 August 1945 when he flew a Welland-powered Mk 3, *EE239*, after which he moved to the Jet Conversion Unit at RAF Molesworth where he made a further eight flights in Mk 1s and Mk 3s accumulating 6 hours 40 minutes on the type before being returned to New Zealand in October to undertake the task of demonstrating and testing *EE395* which was assigned the serial *NZ6001*. Squadron Leader McKay retired from the RNZAF as a Wing Commander in 1965 and was later appointed Sergeant-at-Arms to the New Zealand Parliament.

Work on assembling the Meteor was completed on 7 February and the engines were run the same day. On Monday 11 February history was made when the aircraft took off at Hobsonville and headed to Whenuapi where test flying was to be carried out. This was the first flight of a jet powered aircraft in the Dominion and was greeted with great enthusiasm by the press and the people. The first public appearance of the Meteor took place on Friday 15 March when it was displayed during the farewell parade to No 14 Squadron before their departure to Japan. The aircraft landed at Ardmore and was subsequently operated by the Jet Propulsion Section of the Central Fighter Establishment which was based there. Throughout the year many New Zealand pilots were given the opportunity to fly the aircraft, and it was seen at many displays where it always attracted a great deal of attention, and headlines ranging from 'Jet Plane Flew 116 miles in 17 minutes' to 'City astonished by Jet Plane's Display'. All this was good public

An RAAF F 8 now preserved at Williamstown, New South Wales. This aircraft was WK798. (A. Pelletier.)

relations work on the part of the RNZAF, but in between there were more serious matters to attend to.

On 10 May 1946 the aircraft moved to the Central Flying School at Wigram where three pilots undertook a conversion course. Two months later it moved home to Ohakea where pilot conversions continued and its utilization rate was greatly increased. It continued to be shown at displays and on one occasion was flown in formation with a Tiger Moth and Corsair and on another with the Lancaster *PD328* 'Aries'.

By January 1947 the official RAF loan period of one year was completed, but this appears to have been extended although available records do not show the circumstances

Above *An RAAF F 8,* A77-982 *in Korea with No 77 Squadron. This aircraft was* WA950 *and was lost on armed reconnaissance on 15 June 1953.* (H. Holmes.)

Below *The only Meteor to serve with the RNZAF in New Zealand — F 3* EE395, *coded* NZ6001 *during its demonstration tour of the Islands.* (RNZAF.)

One of a hundred F 4s bought by Argentina, the first overseas country to place an order for Meteors. The drop tank in the foreground is from an F-86 and was adapted to fit the Meteor. (A. Reinhard.)

behind this. However, in early 1949 the RNZAF were pressing for a decision from the Air Ministry as to the Meteor's future, and were advised that the British Government was prepared to sell it complete with spares and handling equipment for £25,000. New Zealand officials knew that both the Canadian and Australian Meteors had been written off without charge and reasoned that the RAF was unlikely to spend £2,000 on shipping *EE395* back to the United Kingdom. With tongue in cheek they offered £5,000 and this was accepted, so on 15 March 1950 the aircraft was struck off RAF charge and became official property of the New Zealand Government. The Meteor made its last flight on 16 September 1950 when the OC of No 42 Squadron, Squadron Leader J. R. Wenden, flew it at the Battle of Britain Display at Ohakea. It subsequently became instructional airframe *INST 147*, and was finally sold in March 1957 to Mr A. Elliot of Onehunga for scrap.

Although New Zealand opted for the Vampire, the Meteor was for five years the only jet aircraft in that country and still holds pride of place in their aviation history. The country's association with the aeroplane was not ended at that point, for in 1952 No 14 Squadron moved to Nicosia, Cyprus to become part of the Middle East Air Force. In this capacity they flew Vampires hired from the RAF and due to the unavailability of a two seat version of this aircraft at that time, they arranged to hire two T 7s from the RAF. These aircraft, *WH206* and *WL400*, were used for instrument flying practice and even when a Vampire did become available, the squadron opted to keep the Gloster two-seater.

But what of the countries that did select the Meteor? Space and the reluctance of some authorities to release details, or even answer letters, precludes the inclusion of a comprehensive account which in any case would probably fill another book, so a resume of what is already known follows.

Argentina

The Argentine Republic became the first foreign power to order the Meteor when it placed a contract for one hundred machines at a cost of £32,800 each with Gloster on 5 May 1947. The contract also called for the training of twelve pilots and six of the aircraft earmarked for the Fuerza Aerea Argentina, were retained at Moreton Valence for this purpose. It was as a direct result of the need to carry out such training that the T 7 was planned. The first fifty aircraft were ex RAF machines, but the remainder were new aircraft produced for Argentina from the outset. The hundred aircraft were serialled *1-001* to *1-100*, and began to arrive at Buenos Aires in May 1947. They were partly assembled and towed on their landing gear to El Palomar airfield some twelve miles away for final completion after which they were checked by Gloster personnel before being test flown, initially by Bill Waterton and later by Digby Cotes-Preedy. Final delivery was made in September 1948, and seven years later they were used in combat by both Government and rebel forces during the Peron revolution.

In the early 1970s about twenty of the Meteors were still airworthy, and it is believed that a similar number were in store, but information concerning their ultimate fates is not, at the present time, available. In service the Meteors were often flown with drop tanks from F-86 Sabres in the under-wing positions, these presumably being borrowed from the American fighter which was purchased in the late 1950s.

Belgium

On 12 March 1949 Belgium placed an order for 48 Meteor F 4s to replace the Spitfires then equipping the fighter squadrons of La Force Aérienne Belge. Delivery commenced in April and was completed by the end of September. The aircraft, which cost just over £29,000 each, were serialled *EF–1* to *EF–48* and served with Nos 349 and 350 Squadrons of No 1 Wing at Beauvechain. They remained in service until 1954 and the residue was finally struck off charge in 1957 when the Belgian Air Force declared the F 4 obsolete.

The arrival of single-seat jet fighters was preceded by three T 7s which had been ordered in May 1948 at a cost of £31,000 each. The first of these, *ED–1* was delivered on 9

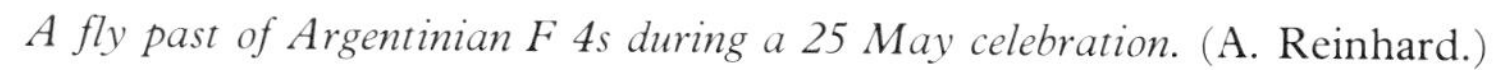

A fly past of Argentinian F 4s during a 25 May celebration. (A. Reinhard.)

Above *A pleasing air-to-air shot of* EF48 *of the Belgian Air Force. The roundels are red, orange and black.* (GAC.)

Below *A pair of Belgian Air Force F 4s, soon after roll-out at Hucclecote.* (GAC.)

Above *The Belgian Air Force Aerobatic Team airborne from Beauvechain.* (H. Holmes.)

Below *A batch of Fokker built F 8s for the Dutch and Belgian Air Forces.* (H. Holmes.)

September, followed eleven days later by *ED–2*. The trio was completed with the arrival of *ED–3* on 20 December. An additional 39 aircraft were ordered, these being fulfilled by nineteen ex-RAF aircraft, and the balance being surplus F 4s converted by Avions Fairey at Gosselies using components supplied by Gloster. The T 7 served with Nos 1,7, and 13 Fighter Wings based at Beauvechain, Chievres, and Brustem, the last of these aircraft finally being retired in 1961. Some of the Belgian T 7s were fitted with the F 8 tail unit, and two of these were eventually exported to Israel.

Following the same logical pattern as other air forces, the Belgians decided to replace the F 4s with F 8s. In late 1949 they placed an initial order for 23 F 8s and also negotiated a contract to allow production of this version by Avions Fairey. The 23 ex-RAF aircraft were serialled *EG201–EG223*. These were followed by an order for 150 aircraft which was fulfilled by NV Koninklijke Nederlands Vliegtuigen Fabriek Fokker in Holland, these F 8s were *EG-1*–EG150. In 1950 Avions Fairey produced a further thirty aircraft for the Belgian Air Force by assembling components supplied by Fokker, these carrying the serials *EG151–EG180*. The final batch of F 8s, *EG224–EG260* were also constructed by Avions Fairey in Belgium but this time the 37 sets of components came, in the main, from Gloster in England with delivery to the BAF commencing in 1951.

The final version of the Meteor to serve the Belgians was the NF 11, 24 ex-RAF aircraft, *EN-1* to *EN-24* serving with Nos 10 and 11 Squadrons of No 1 Fighter wing. The F 8s remained in service until 1956 when they were replaced by another British fighter, the Hunter, but the Belgians had to look further afield for a night fighter replacement. They eventually chose the CF 100 and these started to replace the NF 11s in 1957, the last Gloster night fighter being phased out of front-line service two years later.

A Brazilian T 7 over Rio de Janerio with the Sugar Loaf Mountain to the right. (I. Wanderley.)

Brazil

When Brazil started to look for a replacement for their ageing American Thunderbolts in 1952 they were in the middle of a currency crisis. However, so impressed was the Brazilian government by the Meteor that they made overtures to Britain to arrange a deal that would not involve payment in sterling.

On the basis that by getting the Meteor into another South American country we were attacking a traditionally American market, it was agreed that in exchange for 15,000 tons of raw cotton, Britain would supply ten T 7s and sixty F 8s. Ten Brazilian pilots were trained by Gloster at Moreton Valence in early 1953 and in April of that year the first four trainers were delivered, two of these, *WL485* and *WL486*, being ex-MoS aircraft. The aircraft were fitted with Derwent 8 engines, had whip aerials and in at least two cases, radio compasses. The ten T 7s were serialled *4300–4309*.

The first F 8s also started to arrive in 1953 and delivery was completed by the end of the year. These aircraft were all fitted with radio compasses, and five of them were ex-Egyptian Air Force machines. They remained in front-line service replacing the entire fleet of Thunderbolts, for ten years, during which time No 2 Squadron operated a successful and popular aerobatic team. The serial numbers of the F 8s were *4400–4459*, and these were usually applied to the fins.

Denmark

The first unit in Denmark to receive the Meteor was 3rd Air Flotilla of the Naval Air Arm which was formed on 21 October 1949. Its aircraft were F 4s, twenty of which had been ordered on 21 May 1949.

A Brazilian F 8, code F8-4442, *of 1st Squadron, 1st FG at Santa Cruz. All the decorative trim is red, with national markings in yellow, green and blue.* (A. Pelletier.)

501
502

499
495

263
261
262

Like so many foreign contracts this one also included the provision of training, and Danish personnel started at Moreton Valence in midsummer 1949 where they were trained on the F 4 and T 7.

The first F 4 was delivered on 6 October 1949, followed by the remaining nineteen during the next seven months. These aircraft were coded *461–480* and were delivered in a high gloss grey/green camouflage. On 1 October 1950 the Army and Naval Air Arms were amalgamated to form the Royal Danish Air Force and on 7 January the following year the 3rd Air Flotilla was renumbered No 723 Squadron. The RDAF became the first foreign air force to order the F 8 when they placed a contract for twenty aircraft in April 1951. These machines in the serial range *481–500* were finished in gloss grey/green camouflage. Delivery commenced in January and was completed on 4 June. These aircraft replaced the F 4s which were relegated to training roles, although No 724 Squadron continued to operate them in small numbers until 1957 when they were finally struck off charge.

Supporting the two single-seaters was a quantity of nine T 7s used by the operational conversion unit at Karup. Another first for Denmark was chalked up in early 1952 when twenty NF 11s became the first of the type to be exported by Armstrong Whitworth. The first four aircraft were delivered on 28 November 1952 and issued to No 723 Squadron which gave up its F 4s as it switched to the all-weather role at Aalberg on 1 December. The balance of sixteen aircraft, *505–520*, were delivered by March 1953 and the type served until 1958 when the Danes shopped around for a more modern AWW fighter and opted for the F-86D Sabre. Six aircraft escaped the scrap merchant's cutting tools and were converted by AWA to TT 20s registered *SE-DCH, SE-DCF, SE-DCG* and *SE-DCI*.

The F 8s started to be phased out in 1956 in favour of the Hunter, but the last aircraft continued in service until early 1962.

Ecuador

In May 1954 Ecuador ordered a batch of twelve Meteor FR 9s and some Canberras to form part of the modernization programme of the Fuerza A'Erea Ecuatriana. These aircraft were all ex-RAF machines and were refurbished by Flight Refuelling before shipment to the South American republic during 1954–55. The aircraft carried the Ecuadorian serials *701–712* and equipped one of the three operational squadrons.

Egypt

Anxious to strengthen their air force, the Egyptian government looked to the Gloster Meteor as being the best fighter available to them. In August 1948 they placed an order for two aircraft, but the first of these did not reach the country until October 1949. The reason was not a lapse on the part of the manufacturer, but as a result of the British embargo on the export of arms made on 5 April 1948. This was not raised until July 1949 when work on the aircraft commenced. The two F 4s, *1401* and *1402*, were the first of twelve of the type ordered, the second being delivered in January 1950.

The balance of ten aircraft had been the subject of two further orders for three and seven aircraft respectively placed in January and October 1949, three being delivered in January/February 1950 and the balance between March and May of the same year. The serials of these were *1403–1412*.

Top left *Two Danish NF 11s await delivery from AWA. These were later converted to TT 20 configuration.* (AWA.)
Centre left and left *The Danes used F 8s and T 7s. These photographs show examples of both with their green and grey camouflage and red and white national markings, flying in neat formation.*

Above *REAF F 4* 1401 *and T 7* 1400 *on test in England.* (GAC.)

Above left *The famous Pyramids of Giza form an appropriate backdrop for this trio of F 4s which, incidentally, were photographed from a Royal Egyptian Air Force Fury.* (REAF.)

Left *A Royal Egyptian Air Force F 4 prior to delivery.* (AWA.)

At the same time as the initial order for the F 4s was placed, the Egyptians also ordered a T 7. This was delayed for the same reason as the first F 4s but was eventually delivered in October 1949 by Bill Waterton who stayed in Egypt for three weeks to help train pilots. Two more trainers were ordered in October 1949 and were delivered in early 1950 and the last three T 7s were delivered in September 1955, these being ex-RAF aircraft. The six aircraft were serialled *1400, 1413, 1414* and *1439–1441.*

Predictably the F 8 also featured on the Egyptian shopping list but although nineteen were ordered in October 1949 and a further five the following December, the arms embargo once again delayed delivery. This initially resulted in work being suspended on the aircraft during 1950, with ten subsequently being diverted to Denmark and fourteen to a MoS contract. However, two years later, in December 1952, twelve ex-RAF aircraft were refurbished and four of these were delivered in February 1953. As a result of another flare-up in the Canal Zone, the other eight were again cancelled, four being sold to Brazil and four to Israel. But in 1955 the order was reinstated and eight former RAF machines at last found their way to the Egyptians. Serials of the F 8s were *1415–1426.* Two of these Meteors were lost during the 1956 campaign, but it is not a hundred per cent certain that this was as a result of air-to-air combat.

Completing the complement of Meteors used by Egypt were six NF 13 night fighters, *1427–1432,* all ex-RAF aircraft refurbished by AWA and sold to Egypt in 1954.

France

As mentioned in the previous chapter, France bought two F 4s in 1948, one of these, *EE523*, had been used by the RAF's High Speed Flight and the other, *RA491*, was used to test two SNECMA Atar engines.

The Armée de L'Air did not operate any single-seat Meteors but in September 1950 the French government ordered two T 7s and were supplied with two that had been earmarked for Syria in January 1950 but not delivered due to an arms embargo. These two aircraft, numbered *91* and *92*, were delivered to CEV at Bretigny on 7 February 1951 where they were used in a variety of tests and experiments. During 1952 the French decided to bring their night fighter force up to date by replacing the ageing Mosquito Mk XVIs and Mk XXXs, which had initially equipped their night fighter arm, with more modern aircraft. They elected to go for the AWA built NF 11 which at that time was already in RAF service. A total of 41 aircraft were ordered as well as a further eleven T 7s to enable pilots to be trained. But this order was not totally destined for the Armée de L'Air, the first nine NF 11s and four of the T 7s being reserved for the DTI for test purposes.

The first two aircraft, *NF11-1* and *NF11-2*, were delivered to Le Bourget on 7 January 1953 and the first batch of 25 was completed by May of the same year, the last four arriving at Tours with 1/31 'Lorraine' Squadron on the 6th. The second part of the original order, comprising sixteen aircraft, was supplied from surplus RAF stock repurchased by AWA for the contract. They were delivered between 17 September 1954 and 21 April 1955. All 41 aircraft originally carried RAF serials, mostly in the WM range, but in France they were numbered consecutively from *NF-1* to *NF-41*.

In March 1953 the 30th Wing (Escadron Chasse de Nuit) based at Tours started to relinquish their Mosquitos for Meteors. 30 ECN was composed of three squadrons, 1/30 'Loire', 2/30 'Camargue' and 3/30 'Lorraine' ex 1/31. It was 2/30 that received the first aircraft these being *NF11-10* to *NF11-17* which were coded *30-MA* to *30-MH*, and they were followed by 3/30 whose aircraft were *NF11-18* to *NF11-24*, coded *30-FA* to *30-FG*. 1/30 was the last of the three to receive Meteors, their batch being *NF11-27* to *NF11-33*, coded *30-0A* to *30-0G*. The balance of the series was divided between the three

Three NF 11s and WM253 *which was an ex 87 Squadron machine and may have ended up in France. Some records tying-up French codes to RAF serials were still not traced in 1984.* (AWA.)

squadrons who also received seven of the Meteor T 7s divided between them.

From 1953 to 1957 the Meteors formed the heart of the air defence of France at night and the three squadrons rotated evening alerts between them for this period. The aircraft was popular with its crews although it was outclassed in the night fighting role by the time it reached operational status with the squadrons. They were replaced by the SO 4050 Vautour 11N, after which most of them were transferred to EICN 346 (Escadron d'Instruction à la Chasse de Nuit) and used to trainVautour crews. In early April 1958 only 25 NF 11s and five T 7s remained and these formed the main equipment of EICN 346 which was based at Tours.

In April 1958 five NF 11s (*-14*, *-20*, *-22*, *-23* and *-24*) were transferred to the Centre d'Essais en Vol (CEV) and five more to the Centre du Tir et de Bombardement (CTB) at Cazaux where they were used for towing targets for gunnery. These aircraft were *-11*, *-13*, *-21*, *-30* and *-36*, which had been coded *MN*, *MM*, *MO*, *MP* and *MR* when they were

Alternative finishes for French Meteors. NF11-8 *was* F-ZABG *at CEV, it was photographed at Mont de Marsan on 13 July 1972.* NF11-25 *(formerly* WM302*) is seen in French Air Force camouflage prior to delivery.* (A. Pelletier and AWA.)

with the squadron. EICN 346, in addition to its training function, also carried out a law enforcement role in Algeria, where its aircraft were based at Bône and operated with Dassault MD 315Rs and B-26 Invaders. These Meteors retained their original EICN identity, *30-QA* to *30-QN*, although they were in fact operating with ECN 1/71. CEV used their Meteors in a variety of research roles connected with radar and the development of missiles, and one aircraft, *NF11-1* (*F-ZABH*) was fitted with part of an Exocet missile on its nose cone during the development of this weapon. Another CEV machine, *NF11-6* (*F-ZJOQ*) flew as a chase aircraft during the Concorde programme. Although many of the Meteors were written off during their service in France, some were still in use at CEV as late as 1983.

In addition to the two T 7s originally intended for Syria, but diverted to France on 7 February 1951, a further nine of this type were delivered. Seven of these, coded *F5* to *F11*, arrived in August 1953 and as related were used by 30 ECN and 346 EICN. Two of these were transferred to CEV in January 1966. All of these aircraft were ex-RAF machines and one was destroyed in a crash on 18 June 1952 near Andelys.

Above *The CEV's* NF13-365 *(formerly* WM365*) with Exocet missile trials nose at Bretigny on 11 June 1972.* (A. Pelletier.)

Below *SFECMAS Ramjets turn this French NF 11 into another four-engined Meteor.* (A. Pelletier.)

Pilots of the RNAF Meteor F 8 Aerobatic Team 1952/53. Major Wansink, First Lieutenant Heynen, First Lieutenant Tiel and Sergent Jansen. (RNAF.)

CEV also received *WA607* which was bought from the RAF by Gloster on 17 December 1954, modified by Flight Refuelling and flown under the code *G-7-133*, before being delivered to Melun on 6 April 1955. This Meteor was given the civil code *F-BEAR* and was destroyed when it crashed near Melun a few minutes after take-off on 28 February 1957. It is of interest that one T 7 was used in ejection seat trials during the development of the SNCASO designed and built seat. On 20 June 1956, two ex-RAF NF 13s were bought by France and delivered to CEV where they were coded *NF13-364* (ex-*WM364*) and *NF13-365* (ex-*WM365*). The latter was used in Exocet trials at Bretigny during 1972.

The last Meteor to be purchased by the French was an ex-No 264 Squadron NF14 (*WS747*), which was delivered on 28 August 1955 to CEV and carried the code *NF14-747* and civil registration *F-ZABM*.

Holland

Next to the RAF, the Royal Netherlands Air Force was the biggest user of Meteors, a total of 265 of three types being taken on charge between 1948 and 1959. This figure has been subject to some conjecture over the years and is often quoted as 226, but official records made available to the author by the RNAF show the breakdown to be:

Meteor Mk 4	60	*I-21* to *I-81*
Meteor Mk 7	45	*I-1* to *I-20*
		I-301 to *I-325*
Meteor Mk 8	160	*I-90* to *I-94*
		I-101 to *I-255*.

Unfortunately space prevents the presentation of all the airframe records but these clearly show the delivery dates, squadrons and ultimate fates of all aircraft, including F 4 *I-50* which was taken on charge on 2 June 1949 and struck-off on 7 June 1957, despite reports previously published that it crashed in England on its delivery flight!

The first order to be placed by the Dutch was for 33 Mk 4s, the contract covering delivery in five batches, placed on June 27 1947. The first aircraft, *I-21*, was delivered almost exactly a year after the first contract was placed and in fact served with the RNAF until 5 March 1951 when it was destroyed in a crash. The Meteors were initially delivered to the Fighter Training School at Twenthe, and then to various squadrons the first two being 323 and 326 at Leeuwarden, and then 322 and 327 at Soesterberg. Other squadrons using the F 4 were 324, 325, and 328. The second batch of 27 F 4s were all ex-RAF aircraft in the *VZ, VW* and *VT* range (eg, *VT333, I-76*) and were coded *I-55* to *I-81* during their service with the Dutch. Of these sixty F 4s 21 were destroyed in crashes during service.

Following the familiar pattern of most purchasers of Meteors, the Dutch ordered a quantity of T 7 trainers in November 1948 and the first of these, *I-1* was the original Gloster demonstrator *G-AKPK*. The aircraft arrived at Twenthe on 27 February 1949 and was badly damaged in a landing accident on 11 March. It was subsequently repaired by Fokker and returned to service on 6 January 1950, serving with 322 and 323 Squadrons until being SOC on 23 May 1959. A total of 45 T 7s were delivered between 1949 and 1956; early batches had Derwent 5s but later ones had the Derwent 8 fitted. Twenty-six of the T 7s delivered to Holland were ex-RAF aircraft, these carrying the serials *I-8* to *I-20*, *I-301* to *I-309*, *I-313* and *I-314*, *I-316* and *I-318*. Of the 45 only five were destroyed in major crashes during service with the RNAF.

It was logical that the F 8 should follow the F 4 into service with the RNAF and although the Dutch Government did look at alternatives it is unlikely that they gave them serious consideration. The reason for this is that on 28 July 1948 Gloster Aircraft Company signed an agreement with NV Verenigde Nederlandse Vlietuigfabrieken 'Fokker' IO, giving licence production rights to the Dutch company for manufacture of

The Fokker assembly line with three T 7s at various stages of completion. (RNAF.)

the Meteor Mk 4. Part II, Paragraph 4 of this agreement is a clause in which agreement is also given for the production of the Mk 7 and Mk 8 aircraft, the last sentence of this particular clause stating:

'Provided that if THE LICENSOR (GAC) agrees to supply and the LICENSEE elects to take drawings and other data appropriate to Meteor Mk 8 single-seat fighter in preference to those appropriate to Meteor Mk 4 such alternative drawings and data shall be supplied by the LICENSOR without additional charge.'

To digress briefly for a moment, the agreement document is interesting in that it covers every eventuality including sales by the Dutch to countries outside their defined territories, spares, the updating of information relating to improvements, modifications incorporated into RAF aircraft, and the right of consideration for other aircraft of Gloster design whether or not they use the name Meteor. The latter appears to have caused some slight problem in 1950 for on 7 November of that year there was an exchange of correspondence between Mr P. G. Crabbe of Gloster and AWA relating to the night fighter versions. The basis of this argument was that the NFs were not Gloster designs and should therefore not be part of the 1948 agreement. The problem was resolved in October 1951 and an amendment to Part IV, Paragraph 8 (i) was made on the 27th of that month excluding the NF 11 and stating that spares for any night fighters would be supplied direct. In the event this turned out to be of no great significance as Holland did not elect to use the NF versions of the Meteor.

At the time the agreement was made Fokker agreed to pay Gloster a premium of £30,100 and royalties of £600 per airframe. The document, which consisted of ten pages and four appendices, was signed by P. G. Crabbe and W. E. Shambrook for Gloster and P. J. Voss, and Prince Bernhard on behalf of Fokker and the Netherlands Government.

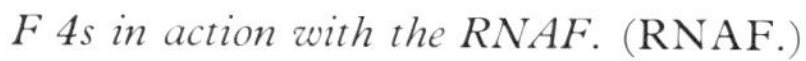

F 4s in action with the RNAF. (RNAF.)

Two contrasting views of RNAF F 8s showing different styles of fuselage codes. (RNAF.)

The first three F 8s produced by Fokker were works numbers 6325, 6326 and 6327. They were delivered to the RNAF on 12 January 1951 and coded *I-101, I-102*, and *I-103* respectively. These were followed by a further 152 aircraft coded from *I-104* to *I-255*, delivery being completed on 15 February 1954. In addition to the 155 Fokker built F 8s, the RNAF also received five ex-RAF aircraft, *WF694 (I-93)*, *WF696 (I-94)*, *WF697 (I-90)*, *WF698 (I-91)* and *WF699 (I-92)*. Three of these aircraft — *WF697, WF698* and *WF699* — were delivered on 26 July 1951, *WF696* followed on 18 October and *WF694* on 15 January 1952. The F 8s served with Nos 322, 323, 324, 325, 326, 327 and 328 Squadrons, forming the backbone of the Air Defence Command from 1951 until 1956 when they were replaced by Hunter F 4s.

In 1952 a four aircraft aerobatic team was formed at Soesterberg using Meteor F 8s which were silver with red trim, red forward parts of the nacelles and red tops to the fin/rudder. Each aircraft carried a playing card motif on its engine nacelles. Led by Major J. B. J. Wansink, the team gave numerous displays throughout 1952-53, including one on 18 July 1953 to commemorate forty years of Dutch aviation. The three other regular team members were, Lieutenants W. J. P. Heynen and H. E. Tiel and Sergeant P. Jansen.

The Meteor was popular with the Dutch pilots and gave years of reliable service, although the loss of forty F 8s during eight years' service (some aircraft were still serving in 1959) did give rise to the old bogey of it being a dangerous aircraft. What is too frequently overlooked in this and similar cases, such as the Luftwaffe F104, is that if any one type is in service in some quantity losses can only be of that type, therefore the impression is given to the uninformed that there is an element of danger about it. Fokker started production at their factory at Amsterdam North from which completed airframes were ferried down the canal to Schipkol for flight testing, but in 1951 they moved to a new plant located at the airport so the Meteors' early waterborne excursions became unnecessary. In addition to the 155 F 8s supplied to the RNAF, Fokker also produced aircraft for the Belgian Air Force and sub-components for assembly by Avions Fairey.

Israel

In February 1953 the Israeli government ordered eleven F 8s and four T 7s as part of their plans to modernize the air force. Both types were modified so that they could be used in the target towing role and the F 8s were also modified to carry American HVAR rocket projectiles on rails under the wings. Trials with this installation were carried out on *2166* which was also used for test firings over the Lyme Bay range. All cannon armament for the Israeli F 8s was supplied direct from Israel.

The four T 7s were delivered in June 1953 and carried the codes *2162* to *2165*. Two additional T 7s with F 8 tail units were later supplied by Avions Fairey and were coded *111-112*. Delivery of the F 8s commenced in August 1953 and was completed by the following January, the aircraft being serialled *2166* to *2169* and *2172* to *2178*. Incidentally, three of the aircraft, *2176*, *2177* and *2178*, were from a batch originally destined for Egypt.

In 1954 Flight Refuelling Ltd refurbished seven former RAF FR 9s for Israel and these were delivered over a period of six months. The aircraft were *WX967, WX963, WX975, WX980, WB123, WB140* and *WL259* in Israeli service they were coded *211* to *217*.

The final version of the Meteor to be used by Israel was the NF 13. Six ex-RAF aircraft were used to fulfil the contract, and were delivered in two batches of three. The first trio, *4X-FNA, 4X-FNB* and *4X-FND*, were delivered on 5 September 1956, just prior to the October/November Suez campaign in which they are believed to have been used operationally. The second batch, comprising *4X-FNC, 4X-FNE* and *4X-FNF*, was not delivered until March 1958 and one of these crashed at Chateaudum in France during its delivery flight.

The F 8s served until 1956 when they were gradually replaced by the Dassault Mystere, after which they continued in the training role and on target towing duties until the mid 1960s. The NF 13s served until 1964 and one of them, *4X-FNB* (ex-*WM334*), was transferred to Israeli Aircraft Industries for use in experimental work and as a chase aircraft before being passed to the Israeli Air Force Museum at Hatzerim for preservation.

The Meteor was used operationally by Israel and in various conflicts with Middle East countries was involved in air-to-air combat. On occasions it met Egyptian Air Force Meteors and Vampires, but unfortunately details of losses and outcomes of such combats do not appear to be available. Repeated requests by the author to the Israeli Government, Air Force, aviation magazines and journalists in Israel brought no response, so it can only be assumed that for some reason or other, the exploits of the Meteor in Israeli hands are not yet for public consumption.

Sweden

Although the Swedish Government opted to equip its fighter squadrons with the Vampire, the Royal Swedish Air Force Board placed an order in 1955 for two Meteor T 7s to be used by the Swedish company, Svensk Flygtjänst AB, under contract to the air force for target towing duties. The first of these was an ex-RAF machine, *WF833*; which was refurbished by Flight Refuelling and delivered to Sweden on 29 July 1955. The aircraft

Top right *Three of the six NF 13s bought by Israel prior to their delivery.* 4XFNB *was* WM334. (AWA.)

Right *Two Israeli F 8s execute a formation take-off.* (GAC.)

Below and bottom right 2176 *was an F 8 originally earmarked for Egypt, then sold to Israel. It is seen here en route to Lyme Bay for test firing of its HVAR projectiles . . . and returning without them after the sortie.* (GAC.)

4XFNB

Above *Bill Waterton going aboard a T 7 destined for Sweden.* (GAC.)

Below and right SE-DCC, *the T 7 modified from the Reaper, and* SE-CAS *(ex* WF833*) used on target towing duties in Sweden.*

was painted yellow overall and carried the civil registration *SE-CAS*. The second T 7 was also ex-RAF (*WH128*) and after modification and refurbishment by the same contractor was delivered on 16 March 1956 carrying the registration *SE-CAT*. This aircraft was destroyed in a crash at Visby Airport (Gotland) on 21 January 1959 and was replaced by *SE-DCC* which had in fact been the G.44 Reaper and then T 7 *G-ANSO*. These two T 7s served until 1974, during which they were also operated for the benefit of the Danish Air Force, and then went to the Air Force Museum at Malmen. In addition to the three T 7s, four ex-Danish Air Force NF 11s flew in Swedish civil registrations. These aircraft were owned by the Danish Government but flown by Svensk Flygtjänst for them. Thus there was a rather odd situation of a British-built fighter, owned by Denmark, being flown by a Swedish company for target towing facilities for the Danish Air Force.

Two of the aircraft, *SE-DCG* and *SE-DCI* were scrapped in 1966 but *SE-DCF* and *SE-DCH* were sold to Kjeld Mortensen in Denmark in 1969. Both aircraft were taken to Belgium from where a request was made to put them on the German civil register, but this was refused as the German authorities suspected that the aircraft were earmarked for export to Biafra.

The suspicions of the Germans are interesting because in 1969 British MPs were demanding a full enquiry into the sale by MoD of two NF 14s which it was believed were destined for Biafra. Writing in the *Daily Express*, the well-known correspondent Chapman Pincher stated that one of the aircraft which had been used at RAE Bedford, was known to have been delivered to Bordeaux by a free-lance pilot who then took it on to Faro in Portugal, claiming that it was to be used for film work. The second Meteor also arrived in the Azores and was later seen in the Canary Islands, after which it appears to have disappeared. In April 1970 four men were charged with 'conspiring to illegally export jet aircraft' in two special court hearings at Windsor. The two aircraft mentioned in court were Meteor NF 14s and two of the men in the dock were pilots; although no

mention was made that Biafra was the country concerned, it is strongly believed that this is so, and that the two incidents relate to the same NF 14s. At this time the British Government was selling arms to Nigeria but steadfastly refused to supply Biafra so the appearance of two British fighters in that country would have caused considerable embarrassment to British ministers.

Syria

Syria was the third Middle East country to opt for the Meteor and in January 1950 ordered two T 7s and twelve F 8s. The two T 7s were serialled *91* and *92* and were accepted by a Syrian Government official at Moreton Valence on 10 June 1950.

The arms embargo instituted by the British Government prevented their export to the Middle East, so they remained at Moreton Valence where they were used to train Syrian pilots until February 1951 when they were sold to France. In September 1952 the embargo was lifted and two ex-MoS Meteors, *WL471* and *WL472*, were used to fulfil the Syrian order, being delivered in November. The twelve F 8s were delivered between December 1952 and March 1953 and were followed by a further seven, all ex-RAF refurbished machines, in 1956. This delivery also included two FR 9s (*WB133* and *WX972*) which served with the F 8s in both interception and ground attack roles until replaced by Russian aircraft in the late 1950s. Syria was the first recipient of the NF 13s refurbished by AWA in 1954 — six aircraft serialled *471–476* were delivered to Damascus to equip the only night fighter unit in the Syrian Air Force. The former identities of these aircraft were *WM332, WM330, WM336, WM337, WM341* and *WM333*.

Gloster can be proud of their export achievement and those countries operating Meteors, although perhaps receiving them when more advanced designs were beginning to enter service with major air forces, found they had a sturdy and reliable work-horse on which to cut their teeth. The Meteor was the first British jet fighter to fly and, sadly, was the last from a great aircraft industry to be sold in major quantities on the export market. Since then the gradual destruction of the British aircraft industry, by successive governments, has denied our home-grown and special talents to the rest of the world.

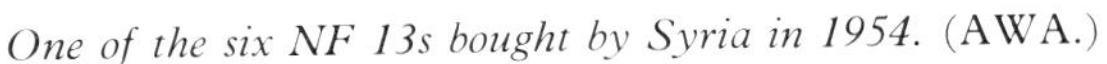

One of the six NF 13s bought by Syria in 1954. (AWA.)

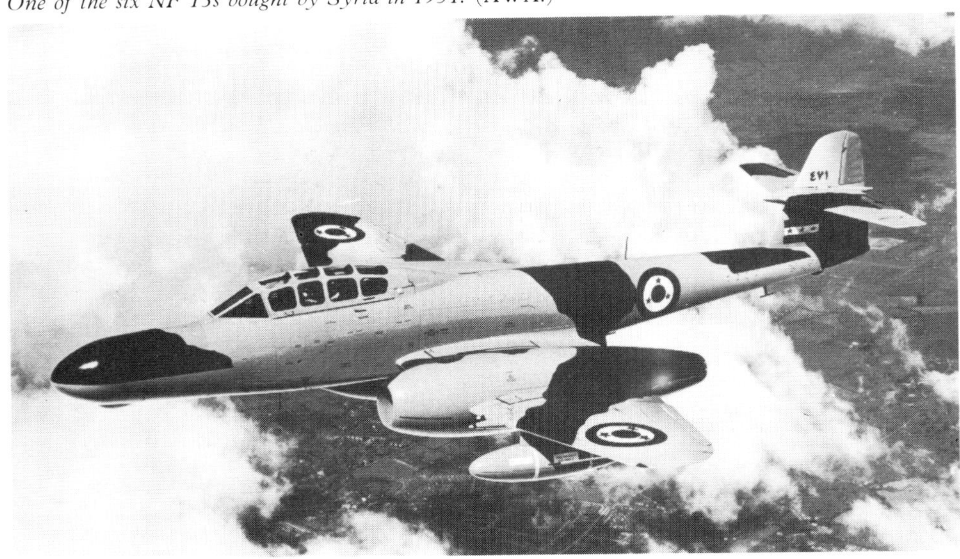

Chapter 11

Meteor memories

Whether or not the Meteor was a classic aeroplane depends on the reader's interpretation of its attributes in relation to the criteria for such an accolade. But there can be no doubt that it was a historically important aircraft, gave legion service throughout the world and perhaps more important than any tangible material evidence, captured the affections of those who built it, serviced it, flew it or in some other way came to love the Meteor.

During my research I received a host of stories from such people. Where possible these have been incorporated in the main text to illustrate various points, but many others could not be so used. First hand experience always conveys sincerity in greater depth than mere reporting can so the following stories, selected from the many received, are included to convey some Meteor memories.

Ir. G. F. Evelein

'During the summer of 1948 I was one of two Dutch students doing my apprentice time as part of my studies at Delft University, at Gloster Aircraft Company. At that time the Meteor Mk 4 and Mk 7 were on the production line for the RAF, the RNethAF and the Argentinian Air Force.

'For most of my three months I worked with the inspectors at the flight shed in the southeast corner of the airfield, my duties being to help get the aircraft ready for flight testing.

'Just behind the flight shed was a little river and to the south were the test pads. When the engines were running I was allowed to stand on the root of the port wing with one arm holding over the closed hood. Once when in this position I was stung by a bee, but the inspector in the closed cockpit could not hear my shouts, my gestures eventually indicated to him that something was wrong and he shut down the engine, enabling me to leap from the wing and rush to the river to put wet mud on the sting. In 1948 the runway at Hucclecote was too short for test flying; only take-offs for Moreton Valence were made. The runway at Moreton Valence was improved in 1948 and during this work the flight test office moved to Pershore. Most of the equipment and personnel was flown in the company's Dominie, the pilot often being Bill Waterton. Another pilot was Captain Vyzelaar of the R Neth AF who was also allocated his own Airspeed Consul because of the visits he needed to make to other aircraft companies. There was also a 'Chinese' design office with a design for China on the board and at Hucclecote there were six Chinese engineers. I had many happy times with GAC and the Meteor and was with Metro-Vick during the 1948 SBAC Display at Farnborough.'

Bill Horler

'I was with GAC until January 1951 then went to AWA until 1963. I can recall the problems we had with snaking and lateral stability. The ailerons I have changed was nobody's business. The tab arrangements that were tried, geared, servo, hollow ground, spring and combinations, seemed endless.

'I recall that if the lateral problem had not been sorted out the Meteor could have been another Swift story. When I went to AWA they introduced aileron droop as well, I remember to this day the figure was ·68 in. I once changed seven sets of ailerons on a Mk 8 at Baginton before it was pronounced satisfactory. It is interesting to look at the amounts paid at that time, a complete aileron change and rig was worth £3, and a complete undercarriage strip, including all three legs, plus dismantling the brakes, and removing the tyres, was 27s 6d.'

Derrick E. Mallet

'In 1953 I was at North Weald which also housed Nos 601 and 604 RAuxAF Squadrons, so we were open at weekends and being close to London, this made us an attractive weekend parking place, consequently we had most types of Meteors present at any given time. The station commander was Wing Commander Al Deere who had his own "private" Meteor F 8. On one occasion he had been flying over London at 30,000 ft when his canopy came adrift and landed near Trafalgar Square. During my stay he took off one day with the pitot head cover still on. The control tower asked for his airspeed, and he replied "Tower, my airspeed is ... oh Christ I haven't got any!" A visiting Meteor F 8 flew alongside Deere and read off his airspeeds to enable the World War 2 ace to land successfully. On another occasion we were the refuelling base for the Meteor Wing taking part in the Queen's Birthday flypast, our best performance was 104 Meteors on the runway in under four minutes.'

Flight Lieutenant D. E. Davies

'During target towing facilities in the Middle East I recall an occasion when we were towing for the Lebanese Air Force. The camera from a Lebanese Vampire shows his sights firmly on the tail of the towing Meteor and not the banner ... fortunately the Lebanese pilot had run out of ammunition. There were no hard feelings and at Christmas 1957 we flew a formation of Meteors over Nicosia towing a banner inscribed "MERRY CHRISTMAS".'

John F. King

'I flew a Meteor F 3 on 7 March 1953 after gaining my "Wings" on Harvards and having 4–5 hours dual on a T 7. This was at No 215 AFS and the F 3 was the first single-seat aircraft I had ever flown. During my time at Stradishall on No 47 Day Fighter Course, I used to enjoy air-to-air gunnery firing at a drogue towed by a Martinet. It was customary to race each other back to Stradishall, but in the bumpy air at low level this shook up the dust, and after two canopies had blown off due to over pressurization, a speed limit of 300 kt was imposed.'

Dave Cullen

'The late Air Marshal Sir Richard Atcherly was a legend in the RAF, a colourful figure I met only once but shall never forget.

'In 1952 he was AOC of 12 Group and flew to Horsham St Faith to preside over a Court Martial. Flight Sergeant McIntosh detailed me to see the AOC in, refuel his aircraft, carry out a pre-flight check, and see him safely off. The arrival and departure to Station Headquarters went well, but it seemed an age before I saw the fluttering pennant that marked the return of the staff-car.

'The Meteor was all ready for the AOC but before climbing on board he scanned the servicing form, then raising his eyebrows in anger he turned to me and shouted, "Damn you. I'm only making a short flight. How am I supposed to land with all this fuel?" He paused then continued, "You've filled everything including the wing tanks".

'I stood to attention and explained that unless instructed otherwise, all tanks were to be filled, to prevent condensation forming on their walls.

'Chiefy who had been standing by and waiting for the right moment, stepped forward and said, "That's correct sir, it is an order that has come from Group Headquarters". The apology I received from the AOC was more than adequate, he refused an offer to drain the tanks, and we watched in silence as he taxied out. On return to the Station Flight hangar, Flight Sergeant McIntosh, a tall heavily built father-like figure of a SNCO, said to me, "Well ... I've never heard the likes of that in almost thirty-eight years in the Service." He smiled and added, "Consider your blasting an honour laddie ... a great honour indeed!"

'On another occasion in 1952 I was helping start Wing Commander Yule's F 8, which in accordance with tradition carried his initials RDY in place of the squadron codes, when I noticed that the wire cable and link to the ejection seat drogue gun was disconnected. With engines running the only way I could attract him was to tap on his helmet, I did this then leaned into the cockpit and shouted an explanation. He shut down both engines, waved to his number two to take over, then left the aircraft calling for an armourer.

'As the sergeant carried out the necessary work, the Wing Commander explained to me in rather colourful language what would have happened if he had taken off and later been forced to use his seat. He thanked me for my vigilance before returning to the crew room. Sadly about a year later he was killed when he chose to stay with his crippled Meteor to prevent it falling into a densely populated part of London.'

Brian Gosling

'When I joined No 81 Squadron they were operating from RAF Seletar situated in an area called East Camp. The hangars and buildings had been occupied by the Japanese, and in the Chiefy's office was a painting of the sinking of the battleships *Repulse* and *Prince of Wales*, this had been painted by someone from one of the Japanese squadrons which took part in the action.

'One of the problems with our Meteor PR 10s, was in keeping the heat and glare away from the cockpit area. We improvized sun shelters which helped, but one day a pilot ran out to go on a PR sortie, and the ground crew removed the canopy. He was strapped in and ready to start engines, when he was called back by the flight commander for an up-date to his briefing. The delay was not expected to be too long so the canopy was not replaced. The pilot returned to the aircraft, and with great haste, started up, taxied out and took off. So far so good. However, as he was leaving the runway the heat from the seat began to get through to his backside. This very quickly became unbearable and he did a quick circuit and landed the aircraft with straps undone and in an arched back semi-standing position. He had to be treated for severe blisters to his rear end.'

John Preece

'I flew Meteors on and off for about eight years. It was probably the easiest aeroplane to land I have ever flown. However, I did experience the so-called Phantom Dive once when practising asymmetric circuits at Sylt in Germany. I inadvertently left the airbrakes out and put gear down, and when turning finals, she flicked out of the turn and we got very close to the Westerland High Street before pulling out of the dive and staggering away. I was fortunate in having an experienced Meteor instructor with me, he took very rapid remedial action when he realized what was happening, otherwise I would not be writing this today.

Above, below and below right *Their work completed — once proud Meteors in various stages of deterioration at RAF Kemble.* (I. Spring and R. Deacon.)

'In 1963 I was serving with the Day Fighter Combat School which was part of CFE at Binbrook. We operated Hunters but there were also two Meteor F 8s and a T 7, used for target towing, instrument training and miscellaneous duties. On 29 May 1963 I set off on a target towing detail over the North Sea to allow four Hunters to shoot at my flag. The Meteor F 8 I was flying was *WK654* and it carried a ventral and two wing tanks.

'After about 1 hour 15 minutes, I returned to Binbrook, dropped the flag and turned down wind to land. Gear was lowered and when turning finals I was somewhat disappointed to see two greens and one red light. After overshooting, I tried for about 15 minutes to lower the reluctant port wheel, aided by a fellow pilot following behind in a Hunter making helpful and some unhelpful suggestions. It became obvious that a two-wheeled landing was inevitable and I tried to get advice on the advisability of keeping tanks on or jettisoning. As the tanks were made of metal the latter seemed the best option although it would mean that the wing would have further to drop and would dig in more.

'I was then able to "bomb" the airfield with drop tanks (once I had located the right levers) and proceeded to land. Initially it was possible to keep straight by keeping the wing up with the aileron, but eventually it ran out of lift, and the engine dug in, the aircraft slewing 200 metres off the runway.'

Flight Lieutenant Preece's Meteor was hardly damaged and in the June 1963 *Air Clues* a cartoon showing a Wing Commander addressing pilots was captioned, '... and in view of the government's clamp on expenditure, and bearing in mind Flight Lieutenant Preece's classic two wheel landing, all aircraft will now only be provided with two wheels!'

Bob Roberts

'Rolls-Royce sent a Meteor with reheat for us to use to measure the thrust on a rig we had. The rig was a 'Y' arrangement where the arms were attached to the legs of the undercarriage, and the stem to a straingauged ring which was in turn anchored to a chunk of concrete buried in the ground. The size of the block was the problem; you have no idea how hard it is to find out just how large to make a block so that it will stay put for a given load. The rig was destined for use on the Javelin so for security reasons the aircraft had to be in a blister hangar except when on the move. I was glad when the aircraft was tested and the concrete block stayed in the ground — up to then my nights were troubled by visions of the aeroplanes hurtling down the airfield towing a block of concrete.'

L. R. Baker

'No 245 Squadron having been the first to be re-equipped with the Meteor F 8 in June 1950, was selected for the airborne refuelling trials using the probe and drogue system developed so successfully by Flight Refuelling Ltd. We were each treated to a special

conversion course with the company, and were privileged to meet Captain Tommy Marks, Pat Horridge, and other distinguished members of the Alan Cobham outfit. We practised refuelling contacts and drew fuel from Lancaster and Lincoln tankers. I distinguished myself by bending the probe of my Meteor on contact, but I was relieved to discover that the fault lay with the mechanism of the drum hose unit which should have retracted on contact ... but did not. I also discovered that my Squadron Commander had experienced likewise. What impressed us all was the calm confidence the company had in its product. How right they were proven to be. Tankers later operated over East Anglia for operational trials, and on one occasion having met up with the Lancaster, its Captain and I agreed to do a run in and 'break' for landing at Horsham St Faith. I formed up on his starboard wingtip for the run over the airfield and was idly looking at the Flight Engineer who was peering at me from the tanker's cockpit. We came over the caravan at about 300 ft and 260 kt (not bad for a Lanc) and then the pilot called, 'Breaking ... breaking ... GO!' As he rolled into his turn and pulled up, I saw the engineer's face go decidedly grey, and he disappeared from view as he blacked out!

'I also recall an occasion on 1 September 1950 when I was flying *WA834* in a 28 aircraft formation returning from an Armament Practice Camp at Acklington. Flight Lieutenant Jimmy Crossman leading No 245 had radio failure, so I took over the lead and he flew as my number two. We were formed up in three sections of 'Finger Four', squadrons line astern. We approached Horsham at about 8,000 ft and 300 kt from the direction of Coltishall, to turn over Norwich to the east before breaking for landing. As we approached base, out of the sun into which we were flying, came a USAF B-45 Tornado. It flew through our formation head-on passing under the leader's four, and above me — the total vertical gap being about 300 ft. There were a few startled gasps and calls over the radio, before order was restored, and we carried on as normal. I have often wondered how our American colleagues in the B-45 reacted! Had they even seen us?'

Wing Commander Brian Ashley

'At No 205 AFS Middleton St George in late 1951 Flying Officer Hugh Williams was flying a general handling sortie with his student Pilot Officer Peter Poppie. They were doing aerobatics above 8/8 cloud, and at the top of a loop, the aircraft fell into an inverted spin. They were still spinning when the aircraft entered cloud, and in accordance with orders Hugh ordered Peter to jettison the canopy and bale out. The hood went cleanly and when Peter released his harness he shot out of the Meteor like a cork from a bottle. Very soon he was safely dangling from his parachute.

'When Hugh tried to leave, he dived over the port side of the cockpit but the tail whipped round, and the leading edge of the tailplane gave him a mighty blow across the chest and broke his right arm. He saw a white flash, and for a moment thought that his parachute had been ripped off. He fell free and as Peter was descending, still in cloud, he was startled when Hugh passed him on the way down. They came out of cloud and Hugh, at low level, at last managed to pull his rip cord, and to his surprise and delight his canopy opened. In a field near Barnard Castle a bull was laying ruminating, when Hugh ruined his day by landing right in the middle of his back. This incident was reported in the *Daily Express*, and when I visited Hugh in hospital I asked if he had been scared. He replied, "I wasn't but you should have seen the b****y bull!"'

Chapter 12

Postscript — the Meteor in the 1980s

Shone like a Meteor streaming to the wind . . .
sonorous metal blowing martial sounds . . .
— Milton

Forty years after becoming the first jet fighter to enter squadron service, derivatives of the Gloster Meteor are still carrying out vital tasks for the Royal Air Force. Apart from the two T 7s belonging to the 'Vintage Pair' aerobatic team, now based at Scampton, the MoD (PE) has three aircraft operating from RAE Llanbedr in North Wales and it is these aircraft that are perhaps more closely involved with operational squadrons than their illustrious aerobatic cousins. The three are two U 16s (modified F 8s) and a single T 7, which from their isolated base in the principality are familiar sights to Hawk, Phantom, and Jaguar pilots operating in the offshore target area.

On 11 October 1984 I was privileged to visit Llanbedr to see the operation there and fly a sortie in T 7 *WA662*. The two U 16s, *WK800* and *WH453*, are primarily drone aircraft but are also flown by Airwork pilots — under contract to the MoD — to control and shepherd Jindivik radio controlled targets. The sole T 7 is also occasionally used as a shepherd aircraft, but its prime task is to enable pilots to undertake handling checks and instrument flying. Built in 1950, *WA662* served with the Fighter Command Communications Squadron at Bovingdon, Station Flight at Gütersloh, and 203 AFS at Driffield. It went to Llanbedr on 17 March 1958 and was fitted with new mainplanes in 1960. The aircraft averages two sorties a week, and although I was told that the Vintage Pair has an 'eye' on it, the pilots hope that they will be able to retain it for at least another two years.

Chief pilot at Llanbedr is Len Morgan and he is supported by three other pilots and one navigator, whose task is mainly involved with Canberra aircraft which are also present at the establishment. The Meteor is extremely popular with the pilots who claim that, although it is now something of a legacy from an earlier jet age, it has many advantages in the role it undertakes over the Hawk which looks the most likely replacement.

Of the two U 16s, *WK800* was away at Marshall's undergoing modification at the time of my visit, so *WH453* was bearing the brunt of the workload. This aircraft served with 72 Squadron RAF and 611 Squadron RAuxAF during the days it was an F 8, and it is interesting that one of the Jindivik ground controllers, Bob Gaskell, flew it during his service with the RAuxAF so he is in the unique position of having flown the aircraft in the conventional manner and very much involved in its latter day tasks.

The day of my visit was one of those familiar English days often encountered as summer bows out to autumn. Large patches of cumulus cloud occasionally joined forces to blank out the vivid blue sky, then produced a short sharp shower before retiring seemingly to the wings before the next performance. My pilot, Owen Hammond, kitted me out with the necessary flying equipment and briefed me on safety procedures, whilst a Jindivik with target on tow was launched, followed by *WH453* in the hands of Len Morgan. Whilst Owen carried out external checks on *WA662*, I was firmly established in the rear cockpit and by the time my parachute straps, radio, oxygen and harness were all correctly secured, he had completed his examination and strapped himself into the front.

As the litany of cockpit checks and engine starting procedures was carried out, the clouds cleared and we taxied to the end of the short runway in bright sunshine which created a cosy warmth in the back end of the Meteor. Our callsign was 'Nugget 73' and we were cleared for immediate take-off as Owen swung the T 7 onto the centre line of the runway. Checking that the barrier was rigged, he then told me what would happen if he had to abort the take-off and engage the barrier. It crossed my mind that if somehow we missed it,we would spend the afternoon on the beach just beyond the end of the runway. The aircraft was released and at 130 kt the rumbling from the main wheels stopped as the T 7 lifted into the air. The green indicator lights blinked then went out as Owen retracted the gear and announced, 'Nugget 73 airborne'. The time was 11:43.

Heading south, we climbed to 3,000 ft to seek 'Nugget 72' which was shepherding the Jindivik from the range where Phantoms had been firing at the SART (Semi Active Radar Target) it was towing. Len Morgan, flying *WH453*, gave us his position and permission to formate with him and almost immediately we spotted him ahead of us at 11 o'clock high. The red and yellow Meteor stood out against the deep blue of the sky as we approached him from below on his starboard side. The T 7 slid in beside the U 16 and we watched as Len trailed the Jindivik and its tow. The two aircraft almost resembled a hare and greyhound as they darted between the pure white towers of cloud, one moment standing out against the stark whiteness, the next silhouetted against the blue sky. On occasions the Jindivik with its tow looked like a runaway terrier with its master frantically trying to catch its lead, as the U 16 constantly changed position so that its pilot could examine both the aircraft and target for any damage.

Satisfied that all was okay, the formation headed back to Llanbedr where the ground controllers awaited to take over the Jindivik and bring it in for a landing. As we descended Owen commented that those on the ground should have little difficulty in picking up our three aircraft formation, and so it proved. When the controllers had gained acquisition of the Jindivik the U 16 continued to fly alongside just in case any telemetry problems occurred. The landing skid beneath the drone extended as it was lined up with the runway and both the shepherd U 16 and our T 7 followed suit with their landing gear.

We flew parallel to the main runway and watched the Jindivik perform a perfect landing as the U 16 passed over it. Owen then retracted our gear and flaps, and we bade the other two goodbye as we headed off towards Snowdon and the low flying area to occupy our time whilst the drone was cleared from the runway and Len landed the U 16.

Passing Harlech Castle on our starboard side, we were soon in patches of low cloud, which fortunately was not enough to prevent us from carrying on with the intended low-level look at the valleys. The Meteor descended to 500 ft and at 300 kt the characteristic Welsh countryside flashed by beneath us. The top of Snowdon was covered in cloud, and made an impressive sight as we skirted around it, before darting back through the valley towards the sea. During our excursion around the mountains, Owen told me to watch out for Hawks, operating from Valley which would possibly be below us. But it was a bad day for Hawks, or I just didn't see any, and soon we were back over the sea heading back to Llanbedr, which once again was basking in bright sunshine.

Flying parallel to the main runway, 'Nugget 73' called for landing instructions as we flew downwind, flaps and gear came down, the red lights flicked out in turn as we turned onto finals, and at 120 kt, *WA662* was lined up with the centreline of runway 36. The

The author with Owen Hammond of Airwork after a sortie in WA662 *from Llanbedr on 11 October 1984.* (RAE.)

Meteor's speed decayed as it reached the threshold, and with the gentlest of kisses the main wheels added their own black signatures to those already recording previous landings in the touch-down area. As the wheels touched it was 12:16. The main tanks — the ventral was not in use — showed that our 33 minute sortie had consumed some 240 gallons of fuel. Clearing the runway, Owen opened the canopy and a blast of cold fresh air reminded us that the warmth generated inside the cockpit was our last reminder of sultry summer days, since the clear blue sky and bright sunlight had an autumn tinge about it that had not been apparent from our cosy environment.

After lunch the pilots and controllers at Llanbedr talked of their affection for the Meteor and soon photograph albums, cuttings and stories were being examined and listened to. Of the many anecdotes related one of the most interesting was an account of what they called the 'Vintage Four'. This was the occasion on 19 May 1978 when four Meteors, three U 16s and the T 7, were flown in formation to record a flight that will probably never be seen again.

The introduction of an age limit for flying single-seat jet aircraft by DOF MoD (PE) meant that two of the pilots then currently flying had to hang up their helmets. To mark this the four Meteors were flown by four 'vintage' Meteor pilots, who were not put out to grass, but continued in perhaps a more sedate manner by flying communication Devons and the pilotless targets. On that memorable occasion the pilots, whose ages totalled 272 years and flying hours 33,163, and the aircraft being flown were:

Vintage Four

		Ex-factory date	
Meteor U 16	*WH453*	19 October 1951	26 years 7 months

		Ex-factory date		
	WH320	31 December 1951	26 years	5 months
	WK800	8 February 1952	25 years	8 months
Meteor T 7	*WA662*	13 February 1950	28 years	3 months
			106 years	11 months
Photographic aircraft				
Meteor NF 11	*WD790*	24 June 1952	25 years	11 months
		Total of both	132 years	10 months

Pilots

			Flying hours
Eric Ainsworth	56 years	6 months	5,204
Bob Gaskell	56 years	3 months	5,326
Peter Shaw	53 years	10 months	4,595
Bruce Bull	54 years	3 months	11,540
Flight Lieutenant W. Thompson	51 years	2 months	6,498
	273 years		33,163

The Vintage Pair will continue to show their Meteor and Vampire at Air Displays for some years to come. The privately owned NF 11, rebuilt by Glossair and based at Hurn, as well as the T 7 still in use by Martin-Baker, will also ensure that the occasional sighting of a Meteor will possibly highlight a spotter's day and it will be sometime before the words of the poet O. W. Holmes become reality:

The Meteor of the ocean air
shall sweep the clouds no more.

Appendix 1

Gloster Meteor production and serial blocks

			Contract No
F.9/40	*DG202–209*		SB21179/C23(2)
	TOTAL	8	
F Mk 1	*EE210–229*		6/ACFT/1490/41
	EE217 — Fitted with RR 'Trent' turboprop engines.		
	EE215 — Reheat installation at RAE.		
	TOTAL	20	
F Mk 2	*DG206* and *DG207* — Served as test-beds with Goblin prototype engines. Not put into production.		
F Mk 3	*EE230–254*		
	EE269–318		
	EE331–369		
	EE384–429		
	EE444–493		6/ACFT/1490/CB7(b) (5 sub-batches)
	EE351 — Tropicalization trials Khartoum.		
	EE427 — Tropicalization trials Australia.		
	EE429 — Tropicalization trials South Africa.		
	EE361 — Arctic trials Canada.		
	EE338 — Ejection seat trials. Also PR conversion.		
	EE416 — Ejection seat trials.		
	EE397 — Endurance record 12 hours 3 minutes, 7 August 1949. Flight Refuelling Ltd.		
	EE445 — Fitted with Griffiths wing by AWA Ltd.		
	EE360 — Prototype F 4. Derwent 5 engines.		
	EE337 — Deck landing trials.		
	TOTAL	210	
F Mk 4	*EE454* and *455* — Converted from F 3.		
	EE517–554		6/ACFT/SB1490/C23(a) (5 batches)
	EE568–599		
	RA365–398		
	RA413–457		
	RA473–493		
	VT102–150		6/ACFT/658/CB7(b) (5 batches)
	VT168–199		

	VT213–247	
	VT256–294	
	VT303–347	
	VW255–304	6/ACFT/1389/CB7(b)
	VW308–315	(2 batches)
	VW780–791	
	VZ386–419 — AWA built.	6/ACFT/1389/CB7(b)
	VZ427–429 — AWA built.	6/ACFT/2430/CB7(b)
	VZ436–437 — AWA built.	
	G-AIDC — Private Venture.	
	EE523 — To France as *F-WEPQ*.	
	RA491 — To SNECMA France.	

Argentina *I.001–100* (First 50 ex-RAF)
Denmark *D.461–480.*
Belgium *EF1–48.*
Holland *I.21–81.*
Egypt *1401–1412.*

RA490 — Fitted with 'Beryl' and 'Nene' engines.
RA491 — Fitted with 'Avon' engines.
RA492 — Fitted with 'Atar' engines.
RA382 — Lengthened fuselage.
VT150 — Ejection seat trials. Converted to F 8.
VT347 — See F 5.
VT196 — Reheat trials Canada.

TOTALS	
Gloster built for MoS	427
Gloster built for export	208
AWA built for MoS	38
AWA built for export	7
	680
Fokker built	330

Mk 5	*VT347* — Converted to PR version. Crashed 15 July 1949.	
F Mk 6	Design project only.	
T Mk 7	*VW410–459*	6/ACFT/1389/CB7(b)
	VW470–489	(2 batches)
	VZ629–649	6/ACFT/2430/CB7(b)
	WA590–639	6/ACFT/2982/CB7(b)
	WA649–698	(3 batches)
	WA707–743	
	WF766–795	6/ACFT/5044/CB7(b)
	WF813–862	(3 batches)
	WF875–883	
	WG935–950	6/ACFT/5621/CB7(b)
	WG961–999	(5 batches)
	WH112–136	
	WH164–209	
	WH215–248	
	WL332–337 — Some aircraft delivered to Royal Navy.	6/ACFT/6066/CB7(b) (4 batches)

	WL338–381	
	WL397–436	
	WL453–488	
	WN309–321	
	WS103–117 — Delivered to Royal Navy.	6/ACFT/6410/CB7(b)
	WS140–141 — Delivered to Royal Navy.	
	XF273–279	6/ACFT/6411/CB7(b) (2 batches)

G-AKPK — Built from *G-AIDC*. To Holland as *I-1*.
VW411 — Target drone trials.
VW413 — NF 11 conversion.
VW433 — DH Bluejay/Firestreak trials.
VW470 — Ferranti airpass trials.
WA634 — Zero feet ejection seat trials.
WF822 — Radar nose trials NF 11.
WL375 — FR nose E.1/44 tail.
WS103–117, *WS140–141* — All to Royal Navy.
WS111 — FR 9 nose fitted.
VW436, *446*, *447* — To Royal Navy.
VZ645, *646*, *647* and *648* — To Royal Navy.
WA600, *649–652* — To Royal Navy.
WL471–472 — To Syria *91* & *92*.
WL474–477 — To Denmark *D226–269*.

Holland *I.1–17*.
Belgium *ED.1–37* — *ED.1–3* only built, rest ex-RAF.
Denmark *D.261–269*.
Egypt *1400*, *1413*, *1414*, *1439* and *1441*.
France *F1* and *F2* built, *WA607*, *WF832*, *WG997*, *WH136*, *WH168*, *WL425*, *WL471*, *WL476*, *WN312* reconditioned to France.
Syria *91–92*.
Brazil *4300–4309*.
Israel *2162*, *2163*, *2164*, *2165* (*111–112* later replaced by *111*).
Sweden *SE-CAS* and *SE-CAT*.

TOTALS

Gloster built for MoS	642
Gloster built for export	40
	682

F Mk 8	*VT150* — (Converted F 4).	
	VZ438–485	6/ACFT/2430/CB7(b)
	VZ493–517	(2 batches)
	VZ518–569 — Built by AWA.	(2 batches)
	WA755–794 — Built by AWA.	6/ACFT/2983/CB7(b)
	WA808–812 — Built by AWA.	(5 batches)
	WA813–857	(3 batches)
	WA867–909	
	WA920–964	
	WA965–969 — Built by AWA.	
	WA981–999 — Built by AWA.	

WB105–112 — Built by AWA.	
WE852–891 — Built by AWA.	6/ACFT/4040/CB7(b)
WE895–902 — Built by AWA.	(4 batches)
WE903–939 — Built by AWA.	
WE942–976	
WF639–662 — Built by AWA.	6/ACFT/5043/CB7(b)
WF677–688 — Built by AWA.	(2 batches)
WF689–716	(2 batches)
WF736–760	
WH249–263 — Built by AWA.	6/ACFT/5621/CB7(b)
WH272–320 — Built by AWA.	(7 batches)
WH342–386 — Built by AWA.	
WH395–426 — Built by AWA.	
WH442–444 — Built by AWA.	
WH445–484	
WH498–513	
WK647–696	6/ACFT/6066/CB7(b)
WK707–756 — Built by AWA.	(9 batches)
WK783–827	
WK849–893	
WK906–934 — Built by AWA.	
WK935–955	
WK966–994	
WL104–143	
WL158–191	

Holland *I.90–212.*
Belgium *EG.1–260* (*224–260* only were built, rest ex-RAF).
Denmark *D.481–500*
Israel *2166–2169, 2172–2178.*
Syria *101–112* (ex-RAF).
Brazil *4400–4459* (*4455–4459* ex-Egyptian).
Egypt *1415–1426.*

WA820 — Fitted with 'Sapphire' engines.
WA982 — Fitted with 'Soar' engines.
WK935 — Prone pilot conversion by AWA.
WK814–817, 824–827, 862–865 — Became Syrian *101–112.*
WK877–878, 884–889, 966–969 — Became Egyptian *1415–1426.*
VZ439 — Pressurization trials, metal canopy.
VZ442 — Canopy jettison trials.
VZ450 — To Belgium.
VZ459 — To Belgium.
VZ460 — RP and bomb trials.
VZ473 — RP and bomb trials.
VZ517 — Fitted with AWA 'Screamer' rocket motor.
WA775 — Hunter nose radar, DH Firestreak trials.
WA857 — US HVAR projectiles and air brake trials.
WE919 — RATOG trials DH.
WF752 — Missile trials DH.

	WH483 — Spring-tab aileron trials. *WL191* — Last Meteor built, 9 April 1959. *WK660* — 30 mm cannon trials. *G-AMCJ* — Private Venture sometimes referred to as GAF or Reaper. *G-ANSO* — Reaper modified with T 7 front end. Sold to Sweden as *SE-DCC*.		
	TOTALS		
	Gloster built for MoS	650	
	Gloster built for export	108	
	AWA built for MoS	429	
		1,187	
FR Mk 9	*VW360–371*		6/ACFT/1389/CB7(b)
	VZ577–611		6/ACFT/2430/CB7(b)
	WB113–125		6/ACFT/2983/CB7(b)
	WB133–143		(2 batches)
	WH533–557		6/ACFT/5621/CB7(b)
	WL255–265		6/ACFT/6066/CB7(b)
	WX962–981		6/ACFT/7252/CB7(b)
	VW360 — HVAR projectile trials. *VW362* — Gun and camera heating trials. Fitted with Ferranti wing-tip spotlights. *VZ597* — Sold to Ecuador. *VZ608* — Derwent 8 and *RB108* trials. *WB123* and *140* — Sold to Israel. *WB136* — Sold to Ecuador. *WL259* — Sold to Israel. *WX963* — Sold to Israel. *WX967, 975, 980* — Sold to Israel.		
	Ecuador *701–712* Syria *S.480–481* Israel *211–217* } All ex-RAF.		
	TOTAL 126 — All Gloster built.		
PR Mk 10	*VS968–987*		6/ACFT/658/CB7(b)
	VW376–379		6/ACFT/1389/CB7(b)
	VZ620		6/ACFT/2430/CB7(b)
	WB153–181		6/ACFT/2983/CB7(b)
	WH569–573		6/ACFT/5621/CB7(b)
	TOTAL 59 — All Gloster built.		
NF 11	*WA546–547*		6/ACFT/3433/CB5(b)
	WB543		(prototypes)
	WD585–634		6/ACFT/3433/CB5(b)
	WD640–689		(4 batches)
	WD696–745		
	WD751–800		
	WM143–192		6/ACFT/6141/CB5(b)
	WM221–270		(3 batches)
	WM292–302		
	WM384–403		Diverted to Denmark contract.

WD586/587 — Telecommunications Research Establishment.
WD593 — Cabin pressurization trials.
WD594 — Tropical trials.
WD596 — DV panel trials.
WD604 — Wing-tip tank trials.
WD686 — Telecommunications Research Establishment.
WD727-730 — Sold to Belgium.
WD775 — Sold to Belgium.
WD743-745 — Fireflash missile trials, Fairey Aviation Ltd.
WD785-791 — Modified to NF 12 for trials at Ferranti.
WM180 — Telecommunications Research Establishment.
WM232 — Firestreak trials, DH.
WM252 — Cabin pressurization trials.
WM261 — NF 14 development.
WM262/295 — Vickers Blue Boar trials.
WM372-375 — Fireflash missile trials, Fairey Aviation Ltd.

Denmark 20.
France *10-41.* 32 (All ex-RAF).
Belgium *EN1-EN24.* 24 (All ex-RAF).

TOTALS

AWA built for MoS	338
AWA built for export	20
	358

NF Mk 12

WS590-639
WS658-700
WS715-721

6/ACFT/6412/CB5(b) (3 batches)

TOTAL
100 — All AWA built.

NF Mk 13

WM308-341
WM362-367

6/ACFT/6141/CB5(b) (2 batches)

Syria *471-476*
Egypt *1472-1432*
France *NF-F364-365*
Israel *4X-FNA-FNF*
} All ex-RAF.

TOTAL
40 — All AWA built.

NF Mk 14

WM261 — Prototype from NF 11.
WS722-760
WS774-812
WS827-848

6/ACFT/6412/CB5(b) (3 batches)

France *NF 14-747.*
G-ASLW — Rolls Royce.
WS848 — Last production Meteor, 26 May 1955.

	TOTAL 100 — All AWA built.
U 15	Converted F 4s
	TOTAL 92 — By Flight Refuelling Ltd.
U 16	Converted F 8s
	TOTAL Approx 150 — By Flight Refuelling Ltd.
TT 20	Converted NF 11s
	TOTAL

For Royal Navy converted by ML Aviation Ltd	20
Danish NF 11 also converted	4
Ex-Danish aircraft sold to West Germany	2
	26

Appendix 2

RAF squadrons equipped with Meteors

Type	Squadrons
F 1	RAuxAF 616.
F 3	1, 56, 63, 66, 74, 92, 124, 222, 245, 257, 263 and 266; RAuxAF 500, 504 and 616.
F 4	1, 19, 43, 56, 63, 66, 74, 92, 222, 245, 257, 263 and 266; RAuxAF 500, 501, 504, 600, 610, 611, 615 and 616.
T 7	1, 2, 3, 4, 6, 19, 25, 26, 28, 34, 41, 54, 56, 63, 64, 65, 66, 67, 71, 72, 73, 74, 79, 81, 85, 87, 92, 94, 96, 141, 145, 151, 213, 222, 245, 247, 249, 256, 264 and 266; RAuxAF 500, 501, 502, 504, 541, 600, 601, 602, 603, 605, 607, 608, 609, 611, 613, 614, 615 and 616. Nos 702 and 759 Squadrons FAA also used the T 7.
F 8	1, 12, 19, 34, 41, 43, 54, 56, 63, 64, 65, 66, 72, 74, 92, 111, 222, 245, 247, 257 and 263; RAuxAF 500, 504, 600, 601, 604, 605, 609, 610, 611, 614, 615 and 616.
FR 9	2, 79, 208 and 541.
PR 10	2, 13, 25, 81 and 541.
NF 11	29, 68, 85, 87, 96, 125, 141, 151, 256 and 264.
NF 12	25, 46, 64, 72, 85, 152 and 153.
NF 13	39, 213 and 219.
NF 14	25, 33, 39, 46, 60, 64, 72, 85, 152, 153, 213 and 264.

Appendix 3

Order of battle — 1 July 1952

On 1 July 1952 the RAF was at its peak peacetime strength since World War 2 with 6,338 aircraft. The order of battle for that day saw the following Meteor units:

Fighter Command

Forty-five squadrons made up this command including RAuxAF Squadrons. The majority of day fighter units had Meteor F 8s, 25 squadrons in all. Four night fighter units had Meteors, as did four OCUs and CFE, which came under the auspices of Fighter Command.

Duxford	64 & 65 Squadrons — Meteor F 8.	FC
Oakington	206 Advanced Flying School — Meteor F 3 and T7.	FTC
Waterbeach	56 & 63 Squadrons — Meteor F 8.	FC
Hooton Park	610 Squadron (County of Cheshire) — Meteor F 8.	FC
Chivenor	229 OCU — Meteor T 7.	FC
Middleton St George	205 AFS — Meteor T 7.	FTC
Little Rissington	CFS — Meteor T 7.	FTC
Odiham	54 Squadron — Meteor F 8.	FC
	247 Squadron — Meteor F 8.	FC
Bovingdon	FC Comms Squadron — Meteor F 8.	FC
Biggin Hill	600 Squadron (County of London) — Meteor F 8.	FC
	615 Squadron (County of Surrey) — Meteor F 8.	FC
	41 Squadron — Meteor F 8.	FC
West Malling	500 Squadron (County of Kent) — Meteor F 8.	FC
	85 Squadron — Meteor NF 11.	FC
Woodvale	611 Squadron (West Lancs) — Meteor F 8.	FC
Wymeswold	504 Squadron (City of Nottingham) — Meteor F 8.	FC
Manby	RAF Flying College — Meteor T 7.	FTC
Coltishall	141 Squadron — Meteor NF 11.	FC
Horsham St Faith	74 & 245 Squadrons — Meteor F 8.	FC
West Raynham	CFE — Meteor F 8 and T 7.	FC
Acklington	Armament Practice School — Meteor T 7 and F 8.	FC
Stradishall	226 OCU — Meteor T 7, F 8 and FR 9.	FC
Wattisham	257 & 263 Squadrons — Meteor F 8.	FC
Tangmere	1 Squadron — Meteor F 8.	FC
	29 Squadron — Meteor NF 11.	FC
Church Fenton	19 Squadron — Meteor F 8.	FC
	609 Squadron (West Riding) — Meter F 8.	FC
Driffield	203 AFS — Meteor F 4 and T 7.	FTC
Finningley	215 AFS — Meteor F 4 and T 7.	FTC

	616 Squadron (South Yorks) — Meteor F 8.	FC
Full Sutton	207 AFS — Meteor F 4 and T 7.	FTC
Leconfield	Central Gunnery School — Meteor F 8.	FTC
Leeming	228 OCU — Meteor NF 11.	FC
Linton-on-Ouse	66 & 92 Squadrons — Meteor F 8.	FC
	264 Squadron — Meteor NF 11.	FTC
Leuchars	43 & 222 Squadrons — Meteor F 8.	FC

2nd TAF (Germany)

Gütersloh	2, 79, 541 Squadrons — Meteor FR 9.
Wahn	68 & 87 Squadrons — Meteor NF 11.

Middle East Air Force

Abu Sueir	208 Squadron — Meteor FR 9.
Fayid	13 Squadron — Meteor PR 10.

Appendix 4

Principal data

Type	Span	Length	Height	Engines	Speed	Ceiling
F 1	43 ft	41 ft 3 in	13 ft	Welland I	415 mph	40,000 ft
F 3	43 ft	41 ft 3 in	13 ft	Welland I Derwent 1	415 mph	40,000 ft
F 4	43 ft	41 ft	13 ft	Derwent 5	575 mph	52,000 ft
F 4	37 ft 2 in	41 ft	13 ft	Derwent 5	580 mph	44,500 ft
T 7	37 ft 2 in	43 ft 6 in	13 ft	Derwent 8	590 mph	45,000 ft
F 8	37 ft 2 in	44 ft 7 in	13 ft	Derwent 8	598 mph	43,000 ft
FR 9	37 ft 2 in	44 ft 7 in	13 ft	Derwent 8	598 mph	44,000 ft
PR 10	43 ft	44 ft 3 in	13 ft	Derwent 8	575 mph	47,000 ft
NF 11	43 ft	48 ft 6 in	13 ft 11 in	Derwent 8	580 mph	40,000 ft
NF 12	43 ft	49 ft 11 in	13 ft 11 in	Derwent 9	580 mph	40,000 ft
NF 13	43 ft	48 ft 6 in	13 ft 11 in	Derwent 8	585 mph	36,000 ft
NF 14	43 ft	51 ft 4 in	13 ft 11 in	Derwent 8	585 mph	40,000 ft

Service ceilings are with wing and ventral tanks fitted where they were available.
Speeds are at 10,000 ft for 'clean' aircraft.

Armament

Four 20 mm Hispano cannons with 780 rounds mounted in the nose for the F 1, F 3, F 4, F 8 and FR 9.
Four 20 mm Hispano V cannons with 640 rounds mounted in the wings for NF 11, NF 12, NF 13 and NF 14.
There was no armament on the PR 10.
Rocket projectile racks were available for the F 8 and FR 9.

Appendix 5

Meteor Night Fighter 11 weight summary

	Derwent engines		Nene engines	
	lb	lb	lb	lb
Structure				
Main plane including centre section	2,150		2,220	
Fuselage	1,560		1,560	
Tail unit	455		455	
Landing gear	935		935	
Nacelle structure and fairing	640		680	
TOTAL		5,740		5,850
Power unit				
Engines	2,620		3,460	
Mountings	25		35	
Gear boxes and drives	60		60	
Accessories, jet pipes etc.	160		160	
TOTAL		2,865		3,715
Fuel supply				
Fuel tanks and mountings	375		425	
Fuel piping system	120		130	
Oil in engines and system	50		50	
TOTAL		545		605
Fixed power services				
Flying controls	180		180	
Hydraulic services	225		225	
Pneumatic services	55		55	
TOTAL		460		460
Equipment and furnishings				
De-icing	10		10	
Armour	218		218	
Fire extinguishers	55		55	
Fixed armament	322		322	
Removable armament	834		834	
Crew seats and soundproofing	47		43	
Heating, ventilation and pressurization	140		140	
Oxygen equipment	75		75	
Pyrotechnics	15		15	
Instruments	155		155	
Radar and wireless	896		896	
Electrical equipment	645		645	

Miscellaneous equipment	65		65	
TOTAL		3,477		3,473
Ballast	422		422	
Crew	400		400	
BASIC OPERATIONALLY EQUIPPED WEIGHT		13,909		14,925
Internal fuel — 505 gallons	4,091		4,415	
NORMAL TAKE-OFF WEIGHT		18,000		19,340
External fuel — 200 gallons — and tanks	1,790		1,760	
TOTAL TAKE-OFF WEIGHT		19,790		21,100

Equipment weights

	lb	**lb**	**lb**	**lb**
Armour				
Deflector plate	60		60	
Bullet proof glass	90		90	
Armour plate	68		68	
TOTAL		218		218
Fixed armament				
Gun mountings	130		130	
Ammunition boxes	100		100	
Feed necks, chutes etc.	40		40	
Gunsight	52		52	
TOTAL		322		322
Removable armament				
Guns and accessories (4 Mk V 20 mm cannon)	426		426	
Ammunition (640 rounds)	400		400	
Gunsight	8		8	
TOTAL		834		834
Radar and wireless				
VHF	90		90	
IFF	53		53	
Gee	61		61	
Radio altimeter	31		31	
Intercom	36		36	
AI Mk 10	625		625	
TOTAL		896		896

Appendix 6

A brief performance comparison between the Derwent- and Nene-engined versions of the Meteor NF 11

	Meteor NF 11 with Rolls-Royce Derwent engines	Meteor NF 11 with Rolls-Royce Nene engines
Fuel		
Fuel for take-off	40 gallons	40 gallons
Fuel for climb to 30,000 ft	120 gallons	75 gallons
Fuel for 15 minutes combat at 30,000 ft	112 gallons	170 gallons
Fuel for 2 hours cruising at 30,000 ft	433 gallons	460 gallons
TOTAL	705 gallons	745 gallons
Climb		
Rate of climb at sea level	4,800 ft/minute	9,400 ft/minute
Rate of climb at 30,000 ft	1,500 ft/minute	4,400 ft/minute
Time to 30,000 ft	11.2 minutes	4.7 minutes
Maximum level speed		
At 30,000 ft	473 kt (M 0.804)	483 kt (M 0.820)
Turning radius		
350 kt at 30,000 ft	6,500 ft	4,400 ft

Appendix 7

Meteor family tree

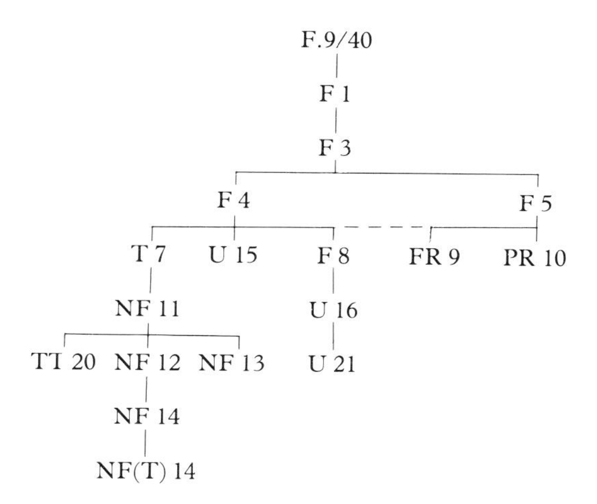

The tree does not include design projects or the many Meteors used for experimental purposes.

Index

A
WB111
S
WE867
G
WE943
D
WA962